C0-AWF-417

MICHAL SCHVARC – ĽUDOVÍT HALLON – PETER MIČKO

PODOBY NEMECKO-SLOVENSKÉHO „OCHRANNÉHO PRIATEĽSTVA"

Dokumenty k náboru a nasadeniu slovenských pracovných síl
do Nemeckej ríše v rokoch 1939 – 1945

Bratislava 2012

© PhDr. Michal Schvarc, Ph.D., PhDr. Ľudovít Hallon, CSc.,
doc. PhDr. Peter Mičko, Ph.D.

© Historický ústav Slovenskej akadémie vied, Fakulta humanitných vied Univerzity
Mateja Bela v Banskej Bystrici

Foto© Mgr. Martin Turóci

Recenzenti
Prof., PhDr. Eduard Nižňanský, CSc.
doc. PaedDr. Martin Pekár, Ph.D.
PhDr. Igor Baka, Ph.D.

Návrh obálky
Jozef Hupka

Grafická úprava
Jozef Hupka

Jazyková redakcia
PhDr. Ľubor Hallon, CSc.

Vydal:
Historický ústav SAV vo vydavateľstve Typoset, spol. s r. o.

Publikácia vychádza v rámci VEGA grantu č. 2/0090/10
„Hospodárska migrácia na Slovensku v rokoch 1939 – 1945" riešeného v Historickom
ústave Slovenskej akadémie vied a na Katedre histórie Fakulty humanitných vied
Univerzity Mateja Bela, VEGA grantu č. 2/0097/10 „Spoločenské predpoklady a dôsledky
vývoja vedy a techniky na Slovensku v rokoch 1918 – 1989 riešeného v Historickom
ústave Slovenskej akadémie vied, Centra excelentnosti Historického ústavu SAV
„Slovenské dejiny v dejinách Európy" (CE SDDE), grantu APVV-0352-07 „Slovensko-
nemecké vzťahy v rokoch 1938 – 1945 v dokumentoch" a vedecko-výskumnej úlohy
SNM-Múzea kultúry karpatských Nemcov.

Všetky práva vyhradené. Žiadnu časť tejto publikácie nemožno reprodukovať, kopírovať,
uchovávať či prenášať prostredníctvom žiadnych médií bez predchádzajúceho písomného
súhlasu Historického ústavu SAV, Fakulty humanitných vied UMB a zostavovateľov.

Bratislava 2012

ISBN 978-80-970302-6-1

MICHAL SCHVARC – ĽUDOVÍT HALLON – PETER MIČKO

PODOBY NEMECKO-SLOVENSKÉHO „OCHRANNÉHO PRIATEĽSTVA"

Dokumenty k náboru a nasadeniu slovenských pracovných síl
do Nemeckej ríše v rokoch 1939 – 1945

Historický ústav SAV
Fakulta humanitných vied UMB
Bratislava 2012

OBSAH

PREDSLOV

Slovenský štát, od 21. júla 1939 oficiálne Slovenská republika (SR), je vo verejnosti, nielen odbornej, ale aj laickej naďalej živo diskutovanou témou. Napriek tomu zostáva stále mnoho otázok nezodpovedaných, viaceré problémové komplexy nedotknuté alebo len čiastočne prebádané. Medzi ne patrí aj nábor a nasadenie slovenských pracovných síl do Nemecka v rokoch 1939 – 1945. Hoci ide o jednu z relevantných kapitol krátkej histórie Slovenského štátu, zostávala dlho na okraji záujmu profesionálnej historiografie. Výnimku tvorí len niekoľko prác československej, resp. slovenskej proveniencie, ktoré však nerozkrývajú všetky roviny skúmaného problému. Okrem toho sa orientujú takmer výlučne na domáce archívne materiály. Preto sme sa rozhodli priblížiť verbovanie slovenských robotníkov na prácu do tretej ríše vo forme komentovaných prameňov, pričom prevažnú časť predloženej edície predstavujú dokumenty nemeckého pôvodu, ktoré neboli doposiaľ ani známe, ani publikované. Prinášame nové poznatky o donucovacích formách a metódach náboru nacionálno-socialistických vojensko-bezpečnostných orgánov po vypuknutí Slovenského národného povstania, resp. po prechode frontu cez územie Slovenska na prelome rokov 1944/1945, či o modalitách kompenzácie nevyplatených miezd v povojnovom období. Zároveň vnímame fenomén ako ekonomickú migráciu, ktorého katalyzátorom bola nepochybne vysoká nezamestnanosť na Slovensku v rokoch 1939/1940 a neporovnateľne lepšie mzdové podmienky v Nemeckej ríši. To vysvetľuje počiatočný veľký dopyt produktívneho obyvateľstva po získaní pracovného miesta v Nemecku.

Cieľom predloženej práce je posunúť ďalej stav poznania tejto nesporne zaujímavej problematiky. Publikované dokumenty prinášajú nielen informácie o priebehu náboru, o pracovných a životných podmienkach slovenských robotníkov v ríši, o počtoch naverbovaných občanov SR, ale pomáhajú tiež dotvárať obraz o jednotlivých aspektoch politicko--ekonomických vzťahov medzi Slovenským štátom a „ochrannou" mocnosťou. Napriek tomu edícia nedáva odpovede na všetky otázky súvisiace s témou. Dôvodom je jej rozsah, roztratenosť archívneho materiálu, jeho torzovitosť a tiež neustála finančná avitaminóza slovenskej vedy. Na druhej strane slúži ako báza pre ďalší výskum problematiky.

Publikácia predstavuje konečný výstup trojročného projektu (2009 – 2012) VEGA Slovenskej akadémie vied (SAV) a Ministerstva školstva SR č. 2/0090/10 *Hospodárska migrácia na Slovensku v rokoch 1939 – 1945*, na ktorom participovali vedeckí pracovníci Historického ústavu SAV a Katedry histórie Fakulty humanitných vied v Banskej Bystrici. Časť výskumu sa realizovala ešte v rámci projektu APVV-0352-07 *Slovensko-nemecké vzťahy v rokoch 1938 – 1945 v dokumentoch*, časť si členovia riešiteľského kolektívu financovali sami.

Vďaka za vznik a zostavovanie edície patrí pracovníkom všetkých navštívených archívov, recenzentom a Jane Tulkisovej z Vojenského historického ústavu v Bratislave, ktorá nám láskavo sprostredkovala viaceré materiály z Národného archívu Českej republiky v Prahe. Za podporu a pomoc ďakujeme tiež veľvyslanectvu Slovenskej republiky v Berlíne a Pavlovi Kuľhovi z Historického seminára Univerzity v Lipsku.

Michal Schvarc, Ľudovít Hallon, Peter Mičko

ÚVOD

Vzťahy medzi Slovenskou republikou (SR) a jej „ochrancom" – Nemeckou ríšou – sa v rokoch 1939 – 1945 kreovali predovšetkým v dvoch rovinách: v politickej a v hospodárskej. Nábor a nasadenie slovenských pracovných síl do Nemecka v priebehu 2. svetovej vojny predstavuje akýsi priesečník oboch spomenutých rovín. Pritom nešlo vyslovene len o čisto ekonomickú záležitosť a verbovanie občanov SR malo politický podtón, predovšetkým počas pôsobenia Ferdinanda Ďurčanského na postoch ministra zahraničných vecí a ministra vnútra v rokoch 1939 – 1940. Svoj politický náboj nestratil nábor a nasadenie ani v neskoršom období, keď sa slovenská strana, zvlášť po prechode Talianska na stranu Spojencov na jeseň 1943 a po porážkach Wehrmachtu na východnom fronte na jar a v lete 1944, pokúšala oddďaľovať splnenie svojich zmluvných záväzkov voči „ochrancovi". Treba povedať, že ostalo len pri pokusoch a Nemci dokázali nachádzať stále dostatok účinných pák v záujme dosiahnutia toho, čo bolo pôvodne dohodnuté. Po vypuknutí Povstania sa z náboru, resp. núteného regrutovania pracovných síl, stalo vyslovene politikum. Vrcholným predstaviteľom režimu a štátnym orgánom napriek intervenciám, ktoré len v ojedinelých prípadoch viedli k úspechu, nezostávalo nič iné, len sa trpne prizerať, ako nacistické vojensko-bezpečnostné zložky svojvoľne manipulujú s práceschopným obyvateľstvom a odvážajú celé skupiny občanov mimo územia štátu.

Slovenská republika nebola ani jediným a ani výlučným dodávateľom lacnej pracovnej sily do nacionálno-socialistického Nemecka. Kompetentné úrady tretej ríše museli riešiť tento problém už od roku 1936, keď sa začal prejavovať deficit pracovných síl prakticky vo všetkých hospodárskych odvetviach, v prvom rade však v poľnohospodárstve a v ťažkom priemysle. Východisko z nelichotivej situácie ponúkal návrat k už raz osvedčenému inštrumentu: k bilaterálnym štátnym zmluvám, ktoré do vypuknutia hospodárskej krízy na začiatku 30. rokov využívalo aj samotné Nemecko. Obnovený nábor v Československu a v Poľsku (1935, 1937) či dvojstranné dohody s Talianskom (1937), Česko-Slovenskom, Bulharskom a s Juhosláviou (1939) však vzniknuté „diery" na pracovnom trhu nedokázali zaplátať. K zvratu v tomto smere došlo po obsadení zvyšku Čiech a Moravy v marci 1939, resp. po rozpútaní 2. svetovej vojny a jedným zo symptomatických čŕt nemeckej okupácie sa stal fenomén nútenej práce. Charakterizovali ho násilné odvlečenie z vlasti, deportácia do Nemeckej ríše a nedobrovoľné pracovné nasadenie pri často zlých, až neľudských podmienkach (Poliaci, tzv. východní robotníci – Ostarbeiter z dobytých teritórií ZSSR a od jesene 1943 talianski vojnoví zajatci – italienische Militärinternierte). Z celkového počtu 13,5 milióna naverbovaných, internovaných a odvlečených zahraničných civilných pracovníkov, vojnových zajatcov a väzňov koncentračných táborov možno považovať 80 – 90 % za nútene nasadených.[1]

Napriek tomu, že nacionálno-socialistické Nemecko malo na okupovaných územiach fakticky neobmedzený prístup k pracovným silám (kompetentné úrady však nedokázali zaplniť vakantné miesta na pracovnom trhu a od konca roku 1941 zápasila nemecká administratíva s pálčivým deficitom pracovných kapacít), naďalej využívalo zdroje svojich spojencov a satelitov. Čím bola krajina politicko-ekonomicky pevnejšie fixovaná k ríši, o to ľahšie si Berlín dokázal vynútiť od jej predstaviteľov ústupky, smerujúce k naplneniu svojich vlastných záujmov. Exemplárnym príkladom toho sú Slovensko a Chorvátsko – štáty, ktoré vznikli ako vedľajšie produkty nemeckej expanzívnej zahraničnej politiky. SR, ak vezmeme do úvahy celkový počet obyvateľstva, patrila do polovice roku 1944 v dodávaní pracovnej sily do Nemecka prvá priečka spomedzi spojencov v strednej a juhovýchodnej Európe (Maďarsko,

---

1 SPOERER, Mark. *Nucené práce pod hákovým křížem. Zahraniční civilní pracovníci, váleční zajatci a vězni ve třetí říši a v obsazené Evropě v létech 1939–1945.* Praha : Argo, 2005, s. 214-215.

Rumunsko, Bulharsko, Chorvátsko),[2] ktorí v geopolitickom chápaní Nemecka patrili do juhovýchodnej Európy. Túto skutočnosť spôsobil nielen vyššie zmienený diplomatický nátlak, ale aj ďalšie okolnosti: spočiatku vysoká nezamestnanosť, neporovnateľne lepšie zárobkové možnosti, uprednostňovanie príslušníkov nemeckej menšiny pri náborových akciách a tiež zvýšená ochota režimu kolaborovať s „ochrannou" mocnosťou. Nemožno zabúdať ani na tlaky zo strany režimu na vlastné obyvateľstvo. Tie sa prejavili najmä v neskoršom období, keď pod dojmom permanentných ničivých anglo-amerických náletov, čo malo za následok rapídne zhoršenie pracovných a životných podmienok, odmietala prevažná časť robotníkov vrátiť sa do Nemecka. Uvedené aspekty robia z náboru a nasadenia slovenských pracovných síl bádateľsky príťažlivú tému, hoci predložená edícia dokumentov nedáva odpovede na všetky čiastočne načrtnuté otázky.

V slovenskej historiografii sa problematika verbovania pracovných síl (dobovou terminológiou robotníkov) do Nemeckej ríše doposiaľ nestretla s veľkou rezonanciou. Výnimku tvoria dve zásadné štúdie. Prvá vznikla ešte koncom 60. rokov minulého storočia a predstavuje solídnu nadstavbu pre ďalší výskum. Autorský tandem českých historikov Zdeňka Konečného a Františka Mainuša postavil štúdiu na pomerne systematickom výskume vo vtedajších ústredných československých archívoch. Priniesol v nej primárnu faktografiu, pričom vo všeobecnosti naznačil viaceré parciálne problémy (ako napr. transfer miezd, životné a pracovné pomery robotníkov), súvisiace s týmto fenoménom. Vzhľadom na to, že im vtedajšia spoločensko-politická situácia neumožňovala nahliadnuť do archívnych fondov v Spolkovej republike Nemecko, dospeli chtiac-nechtiac k mylnému názoru o vyčerpaní ďalšej heuristickej základne, viažucej sa k téme.[3] Hoci príspevok vznikol na začiatku normalizácie, neobsahuje ideologický balast a z pohľadu skúmanej témy ju možno považovať za prínosnú. To isté platí aj o štúdii slovenského historika a člena editorského kolektívu Petra Mička z roku 2009.[4] Nadväzujúc na závery svojich predchodcov podrobne analyzoval transfer miezd a otázku sociálneho zabezpečenia slovenských pracovných síl v Nemecku. Jediným, no dosť závažným hendikepom štúdie je takmer výlučná orientácia na slovenské archívne pramene.[5] V posledných troch

---

2 Bundesarchiv (ďalej) BArch Berlín, R 43-II/652. Die Ergebnisse der Erhebung über die ausländischen Arbeiter und Angestellten vom 25. April und 25. September 1941; R 59/415, Bl. 73. Die Ergebnisse der Erhebung über die ausländischen Arbeiter und Angestellten vom 10. Juli 1942; NS 19/2844. Príloha k správe GBA za 1. polrok 1943; R 2 Anh./49, Bl. 11. Prehľad transferu miezd zahraničných pracovníkov za január 1944. Politisches Archiv des Auswärtigen Amtes Berlín (ďalej PA AA), R 105 332. Prehľad zamestnaných cudzincov v ríši v porovnaní s celkovým počtom obyvateľstva (bez uvedenia dátumu – pravdepodobne začiatok roku 1944). Der Prozess gegen die Hauptkriegsverbrecher vor dem Internationalen Militärgerichtshof Nürnberg 14. November 1945 – 1. Oktober 1946 (ďalej IMG). Nürnberg, 1948, dokument 1296-PS, s. 117. Pozri tiež SPOERER, M. Nucené práce..., s. 214. Porovnaj SUNDHAUSSEN, Holm. Wirtschaftsgeschichte Kroatiens im nationalsozialistischen Großraum 1941– 1945. Das Scheitern einer Ausbeutungsstrategie. Stuttgart : Deutsche Verlags-Anstalt, 1983, s. 189.
3 KONEČNÝ, Zdeněk – MAINUŠ, František. Slováci na pracích v Německu a v Protektoráte za druhé světové války. In Historický časopis, roč. 17, č. 4, 1969, S. 565-590, tu s. 565.
4 MIČKO, Peter. Pracovné, sociálne a kultúrne podmienky slovenských robotníkov v Nemeckej ríši v rokoch 1939–1945. In Historický časopis, roč. 57, č. 4, 2009, s. 659-677. Autor zaradil štúdiu v pozmenenej podobe ako 3. kapitolu do svojej monografie. Pozri MIČKO, Peter. Hospodárska politika Slovenského štátu. Kapitoly z hospodárskych dejín Slovenska v rokoch 1938– 1945. Krakov : Spolok Slovákov v Poľsku, 2010, s. 169-198. Okrem toho je autorom niekoľkých parciálnych štúdií k uvedenej téme.
5 Odkazuje len už citovanú monografiu Marka Spoerera. Okrajovo sa problematikou náboru slovenských pracovných zaoberali tiež KAISER, Hans. Die Eingliederung der Slowakei in die nationalsozialistische Kriegswirtschaft. In BOSL, Karl (ed.). Das Jahr 1945 in der Tschechoslowakei. Internationale, nationale und wirtschaftlich-soziale Probleme. Mníchov : R. Oldenbourg, 1971, s. 115-138, konkrétne s. 120-121 a SUŠKO, Ladislav. Počiatky hospodárskej explatácie Slovenska nacizmom (marec 1939 – júl 1940). In Československý časopis historický, roč. 25, č. 5, 1977, s. 682-714, konkrétne s. 701-702. BAKA, Igor. Nasadenie civilného obyvateľstva na Slovensku na opevňovacie práce v rokoch 1944 – 1945. In Vojenská história, roč. 11, 2007, č. 1, s. 70-85. V inom kontexte NIŽŇANSKÝ, Eduard. Rokovania nacistického Nemecka o deportáciách Židov v roku 1942 – príklad Slovenska, Rumunska a Maďarska. In Historický časopis, roč. 58, č. 3, 2010, s. 471-496. NIŽŇANSKÝ, Eduard (ed.). Holokaust na Slovensku 6. Deportácie v roku 1942. Dokumenty. Bratislava : Nadácia Milana Šimečku, 2005, s. 15-17.

desaťročiach takisto vzrástla produkcia zahraničných historiografií, predovšetkým nemeckej, k téme nútenej práce v tretej ríši, ktorú mohol autor využiť, aj keď konkrétnej problematike pobytu slovenských robotníkov v Nemeckej ríši sa uvedená historiografia venuje viac-menej len periférne. Nasadenie zahraničných pracovných síl v tretej ríši počas 2. svetovej vojny obchádzali pomerne dlhý čas aj nemeckí bádatelia. Prelom v tomto ohľade predstavuje monografia Ulricha Herberta *Fremdarbeiter. Politik und Praxis des „Ausländer-Einsatzes" in der Kriegswirtschaft des Dritten Reiches* z polovice 80. rokov.[6] Ide o priekopnícku prácu, prostredníctvom ktorej sa dostal do povedomia vtedajšej západonemeckej verejnosti fenomén nasadenia zahraničných pracovných síl, resp. nútenej práce. Súčasne dala podnet širokej diskusii medzi historikmi, čo sa v konečnom dôsledku odzrkadlilo v čoraz väčšom záujme o spracovanie dovtedy málo frekventovanej problematiky. Výsledkom je veľký počet monografií a zborníkov venujúcich sa (násilnému) zapojeniu cudzincov do pracovného procesu, a to nielen globálne v celoríšskom rozsahu,[7] ale aj v jednotlivých nemeckých regiónoch či v podnikoch.[8] Slovensko sa v týchto prácach vyskytuje len okrajovo, zväčša s nepresnosťami v základnej faktografii. Napriek tomu je nevyhnutné oboznamovať sa s novými metodologickými trendmi, nechať sa nimi inšpirovať a pokúšať o odstraňovanie vžitých stereotypov v západoeurópskej historiografii prezentovaním témy v širšom kontexte, pokiaľ možno na medzinárodnom fóre. Predložená edícia nedokáže túto stratu dohnať, môže ju len čiastočne kompenzovať.

Jedným z dôvodov, prečo sa nábor slovenských pracovných síl do Nemecka objavuje v zahraničnej historickej literatúre sporadicky, je absencia relevantných údajov v primárnych prameňoch pochádzajúcich z činnosti ústredných orgánov, do kompetencie ktorých »Arbeitseinsatz« spadal. Z nich možno uviesť predovšetkým ríšske ministerstvo práce, generálny splnomocnenec pre pracovné nasadenie – der Generalbevollmächtigte für den Arbeitseinsatz (GBA), Nemecký pracovný front – Deutsche Arbeitsfront (DAF), Hlavný úrad pre ríšsku bezpečnosť – Reichssicherheitshauptamt (RSHA). Kvantitatívne dáta sa síce nachádzajú v štatistických sumároch *Arbeitseinsatz für das Großdeutsche Reich* vychádzajúcich niekoľkokrát do roka,[9] na kvalitatívne dáta však bádateľ narazí len vo veľmi obmedzenej miere. Okrem bilaterálnych dohôd z rokov 1939, 1941, 1943[10] a dohovoru o hosťujúcom

---

6 HERBET, Ulrich. *Fremdarbeiter. Politik und Praxis des „Ausländer-Einsatzes" in der Kriegswirtschaft des Dritten Reiches*. Bonn : Verlag J. H. W. Dietz, 1985. Druhé vydanie vyšlo v roku 1999. Okrem toho je autorom ďalšej monografie HERBERT, Ulrich. *Geschichte der Ausländerpolitik in Deutschland. Saisonarbeiter, Zwangsarbeiter, Gastarbeiter, Flüchtlinge*. Mníchov : Verlag C. H. Beck, 2001.

7 Pozri napr. SPOERER, M. *Nucené práce...*; HERBERT, Ulrich (ed.). *Europa und der „Reichseinsatz". Ausländische Zivilarbeiter, Kriegsgefangene und KZ-Häftlinge in Deutschland 1938–1945*. Essen : Klartext, 1991. KROENER, Bernhard R. – MÜLLER, Rolf-Dieter – UMBREIT, Hans. *Das Deutsche Reich und der Zweite Weltkrieg. Band 5, erster Halbband. Organisation und Mobilisierung des deutschen Machtbereiches. Kriegsverwaltung, Wirtschaft und personelle Ressourcen 1939–1941*. Stuttgart : Deutsche Verlags-Anstalt, 1988, s. 258-264. KROENER, Bernhard R. – MÜLLER, Rolf-Dieter – UMBREIT, Hans. *Das Deutsche Reich und der Zweite Weltkrieg. Band 5, zweiter Halbband. Organisation und Mobilisierung des deutschen Machtbereiches. Kriegsverwaltung, Wirtschaft und personelle Ressourcen 1942–1944/45*. Stuttgart : Deutsche Verlags-Anstalt, 1999, s. 211-224, 779-810. TOOZE, Adam. *Ökonomie der Zerstörung. Die Geschichte der Wirtschaft im Nationalsozialismus*. Bonn : Bundeszentrale für politische Bildung, 2007, 591-633. KRAMER, Helmut – UHL, Karsten – WAGNER, Jens-Christian (eds.). *Zwangsarbeit im Nationalsozialismus und die Rolle der Justiz. Täterschaft, Nachkriegsprozesse und die Auseinandersetzung um Entschädigungsleistungen*. Nordhausen : Stiftung Gedenkstätten Buchenwald und Dora-Mittelbau, 2007.

8 Prehľad pozri SPOERER, M. *Nucené práce...*; tiež OLTMER, Jochen (ed.) *Nationalsozialistisches Migrationsregime und ›Volksgemeinschaft‹*. Paderborn : Ferdinand Schöning, 2012.

9 Ku kritike tohto druhu prameňa pozri SPOERER, M. *Nucené práce...*, s. 211-212.

10 Pozri dokumenty 18, 86 a 117.

členstve slovenských štátnych príslušníkov v DAF[11], Slovensko v dokumentoch zásadného významu nefiguruje. RSHA nevypracoval žiadne špeciálne smernice pre prípad zaobchádzania so slovenskými pracovnými silami a ani Sauckelov úrad Generálneho splnomocnenca pre pracovné nasadenie (fungujúci od apríla 1942)[12] sa pri rokovaniach so zainteresovanými ústrednými orgánmi problémom explicitne nezaoberal a vnímal ho ako súčasť globálneho programu náboru cudzincov. Slovensko zväčša spadalo do kolónky „zvyšné európske krajiny",[13] hovorilo sa o ňom vo všeobecnej rovine v súvislosti so „zvýšenou mobilizáciou pracovných síl na okupovaných územiach a v spriatelených štátoch"[14] či s verbovaním „v krajinách, v ktorých neprebiehajú bojové operácie... (Dánsko, Protektorát, Maďarsko, Slovensko)".[15] Interná korešpondencia štruktúr Zahraničného úradu (Auswärtiges Amt) a materiály úradovne poverenca ríšskeho ministerstva práce, od roku 1942 poverenca GBA v Bratislave, zostali prakticky bez povšimnutia.

Nedostatočné komplexné spracovanie foriem náboru zo spojeneckých a satelitných krajín juhovýchodnej Európy možno uviesť ako ďalší dôvod nevnímania Slovenska. Týka sa to tak západoeurópskej historiografie, ako aj historiografií uvedeného regiónu. Jedinú výnimku spomedzi tejto skupiny štátov predstavuje Chorvátsko. Priebeh náboru v ňom podrobne analyzoval nemecký historik Holm Sundhaussen, ktorý sa zároveň pokúsil aj spresniť celkový počet chorvátskych pracovných síl nasadených na území Nemeckej ríše.[16] Na jeho závery nadviazal srbský historik Milan Ristović. Vo svojej doposiaľ málo známej štúdii[17] rozšíril obzory načrtnutej témy, ale iba o územie bývalej Juhoslávie. Rumunsko, Maďarsko, Bulharsko i Slovensko uvádza takmer výlučne ako ad illustrandum. Výraznejší posun vpred nepriniesla ani syntetizujúca práca Nemca Marka Spoerera z roku 2004. Niekoľkoriadkový odsek o Slovensku je vyslovene povrchný, bez uvedenia relevantných primárnych či sekundárnych prameňov. Rumunsku a Bulharsku venoval autor ešte menší priestor, doplnený číselnými údajmi. V prípade Maďarska sa obmedzuje na zneužívanie časti tamojšej židovskej komunity na nútené práce na okupovaných teritóriách Sovietskeho zväzu, Juhoslávie či nasadenie tzv. „pracovných Židov" v ríšskych župách v „Ostmarku".[18] S náborom pracovných síl z juhovýchodnej Európy sa môžeme ešte stretnúť v prácach Christopha Rassa, zaoberajúceho sa bilaterálnymi dohodami ako prvkom štandardizácie vzťahov v oblasti medzinárodného trhu práce.[19]

---

11 Pozri dokumenty 80 a 92.
12 K vymenovaniu F. Sauckela za GBA pozri KROENER, B. R. – MÜLLER, R. – UMBREIT, H. Das Deutsche Reich und der Zweite Weltkrieg. Band 5, zweiter Halbband..., s. 779-782. K F. Sauckelovi pozri RASSLOFF, Steffen. Fritz Sauckel. Hitlers „Muster-Gauleiter" und „Sklavenhalter". Erfurt : Landeszentrale für politische Bildung Thüringen, 2008.
13 BArch Berlín, R 43-II/651, Bl. 225-231. Lammersov prípis z 5. 1. 1944.
14 BArch Berlín, R 43-II/651, Bl. 314. Prípis GBA najvyšším ríšskym úradom a ríšskym vedúcim NSDAP z 26. 7. 1944.
15 BArch Berlín, R 43-II/651, Bl. 309-312. Arbeitseinsatz-Programm für die europäischen Staaten (Mobilisierung aller noch zur Verfügung stehenden Reserven). Príloha k programu nasadzovania pracovných síl na druhý polrok 1944.
16 SUNDHAUSSEN, H. Wirtschaftsgeschichte Kroatiens..., s. 179-190.
17 RISTOVIĆ, Milan. Südosteuropa als Ergänzungsquelle für die Arbeitskräfte der deutschen Kriegswirtschaft im Zweiten Weltkrieg. In BRUNNBAUER, Ulf – HELMEDACH, Andreas – TROEBST, Stefan (eds.). Schnittstellen. Gesellschaft, Nation, Konflikt und Erinnerung in Südosteuropa. Festschrift für Holm Sundhaussen zum 65. Geburtstag. Mníchov : R. Oldenbourg Verlag, 2007, s. 285-300.
18 SPOERER, M. Nucené práce..., s. 44, 80-83.
19 RASS, Christoph. Institutionalisierungsprozesse auf einem internationalen Arbeitsmakrt: Bilaterale Wanderungsverträge in Europa zwischen 1919 und 1974. Paderborn : Ferdinand Schöning, 2010, s. 66-71, 372-380. RASS, Christoph. Staatsverträge und ›Gastarbeiter‹ im Migrationsregim des ›Dritten Reiches‹. Motive, Intentionen und Kontinuitäten. In OLTMER, J. (ed). Nationalsozialistisches Migrationsregime..., s. 159-183.

Tretím, nemenej závažným dôvodom uvedenej absencie, je slabý záujem domácej, slovenskej historiografie o sledovanú problematiku. Napriek tomu, že sa nábor pracovných síl do Nemecka dotýkal nemalej časti produktívnej populácie vtedajšej SR, doteraz vznikli len dve vyššie spomenuté práce relevantného významu,[20] ktoré v zahraničí nezaznamenali nejaký väčší ohlas. Okrem toho tému na medzinárodnom fóre neprezentoval žiadny zo slovenských historikov, a tak sa ani nemohla dostať do povedomia zahraničných vedcov. Predložená edícia prameňov si preto kladie za cieľ túto medzeru aspoň čiastočne zaplniť.

* * *

Skôr ako prejdeme k jednotlivým aspektom náboru a nasadenia slovenských pracovných síl do Nemecka v rokoch 1939 – 1945, považujeme za potrebné aspoň v krátkosti načrtnúť podmienky zahraničných robotníkov zamestnaných v ríši. Tie analyzovali podrobne vo svojich prácach nemeckí historici U. Herbert a M. Spoerer. Predmetom ich výskumu boli predovšetkým cudzinci, ktorí prišli do Nemecka nedobrovoľne z okupovaných častí západnej, severnej, južnej, strednej a východnej Európy. Pracovné sily zo spriatelených a satelitných štátov, s výnimkou Talianska, ako sme už niekoľkokrát uviedli, zostali viac-menej na okraji záujmu. Hoci sa postavenie oboch skupín cudzincov odlišovalo (v prípade Poliakov, Rusov, Ukrajincov, Bielorusov a Srbov dokonca diametrálne), nemecké orgány napriek formálne proklamovanej rovnosti[21] dávali pocítiť diskriminačné opatrenia aj robotníkom zo Slovenska, Chorvátska, Maďarska, Rumunska či Bulharska. Všetky národnosti z týchto krajín, okrem miestnych etnických Nemcov, nacionálno-socialistická rasová doktrína považovala za „cudzorodé" (»fremdvölkisch«), znamenajúce „vážne nebezpečenstvo, oslabujúce biologickú existenciu" nemeckého „národa prítokom cudzej krvi".[22] Úlohu dozorcu, tak ako v iných prípadoch, mala v spolupráci s ďalšími štátnymi a stráníckymi inštitúciami na seba zobrať NSDAP, „povolaná k tomu, aby svojím nasadením odvrátila ohrozenie nášho národného bytia".[23] Ako z citátov vyplýva, režim sa sám dostával do vnútorného rozporu. Na jednej strane potreboval urgentne dopĺňať neustály nedostatok pracovných síl, na druhej strane sa čoraz ostrejšie ideologicky vyhraňoval voči cudzincom. Prejavilo sa to najmä v poslednej fáze vojny, keď začali mať čoraz zreteľnejšie prevahu radikáli z radov NSDAP a SS.

Kritérium rasy a národnostnej príslušnosti v podstate určovalo osud zahraničného robotníka. Od neho sa odvíjali potravinové prídely, prídel obuvi a odevu, ubytovacie kapacity, ich vybavenie, pracovná doba, odmeňovanie, zaťažovanie rôznymi daňami a v neposlednom rade zaobchádzanie a trestanie disciplinárnych prehreškov.[24] RSHA ako najvyššia policajno-bezpečnostná inštitúcia mala samotná problémy pri dôslednom uplatňovaní rasového hľadiska pri hierarchizovaní zahraničných pracovných síl. Rozdelenie národov na etniká „nemeckej a rovnocennej (germánskej) krvi" (»deutsches und stammesgleiches (germanisches) Blut«), „druhovo príbuznej, nerovnocennej krvi" (»artverwandtes, nichtstammesgleiches Blut«) a „druhovo cudzej krvi" (»artfremdes Blut«)[25] ríšskeho komisára pre upevnenie nemectva z jari 1942 nekorešpondovalo s členením RSHA. Na čele sa neocitli automaticky „germánske národy" Dáni, Nóri, Holanďania a Flámi, ale z politických dôvodov Taliani, radení do skupiny „druhovo príbuznej, nerovnocennej krvi". Po nich nasledovali spomenutí „Germáni",

20 Na Historickom ústave SAV pracuje v súčasnosti na téme ako dizertačnej práci doktorand Martin Macko.
21 SPOERER, M. Nucené práce..., s. 147.
22 CHRISTOFFEL, Karl. Volk – Bewegung – Reich. Grundlegung für Unterricht und NS-Führung. Unterrichtswerk fü Heeresschulen. Frankfurt am Main : M. Diesterweg, 1944, s. 34. Citované podľa RASS, Christoph. Staatsverträge und ›Gastarbeiter‹..., s. 180.
23 BArch Berlín, R 59/48, Bl. 17-20. Nariadenie stráníckej kancelárie NSDAP č. A 62/42 z 26. 8. 1942.
24 HERBERT, U. Geschichte der Ausländerpolitik..., s. 154.
25 HEINEMANN, Isabel. »Rasse, Siedlung, deutsches Blut«. Das Rasse- und Siedlungshauptamt der SS und die rassenpolitische Neuordnung Europas. Göttingen : Wallstein Verlag, 2003, s. 606-607.

ďalej Francúzi, Valóni ako »fremdvölkisch«. Osobitnú skupinu tvorili občania spojeneckých a satelitných štátov, príslušníci Protektorátu Čechy a Morava. Na opačnom póle škály sa nachádzali Poliaci a od masového „nasadenia Rusov" (tzv. »Russeneinsatz«) koncom roku 1941 „východní robotníci".[26] Kategorizácia Nemci – západní robotníci, robotníci zo spojeneckých krajín – pracovné sily z východu sa prejavovala v každodennom živote prakticky až do konca vojny.[27] Veľa na tom nezmenila ani Goebbelsova postalingradská propagandistická iniciatíva „Európski robotníci proti boľševizmu",[28] ani neskoršie Sauckelove direktívy či agitačná kampaň Kultúrno-politického oddelenia Auswärtiges Amtu. Aj keď v marci 1945 došlo k formálnemu zrovnoprávneniu »Ostarbeiter«, nemožno tento krok vnímať ako snahu nacionálno-socialistického režimu odbúrať existujúcu rasovú hierarchiu, ale skôr ako dôsledok všeobecne zhoršujúcich sa životných a pracovných podmienok nasadených cudzincov.

Indoktrinácia nemeckej spoločnosti ideológiou, spočívajúcou na zdôrazňovaní nadradenosti nordickej rasy, posilňovala už existujúce rasové predsudky. Prejavilo sa to najmä v prístupe k cudzincom. Kým na vidieku sa našlo nemálo ľudí, usilujúcich sa zmierniť neľahké podmienky nútene nasadených, vo veľkých mestách a aglomeráciách bola situácia oveľa komplikovanejšia. Veľkomestské anonymné prostredie vytváralo nepomerne väčší priestor pre diskrimináciu. Mestá zápasili tiež s väčším nedostatkom potravín, odevov a ubytovacích kapacít. Z tohto dôvodu predstavovala rasová kategorizácia pri ich distribúcii podstatne významnejší faktor ako na vidieku. Táto priama úmernosť platila aj v prípade veľkosti podniku. Čím išlo o väčšiu prevádzku, tým vyššia bola pravdepodobnosť výskytu prejavov diskriminácie. Okrem toho vidiek v porovnaní s urbánnymi priemyselnými centrami chránil cudzincov v značnej miere pred represiami štátnych orgánov.[29] S dôsledným uplatňovaním rasovej segregácie sa mohol stretnúť cudzinec tiež pri bombardovaní Spojencov.[30] Do leteckých krytov sa dostali spravidla zahraniční robotníci len vtedy, ak sa jeho kapacita nenaplnila. Ak áno, zostávali viac-menej nechránení, vystavení devastačným účinkom dopadajúcich bômb.

Slovenské pracovné sily, napriek svojmu pomerne privilegovanému postaveniu, okúsili viaceré z uvedených prejavov diskriminácie na vlastnej koži. Sľuby nemeckých sprostredkovateľov pracovných ponúk sa častokrát diametrálne líšili od každodennej reality. Sťažnosti naverbovaných slovenských občanov sa netýkali len miezd, ich transferu do vlasti, nedostatočnej stravy, zamietnutia udeľovania dovoleniek, ale aj zlého zaobchádzania zo strany nemeckých zamestnávateľov (poľnohospodári, zbrojné podniky, stavebné firmy), znevažovania, vyplývajúceho z príslušnosti k veľkej skupine slovanských národov, či represívnych zákrokov policajno-bezpečnostného aparátu. Výnimku v tomto smere netvorili ani karpatskí Nemci, ktorí mali byť pri náborových akciách pre znalosť jazyka v hosťujúcej krajine prijímaní prednostne. Na rozdiel od masy nútene nasadených zahraničných pracovných síl mali slovenskí robotníci jednu obrovskú výhodu: svoje sťažnosti mohli adresovať diplomatickým zastupiteľstvám SR v Nemecku, resp. slovenským poverencom pri ústredí a župných správach DAF.

Získať podrobný prehľad o pracovných a životných podmienkach slovenských štátnych príslušníkov na jednotlivých pracoviskách znemožňuje torzovitosť zachovaného archívneho

---

26 MILOTOVÁ, Jaroslava. „Cizorodí" dělníci a jejich pracovní nasazení v nacistickém Německu v letech 1939–1945. In KOKOŠKOVÁ, Zdeňka – KOKOŠKA, Stanislav – PAŽOUT, Jaroslav (eds.). *Museli pracovat pro Říši. Nucené pracovní nasazení českého obyvatelstva v letech 2. světové války.* Praha : Státní ústřední archiv, 2004, s. 33.

27 HERBERT, U. *Geschichte der Ausländerpolitik...*, s. 142.

28 Podrobnejšie pozri HERBET, U. *Fremdarbeiter...*, s. 237-243.

29 SPOERER, M. *Nucené práce...*, s. 272-273.

30 HERBET, U. *Fremdarbeiter...*, s. 288-294. SPOERER, M. *Nucené práce...*, s. 144-145.

materiálu. Neúplné informácie bádateľovi poskytujú buď správy sociálneho atašé berlínskeho vyslanectva, splnomocnencov pri DAF, alebo analýzy nemeckých špeciálnych cenzúrnych orgánov, monitorujúcich korešpondenciu cudzincov zamestnaných v tretej ríši –»Auslandsbriefprüfstellen«.

Okrem nich sú to takisto sumáre, správy a hodnotenia poverenca ríšskeho ministerstva práce, neskôr poverenca GBA v Bratislave, zriedkavejšie materiály nemeckej legácie na Slovensku a úradovní Bezpečnostnej služby ríšskeho vodcu SS, »Sicherheitsdienst« (SD).

Pracovné sily zo Slovenska nepatrili medzi „notorických sťažovateľov". Z písomnej korešpondencie na prelome rokov 1941/1942, ktorá prešla ríšskymi cenzúrnymi miestami, skôr vyplýva, že sa k celkovým pomerom v hosťovskej krajine stavali skôr ľahostajne. Obsah ich listov vyznieval prevažne „bezfarebne", len malá časť Slovákov vyjadrovala vyhranenejší postoj. Z vyše 154 tisíc „respondentov" vnímalo svoju situáciu v Nemecku 15 000 pozitívne, takmer 7 000 negatívne, resp. vyslovene negatívne. Za najväčší problém považovali neustále zvyšujúce sa zrážky z miezd, v dôsledku čoho vzrastala medzi robotníctvom nechuť a začalo pochybovať o výhode zamestnávania v ríši.[31] K ním sa pridávala nespokojnosť s transferom miezd, najmä s omeškaným vyplácaním zasielaných peňazí pre rodinných príslušníkov, žijúcich vo vlasti. Ďalším problémom bola výška prevádzaných čiastok. Tá postupom času pre narastajúcu infláciu sotva stačila pokryť životné náklady často mnohopočetných rodín. Prídavky na deti a manželky nevyplácali všetci zamestnávatelia, čo vyvolávalo nevôľu a celkom prirodzene aj závisť[32] u tých, ktorí tieto výhody nepožívali.

Predmetom mnohých ponôs bývala strava. Ľudia zo Slovenska sa sťažovali najmä na nedostatok chleba. Kvalita podávaných pokrmov nebola takisto najvyššia a svoje robila aj odlišnosť stravovacích návykov. Sezónni poľnohospodárski robotníci upozorňovali zasa na nevyplácanie, resp. obmedzený výdaj naturálnych dávok – tzv. deputátu. Hoci slovenskí štátni príslušníci patrili k malému okruhu relatívne privilegovaných zahraničných pracovných síl, ani oni sa nevyhli prejavom rasovej diskriminácie a segregácie. Mnohí v Nemecku nenašli také pracovné podmienky, aké im počas náborových kampaní sľubovali „verbovači". Cítili sa byť podvedení nielen nemeckými sprostredkovateľmi, ale aj slovenskými úradmi. K tomu sa pridružili rôzne ústrky zo strany nacistickej administratívy, takže mnohí nadobúdali dojem, že sa s nimi „zaobchádza ako so zajatcami".[33] Ak k tomu pripočítame čoraz intenzívnejšie nálety Spojencov, Nemecko prestávalo byť od polovice roku 1942 medzi slovenským robotníctvom miestom, kam sa oplatilo za zamestnaním vycestovať. Prejavilo sa to klesajúcim záujmom obyvateľstva o prácu v tretej ríši. Ľudáckemu režimu preto nezostávalo nič iné, ako siahnuť po nátlakových prostriedkoch. Ani tie však v konečnom dôsledku nepomohli.

Osobitné postavenie medzi pracovnými silami zo Slovenska mali karpatskí Nemci. Nemecká spoločnosť vo všeobecnosti považovala etnických Nemcov (»Volksdeutsche«) z juhovýchodnej Európy za súčasť národnej pospolitosti (»Volksgemeinschaft«), no každodenná prax prinášala rôzne konflikty najmä na lokálnej úrovni. Hranica medzi inklúziou a exklúziou bola v ich prípade veľmi tenká. Odmietanie používať nemčinu na pracovisku, „národnostná nespoľahlivosť" a podobné „delikty" viedli často k vylúčeniu z okruhu privilegovaných súkmeňovcov.[34] Karpatskí Nemci nepredstavovali v tomto ohľade žiadnu

---

31 BArch Berlín, R 3901/20265, Bl. 100-101. Správa Zentralstelle für den Auslandsbrief- und Telegrammverkehr z 10. 4. 1942.

32 BArch Berlín, R 3901/20266, Bl. 25. Správa viedenskej Auslandsbriefprüfstelle z 8. 4. 1942.

33 BArch Berlín, R 3901/20266, Bl. 96. Správa viedenskej Auslandsbriefprüfstelle z 15. 4. 1942. Tiež dokument 108.

34 AMENDA, Lars. ›Aufbau‹ und ›Arbeitseinsatz‹. Migration und die Grenzen der nationalsozialistischen Vergemeinschaftung. In OLTMER, J. (ed). *Nationalsozialistisches Migrationsregime...*, s. 150-151.

výnimku. Hoci tvorili nemalú časť naverbovaných robotníkov (napr. v roku 1943 sa ich na prácach v ríši nachádzalo približne 15 000 – 20 000, čo predstavovalo 2/3 produktívneho mužského obyvateľstva nemeckej národnosti),[35] negatívne skúsenosti s pracovným nasadením prežívali na vlastnej koži aj oni samotní.[36] Ich predáci sa často sťažovali, že ich domáci kolegovia na pracovisku vnímali takmer výlučne ako „Slovákov" či „nemecky hovoriacich Slovákov".[37] Niektorí z nich v snahe stať sa rovnocennými členmi »Volksgemeinschaft« zašli až tak ďaleko, že sa domáhali vytvorenia vlastných náborových organizácií a štruktúr sociálneho zabezpečenia.[38] K ničomu takému však za celých šesť rokov nedošlo.

Karpatskí Nemci ako aj Slováci síce zažívali zo strany nemeckých úradov, policajno-bezpečnostného aparátu a kolegov príkoria, no v porovnaní s nútene nasadenými cudzincami bol ich osud oveľa znesiteľnejší. Pracovné sily zo SR ako celok (prinajmenšom do jesene 1944) nemožno teda považovať za obete svojvôle nacionálno-socialistického režimu.

* * *

Historický prehľad náboru slovenských pracovných síl 1939 – 1942

Obrovské nasadenie nemeckého hospodárstva a odvod miliónov mužov na fronty druhej svetovej vojny znamenal pre Nemecko akútny nedostatok robotníkov v priemyselných závodoch či poľnohospodárstve, ktorí by pomáhali zabezpečovať neustále sa zvyšujúcu priemyselnú výrobu a narastajúce nároky v poľnohospodárstve. Vzniknutú situáciu nemecká strana vyriešila hlavne núteným, ale v menšej miere aj dobrovoľným nasadením zahraničných pracovníkov v tretej ríši.

Cudzinci pracujúci v Nemecku samozrejme nemali pri svojej práci rovnaké podmienky a boli kategorizovaní do štyroch základných skupín: 1.) Dobrovoľní zahraniční pracujúci. Títo mohli počas celej vojny opustiť Nemecko, mali možnosť obracať sa aj na príslušné zastupiteľstvá svojej krajiny v Berlíne (do tejto skupiny patrili okrem iných satelitných krajín aj slovenskí robotníci); 2.) Nútene nasadení pracovníci s čiastočným vplyvom na podmienky vlastnej existencie (civilní pracovníci z obsadených území okrem Poľska a ZSSR); 3.) Nútene nasadení pracovníci s minimálnym vplyvom na vlastné existenčné podmienky (civilní pracovníci z Poľska a ZSSR, poľskí a talianski vojnoví zajatci); 4.) Nútene nasadení pracovníci bez akéhokoľvek vplyvu na vlastné existenčné podmienky (poľskí židovskí a sovietski vojnoví zajatci, väzni koncentračných táborov, ale aj Židia z táborov nútených prác).[39] Do pracovného procesu v Nemecku, Rakúsku či Protektoráte sa na základe dohody Česko-slovenskej republiky a neskôr Slovenskej republiky s Nemeckom počas rokov 1939 – 1945 v dobrovoľnej forme zapojili aj robotníci zo Slovenska.

V dňoch 13. – 19. januára 1939 sa na pôde česko-slovenského ministerstva sociálnej a zdravotnej správy v Prahe konali rokovania medzi česko-slovenskou vládou a nemeckou vládou o zabezpečení česko-slovenských robotníkov na práce do ríše. Na tomto stretnutí sa dohodli tri zmluvy: o sezónnych poľnohospodárskych robotníkoch, stálych poľnohospodárskych robotníkoch a o česko-slovenských živnostníkoch. K starej dohode medzi Nemeckom

---

35 PA AA, R 100 981. Ludinov telegram AA z 9. 4. 1943. Institut für Zeitgeschichte Mníchov, Nürnberger Dokumente, NO-2015.

36 Štátny archív (ďalej ŠA) v Banskej Bystrici, f. Žandárska stanica Horná Štubňa 1942–1944. Správy stanice za roky 1942 – 1943.

37 Slovenský národný archív v Bratislave (ďalej SNA), f. Alexandrijský archív, mikrofilm II. C 894, 5 294 294 – 297. List Hansa Zeisela F. Karmasinovi z 26. 5. 1940.

38 SNA, f. Alexandrijský archív, mikrofilm II. C 894, 5 294 298 – 303. List Hansa Zeisela F. Karmasinovi z 9. 6. 1940.

39 SPOERER, M. Nucené práce..., s. 17.

a Československom z 11. mája 1928 o česko-slovenských sezónnych robotníkoch tak došlo vo viacerých bodoch k zmene. Zároveň stratila vzhľadom na nové územné rozdelenie svoju platnosť dohoda medzi ČSR a Rakúskom z 24. júna 1925, ktorá takisto riešila najímanie sezónnych robotníkov. Podľa uzatvorenej dohody nemuseli česko-slovenskí robotníci prispievať do ríšskeho vyživovacieho stavu a odvádzali iba zákonne stanovenú zrážku zo mzdy. Pracovníci boli zásadne najímaní iba prostredníctvom príslušných úradných miest podľa uzatvorených dohôd.

Po podpísaní dohody pripadali začiatkom roka 1939 do úvahy nasledujúce počty robotníkov: Čechy, Morava a Sliezsko – 8000 železničných robotníkov (vrátane kvalifikovaných), 2 – 3 tis. baníkov, 10 000 nekvalifikovaných robotníkov; Slovensko – 11 000 poľnohospodárskych robotníkov, 600 železničných robotníkov, 2 000 pomocných stavebných, 2 000 nekvalifikovaných baníkov, 500 kvalifikovaných robotníkov; Podkarpatská Rus – 4 – 5 tis. poľnohospodárskych a lesných robotníkov.

Potreba pracovných síl konkrétnych zamestnávateľov sa hlásila príslušným česko-slovenským štátnym krajinským úradom práce. Podpísané zmluvy boli predkladané v nemeckom jazyku, češtine, slovenčine alebo ukrajinskom jazyku. Česko-slovenské úrady mali za povinnosť vybrať predákov, ktorých oboznámili s obsahom pracovnej zmluvy a ich povinnosťami. Každému robotníkovi, ktorý podpísal zmluvu vydali česko-slovenské úrady osobitný cestovný pas. Stáli poľnohospodárski robotníci sa podľa podpísanej zmluvy zaväzovali na prácu minimálne na jeden rok. Podpísanú zmluvu dostali nemecké a česko-slovenské úradné miesta, zamestnávateľ a robotník. Kompetentný nemecký úrad práce mal podľa zmluvy zaplatiť poplatok 5 Kč svojmu česko-slovenskému pendantu. Pokiaľ išlo o pracovné podmienky či sociálne poistenie, mali českí a slovenskí stáli poľnohospodárski robotníci rovnaké postavenie ako ich nemeckí kolegovia, kým ríšske zákonodarstvo nestanovilo iné podmienky pre cudzích štátnych príslušníkov.[40] Česko-slovenské orgány zabezpečovali včasný odjazd robotníkov a príslušný nemecký úrad prevzal robotníkov na hranici.

Dôležitou súčasťou dohodnutých zmlúv bol aj systém transferu zárobkov robotníctva. Touto otázkou sa 15. – 18. februára 1939 zaoberala česko-slovenská a nemecká delegácia na stretnutí v Berlíne. Na stretnutí sa dohodli konkrétne sumy, ktoré mohli robotníci posielať do vlasti: poľnohospodárski robotníci (sezónni – 31 RM mesačne); (poľnohospodárska čeľaď mesačne – 27,50 RM), priemyselní robotníci (kvalifikovaní – 45 RM, nekvalifikovaní – 35 RM). Maximálna výška celoročného transferu bola stanovená vo výške 10 násobku sumy povolenej na mesiac. Aby sa dosiahla vyrovnaná mzdová hladina plánovalo sa, že 50% mzdových úspor sa bude prevádzať cez špeciálny účet Národnej banky v nemeckej zúčtovacej pokladni (»Verrechnungskasse«) a 50% cez zvláštny účet (»Sonderkonto«) Čs. Národnej banky v Ríšskej banke. Pri vyúčtovaní úspor vyplácaných na toto konto sa predpokladal kurz 1:7 K. Česko-slovenská národná banka mala prednostne vyplácať peniaze prichádzajúce na špeciálne konto a výplata úspor nemala byť zdržovaná. V prípade potreby mali byť výplaty na zvláštnom konte kryté zálohou z československej strany.[41] O dohodnutých záležitostiach bol informovaný aj predseda slovenskej vlády Jozef Tiso, ktorý s uvedenou úpravou súhlasil. Vyriešením prevodov miezd z Nemecka nadobudli zároveň platnosť aj tri dohody o najímaní a zamestnávaní česko-slovenských robotníkov v Nemecku z januára 1939 a mohlo sa pristúpiť ku konkrétnemu najímaniu pracovníkov.

Situácia v Česko-Slovensku a celej strednej Európe sa však menila zo dňa na deň a 14. marca 1939 vyhlásil slovenský snem vznik Slovenského štátu a následne (16. marca) bol zriadený Protektorát Čechy a Morava. Zmena politickej situácie pritom zákonite nemohla

---

40 Dokument 3.
41 Dokument 4.

obísť ani hospodársky profil Slovenska. Po vzniku Slovenského štátu prežíval postupne slovenský priemysel vojnovú konjunktúru, ktorá bola výraznejšia ako v Protektoráte a prejavila sa – so značnými rozdielmi – vo všetkých hlavných priemyselných odvetviach. Veľkým problémom slovenského hospodárstva po vzniku samostatného štátu, ktorý musela riešiť vláda a slovenskí národohospodári, bola vysoká miera nezamestnanosti. Okrem investícií do hospodárstva či stavby nových železničných a cestných komunikácií pomáhal do značnej miery znížiť nezamestnanosť odchod slovenských robotníkov na práce do Nemecka.

Podľa dohody uzavretej medzi Č-SR a Nemeckom malo odísť za prácou do Nemecka v roku 1939 okolo 16 000 robotníkov. Zároveň bola dohodnutá výška úspor, ktoré sa mohli previesť do vlasti. Situácia po vyhlásení Slovenského štátu sa ale zmenila a už v prvom polroku odišlo do Nemecka viac ako 40 000 pracovníkov.[42] Do 5. júna 1939 predstavoval presný počet robotníkov v Nemecku číslo 46 021 (27 017 – poľnohospodárski sezónni pracovníci, 11 173 – poľnohospodárski pomocníci, 3 176 – kvalifikovaní priemyselní robotníci, 4 655 – nekvalifikovaní priemyselní robotníci). Okrem toho bolo najatých 6 318 poľnohospodárskych sezónnych robotníkov a bolo možné ešte najať 9 000 priemyselných robotníkov. Celkovo v roku 1939 pracovalo v zahraničí okolo 90 000 slovenských štátnych príslušníkov.[43] Podľa prípisu ministerstva vnútra z 13. januára 1940 bolo v roku 1939 najatých na prácu do Nemecka takmer 70 000 slovenských robotníkov.[44] Ďalší slovenskí pracovníci boli ešte zamestnaní v Protektoráte Čechy a Morava a v iných európskych krajinách.

Podľa dohody z februára 1939 o výške finančných transferov z Nemecka na Slovensko mal najvyšší možný transfer zárobkov predstavovať mesačne 1 450 629,50 RM – ročne 14 562 950 RM. Išlo však o maximálne možnú sumu, ktorá mohla byť reálne odoslaná. Priebežne sa ale počítalo s tým, že sezónni robotníci sa na jednej strane v novembri vrátia domov a na druhej strane si neušetria plnú sumu finančných prostriedkov, pričom časť výplaty určite využijú aj v Nemecku. Pri poukazovaní týchto zárobkov do vlasti sa mala výplata realizovať cestou Slovenskej národnej banky (prostredníctvom clearingového účtu). Vzhľadom na skutočnosť, že slovenské pohľadávky voči Nemecku dosiahli veľkú výšku a na clearingovom účte nebolo potrebné krytie, transfer zárobkov robotníkov z Nemecka bol hneď od začiatku veľmi zložitý.

Špecifická situácia s najímaním a odchodom pracovných síl zo Slovenska nastala v septembri 1939, keď sa slovenská armáda zapojila do vojny proti Poľsku. Ministerstvo vnútra po dohode s ministerstvom národnej obrany zastavilo v dôsledku mimoriadneho povolávania záloh odchod robotníkov do Nemecka. Išlo konkrétne o záložníkov narodených v rokoch 1900 – 1919.[45] Ostatní robotníci, ktorí mohli odísť do Nemecka, potrebovali na vycestovanie cestovné doklady, potvrdenie ministerstva vnútra a krajinského úradu práce. Podľa neskoršieho nariadenia prezídia ministerstva vnútra z 22. septembra 1941 sa poskytli pre cestovanie do zahraničia osobám naverbovaným Ríšskym úradom práce určité úľavy. Podľa prijatého ustanovenia nevojaci, osoby prepustené z brannej moci a príslušníci druhej zálohy (41 – 50 roční) nepotrebovali na vycestovanie povolenie vojenských úradov. Príslušníci prvej zálohy (do 40 rokov) potrebovali súhlas doplňovacieho okresného veliteľstva. Ríšsky úrad práce musel evidovať presné adresy pracovníkov z prvej zálohy a v prípade nového povolávania ich uvoľnil na Slovensko.[46]

---

42 SNA, f. Ministerstvo financií 1939 – 1945 (ďalej MF), inv. č. 26, š. 121. Najímanie robotníkov na práce do Nemecka – transfer zárobkov do vlasti. 26. 5. 1939.

43 KONEČNÝ, Z. – MAINUŠ, F. Slováci na pracích..., s. 569.

44 Dokument 20.

45 SNA, f. MF, inv. č. 26, š. 121. Prepúšťanie robotníkov na práce do Nemecka – obmedzenie v dôsledku mimoriadneho povolávania zálohy. 13. 9. 1939.

46 SNA, f. Ministerstvo zahraničných vecí 1939 – 1945 (ďalej MZV), inv. č. 32, š. 975. Cestovanie do cudziny – úľava osobám najatých do práce Ríšskym úradom práce.

Začiatkom decembra 1939 sa v Berlíne prerokovávali podmienky pre najímanie slovenských robotníkov do Nemecka na rok 1940. Slovenská delegácia prišla na rokovanie s požiadavkou zníženia celkového počtu robotníkov v Nemecku a Protektoráte. Slovenskí predstavitelia argumentovali veľkými investíciami do slovenského hospodárstva, stavbou železníc a ciest, na čo bol potrebný dostatok pracovných síl. Druhým faktom boli vysoké finančné straty SNB pri prevádzaní úspor z Nemecka cez clearingové účty.[47] Clearingové účty slúžili na bezhotovostné zúčtovanie započítaním vzájomných pohľadávok.

Po vzniku SR a odchode slovenských pracovných síl do Nemecka bolo potrebné upraviť takisto dohodu podpísanú medzi predstaviteľmi Č-SR a Nemecka začiatkom roka 1939. Rokovania medzi zástupcami nemeckej a slovenskej vlády o najímaní a zmluvnom zaväzovaní slovenských robotníkov sa uskutočnili 4. – 8. decembra 1939 a ich výsledkom bolo podpísanie dohody medzi Nemeckou ríšou a Slovenskou republikou o nábore slovenských pracovných síl do Nemecka a Protektorátu Čechy a Morava. Po vzájomných poradách bola dohoda podpísaná 8. decembra 1939 v Berlíne za slovenskú stranu Štefanom Polyákom a za nemeckú stranu ministerským radcom v ríšskom ministerstve práce Kurtom Hetzllom.[48] Pri dohode bola dodržaná forma klasickej zmluvy, tak ako to bolo aj napr. pri slovensko-nemeckej obchodnej zmluve z júna 1939.[49] Slovensko-nemecké zmluvy vykazovali formálne znaky oficiálnej dohody, väčšinou však boli pre slovenskú stranu nevýhodné.

Po rokovaniach zúčastnených strán bola následne vzájomne podpísaná zápisnica sumarizujúca dohodnuté body. Zápisnica sa doplnila konkrétnou Nemecko-slovenskou dohodou o slovenských pracovných silách,[50] ktorá konkretizovala podmienky stanovené pre robotníkov a ich práva a povinnosti súvisiace s pobytom v Nemecku. Súčasne sa dňa 8. decembra konala porada medzi zástupcami ríšskeho ministra práce a zástupcami slovenskej vlády. Predmetom rokovania bola príprava dohody ohľadne starostlivosti o nezamestnaných z jedného štátu na územie štátu druhého. Vychádzalo sa zo skutočnosti, že slovenskí štátni príslušníci v Nemecku a nemeckí ríšski príslušníci na Slovensku sú v nárokoch a povinnostiach pri podpore v nezamestnanosti rovnocenní s domovským štátnym príslušníkom. Ďalej sa predpokladalo, že príslušník jedného štátu, ktorý získal nároky na dávky v podpore v nezamestnanosti druhého štátu, keď sa nachádza v čase nezamestnanosti vo vlastnej krajine, dostane dávky v nezamestnanosti tak isto, ako keby bol pracoval doma.

Zástupcovia slovenskej vlády poukazovali na to, že zo slovenských štátnych príslušníkov, ktorí boli zamestnaní v nemeckých priemyselných podnikoch, sa väčšina po skončení pracovného pomeru vrátila na Slovensko. Po návrate na Slovensko však mali problém okamžite si nájsť prácu. V prípade, že by zostali v Nemecku podporu by im vyplácala ríšska základina pre včlenenie do práce. Ako ekonomicky výhodnejším spôsobom sa ukazovalo poskytnutie príspevku zo strany Nemecka na Slovensko, ktorý by vykrýval výdavky v nezamestnanosti vzniknuté po návrate slovenských robotníkov do vlasti. Zástupcovia slovenskej vlády pri ich požiadavkách vychádzali z toho, že v roku 1939 bolo v Nemecku zamestnaných približne 30 000 slovenských štátnych príslušníkov podliehajúcich príspevkovej povinnosti.

Na druhej strane zástupcovia ríšskeho ministerstva práce poukazovali na to, že z uvedeného počtu majú byť odpočítané osoby, ktoré si v krátkom čase po príchode z Nemecka našli uplatnenie na slovenskom pracovnom trhu, alebo tie, ktoré z iných dôvodov nemuseli dostávať podporu. Ďalej išlo o pracovníkov, ktorí v Nemecku zostali, ako aj o tých, ktorí pracovali v Nemecku len pomerne krátky čas. Do úvahy podľa nemeckého návrhu prichádzalo

47 KONEČNÝ, Z. – MAINUŠ, F.Slováci na pracích..., s. 569.
48 Dokument 18.
49 TÖNSMEYER Tatjana. *Das Dritte Reich und die Slowakei 1939 – 1945. Politischer Alltag zwischen Kooperation und Eigensinn.* Paderborn : Ferdinand Schöningh, 2003, s. 194.
50 Dokument 18.

17 000 robotníkov, ktorí najmenej 39 týždňov platili v Nemecku príspevky. Výška podpory vychádzala priemerne na 1 RM za pracovný deň počas 36 pracovných dní na Slovensku. Na všetkých potenciálnych slovenských robotníkov vypočítaných nemeckou stranou teda prichádzala do úvahy finančná čiastka zhruba 600 000 RM.

Slovenské orgány však museli ešte v roku 1939 zápasiť s pomerne zložitou situáciou v evidencii pracovných síl zamestnaných v Nemecku, nakoľko registračný systém bol len v začiatkoch a dal sa využiť len v prípade robotníkov zmluvne zaviazaných na rok 1940. Pretože na Slovensku bolo potrebné založiť podporný fond pre nezamestnaných, ktorého financovanie robilo ťažkosti, navrhli, aby čiastka 600 000 RM bola od 1. januára 1940 splácaná v 6-mesačných splátkach bez preukazu o odchode jednotlivých robotníkov.[51] Vzhľadom na potrebu založenia spomínaného podporného fondu pre nezamestnaných, došlo po rokovaniach k dohode, podľa ktorej položka zaplatená slovenskými robotníkmi v Nemecku, ktorá mala byť refundovaná na Slovensko pod titulom príspevkov na podporu v nezamestnanosti vo výške 600 000 RM za rok 1939.[52]

Vysoký počet slovenských pracovníkov odchádzajúcich za prácou do Nemecka v roku 1939 si vyžiadal rokovania medzi Slovenskou národnou bankou a Ríšskou bankou. Tieto rokovania súviseli s ťažkosťami, ktoré sa vzťahovali na transfery finančných prostriedkov a nedostatok úhrady na clearingovom účte. Túto skutočnosť spôsobili vysoké pohľadávky Slovenska voči Nemecku, na vykrytie ktorých už neboli na clearingovom účte prostriedky. Transfer zárobkov slovenských robotníkov bol veľmi zložitý a vyžadoval si neustále zasadnutia zúčastnených strán. Na rokovaniach sa došlo k záveru, že problémy by sa dali odstrániť len zvýšením nákupu tovarov v Nemecku. Konkrétne išlo o štátne investičné potreby, ktoré uvádzal investičný rozpočet na rok 1939. Nákup malo financovať ministerstvo financií zálohou v Poštovej sporiteľni. Z tohto dôvodu bolo potrebné znížiť aj prepočítavací kurz ríšskej marky, aby sa zvýšila kúpna sila slovenskej koruny.[53] Návrhy súvisiace s vyriešením transferu miezd robotníkov na Slovensko boli predložené slovenskej vláde a okrem iného navrhovali obmedzenie najímania robotníkov do Nemecka.

Slovenská národná banka si uvedomovala nevýhody vyplácania výplat v národnej mene bez toho, aby dostala príslušnú protihodnotu. Keďže slovenskí robotníci posielali svoje úspory na zvláštne konto a slovenská vláda bola povinná vyplácať úspory v slovenských korunách, vznikla vysoká pohľadávka Slovenska voči Nemecku, ktorá samozrejme nikdy nebola uhradená.[54] Z tohto dôvodu sa usilovala SNB brzdiť hornú hranicu úspor posielaných na Slovensko, čo pravdaže vzbudzovalo nespokojnosť robotníkov ako živiteľov rodín.

Problémy s vyplácaním poukazov riešila vláda svojím prípisom zo 14. júna 1939, v ktorom rozhodla, že prednostne sa budú uhrádzať poukazy slovenských robotníkov cez Poštovú

---

51 SNA, f. Úrad predsedníctva vlády 1938 – 1945 (ďalej ÚPV), š. 95, 3166/1944.
52 SNA, f. MF, š. 121, inv. č. 26. Rokovanie s Nemeckom o slovenských robotníkoch pracujúcich v Nemecku. Náhrada príspevkov poistenia proti nezamestnanosti sa riešila permanentne až do decembra 1944. Slovenská vláda na svojom zasadnutí 22. novembra 1944 schválila návrh Reichstockfür Arbeitseinsatz Berlin, podľa ktorého sa mala Slovensku poskytnúť náhrada vo výške 1 % z hrubej mzdy za slovenských robotníkov podliehajúcich poisteniu proti nezamestnanosti. Náhrada bola rozpočítaná na jednotlivé roky aj spätne:
-1941: 20 038 robotníkov po 26 týždňov, 11 340 -//- po 40 týždňov: Spolu: 409 326 RM
-1942: 24 732 robotníkov po 48 týždňov, 988 -//- po 26 týždňov: Spolu: 521 514 RM
-1943: 18 839 robotníkov po 48 týždňov, 6 881 -//- po 26 týždňov: Spolu: 465 766 RM. SNA, f. MZV, inv. č. 32, š. 135. Slovenskí robotníci v Nemecku – náhrada príspevkov poisťovania proti nezamestnanosti.
53 SNA, f. MF, inv. č. 26, š. 121. Najímanie robotníkov na práce do Nemecka – transfer zárobkov do vlasti. 9. 6. 1939.
54 Vzhľadom na transfer mzdových úspor z Nemecka na Slovensko narástla clearingová pohľadávka Slovenska voči Ríši na 2,3 mld. Ks. HORVÁTH. Štefan – VALACH. Ján. *Peňažníctvo na Slovensku 1918-1945.* Bratislava : ALFA, 1978, s. 162. I. Kamenec uvádza, že vďaka transferu finančných prostriedkov z Nemecka a vyplácaniu slovenských vývozcov tovarov prepočítaným kurzom v korunách, prišla Slovenská národná banka o 2,5 mld. Ks. KAMENEC, Ivan. *Slovenský štát v obrazoch (1939-1945).* Praha : Ottovo nakladateľství, 2008, s. 165.

sporiteľňu pri kurze 1 RM : 9 Ks. Poštová sporiteľňa vypočítala poplatky za prevod a za poukaz a vyplatila sumy adresátom prostredníctvom poštových úradov prípadne prevodom na šekové účty. Ministerstvu financií každodenne Poštová sporiteľňa oznamovala koľko RM vyplatila a príslušnú sumu v Ks odpísala zo zálohy, ktorú ministerstvo financií zložilo na špeciálny účet.[55] Na tento účel slovenská strana zriadila účet v Nemeckej zúčtovacej pokladnici v Berlíne. Zároveň sa vylikvidovali všetky poukazy, ktoré neboli vykryté od 28. apríla – 31. mája 1939. Takýmto spôsobom sa podarilo uhradiť väčšinu robotníckych poukazov prichádzajúcich z Nemecka. Zvýšený počet poukazov si vyžiadal zriadenie 8 zberných bánk, ktoré spolupracovali s Poštovou sporiteľňou[56]

Problémy s transferom finančných prostriedkov na Slovensko sa nepodarilo úplne vyriešiť a 11. novembra 1939 prišiel na Slovensko telegram od vyslanca v Berlíne Matúša Černáka, v ktorom súrne požadoval súhlas ministerstva financií na zloženie netransferovaných úspor slovenských robotníkov na tovarový účet. K predmetnej veci bola 14. novembra 1939 na ministerstve zahraničných vecí zvolaná porada za účasti ministrov: Ferdinanda Ďurčanského, Mikuláša Pružinského a Gejzu Medrického.[57] Na porade sa konštatovalo, že uvedenú otázku nie je možné vyriešiť k úplnej spokojnosti robotníkov. Hlavným problémom bola skutočnosť, že finančné prostriedky sa na Slovensko neprevádzali dohodnutým spôsobom a fyzické prenesenie vyššej sumy peňazí z Nemecka nebolo možné. Zároveň zloženie netransferovaných úspor na tovarový účet by spôsobilo okamžité spomalenie výplat slovenským exportérom, a tým ďalšie znemožnenie slovenského exportu do Nemecka. Výsledkom porady bola nakoniec dohoda o zložení finančných prostriedkov na účet »Arbeiterlohnersparnisse« a zvyšok sa mal presunúť na zvláštny účet pri »Verrechnungskasse«. Otvorenie zvláštneho účtu malo okamžite dohodnúť slovenské vyslanectvo v Berlíne.

Podľa ustanovenia predsedníctva vlády sa poukazy robotníkov prepočítavali kurzom 1 RM : 9 Ks. Príslušné clearingové výdavky SNB a Poštovej sporiteľne 4 Ks za jeden poukaz vyúčtovala Poštová sporiteľňa zvlášť a zaťažila nimi účet vyplatených záloh za RM. V záujme spresnenia platobného styku s Nemeckom vydalo v novembri 1940 ministerstvo financií smernice, podľa ktorých mal prebiehať transfer miezd z Nemecka. Slovenskí robotníci pracujúci v Nemecku poukazovali svoje úspory prostredníctvom nemeckého prepočítavacieho ústavu (»Deutsche Verrechnungskasse«).[58] Tieto financie boli potom vedené v SNB na účte »Sonderkonto – Arbeiterlohnersparnisse«. Preplácaním úspor slovenských robotníkov Poštovou sporiteľňou v Bratislave sa stala Slovenská republika majiteľom týchto pohľadávok.[59] Súčasne sa riešilo aj realizovanie platieb do Nemecka, ktoré sa mohli vykonávať prostredníctvom ministerstva financií, medziministerským clearingom, cez účet »Arbeiterlohnersparnisse«, alebo priamo na adresu prijímateľa v Nemecku v hotovosti

55 SNA, f. MF, inv. č. 26, šk. č. 121.
56 Dokument 14.
57 SNA, f. MF, inv. č. 26, šk. č. 121. Úspory robotníkov v Nemecku a ich transfer na Slovensko.
58 Určité nejasnosti s preplácaním úspor slovenských robotníkov domov sa vyskytli aj pri ich prevode z Generálneho gouvernementu. Konkrétne išlo o firmu Sager Woerner, ktorá zložila na Sonderkonto Arbeiterlohersparnisse pri Deutsche Verrechnungskasse 56 000 RM ako úspory slovenských robotníkov, pracujúcich v Generálnom gouvernemente. Firma nevedela, ako má úspory slovenských robotníkov v Nemecku poukázať ich rodinným príslušníkom, a preto vyplatila protihodnotu RM v Ks a to 1 RM : 11,60 Ks zo svojho bežného účtu v Slovenskej banke. Z tohto dôvodu žiadala firma, aby jej bola protihodnota RM poukázaná na jej účet v Slovenskej banke. Ministerstvo financií požiadalo Ústredný úrad práce o zistenie, či slovenskí robotníci pracujúci v Generálnom gouvernemente boli zahrnutí do celkového počtu robotníkov pracujúcich v Nemeckej ríši a či zložené mesačné úspory neprekračujú dohodnutý limit. Ministerstvo vnútra napokon rozhodlo, že žiadosti firmy Sager Woerner sa vyhovie a robotníci pracujúci v Generálnom gouvernemente sa dodatočne zahrnú do počtu robotníkov pracujúcich v Nemecku. SNA, f. MF, inv. č. 26, š. 122.
59 Štátny ústredný banský archív Banská Štiavnica (ďalej ŠÚBA), f. Banská administratíva v Bratislave 1938 –1951, š. 16, 2713/1940. Smernice pre poukazovanie platieb do Veľkonemeckej ríše za dodávky.

prostredníctvom poštovej sporiteľne na »Warenkonto«. Platby do Protektorátu vzniknuté po 1. októbri 1940 sa uskutočňovali cez Warenkonto a s dátumom pred 1. októbrom prostredníctvom Zberného účtu Protektorát – podúčet „A".[60] Cez účet Sonderkonto – Arbeiterlohnersparnisse sa vykonávali i náhrady za liečenie slovenských robotníkov pracujúcich v ríši a ich rodinných príslušníkov. Poukazy patrili Robotníckej sociálnej poisťovni a z tohto dôvodu sa náklady lekárov preplácali prostredníctvom uvedeného účtu.

Konkrétne finančné prostriedky zarobené v Nemecku mohli na Slovensko prevádzať len pracovníci s oficiálne uzatvorenou pracovnou zmluvou s podpisom niektorého nemeckého úradu práce. Ženatí poľnohospodárski robotníci mohli mesačne posielať 45 RM (405 Ks) a slobodní 35 RM (315 Ks) (za každú poukázanú RM bolo na Slovensku vyplatených 9 Ks). Vyššie sumy mohli posielať robotníci pracujúci v priemysle, a to slobodní 50 RM (450 Ks) a ženatí 60 RM (540 Ks)[61]. Kvôli ustavičnej nespokojnosti robotníkov s výškou miezd, ktorú mohli mesačne posielať na Slovensko, sa transfer finančných prostriedkov zvýšil nasledovne: slobodní priemyselní robotníci 60 RM, ženatí 70 RM, slobodní poľnohospodárski robotníci 40 RM a ženatí 55 RM.

Ak robotník poslal v príslušnom mesiaci menej peňazí mal možnosť to kompenzovať v nasledujúcich mesiacoch. Finančné prostriedky však mohol posielať iba raz mesačne. Prevod peňazí bol obmedzený iba na financie zarobené konkrétnym pracovníkom a robotník nemohol prevádzať peniaze svojich spolupracovníkov. Ak by to urobil, dopúšťal sa tým trestného činu.[62] Pri návrate do vlasti mohol robotník priviesť maximálne 10 RM. Táto suma bola nepostačujúca, a preto slovenské ministerstvo zahraničných vecí žiadalo zvýšiť túto položku na 60 RM.

Práve výmenou ríšskych mariek za slovenské koruny pri príchode robotníkov na Slovensko sa koncom roka 1940 zaoberala osobitná porada predstaviteľov Slovenskej národnej banky so zástupcami peňažných ústavov. V decembri 1940 sa predpokladal príchod okolo 23 000 slovenských robotníkov z Nemecka cez železničné stanice v Bratislave a Čadci. Cez Bratislavu sa očakával príchod 13 000 robotníkov a cez Čadcu 10 000 robotníkov. Ministerstvo vnútra nariadilo robiť výmenu priamo na staniciach. Predpokladalo sa zriadenie cca 20 výmenných pokladníc v Bratislave a potrebný počet pokladníc aj v Čadci a Žiline. Riaditeľ SNB Martin Kollár súčasne kontaktoval zástupcu štátnych železníc, aby podal konkrétnejšiu správu o príchode vlakov. Podľa zistených informácií bol príchod pracovníkov naplánovaný na 22. – 24. decembra 1940. Výmena peňazí mala presne stanovené pravidlá: pri každej pokladni museli byť traja ľudia, banka si mala zabezpečiť stôl a stoličku a železnice dali k dispozícii čakárne a niektoré osobné pokladne. Zároveň mali peňažné ústavy určené počty pokladníc v konkrétnych staniciach. Bola stanovená aj výška kurzu výmeny a robotník získal za dovezených 10 RM – 47 Ks. SNB pri celej akcii predpokladala výdavky vo výške 500 000 Ks.[63] Uvedenými opatreniami sa malo zabrániť nespokojnosti pri výmene, ktorá nastala v roku 1939.[64]

---

60 ŠÚBA, f. Banská administratíva v Bratislave, š. 16, 2564/1940.
61 SNA, f. Kancelária prezidenta Slovenskej republiky 1939 – 1945 (ďalej KPR), inv. č. 17, š. 32.
62 PA AA, Gesandtschaft Preßburg, Paket 208. Upozornenie pre slovenských sezónnych poľnohospodárskych robotníkov a pre stálych poľnohospodárskych robotníkov o poukazovaní zárobkových úspor do vlasti.
63 Archív Národnej banky Slovenska (ďalej A NBS), f. Slovenská národná banka 1939 – 1945 (ďalej SNB), š. 35. Porada zástupcov SNB, Dopravného úradu Bratislava a peňažných ústavov. 18. 12. 1940.
64 V roku 1939 sa výmena RM podľa nariadenia SNB vykonávala od 11. 12. 1939. Podľa pokynov sa jednej civilnej osobe bez rozdielu štátnej príslušnosti v jednom mesiaci vymenilo najviac 10 RM za úradný kurz. Pri vojenských osobách si mohli príslušníci nemeckej brannej moci vymeniť tiež iba 10 RM a to pri predložení dokladu o služobnom prekročení hranice. V prípadoch vyššej moci bolo možné výnimočne príslušníkom nemeckej brannej moci prechádzajúcim cez Slovensko zameniť pri kurze 1 : 10 aj viac ako 10 RM.

Po príchode vlakov z Nemecka neprebiehala výmena RM podľa predstáv SNB. Išlo hlavne o výšku vymenených finančných prostriedkov. Najmenej sa ich vymenilo v Žiline, kde bola služba zámerne posilnená. Prvý tranzit, v ktorom prišli tri skupiny robotníkov si napr. zmenil iba 50 RM. Pri pátraní, prečo nie je záujem o výmenu 10 RM za slovenské koruny, sa zistilo, že robotníci si marky vymenili už v Nemecku v bankách a cestovných kanceláriách. Tieto výmeny však neboli v kurze 1 RM – 4,7 Ks, ale v stanovenom clearingovom kurze.[65] Pri takomto postupe samozrejme slovenskí robotníci získali oveľa viac slovenských korún ako na Slovensku.

Aj napriek snahám SNB a ministerstva financií o vyriešenie problémov súvisiacich s transferom peňazí na Slovensko, prichádzali od slovenských robotníkov už v roku 1939 neustále sťažnosti,[66] *„že úspory pre rodiny nie sú vyplácané včas a rodinní príslušníci sú vystavení núdzi a hladovaniu".*[67] Problémy s vyplácaním sa prejavovali aj v roku 1940, keď sa proti zvýšeniu transferovanej sumy vyjadrila SNB, ministerstvo financií a Poštová sporiteľňa. Zdôvodňovali to rozdielnou mzdovou, cenovou hladinou a clearingom. Z tohto hľadiska nemohli prisľúbiť, že štátna pokladnica bude mať v roku 1940 dostatok mobilných prostriedkov na vyplatenie zvýšeného transferu.[68]

Finančné prostriedky, ktoré sa posielali na Slovensko neboli jedinou formou prevodu zarobených miezd. Časť finančných prostriedkov využívali slovenské pracovné sily na nákup v Nemecku. Ministerstvo financií oslobodilo vzhľadom na túto možnosť od cla niektoré tovary ako napr. potraviny, šatstvo, obuv, bicykle a veci určené pre rodinu a domácnosť (rádiá, náradie). Colné oslobodenie sa nevzťahovalo na luxusný (v dobovej terminológii koloniálny) tovar, či predmety zakúpené za účelom predaja. Na 5 000 Ks sa obmedzila suma, za ktorú bolo možné tovar nakúpiť. Pri osobách, ktoré sa vracali individuálne bolo potrebné cennejšie predmety vyznačiť na poslednej strane pasu, aby ich nedovážali viackrát.[69] Ministerstvo hospodárstva upravilo svojím výnosom z 26. mája 1941 vývoz potravín. Určené limity umožňovali vyviezť 10 kg potravín jednou osobou. Prevážaný balík mohol obsahovať maximálne 3 kg pečiva alebo cestovín, 0,5 kg masla a 1 kg údenej slaniny. Pri tabaku a cigaretách platila norma 60 cigariet, prípadne 60g tabaku. Z Nemecka bol zákaz vývozu koloniálneho tovaru, mydla, múky a masti.[70] Pri transporte nakúpeného tovaru na Slovensko vznikali problémy pri jeho zasielaní poštou. Colnému úradu v Kútoch prichádzali žiadosti od rodinných príslušníkov robotníkov v Nemecku na oslobodenie od cla pre tovary, ktoré im prichádzali z ríše. Ministerstvo financií sa k tejto žiadosti vyjadrilo negatívne s odôvodnením, že colné oslobodenie platí iba ak nakúpené veci dovážajú robotníci priamo pri svojom návrate na Slovensko.

---

65 A NBS, f. SNB, š. 35. Priebeh výmeny RM robotníkom vracajúcim sa z Nemecka. 28. 12. 1940.
66 Sťažnosť k vyplácaniu miezd na Slovensku napísali aj robotníci z okresu Kolín nad Rýnom: *„Niže podpísaní Slováci – robotníci v Nemecku sa po dvoch mesiacoch obraciame na Vás v mene všetkých aby boli tie peniaze, ktoré odosielame našim rodinám vyplácané behom najkratšej možnej doby. Ponevač naše rodiny z domova píšu rozhorčené a veľmi smutné listy. Nemôžme predsa nečinne prizerať – myslieť na to, že tí na ktorých živobytie sa my musíme starať na nich pracovať, aby tí museli hladovať, keďže vieme, že na úver sa žiť nedá. Z peňazí, ktoré sú prípustné k odoslaniu teda čiastka 40 mariek mesačne nie je dostatočná k výžive viacčlennej rodiny a neprídu li ešte ani tie načas nie je možno nám tu byť ani pracovať kľudne. Následky sú len tieto – každý rozhorčený nepresnosťou a oneskoreným doručovaním peňazí vidí východisko v tom, že sa treba brať domov. Nedivte sa tomu ale vžite sa trocha do situácie, v ktorej sa robotníci takýmto počínaním nachádzajú a musíte uznať, že je to veľmi ťažká situácia. A takéto postavenie má zasa ďalšie následky, neprajné pre celok. Žiadame týmto i o vyrozumenie nejakou cestou pre všetkých, možno li posielať veci a ktoré veci sú bez cla dovolené posielať'".* SNA, f. MF, inv. č. 26, š. 121.
67 Dokument 15.
68 SNA, f. MF, inv. č. 26, š. 121. Zápisnica z porady z 12. 2. 1940.
69 SNA, f. MF, inv. č. 26, š. 121. Slovenskí robotníci vracajúci sa z práce z Nemecka – bezcolný dovoz vecí nakúpených zo získanej mzdy. 18. 7. 1939.
70 SNA, f. MZV, inv. č. 32, š. 975. Povoľovanie vývozu potravín pre robotnícke transporty do ríše.

Situácia s dovozom tovaru na Slovensko nebola pre robotníkov veľmi výhodná. Svoje sťažnosti prezentovali už 24. septembra 1939 na stretnutí slovenského sezónneho robotníctva z okolia Viedne. Argumentovali skutočnosťou, že vzhľadom na ťažké vojnové obdobie je dovoz potravín a ich nákup v Nemecku veľmi obmedzený. Takto prichádzal do úvahy iba dovoz menej potrebných tovarov. Svoje požiadavky robotníci zhrnuli do nasledujúcich bodov: zvýšenie limitu posielaných zárobkov rodinám na Slovensku, nepreplácanie nadčasových hodín, keďže sa na robotníkov vzťahoval pracovný a platový zákon nemecký, zníženie prídelového deputátu a poskytnutie náhrad v peniazoch, sprehľadnenie otázky odvodovej povinnosti a vojenskej služby.[71] V konečnom dôsledku problémy súvisiace s transferom finančných prostriedkov z Nemecka a ich preplácanie SNB spôsobovali slovenskej ekonomike ťažkosti spôsobené umelo nadhodnoteným kurzom RM voči Ks či nevýhodným clearingovým stykom, ktorý musela národná banka financovať. Na druhej strane nemožno opomínať skutočnosť, že robotník si po príchode finančných prostriedkov na Slovensko relatívne slušne zarobil.

Vo februári 1940 vydalo ministerstvo vnútra konkrétne smernice, ktoré spresňovali najímanie pracovných síl do Nemecka. Vyňatí z náboru mali byť tí, ktorí ešte nemali za sebou vojenskú službu, robotníci, ktorí už boli na prácach v Nemecku a svoj pracovný pomer riadne neukončili, porušili „dobré mravy", nepoctivo narábali s deputátom, či ich správanie inak poškodzovalo dobré meno Slovenska v zahraničí. Na druhej strane mali byť pri najímaní uprednostňovaní robotníci nemeckej národnosti, slobodní alebo ženatí – bezdetní muži.

Nábor uskutočňovali slovenské úrady (Krajinský úrad práce, Slovenský úrad práce pre zemedelské robotníctvo, od polovice roku 1940 Ústredný úrad práce ako sekcia ministerstva vnútra a im podriadené úrady práce) v súčinnosti s úradovňou poverenca ríšskeho ministerstva práce, od jari 1942 s úradovňou poverenca generálneho splnomocnenca pre pracovné nasadenie. Po vybratí robotníka musel mať každý vlastný cestovný pas a zároveň im slovenské úrady práce vyplnili: bankový preukaz, platobné príkazy, daňové osvedčenie o trvalom bydlisku, daňové osvedčenie o počte rodinných príslušníkov, potvrdenie o rodine na Slovensku, hlásenie o odchode a príchode robotníka, nemocenskú legitimáciu.[72] Bankový preukaz vydával príslušný úrad práce. Preukaz obsahoval: 1.) číslo bankového preukazu, 2.) meno a bydlisko robotníka na Slovensku, 3.) osobu a jej presnú adresu, ktorej chce robotník svoje zárobkové úspory posielať. Pri odchode odovzdal robotník preukaz sprievodcovi tranzitu. Následne bol bankový preukaz zaslaný príslušnému nemeckému úradu práce. Úrad práce poslal jeden exemplár nemeckému zamestnávateľovi a ostatné vyhotovenia dostali peňažné ústavy, ktoré uskutočňovali prevod zárobkových úspor.[73] Pri samotnej transakcii finančných prostriedkov používal robotník platobné príkazy. Na platobnom príkaze uviedol sumu, ktorú chcel poslať, miesto v Nemecku a dátum. Následne mu zamestnávateľ potvrdil príjem peňazí a poslal peniaze spolu s dvoma prepismi platobného príkazu »Deutsche Verrechnungskasse Reichsmarkabteilung Berlin« s poznámkou »Slowakische Arbeiter«[74]

Vydané smernice obsahovali takisto pokyny pre robotníkov podľa ktorých: „*Robotníctvo nech svoje pracovné miesta v Nemecku bez vedomia nemeckých úradov práce neopúšťa, keď'*

---

71 Vojenský historický archív Bratislava (ďalej VHA), f. Ministerstvo národnej obrany 1939 – 1945, prezídium 1939 – 1940, I. časť, š. 7, 10517/1939 prez.

72 Štátny archív Levoča (ďalej ŠA Levoča), pobočka Stará Ľubovňa, f. Okresný úrad (ďalej OÚ) Stará Ľubovňa 1923 – 1945, š. 55, 30326/IV/a-1940. Slovenskí robotníci v Nemecku. Pokyny k najímaniu v roku 1940.

73 PA AA, Gesandtschaft Preßburg, Paket 208. Upozornenie pre slovenských sezónnych poľnohospodárskych robotníkov a pre stálych poľnohospodárskych robotníkov o poukazovaní zárobkových úspor do vlasti.

74 PA AA, Gesandtschaft Preßburg, Paket 208. Upozornenie pre slovenských sezónnych poľnohospodárskych robotníkov a pre stálych poľnohospodárskych robotníkov o poukazovaní zárobkových úspor do vlasti.

toto spravia bez vedomia vyššie uvedených úradov, môže sa im stať, že ostanú bez zárobku, alebo nebudú môcť svoj zárobok posielať do vlasti."[75]

Pokiaľ mali robotníci trvalý pobyt na Slovensku nepodliehali dôchodkovej, občianskej a cirkevnej dani. Boli však povinní v Nemecku odvádzať invalidné, nemocenské poistenie a príspevok pre nezamestnaných. Poplatky, medzi ktoré patrilo povolenie zamestnávania, povolenie práce a povolenie pobytu platili zamestnávatelia vo výške 3 RM. Tento poplatok bol stanovený podľa rozhodnutia úradu práce alebo policajného riaditeľstva na dobu 6 mesiacov, 1 rok, prípadne na čas platnosti cestovného pasu.

* * *

Náborom a dodržiavaním dohodnutých pracovných podmienok na rok 1940 pre slovenských robotníkov v ríši sa už začiatkom februára 1940 začala intenzívne zaoberať nemecká strana a 5. februára 1940 adresovala slovenskému ministerstvu zahraničných vecí verbálnu nótu. Verbálna nóta nemeckého vyslanectva sa dotýkala predovšetkým dodržiavania ustanovení schválených na nemecko-slovenských rokovaniach 4. – 8. decembra 1939, kde bolo dohodnuté, že príslušné predpisy nemeckého pracovného práva pre vojnové hospodárstvo sa vzťahujú aj na slovenských pracovníkov.[76] Nemecká strana súčasne upozorňovala na dodržanie stanoveného počtu robotníkov, ktorý bol na 2. zasadnutí spoločných nemecko-slovenských vládnych výborov na rok 1940 dohodnutý v počte 53 000, pričom bolo dohodnuté aj zvýšenie dobropisu na krytie miezd na 135 miliónov Ks a ustálené príjmy na prevod 30 – 60 RM.[77] Plánovalo sa, že do priemyselných podnikov bude najatých 30 000 a do poľnohospodárstva 23 000 robotníkov.[78] Uvedený počet osôb bol tiež zahrnutý do slovensko-nemeckej dohody dňa 8. decembra 1939. Táto dohoda so všetkými protokolmi bola predložená vláde Slovenskej republiky na schválenie a bola uznesením ministerskej rady definitívne schválená 10. januára 1940.

Nespokojnosť Nemecka s priebehom náboru a následným odchodom slovenských pracovných síl do ríše sa vystupňovala po prijatí uznesenia slovenskej vlády 10. apríla 1940, podľa ktorého sa zastavilo najímanie robotníctva do cudziny. Ako dôvod sa uvádzal, že robotníctvo musí byť zamestnané doma, kde sa mu zaobstará potrebná práca. Na realizácii uvedeného nariadenia trval aj minister vnútra a zahraničia Ferdinand Ďurčanský.[79] Pri rozhovoroch s nemeckou stranou F. Ďurčanský argumentoval, že protokol z 8. decembra 1939 hovorí iba o „nanajvýš" 53 000 pracovníkoch a slovenská vláda teda nie je viazaná naplniť tento maximálny počet robotníkov.[80] Už 18. apríla sa s ministrom stretol nemecký vyslanec Hans Bernard, ktorý s ním takisto rokoval o naplnení stanoveného počtu slovenských robotníkov v Nemecku, kde podľa neho chýbalo cca 20 000 slovenských pracovníkov, a to hlavne v poľnohospodárstve.[81] Ešte v ten istý deň večer dal F. Ďurčanský pokyn, aby úrady práce nasledujúci deň sprostredkovali prácu ďalším 8 000 poľnohospodárskym robotníkom.

O navýšení počtu slovenských robotníkov do ríše rokovala 24. apríla aj slovenská vláda, ktorá sa uzniesla na zvýšení počtu slovenských robotníkov a následne už bola ochotná uvoľniť 12 000 pracovných síl pod podmienkou, že im bude garantované vyplácanie miezd.[82]

---

75 ŠA Levoča, pobočka Stará Ľubovňa, f. OÚ Stará Ľubovňa, š. 55, 30326/IV/a-1940. Slovenskí robotníci v Nemecku. Pokyny k najímaniu v roku 1940.
76 Dokument 21.
77 Dokument 20.
78 Zdeněk Konečný a František Mainuš uvádzajú, že spolu s robotníkmi, ktorí zostali v ríši z roku 1939 ich bolo na území Nemecka až 80 000. KONEČNÝ, Z. – MAINUŠ, F. Slováci na prácich..., s. 573.
79 Dokument 23.
80 Dokument 24.
81 Dokument 24, poznámka 2.
82 Dokument 24, poznámka 3.

Nemecká strana súhlasila a slovenská vláda na zasadnutí 30. apríla povolila odoslanie dohodnutého počtu robotníkov do Nemecka. Na základe nemeckých požiadaviek došlo v krátkom čase (29. mája 1940) k opätovnému zvýšeniu kontingentu do Nemecka. Po súhlase ministerského predsedu Vojtecha Tuku a jeho vzájomnej dohode s ministrom vnútra Ferdinandom Ďurčanským sa povolil nábor ďalších 10 000 pracovných síl, presahujúci rámec schváleného kontingentu, do Nemecka a 5 000 do Protektorátu. Zároveň boli určené konkrétne počty robotníkov a okresy, z ktorých mali byť najímaní na prácu do ríše.[83]

V konečnom dôsledku sa tak dohodnutý počet slovenských robotníkov pracujúcich v Nemecku zvýšil a prekročil pôvodne dohodnutý kontingent. Podľa nemeckých štatistických údajov tak v období od 1. januára do 9. novembra 1940 pracovalo v ríši 37 955 poľnohospodárskych a 24 531 priemyselných robotníkov. Celkovo bolo teda v Nemecku zamestnaných do tohto dátumu 62 486 slovenských štátnych príslušníkov.[84] V uvedených číslach boli započítaní aj robotníci pracujúci v Protektoráte Čechy a Morava.

Najímanie slovenských robotníkov do Nemecka nebolo jednoduchou záležitosťou ani v roku 1941, keď už 21. januára nemecký vyslanec Hanns Elard Ludin žiadal o urýchlené začatie rokovaní o nasadení slovenských pracovných síl v ríši. Problémom boli opäť rozdielne pohľady slovenskej a nemeckej strany na počet najatých slovenských robotníkov. H. E. Ludin argumentoval, že pokiaľ pri prvých návrhoch súhlasila slovenská strana s počtom 80 000 robotníkov, neskôr začala uvažovať o kontingente 30 000 – 50 000 pracovníkov.[85] Hlavnými príčinami zníženého záujmu o prácu v ríši bola predovšetkým zlá strava, meškanie transferu miezd na Slovensko, ale aj zlé zaobchádzanie na pracoviskách, nevhodné podmienky v ubytovacích táboroch a tiež nárast britských náletov na nemecké priemyselné komplexy.

Výšku kontingentu slovenských pracovných síl v ríši na rok 1941 riešil 21. marca 1941 vo svojom liste predsedovi slovenského vládneho výboru Štefanovi Polyákovi, predseda nemeckého vládneho výboru Günter Bergemann. Konkrétne sa rátalo s kontingentom 20 000 priemyselných a 55 000 poľnohospodárskych robotníkov (doň bolo započítaných 4 700 osôb, ktoré zostali v Nemecku v zime 1940/1941.) Takisto už prebiehal nábor 6 000 sezónnych a 1 000 lesných robotníkov, ktorí mali byť zamestnaní v Protektoráte.[86]

Pri vzájomných rokovaniach sa súčasne riešila otázka novej dohody o pobyte slovenských pracovníkov v Nemecku a Protektoráte Čechy a Morava. Vo februári a marci 1941 sa uskutočnili v Berlíne rozhovory medzi zástupcami nemeckej a slovenskej vlády, ktorých výsledkom bolo 19. júna 1941 podpísanie novej dohody medzi Nemeckou ríšou a Slovenskou republikou o nábore slovenských pracovných síl do Nemecka a Protektorátu Čechy a Morava. Uzatvorená dohoda spresňovala podmienky pobytu slovenských robotníkov v ríši a nahrádzala pôvodnú zmluvu z 8. decembra 1939.[87]

Vzhľadom na nemecko-slovenské dohody malo v konečnom dôsledku byť v roku 1941 do ríše naverbovaných 41 000 poľnohospodárskych robotníkov (vrátane 6 000 v Protektoráte Čechy a Morava), 3 000 lesných robotníkov a 1 000 pomocníčok v domácnosti. Podľa správy nemeckého vyslanca H. E. Ludina z 15. januára 1942 pracovalo napokon v roku 1941 v ríši: 39 070 poľnohospodárskych (vrátane 5 935 v Protektoráte Čechy a Morava) a 3 667 lesných robotníkov (vrátane 1 031 v Protektoráte Čechy a Morava). Prijatých bolo

---

83 Dokument 32.
84 Dokumenty 69 a 70.
85 Dokument 75.
86 Dokument 82
87 Dokument 86.

takisto 1 152 pomocníčok do domácnosti. Okrem poľnohospodárskych a lesných pracovníkov pracovalo v roku 1941 v ríši ešte 12 493 priemyselných robotníkov.[88]

Uvedené pomerne vysoké čísla slovenských pracovných síl v zahraničí so sebou opäť prinášali problémy s vysokým finančným transferom[89] ich miezd z Nemecka na Slovensko. Danou problematikou a spôsobom jej riešenia sa zaoberal aj minister financií Mikuláš Pružinský, ktorý vypracoval návrh na konkrétne riešenie: 1.) Ministerstvo financií v súlade so Slovenskou národnou bankou žiadalo, aby výplatný kurz bol bez ďalších kombinácií ustálený na 9 Ks. Vyplatené čiastky by tak podliehali zrážke z dôvodu manipulačných výloh, sociálnej dávky a úniku daňového zdroja vo výške 2,62 Ks pri 1 RM. 2) Ministerstvo financií navrhlo výplatný systém kombinovať so systémom nútenej sporivosti. Štát by pri tomto systéme nemusel okamžite vyplatiť celú hotovosť, ale len časť, pričom zostávajúcu sumu by uznal ako vklad (bezúročne, s nižším úrokom) Poštovej sporiteľne vypovedateľný za určitý čas a v určitých termínoch. Limitom mala byť objektívna domáca potreba podľa domácich zárobkových možností a možnosti štátnej pokladnice. 3.) Ministerstvo financií zároveň navrhovalo, aby sa osobitne uvažovalo aj o robotníkoch pracujúcich v Protektoráte Čechy a Morava. Protektorátne koruny posielané cez nemecký clearing boli totiž vyplácané v slovenských korunách v relácii k RM. Robotník, ktorý poslal nasporené protektorátne koruny, ich dostal vyplatené v Ks a nie v pomere 1 K = 1 Ks, ale 1 K = 1,10 Ks. 4.) Cezhraniční pracovníci (tzv. »Grenzgänger«) z ríše (Protektorátu), ktorí pracovali v Slovenskej republike, mali povinne posielať časť svojich zárobkov cez »Arbeiterlohnersparnisskonto«, a to bez ohľadu na to, či ide o robotníkov alebo úradníkov.[90] Návrhy ministra financií mali do určitej miery vyriešiť problémy s vyplácaním finančnej hotovosti transferovanej z Nemecka na Slovensko, ich realizácia však vo veľkej miere závisela predovšetkým od ochoty nemeckej strany.

Dôležitou súčasťou pracovného pobytu v Nemecku a Protektoráte bolo aj organizovanie návratu robotníkov na Slovensko po skončení pracovnej zmluvy. Išlo predovšetkým o poľnohospodárskych robotníkov, ktorým sa na jeseň končili poľnohospodárske práce. V roku 1941 začal odchod slovenských robotníkov z Protektorátu na Slovensko 6. novembra a podľa nariadenia prekročili štátnu hranicu pri Hornom Srní. Z Nemecka vychádzali špeciálne vlaky 20. novembra a nemali určené osobité miesto prekročenia hranice. Spiatočné lístky pre robotníkov v Nemecku zabezpečovali predajne úradnej nemeckej cestovnej kancelárie Mitteleuropäisches Reisebüro. V Protektoráte malo na starosti spiatočný transport Ministerstvo sociálnej starostlivosti v Prahe po dohode s príslušnou sekciou úradu ríšskeho protektora a úradmi práce. Slovenské ministerstvo dopravy a verejných prác nariadilo, aby bolo v záujme robotníkov vybrané cestovné za slovenskú trať už v Nemecku. Takto mohli robotníci využiť marky, ktoré si nemohli poukázať ani doniesť domov. Pre slovenské železnice bola cena lístka pre dospelého 56 Ks a pre deti 4-10 rokov 28 Ks. V cene bola zahrnutá doprava batožiny 150 kg pre dospelých a 75 kg pre deti.[91]

V roku 1942 sa zvýšené odvodové povinnosti, nové pracovné príležitosti na Slovensku a vzrastajúca nespokojnosť s pracovnými podmienkami a finančným ohodnotením v Nemecku zákonite odrazili na počte najatých slovenských robotníkov. V roku 1942 ich

---

88 Dokument 99.

89 Vysoká finančná položka predstavovala sumu cca 550 mil. Ks, čo tvorilo ¼ štátnych príjmov Slovenskej republiky. Aj napriek svojej výške predstavovala uvedená suma asi 2/3 finančného transferu, ktorý mohli v danom roku poukázať slovenskí robotníci na Slovensko. Ministerstvo financií nemalo presne zistené, prečo sa vyčerpávajú len 2/3 poskytnutých možností, ale predpokladalo, že zvyšnú finančnú hotovosť robotníci utrácajú v Nemecku.

90 Dokument 95.

91 SNA, f. MZV, inv. č. 32, š. 593. Návrat poľnohospodárskych robotníkov z Nemecka a Protektorátu.

odišlo 40 000 z toho 6 000 do Protektorátu. Situácia bola zvlášť kritická v priemyselných podnikoch, kde už Slovensko nemohlo poskytnúť požadovaný počet pracovníkov. Určité rezervy sa ešte stále dali nájsť medzi poľnohospodárskymi robotníkmi. V tomto čase sa už takisto zintenzívnil problém s nedostatkom železničných vagónov potrebných na prepravu slovenských robotníkov do Nemecka.[92] Uvedené ťažkosti samozrejme súviseli s prepravou nemeckej armády, zbraní a vojenského materiálu na východný front, kde prebiehali ťažké boje so sovietskou armádou.

Pravidlá odchodu robotníkov za prácou do Nemecka sa od roku 1939 čiastočne menili, hlavne pokiaľ išlo o výšku posielaných úspor do vlasti, či doplňovali, predovšetkým konkretizovaním podmienok odchodu. Vo februári 1942 vydalo ministerstvo vnútra – Ústredný úrad práce nové smernice pre nábor pracovných síl do Nemecka. V nariadení boli jasne stanovené inštrukcie pre robotníkov, ktorí mali byť pri verbovaní uprednostnení a na druhej strane sa vyčlenili muži, ktorým sa práca v Nemecku neodporúčala. Medzi pracujúcich, ktorí mali byť uprednostnení, patrili príslušníci nemeckej národnosti a slobodní robotníci, ktorí nemali zamestnanie na Slovensku. Práca do Nemecka a Protektorátu nesmela byť na druhej strane sprostredkovaná odvedeným mužom (ročníky 1921, 1922 a starší), alebo mužom, ktorí ešte nevyhoveli odvodovej povinnosti. Ďalej išlo o stavebných remeselníkov, odborných banských robotníkov, ktorým mohol výnimku povoliť iba Ústredný úrad práce. Medzi ďalšie kategórie robotníkov, ktorým nemala byť sprostredkovaná práca v Nemecku patrili: a.) robotníci a remeselníci, ktorí už boli na práci v Nemecku, ale svoj pracovný pomer riadne neukončili; b.) robotníci a remeselníci, ktorí sa hrubo prehrešili proti dobrým mravom; c.) poľnohospodárski robotníci, ktorí nepoctivo „šafárili" s deputátom pre robotníkov; d.) predáci, ktorí neboli z hľadiska sociálneho na zamestnanie v cudzine odkázaní, všetci tí, ktorých správanie poškodzovalo dobré meno Slovenska v zahraničí a e.) napokon všetci tí, ktorí už boli viazaní zmluvou na Slovensku alebo mali možnosť byť zamestnaní doma, resp. tí, ktorí neboli na námezdnú prácu odkázaní.

Pred odchodom do Nemecka musela byť pracovná zmluva prečítaná robotníkovi a ten ju následne podpísal s tým, že rozumie pokynom v zmluve. Pracovné dohody z Nemecka boli doručené Ústrednému úradu práce, ktorý ich distribuoval úradom práce v Bratislave, Nitre, Trenčíne, Žiline, Zvolene a Prešove. Pracovné zmluvy sa ešte rozdeľovali aj podľa voľných pracovníkov v konkrétnych okresoch.[93] Okrem toho musel robotník podať aj daňové osvedčenie o počte rodinných príslušníkov, ktorí boli odkázaní na jeho výživu. Osvedčenie o vedení dvojitej domácnosti muselo byť v zmluve zadefinované špeciálnym dodatkom, ktorý sa vzťahoval na ženatých, ale aj na slobodných robotníkov, ktorí viedli po finančnej stránke domácnosť.

Pri najímaní na jednotlivé práce bol stanovený i vekový limit zamestnancov. Na priemyselné práce mohli byť najímaní len robotníci starší ako 18 rokov, na lesné práce viac ako 20 roční a na poľnohospodárske práce starší ako 16 rokov. V poľnohospodárskej oblasti mohol odísť aj 15-ročný pracovník, ale vždy iba v sprievode rodičov. Pri pomocníčkach v domácnosti bola podmienkou dvojročná prax a vek nad 20 rokov. Určité obmedzenia platili aj pre priemyselný sektor, kde nemohli ísť pracovať poľnohospodárski robotníci.

---

92 Dokument 105.
93 ŠA Levoča, pobočka Stará Ľubovňa, f. OÚ Stará Ľubovňa, š. 55, 0326/IV/a-1940. Slovenskí robotníci v Nemecku. Pokyny k najímaniu v roku 1940.

Pri následnom odchode robotníkov na pracovné miesto v Nemecku zabezpečovali slovenské úrady aj paušálny cestovný lístok[94], ktorý platil na cestu do ríše. Odchod robotníkov späť na Slovensko sa už riešil priamo v Nemecku a paušálny lístok sa naň nevzťahoval. Ústredný úrad práce zároveň oslovil okresných náčelníkov, ako prednostov úradov práce, aby najímanie na sezónne práce prebiehalo v čo najkratšom čase, k čomu malo prispieť vyčlenenie dostatočného počtu úradníkov.

* * *

Pri odchode slovenských robotníkov do Nemecka sa už od začiatku vyskytovali rôzne problémy pri uzatváraní pracovných zmlúv, jazyková bariéra, či sťažnosti na transfer zárobkov do vlasti. Odchod slovenských pracovníkov do ríše si tak vyžiadal i zvýšenie sociálnej starostlivosti o danú skupinu slovenských občanov. Situáciu bolo potrebné riešiť už v roku 1939, keď v Nemecku zostalo cez zimu ešte okolo 35 000 robotníkov. Boli medzi nimi hlavne robotníci pracujúci v priemysle, ale zostala tam aj časť poľnohospodárskych robotníkov, ktorí si našli prácu v továrňach a na stavbách. Ochrana a zabezpečenie sociálneho postavenia robotníkov sa ukázali ako nedostatočné. Robotníci svoje sťažnosti adresovali predovšetkým slovenskému vyslanectvu v Berlíne, ktoré nebolo schopné všetky námietky vyriešiť. V Berlíne bol k dispozícii iba jeden slovenský úradník venujúci sa sociálnej starostlivosti o robotníkov (tzv. sociálny ataše), ktorý samozrejme nemohol uspokojivo riešiť všetky ich požiadavky (v priemere sa denne na vyslanectve so žiadosťou o pomoc vystriedalo 20 robotníkov). Podobne obmedzené možnosti mal aj slovenský konzulát vo Viedni. Vláda z tohto dôvodu začala riešiť zintenzívnenie sociálnej a kultúrnej práce medzi robotníkmi v Nemecku.

Podľa vzoru Talianska, Bulharska, Juhoslávie či Maďarska bolo hlavnou úlohou vybudovanie siete úradníkov a duchovných, ktorí by zabezpečovali potreby Slovákov v Nemecku. Počas rokovania vládnych výborov slovenská strana navrhla, aby na kultúrnu a sociálnu prácu boli vyslaní študenti sociológie, ďalej sa plánovalo vyslanie tlmočníka pre 500 – 1500 slovenských robotníkov, ktorý by mal na starosti ochranu robotníctva. Súčasne mala byť na návrh koncipienta politickej správy Jozefa Schwarza poskytnutá v záujme ochrany robotníkov možnosť zamestnať za týmto účelom väčší počet úradníkov. Podľa neho malo byť vyslanectvu v Berlíne pridelených niekoľko úradníkov, ktorí by tvorili akýsi „ochranný úrad" pre slovenské robotníctvo v Nemecku tzv. »Betreuungsstelle für slowakische Arbeiter«. Túto »Betreuungsstelle«, ktorá by sa mohla priamo obracať na nemecké úrady, by viedol vyšší úradník. Do jej kompetencie mala patriť celá tretia ríša a jej úlohou malo byť sprostredkúvanie styku s úradmi, najmä s ríšskym ministerstvom práce. Uvedený systém čerpal z talianskeho príkladu, kde bol vedením agendy poverený sociálny ataše veľvyslanectva. Úlohou vedúceho úradníka bolo riadenie úradu, sprostredkovanie styku s úradmi, vybavovanie osobných žiadostí a korešpondencie. Pre vnútornú službu mali byť k dispozícii ešte dvaja úradníci, a to na prijímanie stránok, vybavovanie korešpondencie, potrebnú návštevu miesta, skupiny, alebo jednotlivca. Pre externú službu sa plánovalo pridelenie troch úradníkov, ktorí mali za úlohu systematickú kontrolu a návštevu slovenských robotníkov. Berlínska »Betreuungsstelle« mala pôsobnosť pre tzv. „starú ríšu" (»Altreich«) a Východné Prusko. Pre obvod viedenského konzulátu navrhoval J. Schwarz prideliť dvoch ľudí k vnútornej a dvoch ľudí k vonkajšej službe. Pre obvod pražského generálneho konzulátu navrhoval prideliť jedného úradníka pre vnútornú a dvoch pre vonkajšiu službu. Títo administratívni

---

94 Paušálny cestovný lístok sa na rubovej strane označil okrúhlou pečiatkou. Pri začiatku cesty museli robotníci cestovné lístky predložiť pokladnici nástupnej stanice na opečiatkovanie. Úrady práce oznámili „Želke" (úradnej cestovnej kancelárii slovenských železníc) priebežne od 1. marca 1942 osobitne pre každý špeciálny vlak počet a čísla vydaných cestovných lístkov.

pracovníci nemuseli mať podľa prideleného návrhu ani stredoškolské vzdelanie, potrebné však bolo ovládanie nemeckého jazyka a kladný vzťah k sociálnej práci. Predpokladalo sa, že finančne sa táto situácia bude riešiť z manipulačných poplatkov, ktoré poskytovala nemecká strana za každého najatého robotníka.[95]

Návrh na zabezpečenie ochrany slovenských robotníkov sa realizoval v apríli 1940, keď podľa rozhodnutia ministerstva vnútra boli vybraní na sociálnu ochranu slovenského robotníctva ako sociálni referenti Ľudovít Mutňanský a Štefan Holienčík pre obvod slovenského vyslanectva v Berlíne a Michal Šimonovič pre obvod generálneho konzulátu vo Viedni. Postupne sa organizačná sieť úradu Ochrany robotníkov zo Slovenska začala rozrastať. Okrem Berlína pôsobila v iných mestách a zvýšil sa aj počet úradníkov.[96]

Sociálny pridelenec slovenského vyslanectva v Berlíne Ľ. Mutňanský uskutočnil 19. – 20. júna 1940, krátko po svojom nástupe, služobnú cestu do slovenskej robotníckej kolónie v Christianstadte. Účelom návštevy bolo preverenie sťažností slovenských robotníkov na nedodržiavanie prísľubov zo strany nemeckého zamestnávateľa. Priamo na mieste panovala napätá atmosféra vyplývajúca z nespokojnosti slovenských robotníkov ohľadom nevyplatenia sľúbenej výšky hodinovej mzdy, ktorá mala podľa informácií sprostredkovateľov práce na Slovensku predstavovať pre nádenníkov 71 fenigov a pre odborníkov 85 fenigov. Po príchode na miesto však zamestnávateľ vyplácal iba 59 fenigov pre nádenníkov a 71 fenigov pre odborníkov. Robotníci boli nespokojní aj s nedostatkom stravy, nemali možnosť získať pracovný odev a vzdialenosť od ubytovania k pracovnému miestu bola až 12 km. Uvedené sťažnosti negatívne pôsobili na náladu a pracovnú morálku slovenských robotníkov. Na druhej strane zamestnávatelia argumentovali, že určitá časť týchto slovenských robotníkov nechcela nastúpiť do práce, chovala sa úplne nedisciplinovane a keďže ich správanie ohrozovalo verejný poriadok a chod podniku, boli niektorí robotníci na krátku dobu internovaní, ale neskoršie prepustení. Ani po tomto incidente však nechceli nastúpiť do práce. Zamestnávateľ kritizoval takisto pracovný výkon slovenských robotníkov.

Uvedenú situáciu a predovšetkým požiadavky slovenských robotníkov, ako zvýšenie mzdy a pravidelnú dovolenku, zamestnávateľ neakceptoval a jediným riešením bola možnosť odchodu nespokojných slovenských robotníkov domov. Cestovné výdavky na cestu na Slovensko si však museli financovať robotníci individuálne. Vo svojej záverečnej správe zo služobnej cesty Ľ. Mutňanský napokon skonštatoval „Nech patričné úrady dbajú o to, aby slovenskí robotníci pred odchodom do Nemecka boli správne poučení a aby úrad propagandy venoval zvýšenú pozornosť našim slovenským robotníkom, lebo chovanie ako som zistil v Christianstadte neslúži slovensko-nemeckým vzťahom a môže mať v budúcnosti aj štátno-politické následky."[97] Citovaný komentár Ľ. Mutňanského bol tendenčný a čiastočne poplatný dobovej propagande, čo vyplývalo aj z jeho názorového presvedčenia blízkeho radikálnemu krídlu v HSĽS.

Pracovný pobyt slovenských pracovníkov v ríši, mal pre nich pozitívne, ale i negatívne stránky. Úlohou sociálnych pracovníkov bolo predchádzanie a samotné riešenie vzniknutých komplikácií. Pracovné cesty slovenských sociálnych referentov sa uskutočňovali do viacerých pracovných lokalít slovenských robotníkov, odkiaľ podávali správy o pracovných podmienkach a postavení robotníkov v priemyselných závodoch alebo poľnohospodárskych statkoch. Podobnú správu za mesiac september 1941 napr. vypracovala aj slovenská delegácia pri Nemeckom pracovnom fronte – DAF v Grazi. Súhrn správ o pomeroch slovenských

---

95 Pozri dokument 19.
96 KONEČNÝ, Z. – MAINUŠ, F. Slováci na pracích...,s. 589.
97 Dokument 39.

robotníkov v ríši naznačuje, že ich pracovné a sociálne postavenie záležalo do veľkej miery od konkrétneho podniku a zamestnávateľa, u ktorého pracovali. V dňoch 17. – 19. februára 1941 sa uskutočnili v Bratislave rokovania o začlenení slovenských robotníkov pracujúcich v Nemecku do DAF so štatútom hosťujúcich členov. Slovenskí robotníci ako hosťujúci členovia mali rovnocenné postavenie s nemeckými zamestnancami. Pre zamestnancov určených na sociálnu ochranu slovenského robotníctva v Nemecku v rámci DAF bol vypracovaný osobitný služobný poriadok.[98] Slovenskí sociálni pracovníci zabezpečovali potreby slovenských robotníkov v rámci DAF na základe dohody z 19. februára 1941 uzatvorenej medzi Ministerstvom vnútra Slovenskej republiky a nemeckým DAF. Prijatie a prepúšťanie zamestnancov mal vo svojej kompetencii na základe poverenia ministerstva vnútra vyslanec v Berlíne, ktorý osobne podpisoval potrebné dekréty. Vyslanca Slovenskej republiky v Berlíne splnomocnil 24. júla 1941 na základe dohody s DAF a po dohode s predsedom vlády V. Tukom minister vnútra Alexander Mach na menovanie zamestnancov určených pre výkon ochrany slovenského robotníctva v Nemecku.[99]

Zamestnanci podľa výkonu služby používali tituly: delegát, referent, kancelársky zamestnanec a k tomu aj zodpovedný stupeň funkcie: ústredný, župný, okresný. Služobný poriadok riešil platové podmienky, podľa ktorých prináležal zamestnancovi: základný plat, zahraničný prídavok, prídavok na manželku, prídavok na deti, ošatný prídavok, cestovné výdavky pri nastúpení služby alebo ukončení služby a cestovné výdavky pri služobných cestách. Základný plat sa pohyboval podľa funkčného miesta a veku od 80 – 120 RM mesačne a zahraničný prídavok od 270 – 515 RM mesačne. Určená bola aj dĺžka dovolenky. Zamestnanec do 30 rokov pracujúci v kalendárnom roku najmenej 8 mesiacov mal nárok na 14 dní voľna na zotavenie, pracovník starší ako 30 rokov na 21 dní dovolenky. Delegáti a referenti mali predpísané povinné nosenie rovnošaty HG.[100]

Na začiatku septembra 1941 boli sformulované a oboma zmluvnými stranami schválené vykonávacie smernice k hosťujúcemu členstvu slovenských pracovných síl pri DAF. Súčasťou smerníc bola dohoda o zriadení postu slovenského splnomocnenca pri centrálnej kancelárii DAF, ako aj slovenských zástupcov pri župných, okresných, závodných a táborových organizácií DAF.[101]

Zvláštne ustanovenie služobného poriadku nariaďovalo Vyslanectvu Slovenskej republiky v Berlíne viesť o každom sociálnom zamestnancovi osobitný spis, ktorého súčasťou boli koncepty i správy týkajúce sa zamestnancov a zároveň aj koncepty odhlášok či prihlášok týkajúcich sa penzijného a nemocenského poistenia. Počas pobytu robotníkov v Nemecku sa vyskytli prípady, že pracovník prišiel o svoju prácu a nedokázal si z dôvodu nedostatku financií zabezpečiť nové pracovné miesto alebo sa nemohol vrátiť na Slovensko. Na vyriešenie

---

98 Podľa služobného poriadku mali zamestnanci okrem iného slovenské robotníctvo viesť tak „aby voľný čas robotníctva využívali k jeho vzdelávaniu, k čistote, zavádzali hranie slušných spoločenských hier, čítanie kníh, hranie ochotníckych divadiel, usporiadávali kabarety, výchovné prednášky a i." SNA, f. MZV, š. 135, inv. č. 32. „Služobný poriadok pre zamestnancov určených pre sociálnu ochranu slovenského robotníctva v Nemecku".

99 SNA, f. MZV, š. 135, inv. č. 32. „Služobný poriadok pre zamestnancov určených pre sociálnu ochranu slovenského robotníctva v Nemecku". Dňa 4. mája 1942 nastúpil na miesto výkonu sociálnej ochrany robotníctva v Nemecku J. Schwarz, ktorému boli podľa nariadenia ministerstva financií priznané nasledujúce služobné pôžitky: ročná mzda vo výške 11 760 Ks, zahraničný prídavok 17 928 Ks, ošatné 2 200 Ks, jednorazová podpora na rovnošatu HG 1000 Ks. Pôžitky uvedené v Ks sa prepočítavali pevným kurzom, stanoveným pre výplatu platov zamestnancov zastupiteľských úradov vo výške 1 RM : 5,20 Ks.

100 Okrem oblečenia boli presne určené nariadenia pre správanie sa zamestnanca napr.: muži sa museli každý deň holiť a ženám sa zakazovalo nákladné obliekanie, maľovanie „aby nevzbudili u svojich kolegýň, ktoré majú nižšie platy, závisť alebo podozrenie, že náklady na ich strojenie si získavajú nečestným spôsobom." SNA, f. MZV, š. 135, inv. č. 32. „Služobný poriadok pre zamestnancov určených pre sociálnu ochranu slovenského robotníctva v Nemecku".

101 Dokument 92.

uvedeného problému poukázalo v októbri 1940 ministerstvo vnútra ministerstvu zahraničných vecí finančný príspevok rozdelený medzi zastupiteľské úrady SR v Nemecku.[102]

Pokiaľ ide o zabezpečenie sociálnych pracovníkov v Nemecku v roku 1942, na Slovensko už prichádzali správy o ich nedostatočnom zásobovaní potravinami. Referent Hlavného veliteľstva HG Ján Klocháň vo svojej správe z 1. októbra 1942 o organizovaní HG medzi slovenskými pracovnými silami v Nemecku napr. poukázal na nedostatočné prídely potravín pre slovenských robotníkov a sociálnych pracovníkov. Pri sociálnych pracovníkoch argumentoval, že aj napriek ich preradeniu medzi zamestnancov ministerstva zahraničných vecí sa pre nich nepodarilo presadiť zvýšené prídely potravín.[103]

V každom väčšom nemeckom meste, kde pracovala skupina slovenských robotníkov sa postupne zriadili takisto tzv. „Samovzdelávacie kultúrne krúžky pracovnej pospolitosti", ktoré mali zabezpečovať kultúrnu a národnú osvetu slovenských pracovníkov.[104] V záujme zlepšenia informovanosti robotníkov začali v roku 1940 vychádzať v slovenčine noviny Slovenský týždeň.

Slovenských robotníkov v ríši navštevovali aj slovenskí politickí predstavitelia, ktorí pri stretnutiach robotníkom pripomínali „priateľstvo" medzi slovenským a nemeckým národom. V podobnom duchu sa niesla návšteva A. Macha v Göringových závodoch v Linzi, kde ho privítal generálny konzul Rudolf Vávra. A. Mach si pre robotníkov pripravil propagačný prejav: „*Plníte tu povinnosť, povinnosť čestného spojenectva a verného priateľstva v boji o novú Európu a spravodlivé miesto slovenského národa v tejto Európe. Vy ste povinní na fronte v tejto práci byť vojakmi novej Európy...*"[105] Rôzne propagačné prejavy stúpencov slovensko-nemeckého spojenectva, však u adresátov nemali veľký ohlas. Robotníci totiž odchádzali za prácou do ríše, nie z dôvodu blízkych vzťahov s Nemeckom, ale z čisto ekonomických dôvodov lepšieho zárobku a finančného zabezpečenia svojej rodiny na Slovensku.

Starostlivosť o robotníkov sa okrem sociálnej a kultúrnej oblasti zameriavala ešte na duchovnú sféru. Ministerstvo vnútra vyslalo prostredníctvom Ústredného úradu práce do Nemecka duchovných, ktorí vykonávali medzi robotníkmi pastoračnú činnosť. Kňazi boli pridelení Vyslanectvu Slovenskej republiky v Berlíne, ktoré určovalo miesto ich pôsobnosti. Zároveň duchovný so sídlom v Berlíne plnil funkciu vedúceho duchovnej starostlivosti. Úlohou kňazov bola výlučne len duchovná starostlivosť a vysvetlenia v sociálnej oblasti podávali na to určení pracovníci. Pastoračnú starostlivosť[106] o slovenských robotníkov v Nemecku mal v kompetencii Biskupský ordinariát v Spišskej Kapitule a kňazov do väčších centier v Nemecku a Rakúsku prideľoval spišský biskup Ján Vojtaššák.[107]

---

102 SNA, f. MZV, š. 974, inv. č. 32. Slovenskí robotníci v Nemecku úprava sociálnych otázok – starostlivosť o rodinných príslušníkov, poukaz podpory. 14. 10. 1940.
103 Dokument 112.
104 *Gardista*, 5. 6. 1943, s. 4.
105 *Slovák*, 12. 2. 1941, s. 3. Podobnú návštevu uskutočnil napr. šéf Úradu propagandy Karol Murgaš, ktorý sa stretol s asi 500 slovenskými robotníkmi v Hannoveri.
106 Slovenskí duchovní podávali správy aj o „morálnej spôsobilosti" slovenských pomocníčok v domácnosti, ktoré pracovali v rodinách. Pozri dokument 88.
107 SNA, f. MZV, š. 974, inv. č. 32. Štatistika slovenského robotníctva v Nemecku. Pozri tiež dokument 22. V apríli 1940 boli vyslaní na pastoráciu do bývalého Rakúska dvaja kňazi: Augustín Novajovský do Eisenerzu a Ján Slivka do Linzu. Augustín Novajovský musel v októbri 1940 opustiť svoju oblasť a na jeho miesto bol pridelený Jozef Pavčík, ktorý pôsobil v okolí Drážďan. K 26. 5.1942 nastúpil ako duchovný pre pastoráciu aj rehoľný duchovný Ján Kováč, ktorému bol vymeraný mesačný plat 2 080 Ks a mesačný cestovný paušál 1 040 Ks.

Historický prehľad náboru slovenských pracovných síl 1943 – 1945

Od roku 1943 sa neustále prehlbovali negatívne faktory nasadenia pracovných síl zo Slovenska v Nemeckej ríši, spôsobujúce pokles záujmu robotníkov. Nepriamo úmerne s odlivom záujmu o prácu v ríši narastal donucovací tlak vládnych hospodárskych kruhov Nemecka na slovenskú vládu a následne vládnych predstaviteľov Slovenska na široké vrstvy poľnohospodárskeho a priemyselného robotníctva s cieľom udržať stav pracovných síl v ríši na úrovni predchádzajúcich rokov. Niekdajšie prirodzené motivačné činitele práce v Nemecku museli byť výrazne posilnené alebo nahradené donucovacími prostriedkami. Analýzy korešpondencie slovenských robotníkov, vykonávané osobitným kontrolným orgánom»Auslandbriefprüfstelle«, ako aj situačné hlásenia ríšskej župnej správy a slovenských orgánov miestnej a regionálnej správy naznačovali celý súbor príčin odmietavého vzťahu k práci v ríši.[108] Len niektoré z nich však možno považovať za kľúčové. Predovšetkým treba konštatovať, že pre slovenského robotníka prestala byť práca v Nemecku a v ďalších častiach ríše finančne zaujímavá a existenčne nevyhnutná. Zvýšenie nominálnej mzdy v slovenskom hospodárstve počas rokov 1938 – 1944 približne na dvojnásobok, paralelné zvyšovanie životných nákladov na pozadí inflácie, ale aj čiastočný nárast reálnej mzdy spôsobili, že rozdiel medzi príjmom slovenského robotníka v Nemecku, respektíve medzi časťou mzdy určenou na tvorbu úspor a mzdou robotníka v slovenskom hospodárstve výrazne poklesol.[109] Jedinou výhodnou ostávala skutočnosť, že prudká inflácia ríšskej marky bola kompenzovaná stabilným kurzom nemeckej a slovenskej meny. Pomer v akom sa robotníkovi zamieňali marky zasielané na Slovensko vzrástol z 1 RM : 9 Ks na 1 RM : 11 Ks.[110] Slovenský robotník však nachádzal na domácej pôde stále viac rovnakých alebo dokonca zaujímavejších pracovných príležitosti než v Nemecku. Niekdajšia chronická nezamestnanosť slovenského priemyselného a najmä poľnohospodárskeho robotníka sa od roka 1943 už jednoznačne menila na všade prítomný nedostatok pracovných síl. K tomu pristupovalo zhoršovanie problémov s transferom časti miezd, osobitne s oneskoreným poukazovaním hotovostí rodinám slovenských robotníkov, stále intenzívnejšie nálety spojeneckého letectva na všetky časti Nemeckej ríše, znižovanie prídelov potravín, najmä chleba, priemyselným a deputátov poľnohospodárskym robotníkom, zhoršovanie situácie v ubytovaní a stieranie rozdielov medzi robotníkmi zo spojeneckých krajín a nútene nasadenými pracovnými silami z tzv. východných území. Od roku 1943 výraznejšie pôsobili aj ďalšie negatívne faktory ako dlhodobé odlúčenie od rodiny v stále horších sociálnych podmienkach, zlé zaobchádzanie a svojvôľa zo strany vedúcich pracovných skupín, šírenie chorôb v táboroch, predlžovanie pracovného času a vymáhanie práce počas nedieľ u poľnohospodárskych robotníkov.[111] Dôsledkom uvedených tendencií bolo okrem znižovania úspešnosti náboru pracovných síl

---

108 Podľa hlásenia Auslandbriefprüfstelle Wien z 25. 8. 1943 patrilo z celkového počtu 396 analyzovaných listov, zaslaných v období 11. 6. 1943 až 23. 8. 1943 robotníkmi z juhovýchodnej Európy a tzv. východných území až 103 slovenským robotníkom. Bol to najvyšší počet zo všetkých skupín zahraničných robotníkov uvedených regiónov. Pozri dokument 116. V predchádzajúcom období však analyzovali podstatne väčšie množstvá korešpondencie. Porovnaj dokument 108. Pozri tiež dokumenty 122, 123, 126, 128.

109 K vývoju miezd, cien a životných nákladov pozri bližšie: Archív Národnej banky Slovenska, f. Správy Odboru pre výskum konjunktúry, k. 309; Ceny a životné náklady, In Slovenské hospodárstvo v prvom polroku 1944. Správy Ústavu pre výskum hospodárstva. Bratislava 1944, s. 25-30, 80-88; Slovenský priemysel (Výročná správa ústredného združenia slovenského priemyslu), rok 1939 – 1943; HORNOVÁ, Adela. O hmotnom postavení pracujúcich za Slovenského štátu. In Ekonomický časopis, 1960, roč. 8, č. 1, s. 61-64.

110 Pozri napríklad dokument 145.

111 Regionálne a miestne orgány na Slovensku hlásili aj ďalšie príčinné súvislosti. Napríklad žandárska stanica v Hornej Štubni uvádzala v lete a na jeseň 1942 ako hlavné príčiny neochoty pracovať v Nemecku obhospodarovanie vlastného hospodárstva, starostlivosť o dlhodobo chorých a zdravotné problémy robotníkov. Pozri dokument 112.

aj rozširovanie osobitných javov, známych už v predchádzajúcom období, ako svojvoľný odchod z pracovných miest a neoprávnené predlžovanie dovoleniek alebo úplné odmietnutie návratu z dovolenky na pracovné pozície v ríši.[112]

Analýzy korešpondencie robotníkov z viacerých satelitných krajín Nemecka preukázali, že hlavné príčiny klesajúceho záujmu o prácu v ríši boli podobné ako v prípade slovenských robotníkov. Podobne sa vyvíjali aj formy odmietavého postoja k nasadeniu v ríši. Pre slovenské pracovné sily bol špecifický prevažujúci podiel poľnohospodárskych robotníkov. V porovnaní s robotníkmi v priemysle a živnostiach mali značne odlišné sociálne podmienky života a práce. Robotníci v priemyselných závodoch a živnostiach mali vyššie mzdy a spravidla aj lepšie ubytovanie. Mohli využívať niektoré výhody poskytované organizáciami Nemeckého pracovného frontu (DAF), ako napr. návšteva filmových predstavení a knižníc. Častejšie medzi nich prichádzali sociálni pracovníci a duchovní zo Slovenska. Trpeli však nedostatkom potravín v dôsledku malých prídelov a klesajúcej kvality stravy v závodných jedálňach. Boli priamo vystavení spojeneckým náletom. Vo väčšine miest bol ich prístup do protileteckých krytov zamedzený. Prednosť tu malo domáce nemecké obyvateľstvo. V závodoch pracovali spolu s nútene nasadenými a vedenie podnikov nerobilo v pracovnom procese rozdiel medzi robotníkmi zo spriatelených a obsadených krajín. Mzdy poľnohospodárskych robotníkov boli nižšie a ubytovanie spravidla podstatne horšie než u robotníkov v priemysle. V lokálnych podmienkach na vidieku záviseli od ľubovôle zamestnávateľa a vedúceho pracovnej skupiny. Ďaleko od mestských centier boli ich možnosti kultúrneho vyžitia a sociálnej ochrany minimálne. Mali však bezprostredný prístup k potravinám a neboli natoľko ohrození náletmi ako obyvateľstvo veľkých centier. Dostávali deputáty z úrody zamestnávateľa. Tieto im však postupne znižovali alebo nahradili podávaním hotovej stravy. [113]

Robotníci zo Slovenského štátu aj po roku 1942 zaujímali po oficiálnej stránke v hierarchii dobrovoľne a nútene nasadených pracovných síl v Nemeckej ríši popredné miesto spolu s príslušníkmi ďalších satelitných a spojeneckých krajín nacistického režimu, ako bolo Maďarsko, samostatný chorvátsky štát, Rumunsko, Bulharsko alebo Dánsko. Až do jesene 1944 pracovali slovenskí robotníci v Nemecku a v ostatných častiach ríše výlučne na zmluvnom základe podľa obsahu medzištátnych slovensko-nemeckých dohôd. V zložitej hierarchii stáli nad nútene pracujúcim robotníctvom z obsadených území západnej Európy, Balkánu a Protektorátu. Ďalšie vrstvy hierarchie tvorili nútene deportované pracovné sily z územia bývalého Poľska a napokon z tzv. východných území (Ostgebiete), čiže z obsadených oblastí Sovietskeho zväzu, najmä z Ukrajiny, Bieloruska a Ruska. Slovenskí robotníci tvorili až do konca vojny jeden z väčších kontingentov pracovných síl v ríši, najmä keď zoberieme do úvahy pomer počtu nasadených robotníkov k počtu obyvateľov krajiny. Z rokov 1943 – 1945 máme k dispozícii málo presnejších porovnávacích údajov o počte robotníkov z jednotlivých krajín, ale možno predpokladať, že slovenskí robotníci zaujímali pozíciu za hromadne nasadzovanými pracovnými silami z bývalého Poľska a Sovietskeho zväzu, približne na úrovni chorvátskeho štátu a obsadeného Srbska, niekoľko miest za Protektorátom, odkiaľ vysielali o 50 % až 100 % viac robotníkov než zo Slovenského štátu. Počet obyvateľov Protektorátu bol však asi trojnásobne vyšší. Medzi štátmi juhovýchodnej Európy malo Slovensko podľa údajov nemeckého historika H. Sundhaussena zaujímať v marci 1943 počtom robotníkov 45 tis. tretie miesto po Chorvátsku (67 tis.) a Srbsku (46

---

112 Pozri dokumenty 116, 122, 123.

113 Pozri dokumenty 116, 122, 123; K činnosti sociálnych pracovníkov a duchovných pozri napríklad dokumenty 80 a 111; Na porovnanie sociálnych podmienok robotníkov v priemysle a poľnohospodárstve pozri tiež KONEČNÝ, Z. – MAINUŠ, F. Slováci na prácich..., s. 580 – 581.

tis.).[114] Počet slovenských robotníkov však možno pokladať za podcenený. Na celkovom rebríčku zahraničných pracovných síl v ríši sa pozícia slovenského kontingentu v rokoch 1943 – 1945 oslabovala, najmä v dôsledku znižovania počtu vysielaných robotníkov. Kontingenty pracovných síl nútene nasadených z obsadených krajín ostávali na úrovni predchádzajúcich rokov alebo sa ešte zvyšovali.[115]

V podmienkach Nemeckej ríše na sklonku vojnového konfliktu za neustálych náletov a stále horšej zásobovacej situácie sa rozdiely na stupňoch hierarchie zahraničných pracovných síl v každodennom živote výrobných závodov a pracovných táborov veľmi rýchlo zotierali. Prechodom nemeckej spoločnosti na vedenie totálnej vojny postupne mizli aj rozdiely v kvalite života zahraničných pracovných síl a nemeckého civilného obyvateľstva. Vnútornú skladbu zahraničného robotníctva a vzťahy medzi skupinami robotníkov z jednotlivých krajín v poslednej fáze vojny silne ovplyvňoval vývoj na frontoch, oslabovanie pozícií nacistického Nemecka, zmeny na medzinárodnej scéne a silnejúci vplyv Sovietskeho zväzu, aj keď zatiaľ iba nepriamy. Situačné správy, najmä od polovice roka 1944, prinášali informácie nielen o sociálnej situácii robotníkov, ale aj o podstatnej zmene ich názorových postojov, čo platilo aj v prípade slovenských robotníkov. Kým z rokov 1940 – 1942 nachádzame dokumenty o formovaní zahraničnej Hlinkovej gardy v Nemecku a o členstve robotníkov zo Slovenska v organizáciách DAF, situačná správa zo žúp Viedeň a Dolné Podunajsko (Niederdonau) z augusta 1944 hovorila o zbližovaní slovenských robotníkov s príslušníkmi porobených slovanských národov, najmä s Čechmi, Poliakmi a s Rusmi, ktorí medzi Slovákmi šírili protinemecké postoje, idey komunizmu a sympatie k Sovietskemu zväzu.[116]

Vývoj na frontoch druhej svetovej vojny a neutešená realita každodenného života v Nemecku neprekážali ideológom národného socializmu, aby ďalej rozvíjali programy ideovej prevýchovy zahraničných pracovných síl, najmä robotníkov zo spriatelených krajín juhovýchodnej Európy. Napríklad zástupcovia DAF a kultúrno-politického oddelenia Zahraničného úradu koncom roka 1943 prišli s návrhom, aby sa pracovné sily z juhovýchodnej Európy nasadzovali do ríše vo veľkých národnostne uzavretých skupinách, kde by sa ideologický vplyv a sociálna starostlivosť uplatňovali systematickejšie a ľahšie než v malých skupinách robotníkov, nasadených do veľkého počtu priemyselných a poľnohospodárskych závodov. Okrem toho, že podobné zámery boli z hľadiska výrobných potrieb hospodárstva nepraktické, narazili na odpor fundamentálnych zástancov rasového prístupu k príslušníkom iných národov, najmä spomedzi predstaviteľov ríšskeho ministerstva propagandy. Títo odmietali zbližovanie zahraničných robotníkov s nemeckých obyvateľstvom, ako aj vzájomné vyrovnávanie kvality sociálnej starostlivosti. Nemeckí ideológovia z kultúrno-politického oddelenia Zahraničného úradu, ako aj z DAF a z Úradu generálneho splnomocnenca pre pracovné nasadenie pokračovali v iniciatívach voči robotníkom z juhovýchodnej Európy a tiež voči ďalším skupinám zahraničných pracovných síl aj v hektickom roku 1944. Ešte v lete 1944 kultúrno-politické oddelenie uverejnilo smernice ideologického a psychologického prístupu k robotníkom zo spriatelených krajín a následne aj princípy ideologického vplyvu na zahraničné pracovné sily ako celok. Oba dokumenty vyzývali k veľmi taktickému

---

114 Hodnotených bolo sedem štátov (Chorvátsko, Srbsko, Slovensko, Maďarsko (28 tis.), Bulharsko (21 tis.), Grécko (11 tis.) a Rumunsko (9 tis.). SUNDHAUSSEN, H. *Wirtschaftsgeschichte Kroatiens...*, s. 189.
115 Porovnaj dokument 91 z augusta 1941. V tomto období, ešte pred hromadným nasadením pracovných síl zo Sovietskeho zväzu, Slovensko zaujímalo siedme miesto v rámci všetkých skupín zahraničných robotníkov. Po roku 1942 sa jeho poradie s najväčšou pravdepodobnosťou znižovalo.
116 Dokument 128.

a psychologicky vypracovanému prístupu s cieľom získať cudzích robotníkov, najmä vlastným príkladom, pre vec národného socializmu a konečného víťazstva nemeckých zbraní.[117]

Pozíciu slovenského robotníka v ríši nám priblíži a zároveň posunie do nového svetla porovnanie s podmienkami nasadenia príslušníkov iných krajín. Najverejnejšie bude porovnanie s pracovnými silami štátov, ktoré mali veľmi podobný vzťah k nacionálno-socialistickému Nemecku ako Slovenská republika 1939 – 1945. Medzi ne patril samostatný chorvátsky štát, vytvorený po rozpade Juhoslávie v apríli 1941. Jeho satelitný pomer k nacistickému Nemecku mal mnoho konotácií so slovensko-nemeckým vzťahom po marci 1939. Na územie Nemeckej ríše pracovali už pred rokom 1941 tisíce príslušníkov národov Juhoslávie. Ich počet sa odhadoval na 130 tis. ročne. Záujem o prácu v ríši bol spočiatku veľmi veľký, podobne ako na Slovensku. Do Nemecka prichádzali Juhoslovania už od medzivojnového obdobia legálnou cestou, ale aj ilegálne. Jedným z prvých medzinárodných aktov samostatného Chorvátska bola dohoda s Nemeckom o pracovných silách, podpísaná začiatkom mája 1941. Chorvátsko teda vysielalo robotníkov do ríše na zmluvnom základe. Dohoda s Nemeckom zabezpečovala chorvátskemu robotníkovi postavenie a sociálne zabezpečenie na úrovni nemeckého robotníka, čím bol jej obsah zhodný so slovensko-nemeckými dohodami o pracovných silách. Podobné znaky malo nasadenie chorvátskych a slovenských robotníkov aj v iných oblastiach, napríklad v ich počte a v mechanizmoch náboru. Počet zmluvne vyslaných robotníkov z Chorvátska dosiahol už v prvom roku 1941 asi 78 tis. a kulminoval v polovici roka 1942 približne na úrovni 100 tis. osôb. Chorvátski robotníci pracovali najmä v poľnohospodárstve, lesníctve a baníctve. Na koordináciu ich vysielania do ríše vznikla na území Chorvátska miestna úradovňa generálneho splnomocnenca pre pracovné nasadenie s pobočkami vo viacerých mestách. Problematiku pracovných síl v ríši malo spočiatku v kompetencii ministerstvo zdravotníctva, ale neskôr ju prevzalo ministerstvo vnútra. Medzi nasadením chorvátskych a slovenských pracovných síl však existovali aj určité rozdiely. Okrem dobrovoľne vysielaných robotníkov pracovali v ríši aj chorvátski zajatci z nemecko-juhoslovanskej vojny roku 1941, nútene nasadení príslušníci srbskej menšiny v Chorvátsku a zajatí chorvátski partizáni. Vrátane uvedených kategórií osôb sa celkový počet pracovných síl z chorvátskeho štátu odhadoval na 150 tis. až 200 tis. ročne. Pre vzájomné porovnanie však bol dôležitejší zarážajúci rozdiel medzi príjmami slovenských a chorvátskych robotníkov v Nemecku. Mzdové tarify na zaslanie do Chorvátska sa u poľnohospodárskych robotníkov zvýšili v rokoch 1941 – 1944 zo 70 RM na 130 RM a u robotníkov v priemysle a živnostiach zo 100 RM na 200 RM, čo bolo asi o 50 % viac než u slovenských robotníkov v uvedených kategóriách za rovnaké obdobie. Okrem toho, zatiaľ čo slovenskému robotníkovi zamieňali ríšsku marku za domácu menu v nižšom pomere než bol oficiálny kurz, chorvátsky robotník dostával za marku tri krát vyššiu hodnotu než bol oficiálny kurz voči domácej mene.[118] Z uvedeného vyplýva, že slovenskí robotníci patrili medzi najslabšie odmeňované skupiny zahraničných pracovných síl zo spojeneckých krajín Nemeckej ríše. Daný stav išiel zrejme na vrub slovenských vládnych miest a konkrétne slovenského vládneho výboru, ktorého členovia nedokázali pre svojich robotníkov na rokovaniach s Nemeckom zabezpečiť rovnaké mzdy ako vládny výbor hospodársky

---

117 Smernice prístupu k zahraničným robotníkom nabádali k rešpektovaniu náboženských a národnostných špecifík príslušníkov jednotlivých národov, k osobitostiam ich kultúrno-historického vývoja, ako napríklad dlhodobá turecká nadvláda u robotníkov z juhovýchodnej Európy, ale nabádali aj k náprave záporných národnostných špecifík, ako pomalosť, malá precíznosť v práci, či sklon ku korupcii. Pozri dokumenty 120, 127, 129.

118 Menovou jednotkou chorvátskeho štátu bola 1 Kuna. Oficiálny kurz voči nemeckej marke bol 1 RM : 20 Kuna, zatiaľ čo robotníkom zamieňali mzdové tarify v kurze 1 RM : 60 Kuna. SUNDHAUSSEN, H. *Wirtschaftsgeschichte Kroatiens...* s. 179-180.

zaostalejšieho a rovnako spojeneckého Chorvátska. Napriek uvedeným príjmom bola práve hodnota mzdových taríf jednou z hlavných príčin poklesu záujmu chorvátskych robotníkov o prácu v Nemeckej ríši počas rokov 1943 – 1944. Vzhľadom na vývoj príjmov a životných nákladov v Chorvátsku prestalo byť zamestnanie v ríši zaujímavé. Tu opäť nachádzame paralely so situáciou slovenských robotníkov. Podobné boli aj ďalšie príčiny rastúceho nezáujmu, najmä problémy s transferom, nevyhovujúce sociálne podmienky, nálety, horšie postavenie než u nemeckých robotníkov alebo stieranie rozdielov medzi dobrovoľne a nútene nasadenými pracovnými silami, napríklad v porovnaní so zajatými chorvátskymi partizánmi. Následné javy, ako úteky z Nemecka a neoprávnené predlžovanie dovoleniek, mali u chorvátskych robotníkov väčší rozsah než u slovenských.[119]

Podmienky náboru a postavenia slovenských pracovných síl v ríši sa do polovice roka 1943 riadili medzištátnou dohodou z júna 1941 a jej dodatočným protokolom o nasadení slovenských robotníkov v Protektoráte z októbra 1942.[120] Rýchle zmeny hospodárskej a vojensko-politickej situácie, ktoré mali za následok prehlbovanie nezáujmu slovenského robotníctva o prácu v Nemecku si pre ďalšie obdobie vyžiadali novú, respektíve novelizovanú, dohodu. Prioritou bolo posilniť motiváciu robotníkov, ale aj sprísniť kontrolu nad ich pôsobením v ríši a zvýšiť tlak na slovenské vládne miesta, aby aktívnejšie plnili spojenecké záväzky v danej oblasti. O význame novej dohody, najmä pre nemeckú stranu, svedčila skutočnosť, že bola oficiálne uzavretá medzi vodcom Nemeckej ríše a prezidentom Slovenskej republiky. Tento významný atribút predošlým dohodám o pracovných silách z decembra 1939 a z júna 1941 chýbal. V mene prvých mužov oboch krajín novú dohodu uzavreli 19. augusta 1943 ministerský dirigent Zahraničného úradu Dr. Erich Ahlbrecht, legačný radca tohto úradu Gustav Rödiger a za slovenskú stranu vyslanec v Berlíne Matúš Černák.[121]

Základné podmienky vysielania pracovných síl, uzatvárania zmlúv, transferu časti miezd na Slovensko a ich zdanenia, sociálneho poistenia či zdravotných prehliadok, vychádzali v novelizovanej dohode z textu predchádzajúcich dohôd. Najväčšie zmeny alebo rozšírenia textu boli práve v otázkach sociálneho postavenia a zabezpečenia robotníctva. S tým súvisel aj celý nový segment obsahu dohody vysvetľujúci vzťah DAF k slovenskému robotníctvu. V dodatkovom protokole bol rozšírený článok základného textu dohody potvrdzujúci zabezpečenie kvalitných pracovných odevov a obuvi[122] a v článku o dopravných otázkach nemecká strana prisľúbila príspevky na dopravné náklady poľnohospodárskych robotníkov do sídiel župných pracovných úradov. V šiestom článku dodatkového protokolu sa taxatívne uvádzalo, že slovenskí robotníci mali nárok na rovnaké prídely základných potrieb ako nemeckí robotníci vrátane cukru a marmelády. Mimoriadne prídely a príspevky, ako napríklad vianočné, mali slovenskí robotníci dostávať podľa možností. Pomerne rozsiahly článok protokolu, uvádzaný pod číslom desať, vymedzoval nové pravidlá poskytovania kuchárok a upratovačiek pre mobilné skupiny poľnohospodárskych robotníkov v závislosti od ich početnosti. Podľa časti sedemnásť nemecké vládne miesta opäť zvyšovali hodnotu správneho poplatku na slovenských robotníkov, poukazovaného Ústrednému úradu práce v Bratislave, a to na 9 RM, čo v oficiálnom clearingovom kurze predstavovalo 101,34 Ks.

---

119 Dokument 116; SUNDHAUSSEN, H. *Wirtschaftsgeschichte Kroatiens...*, s. 184-188.
120 Pozri a porovnaj dokumenty 86 a 113.
121 Dokument 117.
122 V sledovanej dohode bola zakotvená požiadavka slovenskej delegácie, aby robotníci pri nástupe do práce v novej sezóne dostávali zodpovedajúci pracovný odev a obuv. Nemecká delegácia zmluvne potvrdila možnosť výmeny obnosených pracovných odevov a obuvi pre poľnohospodárskych robotníkov pri nástupe do novej sezóny, keď sa preukázalo, že v ríši pracovali aj predchádzajúcu sezónu.

Poplatok mal byť odvedený na každého robotníka nasadeného na práce do ríše od 1. januára 1943, ale preplácanie záviselo od vývoja platobného styku.[123]

Vzťah organizácie DAF k slovenským robotníkom osobitne riešila druhá časť základného textu dohody a časť B dodatkového protokolu. V týchto segmentoch sledovaný dokument nadväzoval na dohody o hosťujúcom členstve slovenských robotníkov v DAF, ako aj o zriadení slovenskej úradovne (»Verbindungsstelle«) a menovaní slovenského splnomocnenca pri ústredí DAF a o ustanovení zástupcov slovenských pracovných síl nepoľnohospodárskeho charakteru na nižších stupňoch organizácie DAF. Dohoda z augusta 1943 sa špeciálne zaoberala právomocami a povinnosťami slovenského zástupcu pri centrále DAF[124], ktorý mal v najvyššej inštancii riešiť všetky kľúčové otázky nasadenia slovenských nepoľnohospodárskych robotníkov v ríši. Dohoda stanovila aj náplň činnosti a financovanie jeho úradu a tiež právomoci a povinnosti zástupcu slovenských pracovných síl na úrovni župnej správy.[125]

Ďalším kľúčovým segmentom dohody bolo stanovenie kontingentov robotníctva vysielaného do Nemecka v aktuálnom roku so spätnou platnosťou od januára 1943. Vzhľadom na upadajúci záujem o prácu v ríši na slovenskej strane boli plánované kontingenty vcelku ambiciózne. V porovnaní s rokom 1942 sa celkový plánovaný počet vyslaných robotníkov znížil zo 43 tis. iba na 40 tis. Z toho pripadalo 37 tis. osôb na poľnohospodárske a 3 tis. osôb na lesné robotníctvo. Podobne ako v plánoch na predchádzajúce roky boli do počtu poľnohospodárskych robotníkov začlenené aj osoby, ktoré uplynulú zimu ostali na praroviskách v ríši a nábor sa mohol vykonávať aj medzi čeľaďou. Pomocné sily v domácnosti mali pre vládne hospodárske kruhy Nemecka v momentálnej hospodárskej a vojensko-politickej situácii iba vedľajší význam a dopyt bol v tejto sfére zjavne naplnený. Nové sily do domácností preto neboli požadované. Slovenské úrady však mohli vrátiť späť do ríše osoby, ktoré medzičasom opustili pracovné miesta v nemeckých domácnostiach. Kontingent priemyselného (resp. živnostenského) robotníctva ostával otvorený, aj keď bol pre Nemecko životne dôležitý. Počty robotníkov sa mali v danom prípade formovať s ohľadom na potreby slovenského hospodárstva.[126]

K postupnému vývoju nasadenia slovenských pracovných síl v ríši počas roka 1943 máme v porovnaní s predchádzajúcim obdobím len veľmi skromné informácie. Dostupné pramene hodnotia iba stav na začiatku a konci sledovaného roka. Podľa záverečnej správy nemeckého splnomocnenca pre nasadenie pracovných síl G. Sagera o činnosti jeho úradu v Bratislave za rok 1943 bol plánovaný kontingent poľnohospodárskeho a lesného robotníctva splnený len čiastočne. Úrad splnomocnenca zaznamenal celkový počet 35 161 poľnohospodárskych a 850 lesných robotníkov pracujúcich v Nemecku počas sledovaného roka vrátane osôb, ktoré strávili zimu 1942 – 1943 v mieste tamojšieho pracoviska. Na území Protektorátu pracovalo 4 634 slovenských robotníkov, čo tiež znamenalo v porovnaní s oficiálnymi kontingentmi z predošlých rokov pokles. Len v segmente pomocných síl v domácnosti, kde získali 125 nových osôb, sa podarilo plánovaný kontingent prekročiť, keďže so žiadnym rastom nepočítal.[127]

V prvých mesiacoch roka 1943 sa nábor pracovných síl vyvíjal ešte v intenciách predchádzajúcich období. Do polovice marca 1943 nastúpilo na práce do ríše približne 10,7 tis. poľnohospodárskych a 11,2 tis. živnostenských robotníkov. Z nich napríklad 400 pracovalo

---

123 Dokument 117; Porovnaj dohody z decembra 1939 a z júla 1941 v dokumentoch 18 a 86.
124 Funkciu slovenského zástupcu pri centrále DAF vykonával Ernest Haluš.
125 Dokument 117; K členstvu slovenských robotníkov v DAF a k právomociam slovenského splnomocnenca pri centrále DAF pozri napríklad dokument 80 a dokument 92.
126 Dokument 117; porovnaj plán na rok 1942 v dokumente 102.
127 Dokument 122.

v priemyselných závodoch Generálneho governementu a 600 až v závodoch Alsaska.[128] Od jari 1943 sa však situácia rýchlo zhoršovala, najmä pre nezáujem slovenskej strany. Splnomocnenec G. Sager kládol hlavnú vinu za daný stav na plecia slovenských vládnych miest a osobitne Ústredného úradu práce, ktorý mal nábor v kompetencii. Postoj vládnych úradov k získavaniu pracovných síl pre Nemeckú ríšu považoval za odmeraný alebo dokonca odmietavý. Tvrdil napríklad, že úrad práce dokázal od jari do konca roka 1943 získať pre strategicky dôležité lesné práce len 120 robotníkov. Zlá situácia bola aj v nábore priemyselného robotníctva. Tu bol rezervovaný postoj slovenskej strany jasne čitateľný. Úrad splnomocnenca zaznamenal v roku 1943 prírastok iba 813 nových robotníkov odchádzajúcich na práce do priemyselných závodov.[129] Celkový stav pracovných síl zamestnaných v priemysle a v ďalších druhoch živností na území ríše ostával ešte pomerne vysoký. V sledovanom roku bol odhadovaný na 25 tis. osôb. Na území Protektorátu mal počet slovenských robotníkov v priemysle dosiahnuť okolo 15 tis. osôb, z čoho však podľa Ústredného úradu práce bola veľká časť zamestnaná ilegálne.[130]

Presnejšie informácie o rozmiestnení pracovných síl v jednotlivých regiónoch, sídlach a závodoch ríše na rok 1943 nemáme k dispozícii. Dôležitú úlohu ďalej zohrávala dochádzka robotníkov za prácou do priľahlých oblastí Dolného Podunajska (Dolného Rakúska), Horného Sliezska a Protektorátu, resp. Moravy. Pre Dolné Podunajsko a Horné Sliezsko stanovili na rok 1943 kontingent dochádzajúcich robotníkov 3 100 a 340 osôb. Kontingenty boli plne využité. Veľký záujem o slovenských robotníkov mali napríklad rakúske cukrovary. Zároveň sa však prehlbovali negatívne tendencie. Ich prejavom bolo šírenie svojvoľných odchodov z ríše na Slovensko. G. Sager informoval nadriadené orgány, že za uplynulý rok 1943 dostal z rôznych častí ríše približne 6 tisíc hlásení o ilegálnych únikoch slovenských robotníkov. Ďalších asi 5 tisíc robotníkov si bez povolenia predĺžilo svoju dovolenku, umožnenú nemeckým zamestnávateľom. Po určitom čase opäť nastúpili do práce, ale ich cestovné lístky, hradené nemeckou stranou, medzitým prepadli. Museli byť vystavené nové, čo prinášalo veľké straty. G. Sager apeloval na slovenské vládne miesta, pracovné úrady aj na policajné zložky, aby proti týmto javom náležite zakročili a zabezpečili návrat robotníkov na pracovné pozície. Splnomocnenec odhadoval celkový počet slovenských robotníkov v Nemecku za rok 1943 asi na 55 tis. osôb. Vzhľadom na údaje o stave pracovných síl v priemysle, respektíve v živnostiach, však mohol byť počet aj vyšší.[131]

Hlavným nástrojom zvyšovania záujmu robotníkov o prácu v Nemecku a v ostatných častiach ríše ostával aj napriek ďalším opatreniam systematický rast mzdových sadzieb určených na clearingový transfer na Slovensko. Uvedenú skutočnosť si veľmi dobre uvedomovali nemeckí aj slovenskí národohospodári. Zároveň však narastali obavy z prílišného zaťaženia platobného styku poukazovaním časti miezd a slovenského rozpočtu ich preplácaním formou preddavkov. Pochopiteľne, že obavy mala predovšetkým slovenská strana. Jej predstavitelia však museli plniť dohodnuté kontingenty pracovných síl, preto už vo februári 1943 iniciovali zvýšenie mzdových sadzieb. Ešte aktívnejší boli v danom smere nemeckí hospodárski predstavitelia, ktorí mali na raste alebo aspoň udržaní prílevu pracovných síl eminentný záujem.[132] Do sledovaného problému vstúpil osobne generálny splnomocnenec pre pracovné nasadenie F. Sauckel. V apríli 1943 navrhol prostredníctvom nóty nemeckého vyslanectva zvýšenie sadzieb u slobodných poľnohospodárskych robotníkov o 10

---

128 Dokument 114.
129 Dokument 122.
130 Dokument 119; dokument 121.
131 Dokumenty 122 a 123.
132 Dokument 115; Pozri PA AA, Gesandtschaft Preßburg, Paket 208, W 2 Nr S 1a, Band II. Záznam rozhovoru medzi A. Smagonom a J. Kaššovicom zo 4. 2. 1943.

RM a u ženatých až o 20 RM. Pri nasadení 70 tis. robotníkov by to znamenalo transfer miezd v hodnote takmer 1 mld. Ks, čo bolo pre slovenský rozpočet neúnosné. Generálny splnomocnenec však tvrdil, že o transfer mala záujem len asi polovica nasadených robotníkov.[133] Nové sadzby prerokovali a schválili členovia slovenského a nemeckého vládneho výboru na šiestom zasadnutí v máji 1943. Pristúpili ku kompromisu. Sadzby pre slobodných poľnohospodárskych robotníkov zvýšili o 5 RM zo 40 RM na 45 RM a pre ženatých o 15 RM z 55 RM na 70 RM. Rozhodli aj o zvýšení sadzieb pre slobodných priemyselných robotníkov zo 60 RM na 65 RM.[134]

Úprava mzdových sadzieb, dohodnutá na poklade kompromisu vládnych výborov z mája 1943, sa už v druhej polovici sledovaného roka javila ako nedostatočná a málo motivujúca. Pretrvávali aj chronické problémy transferu miezd, najmä oneskorené a nepravidelné vyplácanie úspor. G. Sager v správe na nemecké vyslanectvo z novembra 1943 uvádzal, že doba medzi poukázaním peňazí v ríši a ich vyplatením na Slovensku dosahovala 4 až 6 týždňov.[135] Rodinní príslušníci robotníkov, sužovaní doma navyše drahotou a stále väčšími výpadkami v zásobovaní, ostávali celé týždne bez prostriedkov. G. Sager naliehavo upozorňoval na ich zložitú sociálnu situáciu, ktorá odrádzala otcov rodín, aby odchádzali do Nemecka.[136] Oneskorené vyplácanie úspor súviselo s nepriaznivým vývojom štátnych financií Slovenska, najmä s rastom vnútorného dlhu, clearingovej špičky a s nedostatkom voľných peňažných prostriedkov. Vedenie Poštovej sporiteľne v dôvernej správe priznávalo, že v novembri 1943 evidovalo poukazy úspor v hodnote 39 mil. Ks, ale financie na ich preplatenie neboli k dispozícii. Sporiteľňa zvýšila pôžičku na vyplácanie úspor až na 200 mil. Ks, ale ministerstvo financií muselo veľkú časť úveru použiť na iné účely.[137] Za daných podmienok bolo aj pri zapojení komerčných bánk do vyplácania transferovaných miezd otázne naplnenie dohodnutej hornej hranice 400 mil. Ks vyplatených úspor za rok.[138] Prekročenie uvedenej hodnoty neprichádzalo do úvahy.

G. Sager považoval za hlavnú príčinu opatrného či dokonca odmietavého, postoja slovenských národohospodárov k ďalšiemu vysielaniu pracovných síl do ríše v poslednom štvrťroku 1943 práve ich obavy z kolapsu štátnych financií. Vyslovil pochybnosti, či slovenské vládne miesta budú vzhľadom na uvedené skutočnosti ochotné obnoviť dohodu o pracovných silách aj na budúci rok 1944. Zástupcovia nemeckých hospodárskych kruhov napriek tomu vyvíjali tlak na slovenských partnerov. V ich záujme bol totiž nielen prílev pracovných síl, ale aj udržanie celkovej hodnoty zasielaných úspor, lebo znamenala jeden z dôležitých nástrojov znižovania clearingovej špičky. G. Sager opäť videl najschodnejšiu cestu k oživeniu mobility slovenských pracovných síl vo zvyšovaní mzdových sadzieb na tvorbu úspor. Malo však ísť o skutočne výrazné zvýšenie. Napríklad u slobodných poľnohospodárskych robotníkov zo 45 RM až na 60 RM. Za nedostatočné označil aj sadzby pre

---

133 Dokument 115.
134 Dokument 115; Pozri PA AA, Gesandtschaft Preßburg, Paket 210, W 2, Nr. 1a. Protokol zo 6. spoločného zasadnutia nemeckého a slovenského vládneho výboru 4. – 21. 5. 1943.
135 Doba medzi poukázaním robotníckych úspor v ríši a ich vyplatením slovenskými finančnými inštitúciami mohla byť zrejme aj podstatne dlhšia. Podľa hlásenia gauleitera župy Dolné Podunajsko (Niederdonau) ríšskemu ministrovi hospodárstva W. Funkovi zo začiatku roka 1944 čakali rodiny na vyplatenie mzdových sadzieb z ríše vo viacerých prípadoch tri až štyri mesiace. Pozri bližšie HENKE, Klaus-Dietmar (Hrsg.). *Die Dresdner Bank im Dritten Reich*. München: Oldenburg, 2006, s. 455.
136 Dokument 119.
137 Dokument 119; dokument, poznámka 5.
138 Horná hranica vyplatených miezd 400 mil. Ks bola platná už v období od októbra 1942 do konca septembra 1943. Na 7. zasadnutí slovensko-nemeckých vládnych výborov v októbri 1943 uvedenú hodnotu odsúhlasili na ďalšie obdobie do konca septembra 1944. V októbri až decembri 1943 vyplatili prvých 100 mil. Ks. Pozri MIČKO, P. Pracovné, sociálne..., s. 675.

manželské páry poľnohospodárskych robotníkov na prácach v ríši. Tieto sa rovnali sadzbám pre slobodných robotníkov, čiže dosahovali uvedených 45 RM.[139]

Slovensko-nemecké vládne výbory už na siedmom zasadnutí v októbri 1943 odsúhlasili zvýšenie sadzieb o 5 RM v jednotlivých robotníckych kategóriách a v prípade ženatých priemyselných robotníkov o 10 RM. Zvýšenie malo nadobudnúť platnosť od februára 1944.[140] Zástupca generálneho splnomocnenca pre pracovné nasadenie však považoval takéto úpravy za kozmetické. V prvých mesiacoch roka 1944 analyzoval hlavné príčinné súvislosti postupného rozkladu slovensko-nemeckej spolupráce v sledovanej oblasti. Keďže poznal situáciu na Slovensku pochopil, že pre tunajších robotníkov prestala byť práca v ríši zaujímavá. V marci 1944 stanovil kľúčové opatrenia, na základe ktorých sa malo nasadenie pracovných síl zo Slovenského štátu obnoviť alebo aj rozšíriť. Bolo to najmä primerané zvýšenie sadzieb pre účely transferu, ďalej zabezpečenie dostatočných finančných prostriedkov na vyplácanie úspor, ako aj pravidelnosť ich vyplácania a podstatné obmedzenie výrobných a stavebných činností v slovenskom hospodárstve, ktoré nemali vojenský význam. Aby sa práca v Nemeckej ríši stala pre slovenských robotníkov opäť zaujímavou, bolo treba podľa neho zvýšiť mzdové tarify na tvorbu úspor u poľnohospodárskych robotníkov na 60 RM až 80 RM a robotníkov v priemysle, živnostiach a lesnom hospodárstve na 80 RM až 120 RM.[141]

Na jeseň 1943 nastali čiastočné zmeny aj v mechanizme transferu mzdových úspor na Slovensko. Mzdy boli naďalej poukazované cez clearingový účet robotníckych úspor (»Arbeiterlohnersparnisse«) pri Zúčtovacej pokladni (»Verrechnugkasse«) v Berlíne, kam smerovali z účtov osobitného oddelenia zahraničných robotníkov v berlínskej Dresdner Bank. Podľa povojnových údajov sa na transferoch úspor podieľali aj Deutsche Bank v Berlíne a Länderbank vo Viedni. Robotníkom v českých krajinách sprostredkovala platby aj Protektorátna národná banka v Prahe. Mzdy robotníkov dochádzajúcich za prácou zo Slovenska do priľahlých oblastí ríše boli poukazované cez clearingový podúčet »Grenzgänger« a na transferoch z Protektorátu sa podieľal aj podúčet »Kapitalkonto«.[142] V septembri 1943 v dôsledku náletov premiestnili oddelenie zahraničných robotníkov Dresdner Bank z Berlína do pobočky v Karlových Varoch. Tu neskôr vzniklo samostatné slovenské oddelenie a osobitný hromadný účet slovenských robotníkov.[143] Mzdy ďalej poukazovali cez clearing prostredníctvom dobropisov Slovenskej národnej banke. Táto dala následne pokyn Poštovej sporiteľni, aby mzdové úspory vyplatila formou preddavkov zo zdrojov pôžičiek, na ktoré prispievalo ministerstvo financií. V sledovanom období však už zdroje štátu nestačili, preto boli do vyplácania úspor zapojené aj komerčné banky.

Opatrenia iniciované zastupiteľským úradom generálneho splnomocnenca pre pracovné nasadenie mali preklenúť viaceré problémy, ktoré odrádzali slovenských robotníkov od práce v ríši, najmä ťažkosti s transferom, stále menšie rozdiely medzi mzdou na Slovensku a v Nemecku, infláciu ríšskej marky a možnosti výhodného zamestnania na domácej pôde. Oneskorené a nepravidelné vyplácanie mzdových sadzieb a v horšom prípade aj úplné zlyhanie transferu odrádzalo poľnohospodárskych aj živnostenských robotníkov. Napríklad na poľnohospodárske práce v regióne Sudet sa v roku 1944 práve v dôsledku problémov s transferom prihlásil len asi polovičný počet robotníkov než v roku 1943.[144] Pre ťažkosti

139 Dokumenty 119 a 121.
140 Dokument 121; PA AA, Gesandtschaft Preßburg, Paket 210, W 2, Nr. 1a. Protokol zo 7. spoločného zasadnutia nemeckého a slovenského vládneho výboru 20. 9. – 28. 10. 1943.
141 Dokument 124.
142 Pozri dokumenty 145, 147 a 148.
143 Išlo o »Sammlekonto Arbeitersonderguthaben« s číslom 659891/761. Pozri HENKE, K.. *Die Dresdner Bank...*, s. 453.
144 Dokument 124; Pozri SNA, f. 116-43-5/155, 176. Korešpondencia medzi K. Henleinom a F. Karmasinom z 21. 6. a 1. 7. 1944.

s vyplácaním úspor sa robotníci pokúšali zarobené marky preniesť cez hranice, kde mohli byť zhabané alebo ich zamieňali na slovenskom čiernom trhu v nevýhodnom kurze len 2 Ks až 3 Ks za 1 RM. Oficiálne stanovený výmenný kurz pre mzdové prostriedky zasielané na Slovensko, platný v sledovanom období, 1 RM : 11 Ks bol aj v rokoch 1944 – 1945 jedným z posledných reálne pôsobiacich motivačných činiteľov odchodu slovenských robotníkov do Nemeckej ríše. Prekonať nezáujem poľnohospodárskych robotníkov bolo veľmi ťažké, ale ešte zložitejšie sa vyvíjal nábor živnostenských a osobitne priemyselných robotníkov. V danej sfére nasadenia pracovných síl boli svojvoľné odchody a neoprávnené predlžovanie dovoleniek mimoriadne rozšírené. Návrat na Slovensko umožňovalo aj skracovanie doby zmluvného vzťahu medzi zamestnávateľom a priemyselných robotníkom.[145] Zatiaľ, čo v období 1939 – 1941 sa zmluvy podpisovali na pol roka, podľa slovensko-nemeckej dohody z augusta 1943 už iba na dva mesiace.[146] V počiatočnom období mnohí robotníci dobrovoľne ostávali v ríši aj po uplynutí zmluvného vzťahu. Po zhoršení situácie však odchádzali a nemecké úrady nemali nástroje na ich udržanie v pracovnom pomere. Robotníci so zmluvou na neurčito využívali na odchod skutočnosť, že ich zmluvné záväzky neboli časovo presne vymedzené. Zástupca generálneho splnomocnenca pre pracovné nasadenie odhadoval, že v ostatných rokoch odišlo z ríše späť na Slovensko 25 tis. až 30 tis. živnostenských robotníkov.[147]

Neuralgickým bodom celého plánu oživenia náboru pracovných síl do nacionálno-socialistického Nemecka ostávalo neúmerné zaťaženie slovensko-nemeckého platobného styku a nedostatok finančných prostriedkov na vyplácanie mzdových úspor v slovenskom štátnom rozpočte. Navrhované zvýšenie mzdových sadzieb pre transfer na Slovensko by si podľa odhadov nemeckého vyslanectva v Bratislave vyžiadalo nárast hodnoty zasielaných a preplácaných úspor až o 100 mil. Ks.[148] Slovenská delegácia na siedmom zasadnutí vládnych výborov na jeseň 1943 pritom žiadala, aby sa celková hodnota úspor so stanovenou hranicou 400 mil. Ks odľahčila aspoň o 50 mil. Ks. Vzhľadom na nepriaznivé tendencie odlivu pracovných síl do ríše počas roka 1943 bol slovenský vládny výbor na siedmom zasadnutí ochotný súhlasiť len s kontingentom 27 tis. poľnohospodárskych robotníkov v roku 1944.[149] Nemecká strana však na začiatku nového roka zvýšila požiadavky celkového kontingentu robotníkov až na 50 tis. osôb. Slovenskí národohospodári to jednoznačne odmietli ako nereálne a presadili pôvodný kontingent. Vypočítali, že v prípade zvýšenia odlivu robotníkov a plánovaného nárastu mzdových tarif by hodnota vyplatených úspor mohla dosiahnuť až 750 mil. Ks, čo by ohrozilo vývoj štátnych financií. Minister financií Mikuláš Pružinský preto na rokovaní komitétu hospodárskych ministrov v máji 1944 navrhol, aby každá hodnota prekračujúca stanovenú hranicu 400 mil. Ks nebola vyplatená robotníkom, ale uložená v ríšskych markách ako železná rezerva. Na čiastočné vyrovnanie bilancie s Nemeckom minister financií požadoval, aby si aj nemeckí robotníci a odborníci pôsobiaci na Slovensku vytvárali a zasielali úspory. Národohospodári zároveň požadovali, aby sa úhrnná mzda nemeckého kvalifikovaného robotníka na Slovensku vrátane naturálií, čo bolo asi 2 000 Ks, rovnala mzde slovenského robotníka zodpovedajúceho kvalifikačného stupňa v ríši.[150]

---

145 Dokument 123 a124.
146 Dokument 123; Pozri dokument 117.
147 Dokument 123.
148 Pozri citát záznamu obchodného atašé H. von Schulmanna pracovníkovi nemeckého vyslanectva H. Gmelinovi z 31. 3. 1944 v dokumente 124.
149 Dokument 125; Pozri PA AA, Gesandtschaft Preßburg, Paket 210, W 2, Nr. 1a. Protokol zo 7. spoločného zasadnutia nemeckého a slovenského vládneho výboru 20. 9. – 28. 10. 1943.
150 Dokument 125.

Na prelome rokov 1943 – 1944 boli aj neúspešné pokusy o recipročnú výmenu robotníkov medzi Slovenskom na jednej strane a Nemeckom a Protektorátom na strane druhej.[151]

Osobitným nástrojom uvoľňovania pracovných síl do ríše malo byť utlmenie stavieb a obmedzenie výrobných činností, ktoré neboli dôležité pre vojnové úsilie. Konkrétne sa uvádzal príklad výroby cukroviniek v bratislavskom závode Stollwerck. Tlak na vládne hospodárske kruhy v danom smere vyvíjali aj predstavitelia »Deutsche Industriekomission Slowakei« (DIKO). Táto v rokoch 1943 – 1944 podstatne rozšírila svoje kompetencie v slovenskom hospodárstve. V podmienkach Slovenska mali byť pracovné sily koncentrované do strategicky najvýznamnejších závodov, predovšetkým do zbrojoviek a banských závodov na ťažbu a spracovanie vojensky dôležitých surovín, zatiaľ čo prebytoční robotníci by smerovali do ríše. Šéf bratislavskej úradovne generálneho splnomocnenca pre nasadenie pracovných síl však nachádzal rezervy na prácu v ríši aj v najdôležitejších zbrojovkách.[152] Napriek tomu, že slovenskí vládni a hospodárski predstavitelia už nemali záujem o vysielanie pracovných síl, vychádzali požiadavkám nemeckého spojenca v ústrety. Vláda prostredníctvom letákov vyzývala robotníkov, aby sa prácou v Nemecku zapojili do spoločného vojnového úsilia. Ministerstvo vnútra a Ústredný úrad práce v júni 1944 nariadili okresným úradom vyhľadávať voľné pracovné sily v poľnohospodárstve a urýchlene zabezpečiť ich vyslanie do ríše v záujme splnenia zmluvných záväzkov voči Nemecku.[153]

Slovenské vládne miesta a ich nemeckí partneri sa až do konca augusta 1944 pokúšali zaviesť opatrenia na oživenie záujmu slovenských robotníkov o prácu v Nemecku a dosiahnutie plánovaného odchodu pracovných síl. Slovensko-nemecké vládne výbory na ôsmom zasadnutí v apríli až júni 1944 schválili zvýšenie mzdových taríf poukazovaných na Slovensko po hranicu 110 RM na mesiac.[154] Kombináciou nátlaku a motivačných nástrojov sa podarilo časť robotníkov získať. Vypuknutie Slovenského národného povstania a obsadenie krajiny nemeckými jednotkami však nábor pracovných síl prerušilo a charakter spolupráce s Nemeckom v sledovanej oblasti definitívne zmenilo. Podobne ako v iných sférach vzájomných vzťahov aj tu sa pozícia vládneho režimu Slovenského štátu postupne menila na úlohu pasívneho štatistu a objektu nemeckých záujmov. Podstatnú zmenu pozície Slovenska a jeho vlády charakterizovali plány zo septembra 1944, vypracované pravdepodobne velením SS alebo radikálnymi predstaviteľmi nemeckých vládnych miest na aktívnejšie zapojenie slovenského hospodárstva do vojnového úsilia. Počítalo sa v nich s úplným zastavením výroby a stavieb, ktoré nemali vojenský význam ako aj s nasadením až 100 tis. robotníkov a 15 tis. kvalifikovaných pracovných síl do Nemeckej ríše. O prípadných rokovaniach so slovenskou vládou ohľadne uvedených zámerov plány nič nehovorili.[155]

Napriek tomu, že spomínané zámery neboli uskutočnené, v celej koncepcii nasadenia pracovných síl zo Slovenska v Nemecku nastal značný posun od dobrovoľného charakteru na zmluvnom základe k nútenej práci. Od septembra 1944 sa pracovné nasadenie vyvíjalo dvoma hlavnými smermi. V ríši ďalej pracovali slovenskí robotníci de iure dobrovoľne na základe platných zmlúv, ale v rámci plánov evakuácie obyvateľstva z dosahu frontu sa pripravovalo nútené pracovné nasadenie všetkých evakuovaných mužov. Na konci roka 1944 zmeny pocítili aj slovenskí robotníci v Nemecku a ďalších častiach ríše, zamestnaní

---

151 Dokument 124.
152 Dokumenty 124 a 125.
153 V záujme naplnenia kontingentov pracovných síl mali byť zjednodušené administratívne formality spojené s vysielaním robotníkov do ríše. Vládny režim v letákoch sľuboval bezplatnú cestu do Nemecka, sociálne zabezpečenie na úrovni nemeckých robotníkov a možnosť vziať so sebou rodinných príslušníkov. Pozri dokument 126 a citát z vládneho letáku v tomto dokumente.
154 Dokument 125; Pozri PA AA, R 105 332. Protokol z 8. zasadnutia vládnych výborov v dňoch 27. 4. – 16. 6. 1944.
155 Dokument 130.

v riadnom zmluvnom pomere. Kapitáni nemeckého hospodárstva si boli vedomí, že robotníci po návrate domov zo sezónnych prác už nebudú vzhľadom na súdobý vojensko-politický vývoj ochotní vrátiť sa späť. Preto využili problémy v doprave ako zámienku na udržanie pracovných síl v ríši. Argumentovali, že za momentálnej situácie na železniciach nebol odsun približne 17 tis. poľnohospodárskych robotníkov na Slovensko možný. Robotníci mali ostať na pracovných miestach celú zimu a ich zmluvy sa mali predĺžiť o rok alebo dokonca na neurčito, podobne ako u robotníkov iných spriatelených krajín. Išlo napríklad o Talianov, ktorým predĺžili pracovné zmluvy o rok.[156]

Podmienky prezimovania slovenských robotníkov v Nemecku boli objektom rokovaní sociálneho atašé slovenského vyslanectva v Berlíne Dr. Jozefa Krotkého s predstaviteľmi Úradu generálneho splnomocnenca pre pracovné nasadenie a ríšskeho ministerstva práce koncom novembra 1944. Sociálnemu atašé sa podarilo zmierniť postavenie robotníkov. Odmietol predĺženie pracovných zmlúv, čo mohlo byť nástrojom kritiky voči vládnemu režimu na Slovensku. Presadil aj možnosť návratu aspoň časti robotníkov v súrnych prípadoch. Medzi ne patrili najmä dôsledky Povstania, ktoré na svojich rodinách a majetku osobitne pocítili robotníci nemeckej národnosti zo stredného Slovenska. Najdôležitejší ústupok nemeckej delegácie však spočíval v tom, že súhlasila s odchodom pracovných síl ako náhle to dovolí situácia v železničnej doprave.[157] V zmysle uvedených podmienok odsúhlasila zotrvanie robotníkov počas zimy v ríši slovenská vláda na zasadnutí 13. decembra 1944. Možno však predpokladať, že robotníci v neprehľadnej situácii na prelome rokov 1944 – 1945 využili každú príležitosť na návrat domov. Medzi hlavných iniciátorov zastavenia odchodu sezónnych robotníkov na Slovensko patril šéf úradovne generálneho splnomocnenca pre pracovné nasadenie v Bratislave G. Sager. Na jeseň 1944 sa pokúšal presadiť aj ďalší nábor pracovných síl. Poznal totiž nálady robotníkov a vedel, že v budúcom roku 1945 mal nábor mizivé vyhliadky na úspech.[158]

Od jesene 1944 metódy nasadenia pracovných síl zo Slovenska čoraz viac nadobúdali charakter nútenej práce. Tento sa prejavil najmä v metódach pracovného nasadenia osôb evakuovaných z dosahu frontu a do značnej miery aj v plánoch na využitie poľnohospodárskych robotníkov nútene zostávajúcich v Nemecku, Protektoráte a v ďalších častiach ríše. Slovenské vládne miesta mali pri realizácii týchto plánov už iba vedľajšiu úlohu. Spravidla len dodatočne korigovali a dolaďovali podmienky bežiacich programov nasadenia pracovných síl. Využitie evakuovaného obyvateľstva na práce v ríši, ako aj na území Slovenska bolo súčasťou komplexného plánu evakuácie osôb a materiálnych statkov pred postupujúcou Červenou armádou. O evakuácii alebo „vyprataní" celých regiónov východného Slovenska rozhodli predstavitelia ríšskych hospodárskych ministerstiev, nemeckej armády a Zahraničného úradu 3. novembra 1944 bez účasti a vedomia slovenskej vlády.[159] Táto bola postavená pred hotovú vec a jej zástupcovia už len rokovali o podmienkach evakuácie. Otázky pracovného nasadenia evakuovaného obyvateľstva riešili exponenti nemeckých záujmov na Slovensku, najmä nemecký vyslanec Hanns E. Ludin, poradca pre sociálne záležitosti nemeckého vyslanectva Albert Smagon, veliteľ nemeckých bezpečnostných a represívnych zložiek na Slovensku Dr. Josef Witiska, nemecký konzul v Prešove Peter Woinovich, veliteľ

---

156 Dokumenty 133 a 134.
157 Dokumenty 133 a 134; Nálady robotníctva ilustroval list skupiny lesných robotníkov z Kysúc, pracujúcich v Klagenfurte na území vtedajšej Východnej Marky prezidentovi J. Tisovi zo začiatku decembra 1944, kde robotníci žiadali prezidenta, aby podporil ich žiadosti o návrat na Slovensko. Pozri citát listu v dokumente 134.
158 Dokument 134; Pozri NA ČR, f. MHP, š. 426, A-I-5771.7. Prípis G. Sagera protektorátnemu ministerstvu hospodárstva z 5. 12. 1944.
159 Dokument 131; Pozri BArch Berlín, R 901/111309; R 3/1646, Bl. 57-61. Zápisnica z rokovaní nemeckých vládnych miest 3. 11. 1944.

nemeckých okupačných jednotiek Hermann Höfle a viacerí ďalší predstavitelia nemeckej armády. Za slovenskú stranu o podmienkach nútenej práce rokovali minister vnútra Alexander Mach, zástupca ministerstva vnútra Dr. Ján Kaššovic, predseda Ústredného úradu práce A. Bezák, splnomocnenec vlády pre evakuáciu a pracovné nasadenie obyvateľstva Anton Sabol-Palko, vojenský koordinátor evakuácie generál Anton Pullanich a iní.

Nemecká strana v novembri 1944 predložila dve koncepcie nasadenia pracovných síl núteného charakteru. Prvá sa týkala mužskej časti obyvateľstva evakuovaného z východného Slovenska. Všetkých práceschopných a bojaschopných mužov z dosahu frontu mali nútene dopraviť na práce do ríše. J. Kaššovic na rokovaniach s A. Smagonom však navrhol, že politicky únosnejšie pre vládny režim by bolo nasadenie týchto mužov na opevňovacie a iné práce v regióne západného Slovenska, zatiaľ čo do ríše by vyviezli len prebytok pracovných síl.[160] Druhý plán využitia slovenského robotníctva, forsírovaný najmä J. Witiskom a generálom H. Höflem, počítal s nasadením poľnohospodárskych a lesných robotníkov zimujúcich v Nemecku. Títo mali byť nútene sústredení do pracovných jednotiek (bataliónov) s počtom asi 800 mužov. Celkovo plánovali vytvoriť až desať takýchto jednotiek, využitých na stavebné a lesné práce. Uvedené zámery osobne predložil generál Höfle predsedovi vlády Štefanovi Tisovi 7. novembra 1944. Vláda plán akceptovala, ale čoskoro vyvolal sociálne, ako aj finančné problémy. Otázna bola sociálna starostlivosť o členov pracovných jednotiek a osobitne o príslušníkov rodín, ktoré ich často sprevádzali. Sociálnu starostlivosť mal prevziať Wehrmacht, pretože pracovné jednotky by tvorili organizačnú súčasť nemeckej armády. Prípadné financovanie robotníckych bataliónov slovenskou vládou neprichádzalo do úvahy pre obrovské náklady štátu v súvislosti s okupáciou Slovenska. Je pochopiteľné, že slovenskí robotníci vstup do pracovných jednotiek odmietali. O vývoji sledovaných plánov nemáme dostatok informácií, ale ich výsledky boli zrejme len čiastočné.[161]

Program nútenej práce evakuovaných osôb konzultoval splnomocnenec A. Sabol-Palko a ďalší zástupcovia slovenskej vlády s nemeckými partnermi a osobitne s predstaviteľmi nemeckej armády začiatkom decembra 1944 priamo na východnom Slovensku. Obe strany dospeli k názoru, že pracovné nasadenie musí mať radikálny donucovací charakter. Malo sa týkať všetkých evakuovaných mužov vo veku od 16 až do 60 rokov. Títo by vytvárali pracovné jednotky podľa ich pôvodného bydliska so špeciálnym označením, ako modré pásky na rukávoch a pracovné legitimácie. Na evakuáciu a pracovné nasadenie ich mala vyzvať slovenská vláda mobilizačnou vyhláškou v súčinnosti s miestnymi orgánmi a notármi. Všetci muži, ktorí nerešpektovali vyhlášku a pohybovali sa bez pracovných legitimácií a pások boli považovaní za nepriateľov Nemecka a spojencov Sovietskeho zväzu. Preto mohli byť deportovaní na práce do Nemecka, podobne ako zajatí príslušníci povstaleckej armády a partizánskych jednotiek. Mužov riadne prihlásených na evakuáciu plánovali sústrediť do pracovných táborov a odtiaľto sa mohli nasadzovať na práce doma alebo v ríši. Nemeckí predstavitelia očakávali od slovenskej vlády, že rozšíri legislatívne zakotvenú pracovnú povinnosť osôb v produktívnom veku aj na prácu v ríši. Zároveň počítali s rozšírením pásma nútenej evakuácie obyvateľstva a tým aj nútenej práce z dohodnutých 8 km od hlavnej bojovej línie na celé regióny východného Slovenska, prípadne na celý Slovenský štát. Pretože legislatívna úprava ohľadne povinnej práce v ríši nebola v dohľadnom čase možná, pracovné nasadenie evakuovaných osôb mali realizovať nemecké transporty núteným spôsobom.[162] Poradca A. Smagon a ďalší exponenti nemeckých záujmov na Slovensku začali uvedené návrhy okamžite uvádzať do života.[163]

---

160 Dokument 131.
161 Dokumenty 131 a 132.
162 Dokument 136.
163 Pozri citát záznamu A. Smagona z 9. 12. 1944 v dokumente 136.

Konkrétny plán pracovného nasadenia evakuovaných osôb predložilo nemecké vyslanectvo formou verbálnej nóty ministerstvu zahraničia 15. decembra 1944. Plán sa vzťahoval na všetkých evakuovaných mužov od 16 do 60 rokov. Mládež a mladí muži od 16 do 24 rokov mali byť na základe dohôd organizácií Hlinkovej mládeže a Hitler-Jugend a podľa inštrukcií Ministerstva národnej obrany pre Domobranu sústredení do pracovných táborov na západnom Slovensku ako pomocné pracovné sily. Muži vo veku od 25 do 40 rokov mali vytvoriť pracovné jednotky nasadené na obranné stavby v priestore Spiša od Popradu po Branisko. Starších mužov vo veku 41 až 60 rokov plánovali sústrediť do záložných pracovných jednotiek, nasadzovaných podľa potreby na strednom a západnom Slovensku. V prípade ohrozenia pracovných jednotiek príchodom Červenej armády a možným prechodom na stranu nepriateľa mohli byť nasadené aj na práce v ríši. Okrem toho stále existovala možnosť dobrovoľného náboru pracovných síl do Nemecka na základe platných dohôd, ako aj možnosť prihlásiť sa do jednotiek nemeckej armády na východnom Slovensku.[164] Vládni predstavitelia SR návrh plánu v zásade prijali a mali k nemu len vedľajšie pripomienky, najmä ohľadne sociálnej starostlivosti o členov pracovných jednotiek.[165] V nasledujúcich týždňoch sa plány začali uskutočňovať. Muži z evakuačného pásma v určenom veku boli na základe mobilizačnej vyhlášky odvedení do pracovných jednotiek a mali byť nasadení predovšetkým na práce v podmienkach Slovenska. Nemecké velenie mohlo zaisťovať osoby, ktoré sa vyhýbali pracovným odvodom alebo spolupracovali s partizánskym hnutím a tieto po sústredení v pracovných táboroch aj nútene odvážať na práce do rôznych častí ríše. Konkrétne sa na tieto účely využil bývalý židovský tábor v Novákoch.[166]

Podľa verzie slovenskej vlády však nemecké velenie zaisťovalo aj osoby riadne odvedené a dokonca príslušníkov slovenskej inteligencie, členov HG a predstaviteľov miestnych orgánov, ktorí sa nachádzali v pásme evakuácie. Zaistených mužov následne bez vedomia slovenských vládnych miest vyviezli niekoľkými transportmi do ríše. Slovenská vláda zareagovala až koncom februára 1945, keď sa jej členovia dozvedeli o dvoch transportoch evakuovaných mužov, ktoré boli pripravené na odchod do Protektorátu. Išlo asi o 1 500 až 1 700 mužov z pracovného tábora v Novákoch.[167] Vláda okamžite protestovala a nechala transporty zastaviť. Minister vnútra A. Mach nariadil, že nesmú prejsť hraničnú železničnú stanicu v Kútoch. Potom sem vycestoval, aby celú záležitosť prešetril a zistil podmienky deportovaných. Prostredníctvom nemeckého vyslanectva dohodol ponechanie transportov na Slovensku. Nemecké velenie však dohodu ignorovalo a zaistených mužov vyviezlo do ríše, údajne na práce v leteckých závodoch a v poľnohospodárstve. Vládne miesta slovenského štátu opäť veľmi dôrazne protestovali, ale odchodu transportov za hranice nedokázali zabrániť.[168]

Podľa verzie poradcu A. Smagona, ktorý spolu s radcom nemeckého vyslanectva Hansom Gmelinom odsun evakuovaných mužov do Nemecka odsúhlasil, bola slovenská vláda s transportmi v podstate uzrozumená. A. Smagon tvrdil, že po schválení obsahu verbálnej nóty nemeckého vyslanectva z 15. decembra 1944 slovenskou vládou, vyjadril s pracovným nasadením evakuovaných osôb a s deportáciou prebytočných pracovných síl do ríše opätovný súhlas vojenský koordinátor evakuácie Anton Pulanich, ako aj splnomocnenec vlády

164 Dokument 137.
165 Dokument 137; Pozri SNA, f. MZV, š. 81, 100104/1944. Verbálna nóta slovenského ministerstva zahraničia nemeckému vyslanectvu v Bratislave 16. 12. 1944. Pozri tiež BAKA, I. Nasadenie civilného obyvateľstva..., s. 81.
166 Dokument 138; Pozri SNA, f. Ministerstvo pravosúdia 1938 – 1945, š. 126, 1010/Ires.-1945. Hlásenie vládneho splnomocnenca v Prešove A. Sabola-Palka z 8. 1. 1945.
167 Dokument 139; dokument 140; Slovenská vláda sa rozhodla protestovať na zasadnutí 26. 2. 1945. Pozri SNA, f. Úrad obžalobcu pri Národnom súde 1945 – 1948, š. 15, On ľud 10/1946 – Štefan Tiso.
168 Dokumenty 139 a 140.

pre evakuáciu Izodor Koso na rokovaniach so zástupcami Nemecka 22. decembra 1944. I. Koso vraj kladne odpovedal na žiadosť nemeckej strany o nasadenie až 50 tis. mužov spomedzi evakuovaných osôb na práce do ríše. Následne z viacerých vládnych inštitúcií a orgánov prichádzali naliehavé podnety, aby sa odsun evakuovaných mužov zo Slovenska urýchlil. Muži sústredení v pracovnom tábore dostali údajne pracovné zmluvy a Ústrednému úradu práce boli predložené zoznamy osôb určených na transport, aby sa mohli vystaviť poukazy na zasielanie úspor týchto osôb ich rodinám na Slovensku. Pred odsunom zaistených 17. februára 1945 malo slovenské ministerstvo zahraničia dostať verbálnu nótu nemeckého vyslanectva so žiadosťou o transport asi 2 tis. osôb z tábora v Novákoch na západné Slovensko.[169]

Reakciu slovenskej vlády na uvedené tvrdenia nemáme k dispozícii. Jej členovia 28. februára 1945 vyslali na rokovania s velením nemeckých jednotiek osobne predsedu Š. Tisa, aby zistil okolnosti transportov nepovolených slovenskou vládou. Po návrate Š. Tiso oznámil stanovisko nemeckého velenia, že odsun evakuovaných osôb do ríše je nevyhnutý. Velenie však bolo ochotné rokovať o podmienkach odsunu.[170] Slovenská vláda na základe toho predložila 1. marca 1945 celý súbor požiadaviek. Vekové rozhranie mužov odvádzaných do pracovných jednotiek žiadala obmedziť na 18 až 45 rokov a evakuačné pásmo zúžiť na 5 až 8 km od hlavnej bojovej línie. Z transportov žiadala vylúčiť predstaviteľov miestnych orgánov a všetky politicky, hospodársky a inak dôležité osoby. Odvody mužov, ich sústreďovanie do pracovných táborov, ako aj organizáciu táborov a výber osôb na práce do ríše mali prevziať slovenské vládne orgány. Práca evakuovaných osôb v Nemecku mala nadobudnúť osobitný zmluvný základ. Okolnosti neoprávnených transportov a podmienky práce deportovaných mužov mali byť prešetrené.[171]

Nemecké velenie požiadavky ohľadne vekového rozhrania odvádzaných mužov a obmedzenia evakuačného pásma v odpovedi zo 6. marca 1945 odmietlo.[172] Mužov mali odvádzať na územie v hĺbke až 50 km od bojovej línie. Velenie však bolo ochotné presunúť organizáciu odvodov a sústreďovanie mužov do pracovných táborov slovenským vládnym orgánom. Súhlasilo aj s vylúčením dôležitých osôb z transportov. Zároveň predložilo vlastné požiadavky. Slovenská vláda bola nútená okamžite uskutočniť medzi evakuovanými mužmi nábor 15 tis. poľnohospodárskych robotníkov do východných častí ríše blízko slovenských hraníc. Vláda požiadavku, respektíve rozkaz, akceptovala s tým, že robotníkov vyšle Ústredný úrad práce na základe platných slovensko-nemeckých dohôd.[173] Vyslanie 15 tis. robotníkov potvrdili na rokovaniach nemeckého vyslanca s predsedom vlády a s prezidentom 21. marca 1945. V nasledujúcich dňoch čakalo na nútené práce v oblasti západného Slovenska a v poľnohospodárstve Dolného Podunajska (Niederdonau) celkom 2 200 osôb. Realizácia týchto plánov však bola vzhľadom na postup frontov otázna.[174]

Podľa stavu doterajšieho výskumu bola požiadavka nemeckého armádneho velenia a hospodárskych kruhov Nemeckej ríše o zaslanie 15 tis. poľnohospodárskych robotníkov z marca 1945 poslednou a zrejme neuskutočnenou akciou dlhodobej spolupráce režimu slovenského štátu s nacionálno socialistickým Nemeckom v oblasti nasadenia pracovných síl.

---

169 Dokumenty 139 a141; A. Smagon vypracoval svoju verziu celej genézy slovensko-nemeckých rokovaní o nútených transportoch evakuovaných osôb na práce do ríše na prelome rokov 1944 – 1945. Pozri dokument 141.

170 Š. Tiso rokoval osobne s veliteľom ôsmej nemeckej armády Hansom Kreysingom. Pozri BAKA, I. Nasadenie civilného obyvateľstva..., s. 83; tiež dokument 142.

171 Dokument 142.

172 Slovenská vláda prerokovala odpoveď nemeckého velenia a zaujala k nej stanovisko na zasadnutí 10. 3. 1945. Pozri dokument 143. Pozri tiež BAKA, I. Nasadenie civilného obyvateľstva..., s. 84.

173 Dokument 143.

174 Dokument 144.

Vzhľadom na vojnové udalosti a celkový kolaps slovensko-nemeckého platobného styku na jar 1945 ostala však veľká časť transferovaných úspor, mzdových prostriedkov a sociálnych dávok slovenských robotníkov v ríši nevyplatená. Finančné prostriedky uviazli na kontách slovenských finančných ústavov alebo ešte na polceste platobného styku na clearingových účtoch a bankových kontách v Nemecku a v bývalom Protektoráte.[175] Vyplatenie a konečné urovnanie pohľadávok robotníkov si vyžiadalo niekoľko rokov a tvorilo akýsi epilóg za pohnutou históriou nasadenia slovenských pracovných síl v Nemeckej ríši, siahajúci až do začiatku 50. rokov minulého storočia.

Povojnový režim obnoveného Československa uznával nároky slovenských robotníkov na ich mzdové úspory z pracovných pobytov v ríši. Otázku vyplatenia úspor chápal ako sociálny problém, ktorý sa týkal najnižších sociálnych vrstiev, osobitne poľnohospodárskych robotníkov, ťažko pracujúcich počas vojny na rôznych miestach Nemecka a ním ovládaných území.[176] Uspokojovanie robotníckych pohľadávok sa však realizovalo v úplne nových podmienkach pod stále radikálnejším ekonomickým a politickým tlakom. Vyplácanie úspor bolo podmienené novými ekonomickými a hospodársko-politickými požiadavkami a prekážkami. Tieto spôsobili, že mzdové nároky slovenských robotníkov v bývalej Nemeckej ríši ostali z väčšej časti neuspokojené.

Podľa hlásení slovenských povereníctiev sociálnej starostlivosti a financií z júna až augusta 1945 mali slovenské finančné inštitúcie na svojich účtoch pripravené na vyplatenie mzdové prostriedky a sociálne dávky robotníkov v bývalej ríši v hodnote približne 24 mil. Ks[177] a celkovú hodnotu povolených preddavkov na zasielané mzdy 34,4 mil. Ks.[178] Noví predstavitelia slovenských hospodárskych kruhov zároveň predpokladali, že na účtoch slovenského oddelenia pobočky Dresdner Bank v Karlových Varoch, ako aj na kontách Deutsche Bank v Nemecku, bývalej protektorátnej národnej banky v Prahe a Länderbank vo Viedni boli pripravené na odoslanie mzdové úspory slovenských robotníkov v hodnote asi 50 mil. Ks. Inflačný kolaps ríšskej marky a strata možností kompenzačných nákupov v Nemecku, čím zaniknutá SR kryla výdavky na preplácanie mzdových úspor, mali za následok, že odsúhlasené preddavky na robotnícke úspory 34,4 mil. Ks štát uznal ako svoju stratu určenú na odpis a mohli byť v zásade vyplatené. Usporiadanie finančných nárokov slovenských robotníkov v bývalej ríši prevzalo ako sociálnu záležitosť povereníctvo pre sociálnu starostlivosť. Finančné transakcie mala sprostredkovať Poštová sporiteľňa.[179]

Vcelku jasná otázka vyplatenia mzdových úspor sa však začala od jesene 1945 komplikovať na pozadí novej hospodárskej politiky, najmä v súvislosti s menovou reformou, protiinflačnými opatreniami a zásahmi proti nadmerným vojnovým ziskom. Zavedenie novej meny československej koruny sprevádzali protiinflačné legislatívne opatrenia vo forme prezidentských dekrétov č. 91[180] a č. 95[181] z októbra 1945. Na ich podklade boli úspory obyvateľstva zablokované na viazaných účtoch, aby sa zabránilo zvyšovaniu množstva peňazí v obehu. Majiteľ účtu si mohol v nasledujúcich rokoch vyberať z úspor iba limitované čiastky. V roku 1946 parlament prijal nový zákon o dani z majetku a z prírastku majetku na odčerpanie ziskov vojnových zbohatlíkov.[182] Uvedené legislatívne zásahy negatívne ovplyv-

---

175 Pozri dokumenty 145 a 147.
176 Pozri napríklad dokument 145.
177 Dokument 145.
178 Pozri citát prípisu Povereníctva SNR pre financie zo 6. 7. 1945 v dokumente 145.
179 Dokument 145; dokument 147
180 Dekrét prezidenta republiky č. 91/1945 o obnovení novej československej meny z 19. 10. 1945.
181 Dekrét prezidenta republiky č. 95/1945 o prihlásení vkladov a iných pohľadávok u peňažných ústavoch, ako aj životných poistení a cenných papierov z 20. 10. 1945.
182 Zákon o dávke *z* majetkového prírastku a dávke z majetku č. 134/46 Sb. z. a n. z 15. 5. 1946, ktorý sa mal vzťahovať aj na úspory robotníkov pracujúcich v ríši.

nili celý mechanizmus vyplácania robotníckych úspor. Poverenníctvo sociálnej starostlivosti už na začiatku roka 1946 zostavilo pravidlá uspokojovania finančných nárokov robotníkov podľa charakteru vyplácaných a transferovaných hodnôt. Zmeny legislatívnych a hospodársko-politických podmienok však spôsobovali, že pravidlá sa neustále menili a vyplácanie úspor sa tým odďaľovalo. Podľa novej legislatívy mohla byť robotníkom vyplatená v hotovosti len malá časť úspor a väčšina by smerovala na viazané účty. „Šťastím v nešťastí" robotníkov bola skutočnosť, že ich mzdové úspory tvorili malé hodnoty, a preto sa kvôli nim zakladanie viazaných účtov neoplatilo. Na druhej strane, práve tento fakt spôsoboval ďalšie komplikácie a nejasnosti. Otázne bolo aj zdanenie úspor sociálne slabých robotníkov novými progresívnymi daňami z majetku a z prírastku majetku, ktoré mali postihnúť zbohatlíkov vojnového režimu.

Poverenníctvo sociálnej starostlivosti v súčinnosti s povereníctvom financií prijalo v januári 1946 prvú z mnohých verzií vyplácania úspor. Podľa nej mali robotníkom z hodnoty preddavkov v Poštovej sporiteľni vyplatiť úspory do výšky 500 RM, ale iba na viazané účty, ktoré museli byť oficiálne prihlásené. Pravidelné mesačné transfery a osobitné transfery navrhli preplatiť v pomere 1 RM : 10 Kčs a ďalšie úspory v pomere 1 RM : 5 Kčs. Hodnoty prevyšujúce 500 RM by sa menili už len v pomere 1 RM : 2,50 Kčs a marky prinesené v hotovosti iba 1 RM : 1 Kčs. V novembri 1946 pomer k markám v hotovosti zvýšili na 1 RM : 4,50 Kčs po odvedení zrážky.[183] Úspory na viazaných účtoch podliehali dani z majetku a z prírastku majetku. Mzdy na účtoch v Nemecku, Rakúsku a v Sudetách nepodliehali novým daniam, ale vyplatené mohli byť až po usporiadaní majetkových záležitostí s povojnovým Nemeckom. To sa vzťahovalo aj na úspory presahujúce hodnotu 500 RM.[184] Finančné nároky mohli byť uspokojené len robotníkom s československým štátnym občianstvom a pri predpoklade, že sa proti nim neviedlo súdne pojednávanie za činnosť v rokoch 1939 – 1945.[185] Uvedený mechanizmus vyplácania úspor však musel byť z administratívnych procesuálnych dôvodov zrušený.

Nové pravidlá boli prijaté v máji 1947 po rozhodnutí presunúť celú agendu slovenského oddelenia pobočky Dresdner Bank v Karlových Varoch do Bratislavy. Začiatkom roka 1947 pobočku definitívne zrušili. Jej slovenské oddelenie opatrovalo zostatok približne 6 500 účtov slovenských robotníkov s hodnotou mzdových prostriedkov asi 1,4 mil. RM, čo v prepočte odhadovali na 15 mil. Kčs. Keďže išlo väčšinou o úspory poľnohospodárskych robotníkov v malých hodnotách, padlo rozhodnutie, aby celú agendu filiálky prevzalo ľudové peňažníctvo, konkrétne Roľnícka vzájomná pokladnica v Bratislave. Táto mala robotnícke účty evidovať a poskytovať k dispozícii až do usporiadania majetkových pomerov s Nemeckom, podľa potreby až do roka 1960. Robotníci však museli 10 % hodnoty účtov poskytnúť na úhrady bankových poplatkov a finančných transferov, na náklady s presťahovaním slovenského oddelenia a na dlhodobé udržovanie agendy účtov.[186]

Práve bratislavská roľnícka vzájomná pokladnica bola poverená vyplácaním úspor z finančných prostriedkov Poštovej sporiteľne. Poverenníctvo sociálnej starostlivosti v marci 1947 odporučilo, aby robotníkom ich úspory vyplácali do hodnoty 200 RM v hotovosti, ďalšie úspory od 210 RM do 1 000 RM na viazané účty v jednotlivých bankách a vyššie hodnoty mali ostať na účtoch roľníckej pokladnice v Bratislave.[187] Poverenníctvo financií však

183 Dokument 146; Pozri SNA, f. PF, š. 935, 3821/46-VI-19. Návrh Povereníctva SNR pre sociálnu starostlivosť na pravidlá preplácania robotníckych úspor, predložený Povereníctvom SNR pre financie 29. 1. 1946.
184 Dokument 147.
185 Pozri dokument 146.
186 Dokument 148; Pozri tiež citát hlásenia pobočky Dresdner Bank v Karlových Varoch Povereníctvu SNR pre sociálnu starostlivosť z 3. 4. 1946 v dokumente 147.
187 Dokument 148.

hranicu vyplácania úspor v hotovosti znížilo v máji 1947 na 120 RM. Zároveň stanovilo, že mesačné transfery a mimoriadne transfery uskutočnené do 23. marca 1945 sa budú preplácať do hodnoty 1 000 RM v pomere 1 RM : 11 Kčs. Za každú marku štát plánoval stiahnuť poplatok 1 Kčs. Ďalšie poukazy robotníckych úspor a marky v hotovosti by sa preplácali v pomere 1 RM : 6 Kčs. Poplatok v danom prípade mal byť 0,50 Kčs. Miliónové hodnoty mzdových prostriedkov poukázané cez nemecké banky a »Verrechnugskasse« (Zúčtovaciu pokladňu) bývalými zamestnávateľmi slovenských robotníkov, ktoré figurovali na účtoch v Nemecku, mohli byť aj podľa nových pravidiel vyplatené až po uzavretí medzinárodných dohôd o usporiadaní majetkových záležitostí.[188] V auguste 1947 boli pravidlá čiastočne upravené. Povereníctvo sociálnej starostlivosti zjednotilo výmenný kurz pre všetky zamieňané hodnoty a druhy poukazov na 1 RM : 10 Kčs. Zjednotený bol aj poplatok na 1 Kčs za každú vymenenú marku. Realizáciu výplat prevzala Poštová sporiteľňa, už ako národný podnik – oblastný ústav pre Slovensko. Tento mal vystaviť každému robotníkovi viazaný vkladný list.[189] Plán s využitím ľudového peňažníctva, konkrétne Roľníckej vzájomnej pokladnice v Bratislave, nemohol byť uskutočnený v súvislosti s koncentráciou peňažníctva a likvidáciou celej štruktúry ľudovo-peňažných ústavov.

Po nastolení vládneho režimu jednej strany vo februári 1948 sa hospodársko-politické podmienky sledovaných transakcií opäť zásadne zmenili. Tesne pred nástupom komunistickej strany k moci v januári 1948 povereníctvo sociálnej starostlivosti navrhlo pre čakajúcich robotníkov určité úľavy. Týmto však vyplácanie úspor zase oddialilo. Národohospodári dospeli k názoru, že zakladanie viazaných účtov na drobné hodnoty robotníckych úspor bolo pre štát, ako aj pre majiteľov účtov, neefektívne a že vymáhanie dávky z majetku a z prírastku majetku od robotníkov bolo nespravodlivé. Preto navrhli vyplatiť zostatok úspor v hotovosti a tým obísť prihlasovanie vkladov. Dávku z majetku, respektíve z prírastku majetku, by nahradila paušálna dávka 4 % z hodnoty preplatených úspor.[190] Tieto úľavy muselo schváliť centrálne ministerstvo financií a nová inštitúcia Likvidačný fond menový, založená v roku 1947 práve na účely usporiadania finančných transakcií a ďalších finančných záležitostí spred roka 1945.

Odpoveď na iniciatívu povereníctva sociálnej starostlivosti prišla až na konci roka 1948.[191] Centrálne inštitúcie pristúpili k určitému kompromisu. Úspory mali byť vyplatené z preddavkov ešte stále figurujúcich na účte č. 88 Poštovej sporiteľne – oblastného ústavu pre Slovensko na viazané účty robotníkov. Títo však nemuseli účty oficiálne prihlasovať. Štát zároveň oslobodil všetky úspory až po hodnotu 3 000 Kčs od dane z prírastku majetku. Vyššie hodnoty museli robotníci k daniam spätne prihlásiť. Možnosť preplatenia sa vzťahovala iba na transfery uskutočnené do 23. marca 1945.[192] Z uvedeného vyplývalo, že vládne orgány vyplácanie úspor v hotovosti de facto zastavili a mzdové prostriedky smerovali na viazané účty, z ktorých sa mohli vyberať len čiastky na presne stanovené účely.

Podľa údajov zo začiatku 50. rokov štát uvedeným spôsobom preplatil robotnícke poukazy z bývalej Nemeckej ríše 8 662 žiadateľom v celkovej hodnote 10,281 mil. Kčs. Z toho až 1,537 mil. Kčs pripadalo na poplatky odvedené štátom. Finančné prostriedky vyplatili zo zálohy, respektíve z preddavkov, poskytnutých ešte Slovenskou republikou 1939 – 1945, ktoré čakali na realizáciu od konca vojny. Zostatok preddavkov a nelikvidované poukazy sa

---

188 Pozri citát prípisu Povereníctva SNR pre financie Povereníctvu SNR pre sociálnu starostlivosť z 24. 5. 1947 v dokumente 148.
189 Dokument 149.
190 Pozri citát prípisu Povereníctva SNR pre sociálnu starostlivosť z 20. 1. 1948 v dokumente 149.
191 Odpoveď zaslalo Ministerstvo financií ČSR v Prahe 8. 12. 1948.
192 Dokument 150.

mali previesť na účet povereníctva financií.[193] V rámci menovej reformy z roka 1953 boli úspory na viazaných účtoch znehodnotené a z veľkej časti likvidované. Ohľadne mzdových prostriedkov na účtoch v Nemecku zhasla aj teoretická nádej na ich vyplatenie. Vládne orgány ČSR od možnosti ich preplatenia upustili a usporiadanie nárokov slovenských robotníkov odmietala aj Spolková republika Nemecko. Jej vládni predstavitelia totiž vedeli, že mzdové prostriedky zasielané v cudzej mene by sa k robotníkom v konečnom dôsledku vôbec nedostali.

---

193 Dokumenty 151 a 152.

FACIT

Nasadenie robotníkov zo Slovenska bolo súčasťou postupne vyvíjajúcej sa koncepcie využitia lacných pracovných síl zo strednej a juhovýchodnej Európy, neskôr aj z obsadených a ovládaných území, ktorými Nemecko krylo dopyt na svojom vlastnom pracovnom trhu. Uvedené tendencie boli zjavné už od roku 1936 a po vypuknutí 2. svetovej vojny sa neustále prehlbovali. Už od prvých prejavov týchto problémov začalo nacionálno-socialistické Nemecko siahať po rezervoári v susedných krajinách a v spojeneckom Taliansku. Systémom bilaterálnych dohôd si dokázalo saturovať aspoň časť potrieb pracovného trhu. Medzi krajinami poskytujúcimi lacnú pracovnú silu sa celkom logicky ocitlo aj pomníchovské Česko-Slovensko, resp. Slovenský štát, ktorý za svoju samostatnosť a garanciu ďalšej existencie vďačil nemeckým expanzívnym plánom. Nábor a nasadenie robotníkov zo Slovenska bolo postavené na zmluvnom základe a jeho hlavným motivačným činiteľom bola pomerne vysoká nezamestnanosť a nízke finančné príjmy obyvateľstva. V prvých troch rokoch existencie Slovenskej republiky záujem o prácu v Nemeckej ríši narastal. Prejavilo sa to najmä v roku 1939, keď v podstate kulminoval počet osôb zo Slovenska, zamestnaných v nemeckom poľnohospodárstve a priemysle. Stav dosiahnutý v tomto roku sa v nasledujúcom období aj napriek úsiliu kompetentných ríšskych úradov a slovenských vládnych miest nepodarilo zvýšiť. Situácia sa menila s postupným zvyšovaním životných nákladov a možnosťou zamestnania v tuzemsku, ako aj zhoršovaním sociálnych podmienok v samotnom Nemecku. Dôležitý faktor poklesu záujmu predstavovali súčasne čoraz intenzívnejšie nálety spojeneckého letectva. Vládny režim začal vysielanie pracovných síl pociťovať ako vážny problém najmä v dôsledku vysokých nákladov spojených s preplácaním zárobkov a sociálnych dávok robotníkov v ríši, čo ohrozovalo stabilitu štátnych financií. Náklady na pokrytie miezd dosahovali ročne 300 – 500 miliónov korún. Slovensko sa týmto spôsobom podieľalo na financovaní vojnového úsilia „ochrannej" mocnosti.

Pozíciu štátnych príslušníkov SR v celej škále nasadených pracovných síl na území Nemeckej ríše možno hodnotiť najmä s osobami z okupovaného Poľska a Sovietskeho zväzu ako privilegovanú. Napriek formálnej rovnoprávnosti s nemeckými kolegami sa slovenskí robotníci v každodennej praxi pomerne často stretávali s prejavmi diskriminácie, prameniacimi z rasovej doktríny nacionálno-socialistického režimu. V poslednej fáze vojny sa však tieto rozdiely či už v sociálnej oblasti alebo v pracovnom procese stierali. Nerešpektovanie dodržiavania zmluvných podmienok zasiahlo koncom vojny aj osoby zo Slovenska. Prejavilo sa to v zadržaní transportov pracovných síl z ríše do vlasti na prelome rokov 1944/1945.

Celkový počet nasadených robotníkov sa dá vzhľadom na stav archívnych prameňov kvantifikovať len približne. Staršie odhady sa pohybovali od 150 – 200 tis. a my sa prikláňame k najvyššej uvedenej hranici. Po vypuknutí SNP a postupnom začleňovaní Slovenska do operačného pásma ustupujúceho Wehrmachtu sa nábor a nasadenie zmenili z viac-menej dobrovoľnej formy na nútenú. Presné údaje o počte nútene nasadených osôb nemáme napriek dostupným dokumentom k dispozícii. Na presné štatistické zhodnotenie stavu neboli v záverečnej fáze vojny adekvátne podmienky. Po zániku Slovenskej republiky ostala veľká časť mzdových úspor nevyplatených. Povojnový režim riadenej demokracie, na rozdiel od niektorých západných krajín, prejavil ochotu pohľadávky robotníkov usporiadať. Politicko-hospodársky vývoj po roku 1948 túto iniciatívu postupne deštruoval. Vládnuci komunisti považovali po roku 1951 tému za prakticky uzavretú.

EDITORSKÝ ÚVOD

Predložená edícia prameňov obsahuje 152 dokumentov k problematike náboru a nasadenia slovenských pracovných síl do Nemecka v rokoch 1939 – 1945. Ďalšie, ktorých relevanciu sme nepovažovali za natoľko významnú, resp. ktoré priamo súviseli s ťažiskovými dokumentmi, sme publikovali v rámci poznámkového aparátu, a to buď celé, alebo ich najdôležitejšie pasáže. Všetky dokumenty sú úradnej proveniencie. Prevažná časť z nich pochádza z činnosti jednotlivých nemeckých ústredných štátnych či straníckych úradov a úradovní pôsobiacich na území Slovenska. Ide predovšetkým o správy splnomocnenca ríšskeho ministerstva práce, od jari 1942 splnomocnenca generálneho poverenca pre pracovné nasadenie v Bratislave, doplnené o internú korešpondenciu Auswärtiges Amtu (správy a telegramy nemeckého vyslanectva a berlínskej centrály vo Wilhelmstraße 74-76). Niekoľko dokumentov pochádza z dielne RSHA, úradovne mimoriadneho splnomocnenca ríšskeho vodcu SS a náčelníka nemeckej polície pri nemeckej legácii na Slovensku, vedúceho úseku SD (»SD-Leitabschnitt«) vo Viedni, poradcu pre sociálne záležitosti pri slovenskej vláde Alberta Smagona,»Einsatzgruppe H der Sipo und des SD« a náčelníka Sipo a SD na Slovensku. Druhú časť tvoria písomnosti slovenských úradov, v prvom rade Ministerstva vnútra–Ústredného úradu práce, ministerstva zahraničných vecí (ústredie, berlínske vyslanectvo a viedenský generálny konzulát SR), predsedníctva vlády, generálneho sekretariátu HSĽS a i. Tretiu, najmenej zastúpenú skupinu prameňov predstavujú dokumenty česko-slovenskej, resp. československej proveniencie z rokov 1938 – 1939 a povojnového obdobia.

Pokiaľ berieme do úvahy tematické hľadisko, prevažná časť publikovaných prameňov sa venuje samotnému priebehu náboru a nasadenia slovenského obyvateľstva na práce do Nemeckej ríše. Z ďalších problémových okruhov možno uviesť transfer miezd, pracovné a životné podmienky naverbovaných robotníkov. Osobitnou skupinou sú dokumenty, týkajúce sa núteného náboru po vypuknutí SNP, resp. vyhlásení častí územia SR za operačné pásmo Wehrmachtu. Téma sa doposiaľ nestala samostatným predmetom výskumu v slovenskej historiografii. To isté konštatovanie platí aj o kompenzácii za nevyplatené mzdy, ktorú musel riešiť povojnový režim riadenej demokracie ako aj po februárovom prevrate komunisti. Do edície sme zaradili niekoľko dokumentov všeobecného charakteru. Poukazujú nielen na rozdielne praktiky nacistických policajno-bezpečnostných orgánov pri zaobchádzaní s cudzokrajnými zahraničnými silami, ale aj na úsilie režimu propagandisticky využívať nábor robotníkov z krajín juhovýchodnej Európy v spoločnom „boji proti boľševizmu". Niektoré parciálne záležitosti, ako napr. otázka pracovného nasadenia internovaných príslušníkov tzv. východoslovenskej armády,[194] otázka jurisdikcie nad slovenskými štátnymi príslušníkmi, pracovné a životné podmienky na jednotlivých pracoviskách, postoj lokálnych štátno-policajných úradov k občanom SR, pracovného nasadenia Židov deportovaných zo Slovenska[195] atď., zostali mimo záberu publikácie. Objem pridelených finančných prostriedkov v rámci grantu VEGA *Hospodárska migrácia na Slovensku v rokoch 1939–1945* jednoducho nepostačoval ani na čo len čiastkový archívny výskum.

Hlavnú pozornosť pri zhromažďovaní prameňov editori venovali ústredným archívom v Spolkovej republike Nemecko. Heuristika v Politickom archíve Zahraničného úradu (Politisches Archiv des Auswärtigen Amtes) v Berlíne sa sústredila predovšetkým na fond

---

194 K tejto problematike pozri KOLLÁR, Pavol. K osudu odzbrojených, zajatých a pochytaných príslušníkov východoslovenskej armády. In ČAPLOVIČ, Miloslav – STANOVÁ, Mária (eds.). *Karpatsko-duklianska operácia – plány, reality, výsledky (1944-2004)*. Bratislava : Vojenský historický ústav, 2005, s. 214-220.
195 Pozri napr. NIŽŇANSKÝ, E. Rokovania nacistického Nemecka..., s. 471-496. NIŽŇANSKÝ, E. (ed.). *Holokaust na Slovensku 6...*, s. 15-17.

Gesandtschaft Preßburg 1939–1945. Dve škatule (75 a 208) tohto archívneho fondu obsahujú písomnosti k náboru slovenských pracovných síl do Nemecka. Ide už o vyššie spomenuté správy splnomocnencaríšskeho ministerstva práce, resp. GBA a správy vyslanectva. Je to torzovitý materiál, pozostávajúci väčšinou z kópií a odpisov uvedenej úradovne, ktorý napriek tejto skutočnosti tvorí kostru edície. Okrem toho sme preskúmali fondy *Konsulat Preschau, Handelspolitische Abteilung – Handakten Wiehl, Waldern, Kulturpolitische Abteilung, Referat Partei, Referat Inland II geheim* a *Rechtsabteilung*. V nich sme písomnosti týkajúce sa vyslovene Slovenska nenašli. Do edície sme však zaradili niektoré všeobecné dokumenty týkajúce sa pracovného nasadenia obyvateľstva z juhovýchodnej Európy v ríši.

V Spolkovom archíve (Bundesarchiv) v Berlíne sa ako ťažiskový ukázal fond *R 70 Slowakei – Polizeidienststellen in der Slowakei* a zbierka mikrofilmov *Filme SS Verschiedener Provenienz*. V týchto fondoch sa nachádzajú správy rôznych úradovní SD o situácii slovenských robotníkov v Nemecku, vzniku zahraničnej Hlinkovej gardy a tiež materiál k nútenému náboru slovenského obyvateľstva na jeseň 1944 a v zime 1944/1945. Užitočné informačné zdroje k téme obsahuje tiež fond *R 3901 – Reichsarbeitsministerium*. Chýbajúce písomnosti z úradovne splnomocnenca ministerstva, neskôr GBA sme však v registratúre nenašli. Z ďalších fondov, z ktorých sme čerpali dokumenty možno uviesť: *NS 18 – Reichspropagandaleiter der NSDAP, NS 19 – Persönlicher Stab Reichsführer-SS, R 2 – Reichsfinanzministerium, R 59 – Volksdeutsche Mittelstelle, R 901 – Auswärtiges Amt, Handelspolitische Abteilung 1936–1945* a *R 5101 – Reichsministerium für die kirchlichen Angelegenheiten*. Nevynechali sme ani fondy *R 3 – Reichsministerium für Rüstung und Kriegsproduktion, R 43 – Reichskanzlei »Neue Reichskanzlei«, R 3101 – Reichswirtschaftsministerium*. Rešerše nepriniesli očakávané výsledky. Na výskum v krajinských, regionálnych či podnikových archívoch v Nemecku a v Rakúsku sme nemali dostatok financií.

Slovenské archívy poskytujú pre „našu" tému taktiež relatívne veľké množstvo písomného materiálu. V porovnaní s prameňmi nemeckej proveniencie však musíme konštatovať, že ide zväčša o dokumenty nižšej relevancie. Len vo výnimočných prípadoch sme narazili na periodicky sa opakujúce analytické správy, hĺbkové expertízy prípadne memorandá. Okrem toho sú zachované písomnosti torzovité a roztrúsené vo viacerých archívoch a fondoch.

Najpodrobnejší výskum sme logicky absolvovali v Slovenskom národnom archíve v Bratislave. Za základné fondy môžeme v tomto smere označiť *Úrad predsedníctva vlády 1938–1945, Ministerstvo zahraničných vecí 1939–1945, Ministerstvo vnútra 1938–1945, Ministerstvo financií 1939-1945*. V nich je sústredený najvýznamnejší archívny materiál slovenskej proveniencie. Rešerše sme neobmedzili len na tieto fondy. Získané dokumenty sme doplnili výskumom vo fondoch *Ministerstvo hospodárstva 1938–1945, Povereníctvo financií 1945–1960, Úrad obžalobcu pri Národnom súde 1945–1948, Hlinkova garda* (604), *Ministerstvo pravosúdia 1938–1945, Archív kancelárie prezidenta republiky Praha* a *Kancelária prezidenta republiky 1939–1945*. Písomnosti z uvedených archívnych fondov tvoria základ slovenskej časti edície.

Rešerše v Archíve Národnej banky Slovenska, v Národnom archíve Českej republiky, v Archíve Ministerstva zahraničných vecí Českej republiky a v Štátnom archíve v Banskej Bystrici mali vyslovene rekognoskatívny charakter. Zlomok z preštudovanej matérie sme zaradili do edície buď ako dokumenty, alebo sme ich využili v poznámkovom aparáte. Výskum jednotlivých úradov práce v štátnych archívoch a ich pobočkách, ako aj prípadnú anketu medzi ešte žijúcimi pamätníkmi sme nezrealizovali z dôvodu chýbajúcich finančných zdrojov.

Dokumenty sú editované podľa bežného úzusu zaužívaného pri publikovaní komentovaných prameňov k novším dejinám. Väčšina z nich je uverejnená v plnom znení, v prípade vynechania niektorých častí, ktoré sa netýkajú „našej“ témy, používame grafické znázornenie hranatými zátvorkami [...]. Všetky dokumenty sú v origináli strojopismi, viaceré obsahujú aj (pomerne často nečitateľné) rukopisné dodatky. Editori do pôvodného nemeckého textu robili len minimálne zásahy. Do slovenských textov sa diali zásahy na základe súčasnej pravopisnej normy, najmä pri písaní „i“ a „y“. Dokumenty sú radené podľa chronologického princípu. V záhlaví každého dokumentu sa nachádza stručný regest (vysádzaný tučným písmom), nasleduje vlastný text. Za dokumentom je uvedený prameň (kurzíva) a tiež údaj o tom, či ide o originál, kópiu alebo cyklostyl. Pre doplnenie uvádzame aj počet strán z originálu, ktorý sme prepísali. Dokumenty sú opatrené poznámkovým aparátom. Sú to zväčša ďalšie písomnosti ozrejmujúce vznik a súvislosti základného dokumentu, údaje k osobám, vyskytujúcim sa v texte, resp. dodatky slúžiace na podrobnejšie vysvetlenie určitých javov alebo udalostí. Ďalej ide o odkazy na príslušnú periodickú tlač a sekundárne pramene. Súčasťou edície sú registre – menný a miestny. Odkazujú na číslo dokumentu.

ZOZNAM PUBLIKOVANÝCH DOKUMENTOV

1. 1938, 11. január. Bratislava. – Správa Prezídia krajinského úradu ministerstvu vnútra, týkajúca sa náboru pracovných síl zo Slovenskej krajiny do Nemecka za rok 1937.

2. 1938, 2. máj. Bez uvedenia miesta [pravdepodobne Berlín]. – Himmlerov list Ulrichovi Greifeltovi vo veci náboru pracovných síl spomedzi etnických Nemcov v Európe a v zámorí do Nemecka.

3. 1939, 20. január. Praha. – Prípis ministerstva sociálnych vecí a zdravotníctva jednotlivým ministerstvám. Priloženie zasiela text česko-slovensko-nemeckej dohody o nábore česko-slovenských štátnych príslušníkov na práce do Nemeckej ríše.

4. 1939, 20. február. Praha. – Prípis ministerstva sociálnych vecí a zdravotníctva jednotlivým ministerstvám. Priloženie zasiela text česko-slovensko-nemeckej dohody o transfere miezd česko-slovenských štátnych príslušníkov naverbovaných na práce do Nemeckej ríše.

5. 1939, 22. apríl. Bratislava. – Verbálna nóta MZV vo veci náboru slovenských poľnohospodárskych robotníkov do Protektorátu Čechy a Morava.

6. 1939, 23. apríl. Bratislava. – Správa poverenca ríšskeho ministra práce o nábore slovenských poľnohospodárskych robotníkov do Nemecka.

7. 1939, 2. máj. Bratislava. – Správa poverenca ríšskeho ministra práce o priebehu náboru slovenských poľnohospodárskych robotníkov do Nemecka.

8. 1939, 6. máj. Bratislava. – Správa poverenca ríšskeho ministra práce o sprostredkovaní práce slovenským robotníkom vo Francúzsku.

9. 1939, 7. máj. Bratislava. – Správa poverenca ríšskeho ministra práce o priebehu náboru slovenských poľnohospodárskych robotníkov do Nemecka.

10. 1939, 17. máj. Bratislava. – Správa poverenca ríšskeho ministra práce o priebehu náboru slovenských poľnohospodárskych robotníkov do Nemecka.

11. 1939, 30. máj. Berlín. – Prípis ríšskeho ministerstva hospodárstva vo veci transferu miezd slovenských pracovných síl zamestnaných v Nemeckej ríši na Slovensko.

12. 1939, 9. jún. Bratislava. – Prípis ministerstva vnútra predsedníctvu vlády SR vo veci transferu miezd slovenských pracovných síl zamestnaných v Nemecku.

13. 1939, 12. jún. Praha. – Prípis ríšskeho protektora Zahraničnému úradu v Berlíne vo veci náboru slovenských poľnohospodárskych robotníkov do Protektorátu Čechy a Morava.

14. 1939, 28. jún. Bratislava. – Prípis SNB ministerstvu financií vo veci transferu miezd slovenských pracovných síl zamestnaných na území Nemeckej ríše.

15. 1939, 7. júl. Bratislava. – Prípis ministerstva vnútra SNB vo veci meškania transferovaných miezd slovenských robotníkov z Nemecka.

16. 1939, 21. august. Bratislava. – Prípis predsedníctva vlády vo veci transferu miezd slovenských pracovných síl zamestnaných v Nemecku. Zvýšenie sadzieb.

17. 1939, 27. september. Bratislava. – Memorandum vedenia Slovenského kresťansko--sociálneho odborového združenia MZV, týkajúce sa žiadostí slovenských poľnohospodárskych robotníkov v Nemecku.

18. 1939, 8. december. Berlín. – Dohoda medzi Nemeckou ríšou a Slovenskou republikou o nábore slovenských pracovných síl do Nemecka a Protektorátu Čecha a Morava.

19. 1939, 21. december. Bez uvedenia miesta [Berlín]. – Návrhy legačného atašé slovenského vyslanectva v Berlíne vo veci zlepšenia ochrany záujmov slovenských pracovných síl zamestnaných na území Nemeckej ríše a Protektorátu Čechy a Morava.

20. 1940, 13. január. Bratislava. – Prípis MV ministerstvu hospodárstva a ministerstvu dopravy a verejných prác, týkajúci sa počtu naverbovaných a zamestnaných slovenských pracovných síl v Nemeckej ríši v roku 1939 a stanovenia počtu na rok 1940.

21. 1940, 5. február. Bratislava. – Verbálna nóta nemeckého vyslanectva adresovaná MZV vo veci náboru slovenských pracovných síl do Nemecka a dodržiavania ustanovení o vojnovom hospodárstve.

22. 1940, 18. marec. Bratislava. – Prípis Generálneho sekretariátu HSĽS slovenskému konzulátu vo Viedni, týkajúci sa pridelenia duchovných k jednotlivým robotníckym kolóniám v Nemeckej ríši.

23. 1940, 11. apríl. Bratislava. – Záznam prednostu oddelenia IVa ministerstva vnútra A. Bezáka, určený pre ministra vnútra F. Ďurčanského, vo veci možných dôsledkov nedodržania dohody o pracovných silách z 8. 12. 1939.

24. 1940, 19. apríl. Bratislava. – Telegram nemeckého vyslanectva Zahraničnému úradu, týkajúci sa rozhodnutia slovenskej vlády neprekročiť zmluvne stanovený kontingent slovenských pracovných síl.

25. 1940, 24. apríl. Praha. – Prípis protektorátnej vlády úradu ríšskeho protektora vo veci náboru slovenských poľnohospodárskych robotníkov do Protektorátu Čechy a Morava.

26. 1940, 25. apríl. Bratislava. – Prípis ministerstva vnútra Krajinskému úradu práce vo veci zvýšenia kontingentu pracovných síl do Nemecka.

27. 1940, 26. apríl. Bratislava. – Sťažnosť Franza Karmasina predsedovi vlády V. Tukovi vo veci údajného obchádzania príslušníkov nemeckej národnosti pri nábore pracovných síl do Nemecka.

28. 1940, 13. máj. Bratislava. – Správa poverenca ríšskeho ministra práce pre „Ostmark" o priebehu náboru slovenských pracovných síl do Nemecka.

29. 1940, 15. máj. Bez uvedenia miesta. – Protokol z rokovania o nábore slovenských poľnohospodárskych robotníkov do Protektorátu Čechy a Morava.

30. 1940, 26. máj. Bratislava. – Správa poverenca ríšskeho ministra práce pre „Ostmark" o priebehu náboru slovenských pracovných síl do Nemecka.

31. 1940, 29. máj. Bratislava. – Verbálna nóta nemeckého vyslanectva adresovaná MZV vo veci uvoľnenia ďalšieho kontingentu slovenských pracovných síl do Nemecka.

32. 1940, 29. máj. Bratislava. – Pokyn ministerstva vnútra Krajinskému úradu práce a Slovenskému úradu práce pre hospodárske robotníctvo, týkajúci sa rozdelenia dodatočného kontingentu, o ktorý žiadala nemecká strana.

33. 1940, 2. jún. Bratislava. – Správa poverenca ríšskeho ministra práce pre „Ostmark" o ďalšom priebehu náboru slovenských poľnohospodárskych robotníkov do Nemecka.

34. 1940, 4. jún. Bratislava. – Správa poverenca ríšskeho ministra práce pre „Ostmark" o priebehu náboru slovenských priemyselných robotníkov do Nemecka.

35. 1940, 10. jún. Bratislava. – Správa poverenca ríšskeho ministra práce pre „Ostmark" o priebehu náboru slovenských priemyselných robotníkov do Nemecka.

36. 1940, 11. jún. Bratislava. – Správa nemeckého vyslanectva Zahraničnému úradu o rozhodnutí slovenskej vlády uvoľniť ďalší kontingent slovenských pracovných síl do Nemecka.

37. 1940, 15. jún. Bratislava. – Správa poverenca ríšskeho ministra práce pre „Ostmark" o priebehu náboru slovenských priemyselných robotníkov do Nemecka.

38. 1940, 18. jún. Bratislava. – Správa poverenca ríšskeho ministra práce pre „Ostmark" o priebehu náboru slovenských poľnohospodárskych robotníkov do Nemecka.

39. 1940, 19. – 20. jún. Bez uvedenia miesta. – Správa sociálneho pridelenca slovenského vyslanectva v Berlíne Ľ. Mutňanského o služobnej ceste v slovenskej robotníckej enkláve v Christianstadte. Upozorňuje na zlú náladu medzi robotníctvom pre nedodržanie prísľubov zo strany nemeckého zamestnávateľa.

40. 1940, 28. jún. Bez uvedenia miesta [Bratislava]. – Návrhy vedúceho sekcie VIa ministerstva vnútra A. Bezáka vo veci repatriácie slovenských štátnych príslušníkov vo Francúzsku a v Belgicku. Uvádza možnosť náboru baníkov do Nemeckej ríše.

41. 1940, 1. júl. Bratislava. – Správa poverenca ríšskeho ministra práce pre „Ostmark" o priebehu náboru slovenských poľnohospodárskych robotníkov do Nemecka.

42. 1940, 3. júl. Bratislava. – Správa poverenca ríšskeho ministra práce pre „Ostmark" o priebehu náboru slovenských priemyselných robotníkov do Nemecka.

43. 1940, 8. júl. Bratislava. – Správa poverenca ríšskeho ministra práce pre „Ostmark" o priebehu náboru slovenských priemyselných robotníkov do Nemecka.

44. 1940, 14. júl. Bratislava. – Správa poverenca ríšskeho ministra práce pre „Ostmark" o priebehu náboru slovenských poľnohospodárskych robotníkov do Nemecka.

45. 1940, 15. júl. Bratislava. – Správa poverenca ríšskeho ministra práce pre „Ostmark" o priebehu náboru slovenských priemyselných robotníkov do Nemecka.

46. 1940, 16. júl. Berlín. – Správa sociálneho pridelenca slovenského vyslanectva v Berlíne Ľ. Mutňanského o služobnej ceste v slovenskej robotníckej enkláve v Merseburgu.

47. 1940, 29. júl. Bratislava. – Správa poverenca ríšskeho ministra práce pre o priebehu náboru slovenských poľnohospodárskych robotníkov do Nemecka.

48. 1940, 29. júl. Bratislava. – Správa poverenca ríšskeho ministra práce o priebehu náboru slovenských priemyselných robotníkov do Nemecka.

49. 1940, 6. august. Bratislava. – Správa poverenca ríšskeho ministra práce o priebehu náboru slovenských poľnohospodárskych robotníkov do Nemecka.

50. 1940, 6. august. Bratislava. – Správa poverenca ríšskeho ministra práce o priebehu náboru slovenských priemyselných robotníkov do Nemecka.

51. 1940, 8. august. Bratislava. – List Poštovej sporiteľne ministerstvu vnútra vo veci meškania prevodu miezd slovenských pracovných síl z Nemecka.

52. 1940, 10. august. Bratislava. – Prípis Ústredia Slovenského kresťansko-sociálneho odborového združenia slovenskému vyslanectvu v Berlíne, týkajúci sa organizačno-technického zabezpečenia členov odborov, zamestnaných v Nemeckej ríši.

53. 1940, 12. august. Bratislava. – Správa poverenca ríšskeho ministra práce o priebehu náboru slovenských poľnohospodárskych robotníkov do Nemecka.

54. 1940, 12. august. Bratislava. – Správa poverenca ríšskeho ministra práce o priebehu náboru slovenských priemyselných robotníkov do Nemecka.

55. 1940, 12. august. Berlín. – List sociálneho atašé slovenského vyslanectva ministerstvu vnútra, ku ktorému prikladá správy zo služobných ciest po regiónoch, v ktorých boli zamestnané slovenské pracovné sily.

56. Bez uvedenia dátumu [polovica augusta 1940] a miesta [Bratislava]. – Prehľad počtu naverbovaných a zamestnaných slovenských pracovných síl na území Nemeckej ríše.

57. 1940, 25. august. Bratislava. – Správa poverenca ríšskeho ministra práce o priebehu náboru slovenských poľnohospodárskych robotníkov do Nemecka.

58. 1940, 25. august. Bratislava. – Správa poverenca ríšskeho ministra práce o priebehu náboru slovenských priemyselných robotníkov do Nemecka.

59. 1940, 5. september. Bratislava. – Prípis ministerstva vnútra adresovaný ministerstvu zahraničných vecí, obsahujúci návrhy a doplnky pre novú dohodu o pracovných silách s Nemeckou ríšou.

60. 1940, 6. september. Bratislava. – Prípis vyslanca Manfreda von Killingera poverencovi ríšskeho ministerstva práce vo veci odchodu celých rodín etnických Nemcov na práce do ríše.

61. 1940, 9. september. Bratislava. – Správa poverenca ríšskeho ministra práce o priebehu náboru slovenských poľnohospodárskych robotníkov do Nemecka.

62. 1940, 9. september. Bratislava. – Správa poverenca ríšskeho ministra práce o priebehu náboru slovenských priemyselných robotníkov do Nemecka.

63. 1940, 23. september. Bratislava. – Správa poverenca ríšskeho ministra práce o priebehu náboru slovenských poľnohospodárskych robotníkov do Nemecka.

64. 1940, 23. september. Bratislava. – Správa poverenca ríšskeho ministra práce o priebehu náboru slovenských priemyselných robotníkov do Nemecka.

65. 1940, 27. september. Bratislava. – Záznam poradcu slovenskej vlády pre hospodárske záležitosti E. Geberta k rôznym problémom, súvisiacimi s náborom slovenských pracovných síl do Nemecka.

66. 1940, 7. október. Bratislava. – Správa poverenca ríšskeho ministra práce o priebehu náboru slovenských priemyselných robotníkov do Nemecka.

67. 1940, 24. október. Bratislava. – Správa poverenca ríšskeho ministra práce o priebehu náboru slovenských poľnohospodárskych robotníkov do Nemecka.

68. 1940, 24. október. Bratislava. – Správa poverenca ríšskeho ministra práce o priebehu náboru slovenských priemyselných robotníkov do Nemecka.

69. 1940, 11. november. Bratislava. – Správa poverenca ríšskeho ministra práce o priebehu náboru slovenských poľnohospodárskych robotníkov do Nemecka.

70. 1940, 11. november. Bratislava. – Správa poverenca ríšskeho ministra práce o priebehu náboru slovenských priemyselných robotníkov do Nemecka.

71. 1940, 10. december. Bratislava. – Prípis okresnej úradovne DAF Ústrednému úradu práce pri MV, týkajúci sa organizačného zabezpečenia príchodu transportov so slovenskými robotníkmi z Nemecka, vracajúcimi sa na vianočné dovolenky.

72. 1940, 16. december. Berlín. – Záznam Hlavného úradu pre ríšsku bezpečnosť, týkajúci sa organizovania Zahraničnej Hlinkovej gardy z radov slovenských robotníkov pracujúcich v Nemecku.

73. 1941, 4. január. Bratislava. – Prípis poverenca ríšskeho ministra práce slovenskému ministerstvu vnútra o nábore slovenských pracovných síl do Nemecka za rok 1940.

74. 1941, 10. január. Bratislava. – Prípis nemeckého vyslanectva Zahraničnému úradu vo veci nasadenia slovenských pracovných síl v Nemecku v roku 1941.

75. 1941, 21. január. Bratislava. – Prípis nemeckého vyslanectva Zahraničnému úradu, v ktorom žiada o urýchlené začatie rokovaní o nasadení slovenských pracovných síl v ríši.

76. 1941, 26. január. Bratislava. – Správa poverenca ríšskeho ministra práce o priebehu náboru slovenských priemyselných robotníkov do Nemecka.

77. 1941, 29. január. Bratislava. – Správa poverenca ríšskeho ministra práce o priebehu náboru slovenských poľnohospodárskych robotníkov do Nemecka.

78. 1941, 6. február. Bratislava. – Prípis poverenca ríšskeho ministra práce nemeckému vyslanectvu vo veci pracovného nasadenia slovenských štátnych príslušníkov, nachádzajúcich v okupovanom Francúzsku a Belgicku, v ríši.

79. 1941, 14. február. Berlín. – Prípis Hlavného úradu pre ríšsku bezpečnosť mimoriadnemu splnomocnencovi ríšskeho vodcu SS a náčelníka nemeckej polície v Bratislave, týkajúci sa organizovania HG na území Nemeckej ríše.

80. 1941, 19. február. Bratislava. – Zápisnica z rokovania o hosťujúcom členstve slovenských robotníkov pracujúcich v ríši v Nemeckom pracovnom fronte.

81. Bez uvedenia dátumu [február 1941]. Berlín. – Dopyt Hlavného úradu pre ríšsku bezpečnosť vo veci slovenských pracovných síl v župe Horné Podunajsko, adresovaný mimoriadnemu splnomocnencovi ríšskeho vodcu SS a náčelníka nemeckej polície v Bratislave.

82. 1941, 21. marec. Berlín. – List predsedu nemeckého vládneho výboru Güntera Bergemanna predsedovi slovenského vládneho výboru Štefanovi Polyákovi vo veci stanovenia kontingentu slovenských pracovných síl na rok 1941.

83. 1941, 8. apríl. Berlín. – Prípis náčelníka Bezpečnostnej polície a SD Reinharda Heydricha úradovniam štátnej polície, týkajúci sa organizovania HG na území Nemeckej ríše.

84. 1941, 17. apríl. Bratislava. – Verbálna nóta nemeckého vyslanectva MZV, týkajúca sa uvoľnenia slovenských pracovných síl vo veku 28 – 38 rokov, nasadených v ríši, pre slovenskú armádu v prípade mobilizácie.

85. 1941, 17. máj. Bratislava. – Správa úradovne mimoriadneho splnomocnenca ríšskeho vodcu SS a náčelníka nemeckej polície Hlavného úradu pre ríšsku bezpečnosť vo veci sociálnej starostlivosti slovenských pracovných síl v ríši.

86. 1941, 19. jún. Berlín. – Dohoda medzi Nemeckou ríšou a Slovenskou republikou o nábore slovenských pracovných síl do Nemecka a Protektorátu Čecha a Morava.

87. 1941, 28. jún. Berlín. – Telegram Zahraničného úradu nemeckému vyslanectvu v Bratislave. Inštruuje vyslanectvo, aby intervenovalo u predstaviteľov slovenskej vlády vo veci ponechania slovenských robotníkov v ríši napriek mobilizácii slovenskej armády.

88. 1941, 2. júl. Bez uvedenia miesta [Viedeň]. – Prípis slovenského konzulátu ministerstvu vnútra vo veci naverbovaných pomocníčok do domácností vo Viedni. Sťažnosti na výkon ich práce a upozorňovanie na riziko ich mravného úpadku.

89. 1941, 4. júl. Berlín. – Záznam referátu „Partei" Zahraničného úradu, týkajúci sa zabezpečenia sociálnej starostlivosti pre zahraničné pracovné sily, nasadené na území Nemeckej ríše. Snaha o ich propagandistické a politické ovplyvňovanie.

90. 1941, 5. august. Bratislava. – Správa poverenca ríšskeho ministra práce o priebehu náboru slovenských pracovných do Nemecka za 1. polrok 1941.

91. 1941, 14. august. Berlín. – Záznam vedúceho referátu Partei Zahraničného úradu Martina Luthera určený ministrovi Joachimovi von Ribbentroppovi, týkajúci sa zabezpečenia sociálnej starostlivosti pre zahraničné pracovné sily nasadené na území Nemeckej ríše. Ide o rozpracovanie Puschových návrhov zo 4. 7. 1941.

92. 1941, 2. september. Bratislava. – Vykonávacie smernice k dohode o hosťujúcom členstve slovenských pracovných síl nasadených v ríši v Nemeckom pracovnom fronte. Týkajú sa vymedzenia úloh slovenského splnomocnenca pri ústrednej kancelárii DAF.

93. 1941, 30. september. Bratislava. – Prípis vojenského atašé Heinricha Beckera legačnému radcovi Maxovi Ringelmanovi, týkajúci sa predĺženia lehoty zotrvania slovenských pracovných síl, podliehajúcich brannej povinnosti, v Nemecku o ďalší rok.

94. 1941, 30. september. Graz. – Správa sociálneho dôverníka v ríšskej župe Štajersko o pomeroch slovenských priemyselných robotníkov v tamojších podnikoch a ubytovniach.

95. 1941, 16. november. Bratislava. – Prípis ministerstva financií Ústrednému úradu práce vo veci transferu miezd slovenských pracovných síl zamestnaných v Nemeckej ríši.

96. 1941, 3. a 5. december. Berlín. – Záznam úradovne ríšskeho vedúceho propagandy NSDAP vo veci vytvorenia „Pracovného kruhu pre otázky bezpečnosti vo veci nasadenia cudzincov" v pracovnom procese na území Nemeckej ríše. Na zasadnutí sa diskutovalo o modalitách prístupu k jednotlivým skupinám cudzincov z pohľadu na ich „rasovej vhodnosti". Prevažná časť debaty sa týkala opatrení voči nútene nasadeným osobám z okupovaných území ZSSR.

97. 1942, 5. január. Berlín. – Úryvok z článku ministerského radcu Maxa Timma v periodiku Reichsarbeitsblatt č. 1/1942 o nábore a nasadení slovenských pracovných síl v Nemecku.

98. 1942, 9. január. Bratislava. – Správa vyslanca H. E. Ludina Zahraničnému úradu vo veci periodika „Slovenský týždeň", určeného pre slovenské pracovné sily v Nemecku. Čiastočná kritika formy a obsahu týždenníka.

99. 1942, 15. január. Bratislava. – Správa nemeckého vyslanectva Zahraničnému úradu o nábore slovenských pracovných síl do ríše za rok 1941.

100. 1942, 11. február. Bratislava. – Správa nemeckého vyslanectva Zahraničnému úradu o nábore slovenských pracovných síl do ríše za mesiac január.

101. 1942, 12. marec. Bratislava. – Správa nemeckého vyslanectva Zahraničnému úradu o nábore slovenských pracovných síl do ríše za mesiac február.

102. 1942, 19. marec. Bratislava. – Prípis poverenca ríšskeho ministra práce vyslancovi H. E. Ludinovi o pláne verbovania slovenských pracovných síl do Nemecka na rok 1942.

103. 1942, 11. apríl. Bratislava. – Správa nemeckého vyslanectva Zahraničnému úradu o nábore slovenských pracovných síl do ríše za mesiac marec.

104. 1942, 12. máj. Bratislava. – Správa nemeckého vyslanectva Zahraničnému úradu o nábore slovenských pracovných síl do ríše za mesiac apríl.

105. 1942, 12. máj. Bratislava. – Správa poverenca ríšskeho ministra práce vyslancovi H. E. Ludinovi o nábore slovenských pracovných síl do Nemecka za prvé štyri mesiace roka 1942.

106. 1942, 1. jún. Berlín. – Weizsäckerov záznam z rozhovoru s M. Černákom vo veci úsilia Slovenska nadviazať diplomatické styky s vichystickým Francúzskom. M. Černák sa počas rozhovoru odvolával na slovenských štátnych príslušníkov vo Francúzku a možnosť ich pracovného nasadenia v Nemecku.

107. 1942, 9. jún. Bratislava. – Správa nemeckého vyslanectva Zahraničnému úradu o nábore slovenských pracovných síl do ríše za mesiac máj.

108. 1942, 4. júl. Viedeň. – Správa Auslandsbriefprüfstelle o náladách medzi slovenskými pracovnými silami, vypracovaná na základe analýzy ich korešpondencie.

109. 1942, 13. júl. Bratislava. – Správa nemeckého vyslanectva Zahraničnému úradu o nábore slovenských pracovných síl do ríše za mesiac jún.

110. 1942, 5. august. Bratislava. – Správa nemeckého vyslanectva Zahraničnému úradu o nábore slovenských pracovných síl do ríše za mesiac júl.

111. 1942, 25. september. Bratislava. – Prípis Ústredného úradu práce (MV) slovenskému vyslanectvu v Berlíne vo veci pastoračnej činnosti duchovných v robotníckych enklávach v Nemecku.

112. 1942, 1. október. Bratislava. – Správa referenta Hlavného veliteľstva HG Jána Klocháňa o organizovaní HG medzi slovenskými pracovnými silami v Nemecku.

113. 1942, 16. október. Bratislava. – Dodatočný protokol k dohode z 19. júna 1941 o nábore slovenských pracovných síl do Nemecka na rok 1942, týkajúci sa sprostredkovania pracovných miest na území Protektorátu Čechy a Morava.

114. 1943, 18. marec. Bratislava. – Správa nemeckého vyslanectva Zahraničnému úradu o nábore slovenských pracovných síl do ríše za neúplný 1. kvartál roku 1943.

115. 1943, 17. apríl. Bratislava. – Verbálna nóta nemeckého vyslanectva MZV, týkajúca sa zvýšenia sadzieb pre transfer miezd slovenských pracovných síl v Nemecku.

116. 1943, 25. august. Viedeň. – Správa »Auslandsbriefprüfstelle« o náladách medzi zahraničnými pracovnými silami, vypracovaná na základe analýzy ich korešpondencie.

117. 1943, 31. august. Berlín. – Dohoda medzi Nemeckou ríšou a Slovenskou republikou o nábore slovenských pracovných síl do Nemecka a Protektorátu Čechy a Morava.

118. 1943, 6. september. Bratislava. – Verbálna nóta nemeckého vyslanectva MZV, týkajúca sa sadzieb pre transfer miezd slovenských pracovných síl v Nemecku.

119. 1943, 24. november. Bratislava. – Prípis úradovne Generálneho splnomocnenca pre pracovné nasadenie nemeckému vyslanectvu vo veci prevodu miezd slovenských pracovných síl, zamestnaných v Nemecku. Kritika neskorého vyplácania prevodov pre ich rodinných príslušníkov.

120. 1943, 16. december. Berlín. – Záznam kultúrno-politického oddelenia Zahraničného úradu, týkajúci sa pracovného nasadenia robotníkov z juhovýchodnej Európy vo forme kompaktných pracovných skupín, zostavených na základe ich národnostnej príslušnosti.

121. 1944, 13. január. Bratislava. – Sagerova správa Generálnemu splnomocnencovi pre pracovné nasadenie, týkajúca sa transferu miezd slovenských pracovných síl, zamestnaných v ríši. Bilancia roku 1943, predpoklady na rok 1944.

122. 1944, 14. január. Bratislava. – Sagerova správa Generálnemu splnomocnencovi pre pracovné nasadenie o činnosti jeho úradovne za rok 1943.

123. 1944, 22. január. Bez uvedenia miesta [Bratislava]. – Sagerova správa nemeckému vyslanectvu vo veci svojvoľného opúšťania pracovných miest v Nemecku osobami zo Slovenska.

124. 1944, 24. marec. Bez uvedenia miesta [Bratislava]. – Sagerova správa Generálnemu splnomocnencovi pre pracovné nasadenie, týkajúca sa vyhliadok náboru slovenských pracovných síl do Nemecka na rok 1944. Žiada bezpodmienečne zvýšenie sadzieb na prevod miezd, ináč je perspektíva získať ďalšie pracovné sily pesimistická.

125. 1944, 9. máj. Bez uvedenia miesta [Bratislava]. – Výňatok zo zápisnice zo zasadnutia Komitétu hospodárskych ministrov, na ktorom sa prerokúvala otázka náboru slovenských pracovných síl do Nemecka. Ide o stanovenie základných línií pre rokovanie spoločného nemecko-slovenského vládneho výboru.

126. 1944, 6. jún. Bratislava. – Nariadenie Ústredného úradu práce OÚ v Banskej Bystrici, vyžadujúce naplniť kontingent poľnohospodárskych robotníkov v zmysle nemecko--slovenskej dohody o nábore pracovných síl.

127. 1944, 4. júl. Berlín. – Záznam kultúrno-politického oddelenia Zahraničného úradu, vo veci smerníc pre zaobchádzanie s pracovnými silami z krajín juhovýchodnej Európy. Ide skôr o propagandu, založenú na nemeckom stereotype vnímania zahraničných pracovných síl, ako o reflexiu skutočného stavu vecí.

128. 1944, 14. august. Bez uvedenia miesta [Viedeň]. – Správa viedenského SD-Leitabschnitt o slovenských pracovných silách v ríšskych župách Viedeň a Niederdonau.

129. 1944, 26. august. Berlín. – Záznam kultúrno-politického oddelenia Zahraničného úradu, týkajúci sa sformulovania smerníc pre zaobchádzanie so zahraničnými pracovnými silami zamestnanými na území Nemeckej ríše.

130. Bez uvedenia dátumu [začiatok septembra 1944] a miesta. – Záznam neznámej proveniencie (SS?), týkajúci sa radikálneho nemeckého postupu voči Slovensku. Jedným zo základných postulátov je zvýšenie výkonnosti hospodárstva pre potreby vedenia vojny.

131. 1944, 7. november. Bratislava. – Smagonov záznam z rozhovoru s predstaviteľom MV J. Kaššovicom vo veci evakuácie východného Slovenska a nasadenia práceschopného obyvateľstva do pracovného procesu na území Nemeckej ríše.

132. 1944, 16. november. Bratislava. – Witiskov záznam, týkajúci sa sformovania stavebných práporov zo slovenských poľnohospodárskych robotníkov, nachádzajúcich sa na území Nemeckej ríše.

133. 1944, 23. november. Radensleben. – Záznam slovenského vyslanectva vo veci návratu slovenských robotníkov do vlasti a ďalšieho náboru pracovných síl do Nemeckej ríše.

134. 1944, 29. november. Bratislava. – Prípis Ústredného úradu práce (MV) predsedníctvu vlády, týkajúci sa návratu slovenských poľnohospodárskych robotníkov z Nemeckej ríše a Protektorátu Čechy a Morava.

135. 1944, 4. december. Bratislava. – Prípis predsedníctva vlády MNO vo veci nasadenia evakuovaných osôb na práce do Nemecka.

136. 1944, 6. december. Bratislava. – Smagonov záznam zo služobnej cesty v Prešove. Absolvoval rokovania vo veci pracovného nasadenia evakuovaného obyvateľstva mužského pohlavia na území Nemeckej ríše.

137. 1944, 15. december. Bratislava. – Verbálna nóta nemeckého vyslanectva vo veci pracovného nasadenia evakuovaného obyvateľstva z východného Slovenska.

138. Bez uvedenia dátumu [polovica januára 1945] a miesta [Bratislava]. – Smagonov návrh ďalekopisu H. Himmlerovi vo veci núteného prevozu práceschopných osôb mužského pohlavia na prácu do Nemeckej ríše.

139. 1945, 23. február. Bratislava. – Witiskov záznam vo veci odtransportovania slovenských občanov na práce do Nemeckej ríše. Protest slovenskej vlády proti neoprávnenému postupu nemeckých vojenských a bezpečnostných orgánov.

140. 1945, 24. február. Bratislava. – Witiskov záznam vo veci odtransportovania slovenských občanov na práce do Nemeckej ríše. Prešetrovanie okolností protestu slovenskej vlády proti neoprávnenej preprave na územie Nemecka.

141. 1945, 26. február. Bratislava. – Smagonov záznam, týkajúci sa genézy núteného zaradenia zadržaných osôb slovenskej štátnej príslušnosti pri evakuácii bojového pásma do pracovného procesu na území Nemeckej ríše.

142. 1945, 1. marec. Bez uvedenia miesta [Bratislava]. – Výňatok zo zápisnice zo zasadnutia slovenskej vlády, na ktorom sa prerokúvala otázka evakuovaných pracovných síl a ich nasadenie v Nemecku.

143. 1945, 10. marec. Bez uvedenia miesta [Bratislava]. – Zápisnica zo zasadnutia slovenskej vlády, na ktorom sa prerokúvala otázka nasadenia evakuovaných pracovných síl a náboru 15 000 poľnohospodárskych robotníkov na práce do Nemecka.

144. 1945, 25. marec. Bratislava. – Witiskova správa RSHA vo veci nasadenia nútene evakuovaných slovenských štátnych občanov na poľnohospodárske práce v Nemecku.

145. 1945, 20. august. Bratislava. – Prípis Povereníctva pre sociálnu starostlivosť SNR Predsedníctvu SNR vo veci vyplatenia úspor slovenských pracovných síl zamestnaných v rokoch 1939 – 1945 v Nemeckej ríši.

146. 1946, 23. apríl. Bratislava. – Záznam Povereníctva pre financie SNR, týkajúci sa spôsobu vyplácania úspor slovenských pracovných síl zamestnaných v Nemeckej ríši.

147. 1946, 11. november. Bratislava. – Vyhláška Povereníctva sociálnej starostlivosti SNR o modalitách vyplácania nevyplatených miezd, ktoré si usporili slovenskí robotníci, zamestnaní v Nemecku.

148. 1947, 21. marec. Bratislava. – Prípis Povereníctva pre sociálnu starostlivosť SNR Povereníctvu pre financie SNR vo veci vyplatenia úspor slovenských pracovných síl zamestnaných počas vojny v Nemeckej ríši.

149. 1948, 11. máj. Bratislava. – Záznam Povereníctva financií SNR vo veci vyplácania usporených netransferovaných miezd slovenských robotníkov zamestnaných v Nemeckej ríši.

150. 1949, 21. január. Bratislava. – Záznam Povereníctva financií SNR, týkajúci sa postupu pri vyplácaní netransferovaných miezd slovenských robotníkov zamestnaných počas vojny v Nemeckej ríši.

151. 1950, 8. február. Bratislava. – Záznam Povereníctva financií SNR vo veci úhrady za nevyplatené transferované mzdy slovenských robotníkov zamestnaných počas vojny v Nemeckej ríši.

152. 1951, 19. január. Bratislava. – Vnútorný prípis Povereníctva financií SNR vo veci vyplatenia úhrad za nevyplatené transferované mzdy slovenských robotníkov pracujúcich v rokoch 1939 – 1945 v Nemeckej ríši.

DOKUMENTY

1

1938, 11. január. Bratislava. – Správa Prezídia krajinského úradu ministerstvu vnútra, týkajúca sa náboru pracovných síl zo Slovenskej krajiny do Nemecka za rok 1937.

PREZÍDIUM KRAJINSKÉHO ÚRADU V BRATISLAVE.

Čís. 68 327/37 prez.   Bratislava, dňa 11. januára 1938.

Najímanie zemedelského sezónneho   Prísne dôverné !
robotníctva z Československa na
prácu do Nemecka v roku 1937.

K čís. 5915 zo dňa 15. III. 1937
K čís. 26097 zo dňa 2. XII. 1937.

Prezídiu ministerstva vnútra
v Prahe.

K citovaným výnosom oznamujem tieto poznatky z tunajšieho správneho obvodu:
Okres Bánovce nad Bebravou.
Od apríla 1937 je zamestnaná v Nemecku ako zemedelská robotníčka istá Františka Glendová, 25 ročná z Veľkých Hostí. Svojim rodičom píše, že sa jej v Nemecku vedie dobre.
Okres Bratislava.
Z Prievozu odišlo na prácu do Nemecka 5 osôb. Z nich jeden je tam zamestnaný ako kočiš, druhý ako robotník u zasielateľskej firmy a tretí ako náden[n]ík. Zamestnanie ostatných dvoch sa nedalo zistiť. Sú to dvaja bratia, z ktorých starší Jakub Balogh, narodený 25. 7. 1915 je podozrivý z protištátnej činnosti. Šetrením nebolo zistené, že by tieto osoby boli do Nemecka odišli na popud alebo na základe sprostredkovania strany KdP.
Okres Čadca.
Z obcí Zákopčie, Vysoká a Meka je v Nemecku ročne asi 240 – 300 drotárov, ktorí majú riadne čs. cestovné pasy a chodia do Nemecka už od dávnych čias za zárobkom. Po návrate z Nemecka sú četníctvom perlustrovaní, dosiaľ však nevyskytli sa proti nim žiadne závady.
Okres Levice.
Z Veľkých Kŕškan odišli v apríli 1937 na zemedelské práce do Nemecka dve robotníčky nemeckej národnosti. Rodičom poslali z Nemecka po 1200 Kč a okrem toho posielajú mesačne 114 Kč.
Okres Nová Baňa.
V nemeckých obciach Píla a Veľké Pole boli robotníci a robotníčky najímaní na zemedelské práce expozitúrou Slovenského úradu práce pre zemedelské robotníctvo v Zlatých Moravciach. Podľa dopisov zasielaných svojim príbuzným z Nemecka sú tieto pracovné sily v Nemecku skutočne zamestnané pri zemedelských prácach. Nebolo zistené, že by boli v Nemecku cvičené a školené pre nejaké ozbrojené formácie. Ani strana KdP ani žiadni jej funkcionári nepodnikli nič, čo by mohlo byť posudzované ako najímanie robotníctva.
Okres Prievidza.
Z prievidzského okresu odišlo do Nemecka na zemedelské práce na základe sprostredkovania pracovnej zmluvy Slovenským úradom práce pre zemedelské robotníctvo asi 1200 osôb, väčšinou nemeckej národnosti. Z nich bolo asi 925 ženských a 272 mužských

pracovných síl. Na základe pracovnej zmluvy odišlo asi 1000 osôb a asi 200 osôb cestovalo s riadnym čs. pasom. Ilegálnou cestou odišli do Nemecka 2 osoby, a síce Ignác Greschner a Juraj Grosz, obaja z Tužiny. Greschner je roľníckym synom a Grosz je betonárom. Obaja sú organizovaní v strane KdP a preto nie je vylúčené, že cestovali do Nemecka na popud niektorého funkcionára tejto strany. Po svojom návrate budú perlustrovaní a podľa výsledku bude proti ním zakročené.

Dosiaľ nebolo zistené, že by osoby v Nemecku zamestnané boli tam cvičené pre zvláštne ozbrojené formácie.

Okres Topoľčany.

Z obcí Radobica a Veľké Uherce odišlo na jar 1937 31 osôb na zemedelské práce do Nemecka a to na základe riadnych pracovných zmlúv sprostredkovaných Slovenským úradom práce v Bratislave.

Strana KdP v okrese nepodnikla žiadnu akciu vo veci najímania pracovných síl do Nemecka.

Okres Zlaté Moravce.

Z okresu odišlo na zemedelské práce do Nemecka 13 osôb. Pracovné zmluvy im sprostredkoval Slovenský úrad práce pre zemedelské robotníctvo v Bratislave.

Politická expozitúra v Šahách.

Z obce Demandice odišla na zemedelské práce do Nemecka istá Hermína Pastvičková. Pracovnú zmluvu jej sprostredkoval Slovenský úrad práce v Bratislave.

Okres Ilava.

Z okresu nikto neodišiel na práce do Nemecka. Pred nastolením Hitlerovho režimu v Nemecku niektorí občania z Podskalia a z Košeckého v počte asi 50 – 70 osôb chodili na zemedelské práce do Nemecka. Z Podskalia boli tam posledne v roku 1932, kedy boli z Nemecka vykázaní a od toho času nedostávajú žiadne nabídky na prácu do Nemecka._

Policajné riaditeľstvo v Bratislave.

Bolo zistené, že v sekretariáte strany KdP v Bratislave v októbri 1937 sa jednalo o tom, že v Nemecku je už z Československa 20 000 pracovných síl, medzi ktorými je značný počet zemedelského robotníctva zo Slovenska.

Pokiaľ sa týka priameho najímania a sprostredkovania najímania robotníkov do európskej cudziny, nepodarilo sa dosiaľ zistiť, že by sekretariát strany KdP v Bratislave sa touto činnosťou zaoberal.

Bolo však zistené, že v októbri 1937 odišiel do Nemecka istý Rácz z Petržalky, obchodný príručí, člen strany KdP. Rácz odišiel za prácou do Nemecka na doporučenie predsedu miestnej organizácie KdP Jozefa Kunerta v Petržalke a údajne je v Nemecku zamestnaný u brata Kunerta, ktorý má v Nemecku obchodné zastúpenie s pneumatikami.

Podľa zoznamu získaného dôvernou cestou vedie sekretariát strany KdP v Bratislave evidenciu zemedelských robotníkov zamestnaných na poľnohospodárskych usadlostiach v Rakúsku, kam dochádzalo zo Slovenska ročne niekoľko tisíc zemedelských robotníkov a dosiaľ je tam ročne istý počet zemedelských robotníkov zamestnaný. Vedenie strany KdP spolupôsobilo pri umiesťovaní zemedelských robotníkov v Rakúsku, avšak v posledných dvoch rokoch nemalo v tejto veci úspechu, lebo rakúski hospodári nechcú prijímať do práce ľudí odporúčaných Henleinovou stranou a tiež rakúske úrady venujú tejto veci náležitú pozornosť.

Okres Kremnica.

Z kremnického okresu je v Nemecku na zemedelských prácach asi 1 500 osôb národnosti nemeckej a asi 50 osôb národnosti slovenskej. Všetky tieto osoby odcestovali do Nemecka s čs. pasmi na základe pracovných zmlúv uzavretých prostredníctvom Slovenského úradu práce pre zemedelské robotníctvo v Bratislave, resp. expozitúry vo Zvolene.

Okrem uvedených zemedelských pracovných síl odišlo v roku 1937 do Nemecka asi 25 odborných robotníkov (murári, konštruktéri, inštalatéri, zámočníci) tiež s riadnymi čs. pasmi. Z rokov minulých je v Nemecku asi 50 pracovných síl, väčšinou tiež odborní robotníci, ktorí sa vracajú do kremnického okresu len na návštevu a sú už v Nemecku usadení.

Ilegálne dostať sa do Nemecka bolo snahou niekoľkých murárov a kovorobotníkov, avšak zrejme bez cudzieho návodu. Týchto lákala hlavne vysoká hodnota marky.

Po návrate osôb zamestnaných v Nemecku sú tieto pozorované a aj ich korešpondencia býva sledovaná. Nedala sa však dosiaľ zistiť žiadna okolnosť, ktorá by nasvedčovala tomu, že by naše pracovné sily boli v Nemecku nabádané alebo poučované k nelojálnym činom voči Československej republike. Podľa výpovedí nedávno sa vrátivších robotníkov bolo zistené, že naši robotníci majú v Nemecku zakázanú účasť v politických spolkoch. Nedalo sa zistiť, že by naši príslušníci boli v Nemecku cvičení pre vojenský výcvik alebo poučovaní v politických kurzoch. Podľa správy okresného úradu v Kremnici nie je vylúčené, že strana SdP vypracovala plán na získanie 20 000 našich Nemcov ako rôznych pracovných síl do Nemecka, avšak žiadna okolnosť nebola pozorovaná, že by táto akcia mala aj nejaký výsledok.

Okresný úrad v Kremnici ďalej sem oznámil, že strana KdP používa zamestnávanie našich príslušníkov v Nemecku k svojej stranícko-politickej agitácii a robotníci odchádzajúci do Nemecka v dôsledku tejto agitácie hromadne pristupujú za členov KdP. Pobyt v Nemecku má na nich vplyv v tom smere, že sa utužuje ich nemecké národné povedomie, získavajú sympatie a niektorí aj nadšenie voči Nemecku a stávajú sa tak veľmi prístupnými pre agitačné heslá strany KdP. Okrem toho pozorovať u nich menej otvorenosti a viac opatrnosti ba aj uzavretosti voči Čechoslovákom, najmä v otázkach verejných a politických.

Okresný úrad v Kremnici oznámil sem tieto konkrétne prípady politického spracovávania našich príslušníkov v Nemecku:

Alžbeta Lichtnerová z Kopernice (okres Kremnica), ktorá je teraz na hospodárskych prácach v Nemecku, sdelila dôverníkovi četníctva, že v roku 1936, keď bola zamestnaná v Nemecku na hospodárskych prácach na hospodárstve Gutsverwaltung von Lucke, obec Dalsan, pošta Arneburg, okres Osterburg, na rozkaz zamestnávateľa museli všetky robotníčky chodiť posluchať rozhlasové prednášky, snáď politického rázu – dôverník četníctva to určite nevedel udať –, za čo im zamestnávateľ počítal vždy hodinovú mzdu. Keď Lichtnerová sa spierala posluchať rozhlasové prednášky bolo jej zamestnávateľom pohrozené prepustením z práce.

Veronika Wenzelová z Kopernice pred najímaním robotníkov do Nemecka v roku 1937 obdržala od svojho bývalého zamestnávateľa v Nemecku, u ktorého bola zamestnaná v roku 1936 dopis, že nebude ju môcť prijať do práce, ak nebude organizovaná v politickej strane SdP. Menované ženy po návrate z Nemecka budú vypočuté a výsledok šetrenia bude oznámený dodatočne.

~~Zemské četnícke veliteľstvo v Bratislave dodatkom k prípisu zo dňa 14. októbra 1937 č. 4613/V.dôv-37, obsah ktorého bol oznámený tunajšou správou zo dňa 22. októbra 1937 číslo 58 047 prez. 1937, sdelilo sem ďalšie poznatky v predmetnej záležitosti z turčiansko--sv. martinského okresu:~~[+]

„Z obce Skleného bolo v Německu bez cestovního pasu 7 osob a to: Jan Bielesch, přezdívka Kysla a Jan Macho, přezdívka Šuster, kteří na jaře 1937 odcestovali na německé hranice na vlastních kolech. Odtud poslali drahou kola do Skleného a sami přešli do Německa, kde se dosud zdržují. Jan Schwarz ze Skleného čp. 186, 17 roků starý, byl s Ondřejem Perlákem ze Skleného čp. 202 na sezonních pracích v sev. Čechách, odkud v květnu 1937 přešli do Německa bez cestovních pasů. Ignác Lacko, August Pittner a snad Emil Koretz odešli rovněž neznámým způsobem bez cestovních pasů do Nemecka.

Ze jmenovaných se vrátil do Československa Ondřej Perlák a snad v posledných dnech i Augustín Pittner. Perlák byl četníctvem vyslechnout. Udal, že pracoval v Dolním Schönu, okres Cheb na velkostatku Josefa Mayera ještě s dělníkem Janem Schwarzem ze Skleného.

Krátce po nastoupení místa u Mayera stěžoval si zaměstnavateli, že jeho kamarádi ze Skleného mají v Německu velký výdělek a on musí pracovati v Československu za malou mzdu. Zaměstnavatel mu řekl, že domnívá-li se, že v Německu mu bude lépe, ať tam odejde. Perlák si opatřil propustku, která platí pouze na tři dny a dne 7. května 1937 přešel do Waldshausenu, odkud byl poslán do Wellersdorfu do pracovního tábora. V táboře bylo velmi mnoho osob, které se tam třídili podle zaměstnání. Docházeli tam i zaměstnavatelé, kterým byli dělníci přidělováni. V táboře byl asi dva dni a dostával i stravu. Bylo mu tam slíbeno místo vedoucího pracovní skupiny zemědelského dělnictva, s měsíčním platem 80 marek a bylo mu řečeno, že sám pracovati nemusí. Vrátil se pro nějaké listiny k svému bývalému zaměstnavateli v Dolním Schönu. Když opouštěl tábor, bylo mu sděleno, aby přivedl do Německa třeba 3 000 osob. Žádná z nich nepotřebuje prý pasy a mohou přijíti i s rodinami; stačí, když budou míti legitimace strany KdP. Při odchodu přislíbil Perlák, že se vráti do Německa. Dne 24. 5. 1937 opětně přešel na propustku hranice a šel společně s Janem Schwarzem přímo do tábora ve Wellersdorfu. Po příchodu bylo mu však sděleno, že místo, které mu bylo přislíbeno je již obsazeno, ale aby počkal do rána v táboře, že místo dostane. Přiští den přišel nějaký zaměstnavatel a on byl přidělen na práci k starostovi obce Schwarzenbachu, kam také odešel. Tam obdržel 36 marek měsíční mzdy. Vstávati musel ve 3 hodiny a pracovati do 22 hod. Místo proto opustil, šel pěšky do Saska a přišel zpět do tábora. Tam činil výčitky vojenským osobám, které v táboru byly ubytovány, že byl podveden a že se vrátí do Československa. " Sturmführer " ho přemlouval, aby se do Československa nevracel, neboť toto tak dlouho trvati nebude a bude ještě potrestán pro překročení hranic bez cestovního pasu. V Československu jsou prý podvodníci, kteří ho ošidí. Bylo prý i poukazováno na to, že cigarety „Vlasta" a „Zora" mohou hrdlo vytrhnouti" a že co je české, není dobré. Protože stále chtěl se vrátit domů, byl „Sturmführerem" autem odvezen na hranice. I po cestě byl přemlouván, aby zůstal v Německu, že se tam bude míti dobře. Po návratu do Československa nastoupil místo u svého bývalého zaměstnavatele. Jan Schwarz zůstal v Německu.

Z obce Skleného je v Německu asi 500 osob na podkladě smlouvy a asi 200 osob s cestovnímy pasy. Osoby, které šly do Německa na základě smlouvy, mají se dosti dobře a vydělají dosti značné částky. Osoby, které odešly do Německa s cestovními pasy mají se špatně, a ač se měly vrátiti až koncem roku 1937, vrátily se některé z nich již nyní. Některé osoby vidí, že v Německu není tak dobře, jak se při najímání dělnictva předstíralo, jiné pak tvrdí, že se vracejí jen lenoši, kteří nechtějí pracovati. Podle některých výpovědí byly jednotlivým osobám při příchodu do Německa odebrány cest. pasy a jen před krátkým časem byly jim vráceny.

Perlák udal, že v táboře byli vojáci, ale za jeho přítomnosti nebyly tam konány nějaké přednášky nebo vojenská cvičení.[2]

Na všechny osoby, které bez cestovních pasů odešly do Německa, bude po návratu učiněno trestní oznámení."

Podľa správ podriadených úradov nebolo teda zistené, že by strana KdP najímala alebo sprostredkovala najímanie robotníctva do Nemecka. Strana KdP využíva ovšem, ako je hore uvedené, zamestnávanie osôb zo Slovenska v Nemecku ku svojim stranícko-politickým cieľom.[3]

Poznamenávam, že podľa správ podriadených úradov podrobné zisťovanie či sú osoby z tunajšieho správneho obvodu v Nemecku pripravované pre zvláštne ozbrojené formácie, či a akým spôsobom a ktorými inštitúciami boli tam kontrolované ohľadne svojho politického zmýšľania, príslušnosti ku strane SdP, či boli podrobované snáď aj iným výsluchom, umiesťované v pracovných táboroch, alebo či boli nútené k návšteve politických, prípadne iných, menovite vojenských kurzov, bude možné previesť len po ich návrate z Nemecka. Výsledok vyšetrovania v tomto smere bude s urýchlením oznámený dodatočne.

Krajinský prezident:
Orságh [v. r.]

NA ČR, f. 225-1036-4. Originál, strojopis, 10 strán.

1 Prečiarknuté v origináli.
2 Podľa správy Prezídia KÚ MV z 5. 4. 1938 sa „*niektoré osoby zo Skleného zúčastnili politického života v Nemecku, nosili hákovité kríže ako odznaky a mali prednášky o hospodárskych pomeroch v ČSR a hanobili prezidenta Osloboditeľa.* " (NA ČR, f. 225-1036-4.) Podobné poznatky sa nachádzajú aj v správe z 2. 6. 1938: „*Ďalej bolo zistené o mnohých robotníkoch zo Skleného, že boli za svojho pobytu v Nemecku horlivými stúpencami nacionálne-socialistického režimu, že sa zúčastnili prednášky kancelára Hitlera v Pickenburgu a iných nacionálne-socialistických manifestácií a nosili odznaky hákového kríža.* " (NA ČR, f. 225-1036-4.)
3 Pozri SCHVARC, Michal. Politická agitácia a činnosť Karpatonemeckej strany v oblasti Hauerlandu na Slovensku v rokoch 1935 – 1938. In *Historický časopis*, 52, č. 1, 2004, s.87-118.

2
1938, 2. máj. Bez uvedenia miesta [pravdepodobne Berlín]. – Himmlerov list Ulrichovi Greifeltovi vo veci náboru pracovných síl spomedzi etnických Nemcov v Európe a v zámorí do Nemecka.[1]

Tgb. Nr. AR/143   , den 2. 5. 1938

<u>Betr.</u>:   „Vierjahresplan" Akt. Zch. K II a 11/14. 4. 38
             Denkschrift über die Rückwanderung volks- und reichsdeutscher Arbeitskräfte
             aus dem Ausland in das Reich
<u>Bezug</u>: Dort. v. 14. 4. 1938 Tgb. Nr. O147 Geheim[2]

Lieber Greifelt[3]!

Ich habe während der letzten Tage Ihren Bericht über die Rückwanderung von deutschen Arbeitskräften aus dem Ausland in das Reich gelesen und genau durchstudiert. Die Versendung des Berichtes in jetziger Form wünsche ich nicht. Ich bitte, den Bericht nach folgenden Gesichtspunkten umzuarbeiten:
1.) Der erste Teil, Seite 2 – 9, kann erheblich gekürzt und auf eine Seite zusammengestrichen werden:
a) Feststellung der vielen Erwerblosen
b) Aufsaugung bis zum Ende des Jahres 1937.
2.) Der zweite Punkt der Denkschrift soll dann sein: Mangelberufe und Bedarf.
In diesem Punkt ist zu erwähnen, daß die Erwerblosen von Österreich keine Rollen spielen können, da sie bei der Hereinziehung Österreichs in den Vierjahresplan von Österreich selbst in Kürze aufgezogen werden.
3.) Als nächster Punkt soll die Tabelle der Jahrgänge, die Sie auf Seite 10 bringen, erscheinen und die Klarlegung aus dieser Tabelle heraus, daß wir in den nächsten Jahren mit den schwachen Jahrgängen 1915 bis 1919 zu rechnen haben, und dann in weiteren 10 Jahren mit den schwachen Jahrgängen von 1929/30.

4.) Als vierten Punkt bitte ich die Reichsdeutschen aufzuführen.

5.) Als fünften Punkt die volksdeutschen Kräfte, die wir im Auslande haben. Bei den volksdeutschen Kräften bitte ich klar auseinander zu halten die Sudetendeutschen,[4] die Deutschen in Nordschleswig, in Siebenbürgen, im Banat und in Eupen-Malmedy,[5] die ich gar nicht mitrechnen möchte, gesondert davon die volksdeutschen Gruppen, wie die ungarischen, lettländischen, estländischen, altlitauischen, polnischen, rumänischen, südslawischen, italienischen, amerikanischen, afrikanischen und australischen. Hier ist klar auseinanderzusetzen: Auflösung und Abruf von diesen volksdeutschen Gruppen richtet sich nach zwei Bedingungen:

a) Entscheidung des Führers, welche Gruppen aufgelöst werden sollen,

b) Möglichkeit, auf die Greifbarkeit der Menschen dieser Gruppen zurückzugreifen.

Die dritte Gruppe wären geschlossene Länder wie Schweiz, Lichtenstein, Elsaß-Lothringen, Luxemburg, Flandern und Holland.

Als letzter Punkt müßten dann ganz klare Forderungen erhoben werden, davon

1.) vorbereitenden Forderungen:

a) Feststellung durch die deutschen Konsulate innerhalb eines Vierteljahres, welche Reichsdeutschen sich im Ausland befinden.

b) Feststellung, welche im Ausland notwendig sind und welche nicht. Z. B. nicht notwendig sind die vielen deutschen Dienstmädchen in England, Holland.

In dem 2. Punkt der Forderungen sind dann die Dinge einzugliedern, die Sie organisatorisch in Ihrer Denkschrift schon für nötig halten:

a) Klare Beauftragung des Reichsführer-SS mit diesen Maßnahmen, der sich dazu der Volksdeutschen Mittelstelle[6] bedienen wird,

b) Aufstellung der entsprechenden Ressorts im Reichsinnenministerium,

c) klare Anweisungsbefugnisse an die anderen Dienststellen, die mit dieser Frage zu befassen sind, insbesondere an den Finanzminister, sodaß dieser nicht durch kleinliche, bürokratische Maßnahmen einzelner Regierungs- und Ministerialräte die Möglichkeit hat, einen ganzen Plan, wenn auch ungewollt, abzudrosseln.

Zuletzt wären dann die Vorschläge für die Durchführung der Rückwanderung zu bringen. Hier können im Ganzen die Vorschläge genommen werden, die Sie auf den Seiten 36 – 49 aufgeführt haben.[7]

Ich bin damit einverstanden, daß die Denkschrift in ihrer jetzigen Form der Reichsanstalt für Arbeitsvermittlung und Arbeitslosenversicherung zur Besprechung zugeleitet wird.

Heil Hitler!
Himmler [v. r.]

BArch Berlín, f. NS 19/2213, Bl. 4 – 6. Originál, strojopis, 3 strany.

---

1 Na existenciu tohto dokumentu upozornil ako prvý nemecký historik Markus Leniger. Pozri LENIGER, Markus. *Nationalsozialistische „Volkstumsarbeit" und Umsiedlungspolitik 1933 – 1945. Von Minderheitenbetreuung zur Siedlerauslese.* 2. vydanie. Berlín : Frank & Timme, 2011, s. 39. Pozri tiež STRIPPEL, Andreas. *NS-Volkstumspolitik und die Neuordnung Europas. Rassenpolitische Selektion der Einwandererzentralstelle des Chefs der Sicherheitspolizei und des SD.* Paderborn : Ferdinand Schöningh, 2011, s. 67.

2 Greifeltov pamätný spis sa v zložke nenachádza.

3 Ulrich Greifelt (1896-1949), vysoký dôstojník SS. Od roku 1933 bol referentom štábu ríšskeho vodcu SS, od roku 1937 šéf »Dienststelle Vierjahresplan« v štábe ríšskeho vodcu SS. Po Himmlerovom menovaní za ríšskeho komisára pre upevnenie nemectva 7. 10. 1939 sa stal vedúcim hlavného úradu ríšskeho komisára. Od júna 1941 šéf »RKF-Stabshauptamt«.

4 H. Himmler zaradil medzi sudetských Nemcov s veľkou pravdepodobnosťou aj Nemcov na Slovensku. Je zaujímavé, že prvé návrhy presídlenia časti karpatských Nemcov sa objavili už na jeseň 1938. Podľa štátneho podtajomníka a vedúceho politického oddelenia Zahraničného úradu Ernsta Woermanna mali do úvahy prichá-

dzať v prvom rade Nemci z kremnicko-pravnianskeho jazykového ostrova, ktorí do Nemecka dochádzali za prácou ako sezónni robotníci. (ADAP, séria D, IV. zväzok, dokument 45, s. 47.) Nemecký konzul v Bratislave Ernst von Druffel možnosť presídlenia menšiny ako celku nepovažoval za reálnu. (KRÁL, Václav (ed.). *Die Deutschen in der Tschechoslowakei 1933 – 1947. Dokumentensammlung. Acta occupationis Bohemiae et Moraviae.* Praha : Nakladatelství Československé akadamie vied, 1964, dokument 255, s. 348.)

5 Belgické východné kantóny, ktoré Nemecko odstúpilo Belgicku v roku 1920 na základe Versaillskej mierovej zmluvy.

6 Volksdeutsche Mittelstelle (VoMi), vznikla koncom roku 1936 ako orgán, ktorý mal centrálne koordinovať činnosť nemeckých menšín v Európe a zámorí. Začiatkom roku 1937 sa jej zmocnili SS a H. Himmler ju využil na prienik do tzv. »Volkstumspolitik«. K činnosti VoMi pozri LUMANS, Valdis. *Himmlers Auxiliaries. The Volksdeutsche Mittelstelle and the German National Minorities of Europe 1933 – 1945.* Chapel Hill: The University of North Carolina Press. 1993.

7 Vypracovanie pamätného spisu súviselo s čoraz markantnejším nedostatkom pracovných síl. V roku 1937 chýbalo tretej ríši 150 000 robotníkov. U. Greifelt začiatkom roku 1939 vo svojom expozé pred vedúcimi kádrami SS obhajoval svoju pôvodnú myšlienku pokrytia potreby pracovných síl presídlením 30 miliónov (!) ríšskych a etnických Nemcov zo zahraničia. (HÖHNE, Heinz. *Der Orden unter dem Totenkopf. Die Geschichte der SS.* Augsburg : Weltbild Verlag, 1992, s. 283-284.)

3

1939, 20. január. Praha. – Prípis ministerstva sociálnych vecí a zdravotníctva jednotlivým ministerstvám. Priloženie zasiela text česko-slovensko-nemeckej dohody o nábore česko-slovenských štátnych príslušníkov na práce do Nemeckej ríše.

Ministerstvo sociální a zdravotní správy.

J.zn. H-5121-20/1.   V Praze dne 20. ledna 1939

Věc: Najímaní zemědělských dělníků do Německa.
     Referent: vrch. odb. rada Dr. Kotek, č. tel. 435-45.

Předsednictvu ministerské rady
Všem ministerstvům v Praze,
Všem ministerstvům země Slovenské v Bratislavě,
Pánům ministrům pro Podkarpatskou Rus v Chustu,
Úřadu pana ministra Dr. Jiřího Havelky,
Úřadu pana ministra Karola Sidora.

Ministerstvo sociální a zdravotní správy předkládá po dohodě s ministerstvem zahraničních věcí vládě ke schválení úmluvy s německou vládou o najímání zemědělských sezónních dělníků dále stálých zemědělských dělníků a dělníků živnostenských na práce do Německa.

Úmluvy budou předloženy ke schválení ve schůzi ministerské rady 20. ledna vzhledem k nutnému jejich projednání.

Za ministra:
Dr. Kotek v. r.

Za správnost vyhotovení
Přednosta výpravny:

[Príloha]

<u>Zápis.</u>

V době od 13. – 19. ledna 1939 konány byly porady v česko-slovenském ministerstvu sociální a zdravotní správy v Praze mezi zástupci Česko-Slovenské a Německé vlády o zprostředkování česko-slovenských dělníků na práce v německém říšském území.

Těchto porad se zúčastnili:

Na česko-slovenské straně:

Dr. Jan Brablec, odb. přednosta ministerstva sociální a zdravotní správy,

Dr. Ján Kaššovic, zástupca ministerstva vnútra Slovenskej krajiny,

Vincenc Šandor, v zastoupení vlády Karpatské Ukrajiny,

Dr. Václav Vávra, vrchní odborový rada ministerstva zahraničních věcí,

Dr. Josef Kotek, vrchní odborový rada ministerstva sociální a zdravotní správy,

Dr. Jan Vlasatý, vrchní odborový rada ministerstva sociální a zdravotní správy,

Dr. Tomáš Nečina, vrchní odborový rada ministerstva zemědělství,

František Žák, zemedelský radca za ministerstvo hospodárstva Slovenskej krajiny,

Ing. Antonín Hloušek, ministerský rada ministerstva veřejných prací,

Ing. Zdeněk Vávra, odborový rada ministerstva veřejných prací,

Dr. Jaroslav Piskáček, odborový rada ministerstva obchodu,

Dr. Bohuslav Dušek, odborový rada v ministerstvu dopravy,

Dr. Evžen Piskáček, odborový rada ministerstva financí,

Ing. Josef Malík, ředitel Česko-Slovenské národní banky.

Na německé straně:

Hetzell, min. rada v říšském ministerstvu práce,

Dr. Letsch, vrch. vl. rada v říšském ministerstvu práce,

Rödiger, vrch. leg. rada v zahraničním úřadě,

Schleinitz-Prokesch, leg. rada něm. vyslanectví v Praze.

Jednání měla s výhradou souhlasu obou vlád tento výsledek:

A.

Bylo docíleno shody o těchto třech dohodách, jež jsou přiloženy k tomuto zápisu:

1. Česko-slovensko-německá dohoda o česko-slovenských zemědělských sezónních dělnících (příl.1),
2. česko-slovensko-německá dohoda o česko-slovenských stálých zemědělských dělnících (příl.2),
3. česko-slovensko-německá dohoda o česko-slovenských živnostenských dělnících (příl.3).[1]

B.

Byla shoda v tom, že dohoda o česko-slovenských zemědělských sezónních dělnících z 11. května 1928 se změnami, jež jsou zřejmy z přílohy 1, platí pro celé německé říšské území a že ressortní úmluva o najímání a zprostředkování česko-slovenských sezónních dělníků pro rakouské zemědělství, ze dne 24. června 1925 se stala bezpředmětnou.

Z německé strany bylo prohlášeno, že česko-slovenským dělníkům budou prováděny pouze zákonně předepsané srážky ze mzdy; zvláště nebudou zemědělští sezónní a stálí dělníci nuceni přispívati pro říšský vyživovací stav (Reichsnährstand).

Byla shoda v tom, že lesní dělníci spadají pod dohodu uvedenou pod A 3.

Česko-slovenská strana prohlásila, že výlohy s vyhotovením v dohodách uvedených osobitých pasů pro dělníky nebudou pravděpodobně činiti více než 10 až 15 Kč.

Obě strany budou působiti k tomu, aby česko-slovenští dělníci v Česko-Slovensku byli zásadně najímáni pouze prostřednictvím příslušných úředních míst podle uzavřených dohod.

C.

Na dotaz německé strany prohlásila strana česká, že – pokud lze až dosud přehlédnouti – přicházela by v přítomné době v úvahu pro nabídnutí dělníků čísla asi v tomto rozsahu:
Z Čech, Moravy a Slezska:
8000 železničních dělníků (včetně příslušných odborných dělníků),
2 – 3000 horníků,
10 000 nevyučených dělníků;
ze Slovenska:
11 000 (nejméně) zemědělských dělníků všeho druhu,
600 železničních dělníků
2 000 pomocných stavebních dělníků
2 000 horníků (pomocných dělníků)
500 horníků (odborných dělníků, černé uhlí);
z Karpatské Ukrajiny:
4 až 5 000 zemědělských a lesních dělníků.
Česko-slovenská strana prohlásila, že může býti započato s najímáním se strany německé ihned, jakmile bude upraven převod mezd a dohody vejdou v platnost.

Příslušná místa na obou stranách zůstanou ve stálém spojení, aby zkoumala v jakém rozsahu může býti kryta další německá potřeba dělníků z Česko-Slovenska.

D.

Obě strany souhlasí s tím, že podmínkou pro provedení dohod jest dohoda o otázce převodu mezd.[2] Obě strany doporučí svým vládám, aby dohody a, pokud toho bude zapotřebí, prohlášení obsažená v tomto zápisu byly uvedeny v platnost výměnou not pokud možná nejdříve po úpravě otázky převodu mezd.

Tento zápis s přílohami jest vyhotoven ve dvou prvopisech v české a německé řeči; oba prvopisy jsou původní; slovenské a ukrajinské znění bude vyhotoveno dodatečně.

V Praze dne 19. ledna 1939.
Předseda česko-slovenské delegace: Předseda německé delegace:
Dr. Jan Brablec m. p.   Hetzell m. p.

AMZV Praha, f. II. sekce (právní), k. 459, fasc. Sociální. Cyklostyl, 4 strany.

1 Přílohy nepublikujeme.
2 Pozri dokument 4.

4

1939, 20. február. Praha. – Prípis ministerstva sociálnych vecí a zdravotníctva jednotlivým ministerstvám. Priloženie zasiela text česko-slovensko-nemeckej dohody o transfere miezd česko-slovenských štátnych príslušníkov naverbovaných na práce do Nemeckej ríše.

Opis jedn. zn. D 5121-6/2-1939.

Věc: Jednání o mzdovém transferu s Německem.

EXP.I.
Presidiu ministerstva
1./ obchodu
2./ zahraničních věcí
3./ zemědělství
4./ veřejných prací
5./ financí
6./ vnitra
v Praze.

Navazujíc na usnesení ministerské rady ze dne 2. února 1939 (intimát ze dne 4. února 1939, č. j. 3241 m. r.) o transferu mezd dělnictva, jež má býti najato do Německa, sděluje ministerstvo sociální a zdravotní správy výsledek jednání, jež se konalo v Berlíně ve dnech 15. – 18. února 1939:

Výsledek porad jest shrnut ve vzájemných dopisech, jež si 18. února 1939 vyměnili předseda česko-slovenské delegace odborový přednosta ministerstva sociální a zdravotní správy Dr. Brablec s ministerským dirigentem Drem Landwehrem z říšského ministerstva hospodářství.

K tomu přistupuje dopis, jejž poslala dne 20. února t. r. Národní banka česko-slovenská direktoriu Říšské banky do Berlína a vzájemné dopisy, jež si vymění mezi sebou předseda česko-slovenského vládního výboru min. rada Dr. Vrabec z ministerstva zahraničních věcí v Praze a předseda německého vládního výboru ministerský rada Dr. Bergemann z říšského ministerstva hospodářství.

Opisy zmíněných tří dopisů jsou připojeny.

Podle toho budou moci česko-slovenští dělníci najatí v r. 1939 na práci do Německa, posílati do Česko-Slovenska mzdové úspory v těchto nejvyšších sazbách:
1./ zemědělští dělníci
a/ sezonní dělníci měsíčně   31 RM, ročně nejvýše   310 RM,
b/ čeleď měsíčně   27,50 RM, ročně nejvýše   275 RM,
2./ živnostenští dělníci
a/ cvičení živnostenští dělníci   45 RM, ročně nejvýše   450 RM,
b/ necvičení živnostenští dělníci   35 RM, ročně nejvýše   350 RM.

Aby se docílilo vyrovnání mzdové hladiny v Německu a Česko-Slovensku, bude 50 % mzdových úspor překazováno přes speciální konto Národní banky u německé zúčtovací pokladny, zbývajících 50 % pak převedeno přes zvláštní konto (Sonderkonto) čs. Národní banky u Říšské banky. Při vyúčtování úspor vplacených na toto zvláštní konto, bude vzat za základ kurs alespoň 7 K – 1 RM.

Česko-slovenská Národní banka bude přednostně vypláceti peníze poukázané na ono speciální konto a postará se o to, aby výplata úspor, plynoucích ze zvláštního konta, nebyla zdržována; bude-li třeba, budou výplaty na zvláštním kontu kryty zálohou z česko--slovenské strany.

Poněvadž jízdenky na česko-slovenské straně nemohou býti v Německu opatřeny z důvodů devisových, bude postaráno z česko-slovenské strany o zpětnou dopravu česko--slovenských dělníků od hranice do jejich domova; útraty této zpětné dopravy musí si hraditi dělníci, v případě potřeby z překazovaných peněz.

S obsahem dopisů, vyměněných mezi předsedou česko-slovenské delegace a říšským ministerstvem hospodářství, jakož i s dopisy vyměněnými mezi Národní bankou česko--slovenskou a direktoriem Říšské banky projevili souhlas předsedové česko-slovenského a německého vládního výboru.

Ministerstvo sociální a zdravotní správy navrhuje proto, aby dohoda o úpravě převodu mezd byla komitétem hospodářských pp. ministrů případně i ministerskou radou vzata na vědomí a připomíná k tomu, že pan předseda slovenské vlády byl o celém stavu věci informován panem ministrem zemědělství Drem Feierabendem a projevil s navrženou úpravou souhlas.[1]

Ježto vláda ve své schůzi ze dne 20. ledna 1939 schválila zápis o poradách mezi zástupci česko-slovenské a německé vlády o zprostředkování česko-slovenských dělníků na práce do Německa s připojenými k zápisu třemi dohodami o česko-slovenských sezonních zemědělských dělnících, stálých zemědělských dělnících a živnostenských dělnících s tím, že dohody vejdou v platnost, jakmile bude upraven dohodou převod mezd, navrhuje se, aby ministerstvo zahraničních věcí bylo pověřeno sděliti vládě německé, že zápis ze dne 19. ledna 1939 s třemi zmíněných dohodami jakož i dohoda o úpravě převodu mezd byly česko-slovenskou vládou schválený, takže o výměně tohoto sdělení s příslušným korespondujícím sdělením vlády německé nabývají dohody platnosti a že na to může býti ihned započato s najímáním se strany německé.

Exp. II. /Na odpis exp.I /:
Předsednictvu ministerské rady
v Praze
na vědomí k tamnímu přípisu ze dne 4. února 1939, č. j. 3241/39 m. r. se žádosti, aby otázka transferu mezd dělnictva, jež má býti najato na práce do Německa, byla dána na program nejbližší schůze komitétu hospodářských pp. ministrů, případně i ministerské rady.

V Praze dne 20. února 1939.

SNA, f. MF 1939 – 1945, inv. č. 26, š. 121. Cyklostyl, 3 strany.

---

1 Slovenská autonómna vláda súhlasila s nasledovným prípisom z 1. 3. 1939, adresovaným ministerstvu sociálnej a zdravotníckej správy: *„Vláda Slovenskej krajiny v zasadnutí dňa 27. II. 1939 vzala na vedomie obsah dohôd o najímaní robotníctva na práce do Nemecka v r. 1939 a o transfere miezd a prepočítacom kurze. Vláda Slovenskej krajiny schválila na základe týchto dohôd dala súhlas k najímaniu robotníctva zo Slovenska na práce v Nemecku, vyslovila však želanie, aby vláda ríše nemeckej slovenskými úradmi zmocneným duchovným povolila prístup k slovenským robotníkom v Nemecku a k vykonávaniu pastorácie medzi nimi."* (SNA, f. ÚPV, š. 95, 3166/1944.) Zástupca Ministerstva hospodárstva Slovenskej krajiny Žák na medzirezortnom rokovaní v Prahe 25. 2. 1939 deklaroval, že *„zemědělské dělnictvo, které bylo Německu slíbeno, bude také pro Německo najato. Najímání bude se prováděti jen v určitých okrscích a ne ve všech okrscích Slovenska, ježto musí býti zajištěny žádané pracovní síly pro Čechy a Moravu."* Vysoký úradník Ministerstva vnútra Slovenskej krajiny Ján Kaššovic žiadal okrem toho kontrolu najatých pracovných síl na pracoviskách v Nemecku a povolenie pastoračnej činnosti pre kňazov. (NA ČR, f. Ministerstvo sociální péče (ďalej MSP), š. 4057, 512-1/E/1939. Za sprostredkovanie dokumentu ďakujeme Jane Tulkisovej.)

5

1939, 22. apríl. Bratislava. – Verbálna nóta MZV vo veci náboru slovenských poľno-hospodárskych robotníkov do Protektorátu Čechy a Morava.

No: 1066/39

Verbalnote.

Das slovakische [sic!] Arbeitsamt für landwirtschaftliche Arbeiter in Bratislava wirbt auf Grund von vorhergehenden Verhandlungen und einer Vereinbarung mit dem Herrn deutschen Geschäftsträger in Bratislava,[1] mittels der exponierten Arbeitsämter, land-wirtschaftliche Saisonarbeiter für das Protektorat Böhmen und Mähren an, und zwar auf Grund der bereits vorher vereinbarten Arbeitsverträge in dem Sinne, dass einzelne Gruppen von Saisonarbeitern in das Protektorat auf Grund eines Sammelpasses abgesandt werden sollen. Ein von den 5 ausgestellten Exemplaren dieses Sammelpasses soll für die Arbeitsgruppe als Ausweis zum Übertritt der Grenze in das Protektorat dienen.

Auf Grund der vereinbarten Arbeitsverträge wurden bereits zirka 10 000 slovakische [sic!] landwirtschaftlichen Saisonarbeiter aufgenommen, die zur Abreise auf ihre Arbeits-stellen bereit sind. Die Arbeitgeber aus dem Protektorate Böhmen und Mähren urgieren fast täglich telephonisch und telegrafisch die Absendung dieser Arbeitsgruppen, da die landwirtschaftlichen Frühlingsarbeiten bereits begonnen haben.[2] Desgleichen urgieren auch die Vertreter der Arbeiter und die Leitenden ihrer Gruppen fast täglich auch persön-lich in Bratislava die Absendung der Arbeiter auf Arbeiten, zwecks Verdiensts.

Die beschleunigte Absendung der bereits angeworbenen Arbeiter ist aber dadurch verhindert, dass ihre Sammelpässe von der verehrlichen Gesandtschaft bisher noch nicht bestätigt worden sind und dass somit den Arbeitern nicht die Bewilligung zur Abreise gegeben wurde, obzwar die Pässe gemäss dem Wunsche der Gesandtschaft ausgestellt worden waren.

Das Wirtschaftsministerium der Slovakei [sic!] bemerkt hiezu, dass den Gesuchen der deutschen Arbeitnehmer aus dem Reich, betreffend landwirtschaftliche Saisonarbeiter, völlig stattgegeben wurde und dass es verbürgen kann, dass auch dem späteren Bedarf von Saisonarbeitern stattgegeben werden wird. Aus diesem Grund sind die Anlässe nicht klar, warum die angeworbenen Arbeiter nicht in das Protektorat abgesandt werden könn-ten, da damit die Interessen der slovakischen [sic!] Arbeiter beschädigt wären und ihnen eine grössere Verdienstmöglichkeit entgehen würde.

Inwiefern es sich um nichtbeschäftigte Arbeitskräfte im Protektorat handelt, auf die man eventuell hinweisen könnte, scheinen die grösstenteils nicht landwirtschaftliche Ar-beiter, sondern vor allem Arbeitskräfte aus anderen Fächern zu sein. Die bereits angewor-benen slovakischen Arbeiter sind gut eingearbeitete Facharbeiter und es ist nicht leicht möglich sie während der Saison mit nicht eingearbeiteten Kräften zu ersetzen. Ausserdem handelt es sich um solche slovakische [sic!] Arbeiter, die nicht ins Reich gehen können, weil sie Familie mit sich haben.

Mit Rücksicht auf die obengenannten Tatsachen und auf die Notwendigkeit der Arbeit, erlaubt sich das Aussenministerium den Herrn deutschen Geschäftsträger zu ersuchen, die Sammelpässe der slovakischen [sic!] Saisonarbeiter, die nach vereinbarten Arbeitsverträ-gen ins Protektorat reisen müssen, liebenswürdigerweise zu bestätigen lassen, damit diese bereits angeworbenen Arbeiter in kürzester Zeit auf ihre Arbeitsstellen abgesendet sein können.[3]

Das Aussenministerium erlaubt sich für die Bemühung und die liebenswürdige Mittei-lung der Angelegenheit voraus zu danken.

In Bratislava, den 22. April 1939

An den
Herrn deutschen Geschäftsträger
in Bratislava.

PA AA, Gesandtschaft Preßburg, Paket 75, R 4 Nr. 2, Band I. Originál, strojopis 3 strany.

1 E. von Druffel.
2 E. von Druffel v liste oberlandratovi v Mělníku z 22. 4. 1939 oznamuje, že ďalší nábor slovenských poľnohospodárskych robotníkov do Protektorátu neprichádza do úvahy a že sú oveľa viac potrební na území starej ríše. Nedostatok pracovnej sily sa má vykryť prepustenými českými vojakmi. (PA AA, Gesandtschaft Preßburg, Paket 75, R 4 Nr. 2, Band I.)
3 Poverenec ríšskeho ministra práce v Bratislave Dr. Hucho zaujal k verbálnej nóte nasledovné stanovisko: *„Der Herr Reichsarbeitsminister hat mich ab 31. März ds. J. nach Pressburg abgeordnet mit dem Auftrag, in Ausführung der deutsch-tschechoslowakischen Vereinbarungen vom 19. Januar 1939 in Prag unter anderem ein möglichst grosses Kontingent von Landarbeitern aus der Slowakei für das deutsche Reichsgebiet anzuwerben. Ich erhielt die mündliche Weisung, die Anwerbung von Landarbeitern für Böhmen und Mähren nicht zu fördern. Diese Weisung wurde damit begründet, dass der Landwirtschaft des Protektoratsgebietes nach der Demobilmachung der tschechischen Armee Arbeitskräfte in ausreichender Zahl zur Verfügung ständen. Ich habe daher meine Werbebeauftragten angewiesen, bei dem Abschluss von Arbeitsverträgen für böhmisch-mährische Betriebsführer nicht mitzuwirken.*
Bereits vor meinem Eintreffen ist eine grössere Anzahl von slowakischen Landarbeitern nach dem Protektorat abgereist. Der Werbebeauftragte beim Arbeitsamt Presov in der Ostslowakei, dem Hauptrekrutierungsgebiet früherer Jahre für Böhmen und Mähren, schätzt die Zahl der ins Protektorat abgereisten Landarbeiter auf etwa 4 000.
Ich habe wegen dieser Frage heute fernmündlich mit der Deutschen Delegation des Reichsarbeitsministeriums beim Sozialministerium in Prag Fühlung genommen und von dem Vertreter des Leiters der Gruppe Arbeitseinsatz folgende Auskunft erhalten:
Das Reichsarbeitsministerium hat die Deutsche Delegation in Prag mit der Prüfung der Frage beauftragt, ob die Landwirtschaft des Protektoratsgebietes tatsächlich nicht ohne weitere slowakische Arbeiter auskommen könne. Je nach dem Ergebnis dieser Prüfung wird der Herr Reichsarbeitsminister seine Entscheidung fällen. Bis zum Eingang dieser Entscheidung bin ich zu meinem Bedauern nicht ermächtigt, dem Drängen böhmisch-mährischer Landwirte auf Zuweisung auf Slowaken nachzugeben." (PA AA, Gesandtschaft Preßburg, Paket 75, R 4 Nr. 2, Band I. Huchov prípis E. von Druffelovi z 25. 4. 1939.)

6

1939, 23. apríl. Bratislava. – Správa poverenca ríšskeho ministra práce o nábore slovenských poľnohospodárskych robotníkov do Nemecka.

Abschrift.

Der Beauftragte des Reichsarbeitsministers   Pressburg, den 23. IV. 1939
Zentralstelle Preßburg

An den
Herrn Reichsarbeitsminister
Berlin SW 11
Saarlandstrasse 96

Betrifft: Fortführung der Auswahl und Verpflichtung landwirtschaftlicher Arbeitskräfte in der Slowakei.
Vorgang: Erlass vom 31. III. 1939, G. Z. V a 5770/338.

1.) Verlauf der Anwerbung in der Berichtswoche vom 16. bis 22. April 1939.
Nachdem die Werbebeauftragten, insbesondere die zu Ostern nachgekommenen Angestellten sich überall eingearbeitet haben, erhöhte sich in der Berichtswoche das Tempo

der Anwerbung. Durch Heranziehung von Hilfskräften, vor allem der Deutschen Partei für schriftliche Arbeiten und durch sonstige geeignete Massnahmen habe ich erreicht, dass in der Regel 6 Tage der Woche der Anwerbung gewidmet sind. Im Anfang der Woche fehlte es verschiedentlich noch an freien Aufträgen insbesondere für Wanderarbeiter. Ende der Woche trafen die ersten auf Slowaken umgestellten Polenverträge ein, die diesen Mangel behoben. Bis zum 22. ds. M. sind Aufträge auf 19 254 Landarbeiter, davon 10 108 Gesindekräfte eingetroffen. Auf Grund der mir vorliegenden Vormeldungen sind davon bis heute Aufträge auf 9 305 Landarbeiter, davon 4 662 Gesindekräfte durch Verpflichtung erledigt. Bis zum 22. April sind durch unsere Werbebeauftragen aus der Slowakei 4 906 Landarbeiter, davon 2 202 Gesindekräfte über die Reichsgrenze abbefördert worden.

Das Angebot an Gesinde dürfte nach Erledigung der noch vorliegenden und noch zu erwartenden Aufträge ziemlich erschöpft sein. Dagegen ist das Angebot an Wanderarbeitern erheblich ergiebiger als anfänglich angenommen. Dies trifft nicht nur für die bereits aus früheren Jahren bekannten Wandergebiete zu. Es ist vielmehr auch gelungen, neue Werbegebiete z. B. in der überwiegend deutschsprachigen Zips zu erschliessen.[17] Verschiedene Werbebeauftragte haben bereits sämtliche Wanderarbeitsaufträge besetzt.

Im Einvernehmen mit dem slowakischen Landesarbeitsamt hoffe ich, ausser den vorgesehenen 11 200 Gesindekräften mindestens 20 000 Wanderarbeiter ggf. mehr anwerben zu können. Das bedeutet die Erhöhung der Wanderarbeiterkontingente um 5 500. Da die Arbeitskräfte angesichts der vorgeschrittenen Jahreszeit auf Abtransport drängen, bitte ich mir die Aufträge aus dem Polenkontingent möglichst umgehend zuzuschicken. Dabei bitte ich Wanderarbeiteraufträge, die nur auf 1 Person lauten und in Wahrheit verkappte Gesindekräfte sind, auszuschliessen, da deren Besetzung nicht möglich ist.

Besonders dankbar wäre ich, wenn ein grösserer Anteil freier Aufträge auf grössere Kolonnen von 10, 20 und mehr Arbeitern zugeteilt würden, da besonders die Volksdeutschen auf derartige Aufträge Wert legen.

Dem Bestreben von reichsdeutschen Betriebsführern, die Landarbeiter aus der Slowakei auf eigene Faust anzuwerben und abzutransportieren bin ich so weit als möglich entgegengetreten. Über einen krassen Fall berichte ich besonders. Hier eintreffende Betriebsführer, die sich an die vorschriftsmässige Anwerbung halten, unterstütze ich in dringlichen Fällen; in mehreren Fällen habe ich die Betriebsführer sogar als Transportführer eingesetzt. Hierdurch wird eine erhebliche Beschleunigung erreicht.

Ich bestätige die Ankunft der als Transportbegleiter zugewiesenen 3 Hilfskräften aus dem Sudetengau, die sofort eingesetzt wurden. Hierdurch wird eine weitere Beschleunigung des Abtransportes erreicht.

2.) Abfertigung der Transporte in der Berichtswoche.

Tag der Abf.[18]	Fahrpl.[19] Nr.	Zielst.[20]	Ges. Kopfst.[21]	dav. f. LAA[22]	
24. 4. 1939	8906/8904 8912/8910	Lauban[23]	1 608	Ostpreussen Schlesien Brandenburg Nied. Sachs.[24] Hessen Mitteldl.[25] Sachsen Verschied.	252 710 4 60 8 38 238 298
25. 4. 1939	----------------	Wien	990	Ostmark Sudeteng.	801 189

26. 4. 1939	8914	Grünberg[26]	845	Ostpreussen 342 Schlesien 445 Brandenburg 29 Sachsen 13 Sudetengau 16
27. 4. 1939	8906	Kamenz	1 033	Schlesien 800 Brandenburg 12 Stettin Pom.[27] 110 Mit. Dschl. 20 Sachsen 78 Sudetengau 13
28. 4. 1939	-------------------	Wien	808	Mitteldschl. 25 Sachsen 25 Ostmark 242 Sudetengau 306

3.) Arbeitsplan für die Woche vom 23. bis 29. IV. 1939.
Unter Leitung des Angestellten Lipp habe ich eine mit 2 Angestellten besetzte neue Anwerbestelle in Zips eingerichtet. Es besteht Aussicht dort 700 bis 1 000 Landarbeiter anzuwerben. Im übrigen bleibt der Einsatz der Werbebeauftragten unverändert. Ich selbst habe in der Berichtswoche die Anwerbung bei den Arbeitsämtern in Zvolen einmal und in Nitra zweimal geprüft. Mit Ausnahme des schwer erreichbaren Arbeitsamtes in Presov (Ostslowakei) habe ich damit sämtliche Arbeitsämter aufgesucht. Nach Presov will ich in der kommenden Woche reisen und dabei die neue Anwerbestelle in Käsmark besuchen.

Die Zusammenarbeit mit der Deutschen Partei ist weiterhin ausgezeichnet. Die Werbebeauftragten sind angewiesen, auf das gute Einvernehmen mit der volksdeutschen Gruppe weiterhin grössten Wert zu legen.

Nach den hier vorliegenden Vormeldungen sind in der kommenden Woche Abtransporte von rund 6 000 Arbeitern vorgesehen.[28]

gez.: Dr. Hucho
Regierungsrat

PA AA, Gesandtschaft Preßburg, Paket 75, R 4 Nr. 2, Band I. Kópia, strojopis, 3 strany.

1 Do roku 1938 tvoril podiel spišského jazykového ostrova na nábore pracovných síl nemeckej národnosti len malé percento. Bolo to spôsobené tým, že nábor sa stal jedným z inštrumentov politiky Karpatendeutsche Partei, ktorá do začiatku roku 1938 nemala na Spiši takú silnú pozíciu ako v Bratislave a v Hauerlande. Pozri dokument 1.
2 Tag der Abförderung.
3 Fahrplan.
4 Zielstation.
5 Gesamte Kopfstärke.
6 Davon für Landesarbeitsämter.
7 Dnes Lubań v poľskom Dolnom Sliezsku.
8 Niedersachsen.
9 Mitteldeutschland
10 Dnešná Zeliona Góra v Sliezsku.
11 Pommern.
12 Pozri dokument 7. Účastníci zasadnutia spoločných medzivládnych výborov 21. – 22. 4. 1939 odhadovali nárast počtu poľnohospodárskych robotníkov na 15 tisíc. Pozri PA AA, Gesandtschaft Preßburg, Paket 207, W 2 Nr. 1a, Band I. Poznámky k záznamu z rokovania medzi predsedami nemeckého a slovenského vládneho výboru z 22. 4. 1939.

7

1939, 2. máj. Bratislava. – Správa poverenca ríšskeho ministra práce o priebehu náboru slovenských poľnohospodárskych robotníkov do Nemecka.

Abschrift.

Der Beauftragte des Reichsarbeitsministers   Pressburg, den 2. Mai 1939
Zentralstelle Preßburg

An den
Herrn Reichsarbeitsminister
Berlin SW 11
Saarlandstrasse 96

Betrifft: Fortführung der Auswahl und Verpflichtung landwirtschaftlicher Arbeitskräfte in
der Slowakei.
Vorgang: Erlass vom 31. III. 1939, G. Z. V a 5770/338.

1.) Verlauf der Anwerbung in der Berichtswoche vom 23. bis 29. April 1939.
In der Berichtswoche hat die Anwerbung weiter rasche Fortschritte gemacht. Der Bestand an Aufträgen stieg bis zum 1. ds. M. auf 28 123 Arbeitskräfte, davon 11 204 Gesindekräfte. Der Auftragstand für Gesinde hat damit das vorgesehene Kontingent erreicht. Von der Zuleitung weiterer Gesindeaufträge bitte ich abzusehen, da nach den Meldungen der Werbebeauftragten das Angebot an Gesinde fast überall erschöpft ist. Dagegen ist das Angebot an Wanderarbeitern nach wie vor reichlich. Soweit sich übersehen lässt, werden 25 000 Wanderarbeiter gestellt werden können. Aufträge auf 16 919 Wanderarbeiter liegen bisher vor. Ich bitte dafür zu sorgen, dass die noch fehlenden Wanderaufträge möglichst umgehend der Zentralstelle übermittelt werden.
Nach den bis heute vorliegenden Vormeldungen sind bis jetzt angeworben
          11 083 Wanderarbeiter
           8 132 Gesindekräfte
zus.[1]   19 215 Personen.
Davon sind gemäss Vormeldung bisher ins Reichsgebiet abtransportiert
           6 392 Wanderarbeiter
           6 039 Gesindekräfte
zus.   12 431 Personen.
Da Vermittlungsnachweisungen nicht vorliegen, musste die Zahl der abtransportierten Landarbeiter auf Grund der Vormeldungen (Muster 16/16a) erstellt werden.
Auf die einzelnen Aufnahmelandesarbeitsamtsbezirke verteilen sich die abtransportierten Landarbeiter wie folgt:

LAA	insges.	dav. Gesinde
Ostpreussen	1 121	1 121
Schlesien	3 275	3 106
Brandenburg	320	41
Pommern	254	254
Niedersachsen	576	------
Westfalen	67	------
Hessen	131	------
Mitteldeutschland	1 045	194

Sachsen	957	722
Ostmark	3 276	539
Sudetengau	1 419	62
zus.	12 431	6 039

Ausserdem wurden Landhelfer, davon 65 für Schlesien und 208 für Brandenburg abtransportiert.

Es ist schwer, von den slowakischen Behörden genaue Zahlen über die noch verfügbaren Wanderarbeiter zu erhalten. Im Einvernehmen mit dem hiesigen Landesarbeitsamt bin ich jedoch der Auffassung, dass die Abgabefähigkeit für Wanderarbeiter die oben angegebene Zahl vom 25 000 noch erheblich übersteigt. Da ich annehme, dass durch den Ausfall des Polenkontingents im Reich noch ein dringender Bedarf ist, werde ich versuchen, Aufträge auf bis zu 30 000 Wanderarbeiter zu erledigen, und bitte um beschleunigte Hergabe der Aufträge. Voraussetzung für diese Kontingentserhöhung wäre, dass die Abwanderung von slowakischen Landarbeitern in das Protektorat Böhmen und Mähren weiter gesperrt bleibt.[2]

Erfreulich hoch ist der Anteil der Deutschstämmigen. Z. B. entfallen auf 3 232 im Arbeitsbezirk Zvolen angeworbene Arbeitskräfte 2 122 Deutschstämmige. Im Arbeitsbezirk Nitra wurden 1 397 Volksdeutsche, im Arbeitsbezirk Zilina 1 400 Deutschstämmige[3] angeworben.

2.) Arbeitsplan für die Woche vom 30. April bis 6. Mai 1939.

In der kommenden Woche wird die Anwerbung unter vollen Einsatz der vorhandenen Kräfte fortgesetzt. Falls das Kontingent auf 30 000 Wanderarbeiter erhöht wird, wird auch in der übernächsten Woche noch der volle Einsatz aller Kräfte notwendig sein.

Abschriftlich
dem
Herrn Deutschen Geschäftsträger
Pressburg
zur gefl. Kenntnisnahme überreicht.

Dr. Hucho [v. r.]
Regierungsrat

PA AA, Gesandtschaft Preßburg, Paket 75, R 4 Nr. 2, Band I. Originál, strojopis, 3 strany.

---

1 Zusammen.
2 Pozri dokument 5.
3 V tomto prípade nejde o rasový pojem ako bežne používal v nacistickom žargóne. Podľa výnosu ríšskeho ministerstva vnútra z 29. 3. 1939 bol termín »Deutscher Volkszugehöriger« definovaný nasledovne: *„Deutscher Volkszugehöriger ist, wer sich als Angehöriger des deutschen Volkes bekennt, sofern dieses Bekenntnis durch bestimmte Tatsachen, wie Sprache, Erziehung, Kultur usw. bestätigt wird. Personen artfremden Blutes, insbesondere Juden, sind niemals deutsche Volkszugehörige, auch wenn sie sich bisher als solche bezeichnet haben."*
Pojem »Deutschstämmige« definoval výnos ríšskeho ministerstva vnútra z 23. 5. 1944 nasledovne: *„Deutschstämmig sind Personen mit mindestens zwei deutschen Großeltern; Personen mit artfremdem Bluteinschlag sind nicht deutschstämmig."*

8

1939, 6. máj. Bratislava. – Správa poverenca ríšskeho ministra práce o sprostredkovaní práce slovenským robotníkom vo Francúzsku.

Durchdruck
Abschrift zu R 1300 Preßburg, den 6. Mai 1939
Der Beauftragte des Reichsarbeitsministers
Zentralstelle Preßburg

An den
Herrn Reichsarbeitsminister
Berlin SW 11

Betrifft: Vermittlung slowakischer Arbeiter nach Frankreich.

Der Leiter des Sozialamtes der Deutschen Partei in Preßburg, Ing. Mühlberger, hat sein Befremden darüber ausgedrückt, daß die slowakischen Arbeitsämter ungeachtet der veränderten politischen Verhältnisse auch in diesem Jahre noch Arbeiter für Industrie und Landwirtschaft nach Frankreich vermittelt haben,[1] und mich gebeten, diese Vermittlung zu unterbinden. Ich habe in vorsichtiger Weise bei dem Sozialreferenten des Slowakischen Innenministeriums, Regierungsrat Dr. Bezak, in dieser Frage vorgefühlt. Dr. B. erklärte, dass die Slowakei kein Interesse mehr an der Abgabe von Arbeitern nach Frankreich besitze und dass es sich nur um eine beschränkte Zahl von namentlichen Anforderungen sowie Rückrufen in früheren Jahren Beschäftigter handle. Der Leiter des Slovensky urad prace, Herr Dworak, hat gelegentlich die Zahl von 2 000 im Frühjahr 1939 nach Frankreich vermittelter Landarbeiter genannt.

Weiteres habe ich in dieser Angelegenheit nicht unternommen, um die gute Zusammenarbeit mit den slowakischen Behörden nicht zu gefährden. Ich darf ergebenst anheimstellen, der Deutschen Partei auf dem zuständigen Wege hierüber einen Bescheid zu erteilen.[2]

Unterschrift
Regierungsrat

PA AA, Gesandtschaft Preßburg, Paket 75, R 4 Nr. 2, Band I. Kópia, strojopis, 1 strana.

1 K tejto problematike pozri dokumenty 40, 78 a 106.
2 Ríšske ministerstvo práce zaslalo správu Zahraničnému úradu na ďalšie pokračovanie až 23. 5. 1939.

9

1939, 7. máj. Bratislava. – Správa poverenca ríšskeho ministra práce o priebehu náboru slovenských poľnohospodárskych robotníkov do Nemecka.

Abschrift.

Der Beauftragte des Reichsarbeitsministers   Pressburg, den 7. Mai 1939
Zentralstelle Preßburg

An den
Herrn Reichsarbeitsminister
Berlin SW 11
Saarlandstrasse 96

Betrifft: Fortführung der Auswahl und Verpflichtung landwirtschaftlicher Arbeitskräfte in
      der Slowakei.
Vorgang: Erlass vom 31. III. 1939, G. Z. V a 5770/338.

    1.) Verlauf der Anwerbung in der Berichtswoche vom 30. April bis 6. Mai 1939.
Das Fortschreiten der Werbeaktion wird durch folgende Zahlen gekennzeichnet:
(Stichtag 6. Mai 1939)
Auftragsbestand: 33 265 Arbeitskräfte, dav. 11 421 Gesinde
angeworben: 23 174 Arbeitskräfte, dav. 11 392 Gesinde
abtransportiert: 18 066 Arbeitskräfte, dav. 9 401 Gesinde, 275 Landhelf.[er].
Auf das zugeteilte Kontingent bezogen stellt sich das Werbeergebnis wie folgt dar:

	Wanderarb.[eiter]	Gesinde	zusammen
Kontingent	27 200	11 700	38 900
angeworben	11 845	11 329	23 174
mithin noch anzu-werben	15 355	371 (dazu 1 000 für Brandenburg)	15 726

Da Vermittlungsnachweisungen nicht vorliegen, mussten die obigen Zahlen nach den Vormeldungen erstellt werden. Bei den Wanderarbeitern stimmen die Vormeldungen ziemlich genau mit der Zahl der zum Abtransport erscheinenden Arbeitskräfte überein. Bei den Gesindekräften ist das nicht der Fall, da ein erheblicher Teil, mitunter 25 v. H. der vorgemeldeten Gesindekräfte nicht zum Abtransport erscheinen. In diesen Fällen muss eine Ersatzkraft auf den Arbeitsvertrag verpflichtet werden.[1]
Auf die einzelnen Aufnahmelandesarbeitsamtsbezirke verteilt sich das Werbeergebnis wie folgt:

Landesarbeitsamt	Kontingent	bisher abtransport.[iert]
Ostpreussen	2 900	1 338
Schlesien	7 000	5 203
Brandenburg	2 800 (zuzügl. 1 000 Ges.)	836
Pommern	1 900	281
Nordmark	1 300	85
Niedersachsen	1 600	649
Westfalen	500	67
Rheinland	200	------

Hessen	600	132
Mitteldeutschland	4 300	1 107
Sachsen	1 600	1 047
Bayern	450	------
Südwestdeutschland	250	------
Ostmark	6 000	4 645
Sudetengau	7 500	2 466
	38 900 (zuzügl. 1 000 f. Brandbg.)	17 656

Für die Berichtswoche ist der Abtransport von weiteren rund 7 600 Landarbeitern vorgesehen. Ich rechne damit, dass das Kontingent erfüllt werden kann.

Die Abgabefähigkeit der volksdeutschen Ortschaften hat fast überall ihr Ende erreicht. Kennzeichnend hierfür ist eine Notiz aus Drexlerhau[2] in der letzten Nummer der Zeitung „Deutsche Stimmen".[3] Dort heisst es: „Heimatabende der NS Frauenschaft können leider keine mehr abgehalten werden, weil fast niemand mehr im Dorfe ist. Es sind alle nach Deutschland in die Arbeit gegangen."[4]

2.) <u>Abfertigung der Transporte.</u>

In der Berichtswoche habe ich die Abfertigung der Transporte über Troppau[5] eingehend geprüft. Über das Ergebnis habe ich am 4. ds. M. aus Troppau ausführlich berichtet.[6]

Für die Woche vom 7. bis 13. Mai 1939 sind folgende Transporte vorgesehen:

Tag d. Abf.	Fahrpl. Nr.	Zielst.	Ges. Kopfst.	dav. f. LAA
8. Mai	8906	Halle/S	814	Nd. Sachs 145 Westf. 4 Hessen 30 Mi. D 294 Sachs. 4 Sud. G. 377
8. Mai	8910	Küstrin	1 053	Brandbg. 384 Pommern 78 Schles. 571
9. Mai	-------------------	Wien	1 406	Ostmark 1 406
9. Mai	-------------------	Komotau[7] ü. Wien	844	Sud. G. 844

10. Mai	8914	Küstrin	909	Ostpr. 371 Brdbg. 348 Waren 190[x]
10. Mai	8918	Lauban	839	Schles. 634 Goslarn 50[x] Blankenb.[8] 100[x] Verden 25
11. Mai	8906	Halle/S	1 520	Schles. 634 Brandenb. 200 Pommern 130 Mi. D. 412 Sachs. 19 Sud. G. 65
12. Mai	-------------------	Wien	817	Ostmark 533 Sud. G. 284

x) Bei diesen Vormeldungen handelt es sich um Industriearbeiter, die ausnahmsweise den Sonderzügen für landwirtschaftliche Arbeiter angeschlossen wurden.
Am 12. Mai wird ausserdem der Sonderzug Nr. 8912 mit insgesamt 750 Arbeitskräften nach Halle/Saale gefahren werden.

3.) Arbeitsplan für die Woche vom 7. bis 13. Mai 1939.

Infolge der Kontingentserhöhung sind alle Werbebeauftragten in der kommenden Woche noch mit den Aufträgen reichlich versehen. Lediglich der Angestellte Mildebrath vom Arbeitsamt Niederbarnim-Osthavelland[9] ist am 6. ds. M. auf seinen Antrag in Heimat zurückgekehrt. Die Werbebeauftragten sind angewiesen, die Anwerbung von Landhelfern vorzubereiten, die ab 15. ds. M. überall einsetzen soll.

Als Voraussetzung für die Durchführung der Landhelferwerbung bitte ich um beschleunigte Klärung folgender Fragen:

a) Eine Werbung von Landhelfern sind [sic!] in der deutsch-tschechoslowakischen Vereinbarung vom 19. I. 1939 nicht vorgesehen.[10] Trotzdem halte ich es für zweckmässig, dass sich die Werbebeauftragten auch hierbei der Einrichtungen der slowakischen Arbeitsämter bedienen und bitte, dem slowakischen Landesarbeitsamt auch für jeden Landhelfer eine Verwaltungsgebühr von 5 Kronen zuzubilligen.

b) Um Fehlvermittlungen zu vermeiden, müssen die Landhelfer vor der Anwerbung besonders sorgfältig ärztlich untersucht werden. Die Kosten der Untersuchung kann die slowakische Behörde aus der Gebühr von 5 Kronen nicht decken. Ich schlage vor, die Untersuchungskosten aus Reichsmitteln zu tragen. Sie betragen im Durchschnitt 5 Kronen je Person. Da die Ärzte auf Barzahlung Wert legen, bitte ich um Mitteilung, ob die Untersuchungskosten transferiert werden können.

c) Voraussetzung für das Gelingen der Landhelferwerbung ist, dass die Fahrtkosten vom Heimatort bis zur reichsdeutschen Arbeitsstelle übernommen werden. Ich bitte um Genehmigung.

Soeben teilt der Werbebeauftragte beim Arbeitsamt Presov mit, dass er noch bis zu 1 000 Gesindekräfte stellen kann. Ich bitte das Gesindekontingent um 1 000 zu erhöhen und sobald als möglich die Aufträge zu schicken.

Die Anwerbung von Industriearbeitern ist im vollen Gange. Ich sorge dafür, dass die landwirtschaftliche Anwerbung darunter nicht leidet.

Regierungsrat.

PA AA, Gesandtschaft Pressburg, Paket 75, R 4 Nr. 2, Band I. Kópia, strojopis, 4 strany.

1 Porovnaj dokument 7.
2 Janova Lehota v Kremnickom okrese.
3 *Deutsche Stimmen*, 6. 5. 1939, s. 12.
4 Podobné to bolo aj s polovojenskou zložkou Deutsche Partei Freiwillige Schutzstaffel. Pozri SNA, f. 209-851-1/54-57. Správa okresného náčelníka v Kremnici o prehľade *„politických strán, spolkov a inštitúcii"* z 8. 3. 1940.
5 Opava.
6 Záznam sa nepodarilo nájsť.
7 Chomutov.
8 Blankenburg, okres Harz v dnešnej spolkovej krajine Sachsen-Anhalt.
9 Kraj Brandenburg.
10 Pozri dokument 3.

10

1939, 17. máj. Bratislava. – Správa poverenca ríšskeho ministra práce o priebehu náboru slovenských poľnohospodárskych robotníkov do Nemecka.

Abschrift.

Der Beauftragte des Reichsarbeitsministers   Pressburg, den 17. Mai 1939
Zentralstelle Preßburg

An den
Herrn Reichsarbeitsminister
Berlin SW 11
Saarlandstrasse 96

Betrifft: Fortführung der Auswahl und Verpflichtung landwirtschaftlicher Arbeitskräfte in der Slowakei.
Vorgang: Erlass vom 31. III. 1939, G. Z. V a 5770/338.

1.) Verlauf der Anwerbung in der Berichtswoche vom 7. bis 16. Mai 1939.
In der Berichtszeit entwickelte sich die Werbeaktion ohne wesentliche Störung. Folgende Zahlen kennzeichnen den Stand der Werbung:

	Wanderarb.[eiter]	Gesinde	zusammen

Kontingent	27 200	12 700	39 900
Auftragsbestand	27 757	12 344	40 101
Angeworben	20 830	11 259	32 089
Abtransportiert	17 667	10 935	28 602

Danach hat die Zahl der eingegangenen Aufträge bei den Wanderarbeitern bereits das Kontingent überschritten. Die Überschreitung entfällt ausschliesslich auf die Ostmark, die bei einem Kontingent von 5 000 Wanderarbeitern bereits Aufträge für 6 861 Arbeitskräfte übersandt hat. Im Hinblick auf die nachbarlichen Beziehungen zwischen Ostmark und Slowakei bitte ich die Kontingentsüberschreitung nachträglich zu genehmigen. Im übrigen verweise ich auf meinen Bericht vom 7. ds. M.,[1] nach dem bis zu 30 000 Wanderarbeiter gestellt werden können.

Bei den Angaben über die Gesindeanwerbung sind diesmal die Ausfälle infolge Nichterscheinens angeworbener Kräfte zum Abtransport berücksichtigt. Die Zahl bleibt daher um etwa 400 hinter den Angaben des Berichts vom 7. ds. M. zurück.

Eine gewisse Beunruhigung hat eine Notiz aus Prag im „Völkischen Beobachter"[2] vom 14. ds. M. hervorgerufen.

Dort heisst es:

„Auch im Protektorat macht sich ein empfindlicher Mangel an landwirtschaftlichen Saisonarbeitern fühlbar. Die fehlende Zahl an Hilfskräften wird auf etwa 30 000 geschätzt. Es sind daher mit massgebenden Stellen der Slowakei Verhandlungen angeknüpft worden, wonach 10 000 slowakische Landarbeiter für die Landwirtschat im Protektorat angeworben werden sollen."[3]

Eine Rückfrage beim hiesigen Deutschen Geschäftsträger[4] ergab, dass dort von Verhandlungen zwischen der Protektoratsregierung und dem Slowakischen Staat nichts bekannt ist. Der Geschäftsträger bezweifelte, ob die Protektoratsregierung überhaupt zu solchen Verhandlungen ermächtigt ist. Um dem Fortgang der Werbeaktion in das übrige Reichsgebiet nicht zu stören, wäre ich für recht baldige Klärung des Sachverhalts dankbar.

2.) Arbeitsplan für den kommenden Berichtsabschnitt.

Nach der Zahlenübersicht in Abschnitt 1.) sind noch rund 8 000 Aufträge zu erledigen. Das Tempo der Anwerbung hat sich zwangsläufig vermindert, da das Angebot nicht mehr so reichlich ist, wie im April.[5] Mit Aufbietung aller Kräfte wird es jedoch gelingen, das Kontingent zu erfüllen. Allerdings sind weibliche Gesindekräfte so gut wie gar nicht mehr verfügbar; solche Aufträge müssen mit Burschen oder Männern besetzt werden.

Die Werbung von Landhelfern hat bisher in der Westslowakei 383 bereits abbeförderte Jugendliche erbracht. Die Aktion ist nunmehr auf die übrigen Teile der Slowakei ausgedehnt worden und soll etwa 3 000 Jugendliche erbringen. Die Voraussetzung ist allerdings, dass die in meinem letzten Bericht angeregte Zahlung von 5 Ks Vermittlungskosten je Landhelfer an die slowakische Behörde genehmigt wird. Da die ärztliche Untersuchung durch die Amtsärzte besorgt wird, entfallen weitere Kosten für ärztliche Untersuchung.

Der Anwerbung von Landarbeiterfamilien stellen sich noch Schwierigkeiten entgegen, über die ich mündlich vortragen werde.

Die Lage an der slowakisch-polnischen Grenze:

Die Grenze wird von polnischer Seite scharf bewacht, sodass nur verhältnismässig wenige Arbeitskräfte die Grenze überschreiten können. Mein Beauftragter Herr Lipp schätzt die Zahl der für Deutschland verpflichteten Arbeitskräfte polnischer Staatsangehörigkeit auf Grund örtlicher Ermittlungen auf rund 200.[6] Mit weiteren nennenswerten Grenzübertritten ist nicht zu rechnen, da alle waffenfähigen bis zum 33. Lebensjahr zum Wehrdienst einberufen worden sind. Ich empfehle, von besonderen Massnahmen auf diesem Gebiete abzusehen.

gez.: Dr. Hucho
Regierungsrat

Abschrift
dem Herrn Deutschen Geschäftsträger
Pressburg,
mit der Bitte um Kenntnisnahme.

Dr. Hucho [v. r.]
Regierungsrat

PA AA, Gesandtschaft Preßburg, Paket 75, R 4 Nr. 2, Band I. Kópia, strojopis, 2 strany.

1 Správne zo 6. t. m. Pozri dokument 9.
2 Ústredný tlačový orgán NSDAP.
3 Porovnaj dokument 5.
4 E. von Druffel.
5 Pozri dokument 6.
6 Pravdepodobne ide o územia odstúpené Poľsku v novembri a decembri 1938.

11

1939, 30. máj. Berlín. – Prípis ríšskeho ministerstva hospodárstva vo veci transferu miezd slovenských pracovných síl zamestnaných v Nemeckej ríši na Slovensko.

Der Reichswirtschaftsminister   Berlin W 8, den 30. Mai 1939
V Ld. (D) 8/125781/39

An
a) den Herrn Ministerpräsidenten
   Generalfeldmarschall Göring,
   Beauftragter für den Vierjahresplan,
   - Geschäftsgruppe Devisen -
   Berlin W 8

b) das Auswärtige Amt
   z. H. von Herrn Vortr. Legationsrat Hudeczek
   Berlin W 8

c) den Herrn Reichsarbeitsminister
   Berlin SW 11 (Ihr Zeichen: VI b 5770/8)

d) die Deutsche Verrechnungskasse
   z. Hd. von Herrn Reichsbankdirektor Rex
   Berlin C 111

Betr.: Transfer von Lohnersparnissen für Arbeitskräfte aus der Slowakei.

Bei Besprechungen, die in der Zeit vom 24 – 26. Mai 1939 in Pressburg mit den zuständigen slowakischen Regierungsstellen stattgefunden haben, ist von mir auch die Frage der Überweisung der Ersparnisse der in Deutschland tätigen slowakischen Arbeitskräfte angeschnitten worden. Der Gouverneur der Slowakischen Nationalbank[1] wurde von mir gebeten, die Auszahlung der Überweisungen nicht nur bevorzugt, sondern auch notfalls vorschussweise aus dem Warenkonto vorzunehmen. Der Gouverneur der Nationalbank war auf Grund der statutarischen Bestimmungen nicht in der Lage, diesem Wunsche zu entsprechen. Daraufhin wurde der abschriftlich beigefügte Brief an den Vorsitzenden des Slowakischen Regierungsausschusses[2] gerichtet mit der Bitte, möglichst beschleunigt eine positive Antwort zu erteilen.[3] Ich werde Sie von dem Eingang der Antwort beschleunigt in Kenntnis setzen.

Zu der allgemeinen Frage der Überweisung der Ersparnisse bemerke ich vertraulich, dass mir aus volksdeutschen Kreisen in Pressburg die Mitteilung gemacht wurde, dass wahrscheinlich weit mehr als 40 000 Arbeiter aus der Slowakei in Deutschland tätig sind,[4] da die Anwerbung zum Teil nicht durch die amtlichen Stellen vermittelt worden sei. Schätzungsweise wurde eine Zahl von 60 000 – 80 000 Arbeitskräften angegeben. Sollten diese Angaben zutreffen, so ist mit einem Transfer von monatlich mehreren Millionen Überweisungen an Familienangehörige usw. nach der Slowakei zu rechnen. Im Rahmen des deutsch-slowakischen Clearings sehe ich z. Zt. keine Möglichkeit, diesen Anforderungen gerecht zu werden. Ich darf hierbei bemerken, dass vereinzelt in der Slowakei die Auffassung vertreten wird, dass, wenn Deutschland nicht in der Lage sei, den Lohntransfer herbeizuführen, ein Rücktransport der Arbeiter gegebenenfalls in Erwägung gezogen werden müsse, da es für die slowakische Volkswirtschaft vorteilhafter sei, wenn diese Arbeitskräfte dann jedenfalls in der Slowakei eingesetzt würden.[5]

In Preßburg habe ich festgestellt, dass die slowakischen Arbeitskräfte auch dort ohne Wissen der für die Transferfragen zuständigen Slowakischen Nationalbank und ohne vorherige Klärung der Frage der Lohnüberweisung durch Vermittlung der zuständigen slowakischen Arbeitsbehörden angeworben worden sind, sodass die Slowakische Nationalbank sich jetzt vor unerwarteten Problemen sieht, deren sofortige Lösung ihr nicht möglich war.[6]

Im Auftrag
gez. Schlotterer

BArch Berlín, R 901/111277. Kópia, strojopis, 3 strany.

---

1 Imrich Karvaš.
2 Štefan Polyák.
3 Dokument nepublikujeme. Pozri PA AA, Gesandtschaft Preßburg, Paket 207, W 2 Nr. 1a, Band I.
4 Porovnaj dokument 10.
5 Prvé úvahy o stiahnutí časti pracovných síl z Nemecka pre potreby spoločnej slovensko-nemeckej výstavby cestnej siete sa objavili na rokovaniach o plánoch výstavby 12. – 13. 6. 1939. Pozri BArch Berlín, R 901/111386. Dörschov záznam z rokovaní so Š. Janšákom z 15. 6. 1939. Podľa Hudeczkovho záznamu zo 6. 6. 1939 mohla slovenská strana na výstavbu ciest využiť približne 30 000 pracovných síl z rezervoáru nezamestnaného obyvateľstva.
6 Podmienky transferu miezd, ako to vyplýva aj z Hudeczekovej rukopisnej poznámky na dokumente z 3. 7. 1939, sa upravili v protokole z 1. zasadnutia spoločných vládnych výborov. V ňom sa uvádza: *„Der Slowakische Regierungsausschuß teilt mit, daß die Slowakische Regierung am 13. Juni 1939 folgendes beschlossen hat:*
Um die Auszahlungen im gegenseitigen Verrechnungsverkehr zu erleichtern, insbesondere die sofortige Auszahlung von Überweisungen der in Deutschland tätigen slowakischen Arbeiter in der Slowakei zu ermöglichen, werden die Behördenaufträge nach Deutschland vergeben werden. Da infolgedessen in nächster Zeit mit größeren Einzahlungen auf das Konto der Deutschen Verrechnungskasse bei der Slowakischen Nationalbank gerechnet werden kann, ist die Slowakische Postsparkasse ermächtigt worden, sofort einen Betrag von zunächst 20 Millionen Ks und bis zum Jahresende einen Betrag von insgesamt 70 Millionen Ks zur vorschußweisen Auszahlung der Überweisungen der in Deutschland tätigen slowakischen Arbeiter bereitzustellen. Die Slowakische Regierung beabsichtigt, von den zum amtlichen Kurse überwiesenen Beträgen einen bestimmten Hundersatz zur Verzinsung des von der Postsparkasse gewährten Vorschusses, zur Deckung der Auszahlungskosten und für einen Arbeiterwohlfahrtsfonds abzuzweigen.

Die zuständigen slowakischen Stellen werden dafür Sorge tragen, daß den Privatbanken, die bereits Lohnüberweisungen bevorschußt haben, aus der vorerwähnten Regelung kein Verlust erwächst.

Der Deutsche Regierungsausschuß nimmt von diesen Mitteilungen Kenntnis mit der Erklärung, daß er es begrüßen würde, wenn die zum amtlichen Kurse überwiesenen Lohnbeträge den Zahlungsempfängern in voller Höhe ausgezahlt würden. Der Deutsche Regierungsausschuß legt Wert auf die Feststellung, daß der von slowakischer Seite geplante Abzug für die in Absatz 1 genannten Zwecke auf Grund einer einseitigen Maßnahme der Slowakischen Regierung erfolgt. " (PA AA, R 106 021). Pozri tiež dokument 12.

12

1939, 9. jún. Bratislava. – Prípis ministerstva vnútra predsedníctvu vlády SR vo veci transferu miezd slovenských pracovných síl zamestnaných v Nemecku.

Ministerstvo vnútra

Číslo: 100-15.882/9-1939   Bratislava, dňa 9. júna 1939

Najímanie robotníkov do Nemecka –
transfer ich zárobkov do vlasti.

Predsedníctvo vlády
v Bratislave.

Na základe medzištátneho ujednania zo dňa 13. až 19. januára 1939 medzi vládou ríše nemeckej a bývalou vládou česko-slovenskou[1] – ku ktorému jednaniu dala súhlas aj vláda Slovenskej krajiny – na území Slovenského štátu bol najatý a do 5. júna 1939 odišiel nasledovný počet robotníkov.

Poľnohospodárski sezónni robotníci	27 017.
Poľnohospodárska čeľaď	11 173.
Priemyselní odborní robotníci	3 176.
Priemyselní neodborní robotníci	4 655.
spolu:	46 021.

Mimo toho už je najatých, ale dosiaľ neodišlo 6 318 poľnohospodárskych sezónnych robotníkov. Dľa tohoto by úhrnný počet všetkých našich robotníkov v Nemecku činil 61 339.

Vo februári 1939 bolo dodatočne ujednané, že robotníci môžu svoje úspory poukazovať do vlasti maximálne v nasledovnej výške:

Poľnohospodárski sezónni robotníci mesačne	31 RM
Poľnohospodárska čeľaď mesačne	27,50 RM
Priemyselní odborní robotníci mesačne	45 RM
Priemyselní neodborní robotníci mesačne	35 RM

Maximálna výška celoročného transferu bola stanovená vo výške 10 násobného obnosu povoleného na mesiac.[2]

Podľa toho najvyšší možný transfer zárobkov z Nemecka k nám by činil mesačne 1 450 629,50 RM, t. j. ročne 14 562 950 RM. Samozrejme toto číslo nebude tak vysoké, lebo sezónni robotníci sa v novembri vrátia a robotníci si toľko neušetria, koľko môžu do vlasti poslať.

Pri poukazovaní týchto zárobkov do vlasti mala sa výplata diať cestou Slovenskej národnej banky (prostredníctvom clearingového účtu). Vzhľadom na to, že naše pohľadávky voči Nemecku dosiahli veľkej výšky, a na clearingovom účte niet krytia, transfer zárobkov našich robotníkov z Nemecka je veľmi nesnadný, ak nie vôbec úplne znemožnený.

Pri poradách medzi zástupcami zainteresovaných ministerstiev a Slovenskej národnej banky sa prišlo k názoru, že tieto ťažkosti by sa dali odstrániť len zvýšením nákupu tovaru v Nemecku. Menovite ide o nákup investičných potrieb štátnych, ktoré sú uvedené v investičnom rozpočte na rok 1939 (vysielačka, železničné vozy atď.). Pokladničnú úhradu pre financovanie týchto nákupov by obstaralo ministerstvo financií a to zálohou u poštovej sporiteľne. Pri tom by bolo potrebné dosiahnuť zníženie prepočítacieho kurzu ríšskej marky, aby kúpna sila Ks bola zvýšená.[3]

Vzhľadom na vzniklé ťažkosti bude potrebné ďalej rozhodnúť, či najímanie robotníkov do Nemecka má sa konať ďalej, alebo či sa má obmedziť alebo úplne zastaviť. Taktiež sa treba postarať o rodiny robotníkov, ktorí odišli do Nemecka, lebo tieto rodiny pre zastavenie transferov sú vystavené núdzi.

Navrhujeme preto, aby sa vláda uzniesla na nasledovnom:

1./ Vláda ukladá všetkým rezortom, aby v rámci investičného rozpočtu na rok 1939 obstarali v Nemecku svoje nákupy v čím väčšej miere a urýchlene.

2./ Vláda ukladá ministerstvu financií, aby sa postarala o pokladničnú úhradu týchto nákupov.

3./ Aby sa týmto spôsobom vzniklá úhrada na clearingovom účte použila predovšetkým pre transfer zárobkov z Nemecka a to za znížený prepočítací kurz Ks 9 za 1 RM.

4./ Aby sa ďalšie najímanie robotníkov do Nemecka obmedzilo maximálne na 5 000 priemyselných robotníkov.

5./ Aby ministerstvo vnútra mohlo použiť úhrady Ks 100 000 vládou povolenej pre štátnu stravovaciu akciu pre nezamestnaných do konca júna aj pre rodiny robotníkov, ktorí odišli do Nemecka a to nielen do konca júna ale aj v ďalšom období až do vyčerpania obnosu.

Tento návrh sa podáva po dohode s ministerstvom financií a so Slovenskou národnou bankou.

Slovenská národná banka navrhuje však k bodu 4./, aby sa v r. 1939 ďalšie najímanie robotníkov vôbec zastavilo.[4]

Ministerstvo financií k bodu 1./ a 2./ súhlasí s nákupom tovaru v Nemecku len v tom prípade, keď budú zaistené také ceny, za ktoré by ten istý tovar mohol byť zakúpený v tuzemsku alebo v inom štáte. V dôsledku toho doporučuje podať vláde návrh, aby bol ujednaný s Nemeckou ríšou kurz RM minimálne 1 : 9, ktorý by umožnil nákup tovaru za ceny úmerné tuzemským cenám prípadne cenám, za ktoré je možné zakúpiť tovar v iných štátoch, lebo podľa terajšieho prepočítacieho kurzu bol by tovar drahšie nakupovaný.

Ministerstvo financií môže dať súhlas k nákupu tovaru len v rámci rozpočtovej kvóty a pri zachovaní pravidelného hospodárenia.

Žiadame, aby tento návrh bol predložený vláde k rozhodnutiu v najbližšej schôdzi.[5]

Za ministra:
Dr. Bezák v. r.

Všetkým ministerstvám a Slovenskej národnej banke
v Bratislave

Zasielame na vedomie a k pripraveniu prípadných návrhov.

Za ministra:
Dr. Bezák v. r.

Za správnosť vyhotovenia:

SNA, f. ÚPV, š. 95, 3166/1944. Kópia, strojopis, 4 strany.

1 Pozri dokument 3.
2 Pozri dokument 4.
3 O otázke transféru miezd rokovali aj zástupcovia SNB s predstaviteľmi ríšskeho ministerstva hospodárstva v Bratislave 14. 6. 1939. V zázname SNB sa k tomu to bodu uvádza: *„Prez. Kehrl zdôraznil nutnosť riešenia transféru. Odpovedal som mu, že vláda dňa 13. júna 1939 o veci už po podrobných poradách rozhodla. Intimoval som mu rozhodnutie vlády vo všetkých podrobnostiach. Prez. Kehrl mal dva dotazy. Prvý urobil ohľadne kurzu 1 : 9 a pýtal sa, komu pripadá k dobru rozdiel 2,62. Odpovedal som mu, že táto diferencia sa odôvodňuje jednak hospodársky a jednak finančne a zdôraznil som, že slovenský robotník ešte aj pri kurze 1:9 dostane vzhľadom na rôznosť kúpnych síl menových jednotiek prémiu asi Ks 2. Diferencia 2,62 sa upotrebí jednak na úhradu úrokov a jednak pripadne štátu eventuelne vo forme nejakého fondu pre sociálne politické účely. Druhou otázkou prez. Kehrla mala byť objasnená výška možných štátnych dodávok. Bolo mu sdelené, že úhrn týchto štátnych dodávok sa bude môcť pohybovať medzi 50 – 70 miliónmi, čo považujem za dostačujúce. Prez. Kehrl žiadal len urýchlenie tejto akcie a Dr. Janke žiadal, aby banky, ktoré zálohovali tieto transfery pri vyšom kurze než 9 neutrpeli žiadnu škodu."* (ANBS, f. SNB, š. 34, 143/1939 Guv.)
4 Pozri dokument 11.
5 Slovenská vláda na svojom zasadnutí 13. 6. 1939 prijala k návrhu MV nasledovné uznesenie: *„1./ Vláda ukladá všetkým rezortom, aby v rámci investičného rozpočtu na rok 1939 obstarali v Nemecku svoje nákupy v čím väčšej miere a urýchlene s tým, že pri objednávkach majú ujednať čím kratšiu dodávkovú lehotu, najdlhšie však 6 mesačnú. Pri objednávkach súčasne má byť dľa možnosti ujednaný prepočítací kurz maximálne Ks 9 za 1 RM.*
2./ Vláda ukladá ministerstvu financií, aby sa postaralo o úhradu týchto nákupov vyzdvihnutím zálohy od poštovej sporiteľne. Ministerstvo financií má zložiť v Slovenskej národnej banke na clearingovom účte bezodkladne Ks 20 000 000 a ďalšie obnosy podľa potreby.
3./ Týmto spôsobom vzniklá úhrada na clearingovom účte musí byť použitá predovšetkým na transfer zárobkov z Nemecka, a to za prepočítavací kurz Ks 9 za 1 RM.
4./ Vláda zmocňuje ministra financií, aby povolil robotníkom vracajúcim sa z Nemecka dovoz tovarov – vyjmúc finančného cla.
5./ Ďalšie najímanie robotníctva do Nemecka v r. 1939 má byť zastavené." (SNA, f. MH, š. 39.)

13
1939, 12. jún. Praha. – Prípis ríšskeho protektora Zahraničnému úradu v Berlíne vo veci náboru slovenských poľnohospodárskych robotníkov do Protektorátu Čechy a Morava.

Durchdruck
Abschrift zu R 14727   Prag, den 12. Juni 1939
Der Reichsprotektor in Böhmen und Mähren
          Nr. X/1113/39

Betrifft: Slowakische Landarbeiter
Vorgang: Ihr Schreiben vom 30. V. 39, Gesch. Z. R. 12251

Die Versorgung der Landwirtschaft des Protektorats mit Arbeitskräften ist im allgemeinen ohne größere Schwierigkeiten vonstatten gegangen. Einen maßgeblichen Anteil an der Kräftegestellung hatten die entlassenen Soldaten von denen, wie auch von tschechischer Seite zugegeben werden muß, etwa 10 000 der Landwirtschaft zusätzlich verfügbar geworden sind. Darüber hinaus sind nach Beobachtungen meiner Bezirksbeauftragten etwa 3 – 4 000 slowakische Landarbeiter illegal in das Protektorat gelangt, wo sie überwiegend Saisonarbeit aufgenommen haben. Grundsätzlich soll eine Anwerbung von slowakischen Landarbeitern für das Protektorat nicht stattfinden, weil diese Kräfte nur im Altreich eingesetzt werden sollen.[1] Irgendwelche Verhandlungen wegen Anwerbung von slowakischen Landarbeitern sind auch von hier mit slowakischen Dienststellen nicht geführt.[2]

Der landwirtschaftliche Arbeitseinsatz im Protektorat wird von mir ständig überwacht, jedoch habe ich bis jetzt noch nicht feststellen können, daß irgendwelche Störung während der Bestellzeit oder der Bestellung von Hackfrüchten eingetreten sind.

Im Auftrage
Gez. Mündel

An das Auswärtige Amt

PA AA, Gesandtschaft Preßburg, Paket 75, R 4 Nr. 2, Band I. Kópia, strojopis, 1 strana.

---

1 Pozri dokument 5.
2 Otázka náboru slovenských poľnohospodárskych robotníkov do Protektorátu sa neriešila ani na 1. spoločnom zasadnutí nemecko-slovenských vládnych výborov. Pozri PA AA, R 106 021. Protokol o 1. zasadnutí vládnych výborov 9. – 22. 6. 1939. Výbory sa vyjadrili iba k záverom rokovania vlády 13. 6. 1939 o transferoch miezd a zálohe Poštovej sporiteľne na krytie miezd až do 70 miliónov Ks. Pozri dokument 12.

14

1939, 28. jún. Bratislava. – Prípis SNB ministerstvu financií vo veci transferu miezd slovenských pracovných síl zamestnaných na území Nemeckej ríše.

Slovenská národná banka
Devízový odbor
Číslo 3212
dev.likv. Ko/Bo

V Bratislave dňa 28. júna 1939

Vec: Transfer zárobkov slovenských
     robotníkov z Nemecka do vlasti.

Ministerstvo financií,
Bratislava.

Na prípis predsedníctva vlády číslo 5557/V/1939 zo dňa 14. júna 1939[1] budú sa prednostne likvidovať poukazy slovenských robotníkov pracujúcich v Nemecku prostredníctvom Pošt. sporiteľne 1 RM za Ks 9.

Za tým účelom zariadili sme potrebné účtovanie s Nemeckou zúčtovacou pokladnicou v Berlíne a budeme ihneď po dôjdení avíz tieto dávať Pošt. sporiteľni k prednostnej výplate počínajúc dňom 30. júna t. r. Medzitým sme už vylikvidovali všetky poukazy (aj robotnícke), ktoré boli zadržané z dôvodu nedostatočného krytia na účte Nemeckej zúčtovacej pokladnice u nás od 28. 4. do 31. 5. 39. Nevyplatené sú teda len poukazy zložené na Warenkonto[2] u Nemeckej zúčtovacej pokladnice od 1. júna. Z týchto poukazov budú prednostne likvidované poukazy robotníkov a to behom 3 dní, počínajúc 30. júnom, t. j. tie poukazy, ktoré boli robotníkmi zložené u Verrechky[3] od 1. 6. do 22. 6. Poukazy, ktoré boli zložené po tomto dni budeme už potom ihneď po dôjdení pošty likvidovať. V prvom týždni mesiaca júla budeme mať teda vylikvidované všetky poukazy, zaslané našimi robotníkmi z Nemecka, ktoré nám došli.

Tým, že poukazy boli pre nedostatočné krytie zadržané a teraz odrazu prednostne likvidované, nahromadilo sa k likvidácii u Pošt. spor. mnoho tisíc poukazov. Vzhľadom na to, že Pošt. spor. nezvládne v krátkej dobe toľko poukazov, zariadili sme u 8 zberných bánk, aby spolu s Pošt. spor. prevádzali tieto robotnícke poukazy.

Podľa už citovaného prípisu predsedníctva vlády budú poukazy robotníkov prepočítavané 1 RM za Ks 9. Príslušné výlohy (clearing. výlohy Slov. nár. bky, clearing. výlohy Psp a likvidačné výlohy Psp, príp. zberných bánk) Ks 4 za 1 poukaz vyúčtuje Pošt. spor. zvlášť a zaťaží nimi účet vyplatených záloh za RM.

K prípisu Pošt. spor. zo dňa 23. júna 39 čj. 2157 R-39 na Ministerstvo financií[4] ohľ. transferu zárobkov slovenských robotníkov z Nemecka do vlasti pripomíname, že sme sa dnes s Pošt. spor. dohodli na prvej alternatíve zálohového vyplácania s tým, aby Min. financií urýchlene previedlo sumu Ks 20 mil. z účtu č. 44 na účet č. 88, aby sa prednostné výplaty mohli ihneď prevádzať.

Porúčame sa Vám

S úplnou úctou:

SNA, f. MF 1939-1945, inv. č. 26, š. 121. Kópia, strojopis, 2 strany.

1 Pozri dokument 12.
2 Tovarový účet.
3 Verrechnungskasse.
4 Prípis mal nasledovné znenie: *„Na technické a účtovné prevádzanie uznesenia vlády zo dňa 13. júna 1939, intimát predsedníctva vlády zo dňa 14. júna 1939, č. 5557-V-39, dovoľujeme si predložiť tento návrh:*
Slovenská národná banka vedie sumy zložené slovenskými robotníkmi, ako vieme, na separátnom účte, a to v ríšskych markách. Oznámenia, ktoré Slovenská národná banka bude dostávať o sumách zložených na tomto účte, bude postupovať ihneď poštovej sporiteľni v Bratislave i s dokladmi, z ktorých bude zrejmé kto, koľko a pre koho zložil. Poštová sporiteľňa prepočíta ríšske marky na Ks podľa stanoveného kurzu 1:9, vypočíta poplatky za prevod a za poukaz jednotlivých súm a vyplatí poukázané sumy adresátom prostredníctvom poštových úradov, poprípade i prevodom na šekové účty.
Ministerstvu financií bude poštová sporiteľňa každodenne oznamovať, koľko ríšskych mariek na vrub tohoto účtu vyplatila a koľko činí v Ks. Príslušnú sumu v Ks odpíše zo zálohy, ktorú ministerstvo financií na tento účet zloží prevodom zo svojho šekového účtu č. 44 na šekový účet poštovej sporiteľne č. 88. Poštová sporiteľňa by zároveň oznamovala každodenne – ak by boli poukazy každodenne – číslovanými účtovacími listami, koľko bolo zo zloženej zálohy vyplatené a aký je jej zostatok. Aby poštová sporiteľňa sama odpisovala každodenne priamo vyplatené sumy zo šekového účtu ministerstva financií, nebolo by želateľné z kontrolných dôvodov, keďže poštová sporiteľňa nesmie disponovať bez príkazu sumami na šekových účtoch a nemôže mať dispozičné tlačivá k šekovým účtom.
Ak by sme sa chceli vyhnúť zloženiu tejto zálohy, prichádzala by do úvahy táto alternatíva:
Slovenská národná banka by posielala výkazy o zložených sumách, ktoré by z Nemecka dostala, napred ministerstvu financií. To by si úhrnnú čiastku v ríšskych markách poznačilo ako svoju pohľadávku na separátnom účte. Potom by prepočítalo úhrnnú poukázanú sumu na Ks, čo by pri stanovenom kurze bolo jednoduché. Na úhrnné sumy v Ks by vyhotovovalo prevodné príkazy, ktorými by tieto sumy prevádzalo na šekový účet poštovej sporiteľne č. 88; príslušné šekové výplatné lístky by poštová sporiteľňa ministerstvu financií (Ústrednej štátnej pokladnici) dodala. Zároveň s prevodným príkazom zaslalo by ministerstvo financií poštovej sporiteľni všetky doklady, z ktorých by bolo vidieť koľko, kto a pre koho zložil. Poštová sporiteľňa by ihneď previedla výplatu poukázaných peňazí adresátom ako pri prvej alternatíve.
Druhá alternatíva by mala tiež tú výhodu, že ministerstvo financií by si viedlo samo priamo spomenutý separátny účet a malo by promptný prehľad o jeho stave, čo by bolo dôležité pri honorovaní štátnych dodávok z Nemecka, o ktorých presnú evidenciu si beztak môže viesť len samo ministerstvo financií. Považujeme preto túto druhú alternatívu za účelnejšiu.
Poštová sporiteľňa by za vyplácanie poukazov počítala nižšie poplatky, ako normálne počíta, a to s ohľadom na stály kurz 1:9. Zároveň by ovšem bolo treba rozhodnúť, či by mala z poukázaných čiastok zrážať a odvádzať poplatky pre Slovenskú národnú banku a v akej výške. V tom smere žiada o udelenie pokynov."

15

1939, 7. júl. Bratislava. – Prípis ministerstva vnútra SNB vo veci meškania transferovaných miezd slovenských robotníkov z Nemecka.

Odpis
Ministerstvo vnútra

Čís. 100-17.755/9-1939   V Bratislave, dňa 7. júla 1939

Robotníci v Nemecku – poukazovanie
úspor do vlasti.

Slovenská národná banka
v Bratislave.

Robotníci pracujúci v Nemecku sa sťažujú, že úspory, ktoré poukazujú svojim rodinám do vlasti, nie sú vyplácané včas a že ich rodiny musia čakať na výplatu dlhú dobu vzdor tomu, že sú existenčne a svojou výživou na tieto úspory odkázané.[1] Rodiny týchto robotníkov sú takto vystavené núdzi a hladovaniu, čo veľmi znepokojuje robotníkov a núti ich, aby sa predčasne vracali do vlasti, alebo ich zvádza k určitej nespokojnosti pri práci a voči zamestnávateľovi.

Dľa telefonických informácií obdržaných v Slovenskej národnej banke príčinou oneskorenej výplaty týchto úspor je jednak oneskorené uvoľnenie zálohy 20 mil. Ks ministerstvom financií a jednak technické ťažkosti u Poštovej sporiteľne. Naproti tomu dľa telefonických informácií od Poštovej sporiteľne príčinou oneskorených výplat je údajne oneskorené zasielanie robotníckych poukazov Slovenskou národnou bankou Poštovej sporiteľni.

Žiadame o láskavé sdelenie, čo je vlastne príčinou oneskorených výplat týchto robotníckych úspor. Súčasne žiadame, aby boli urobené všetky opatrenia k bezodkladným výplatám robotníckych úspor jak v prítomnosti, tak v budúcnosti, aby výživa rodín nebola ohrozená.

Opis tohoto prípisu zasielame súčasne ministerstvu financií a Poštovej sporiteľni

Za ministra:
Dr. Bezák v. r.

Ministerstvu financií
v Bratislave

na vedomie so žiadosťou o sdelenie, čo je príčinou oneskorených výplat robotníckych úspor a so žiadosťou, aby všetky prekážky výplat boli bezodkladne odstránené.

Za ministra:
Dr. Bezák v. r.

SNA, f. MF 1939-1945, inv. č. 26, š. 121. Kópia, strojopis, 1 strana.

---

1 Porovnaj dokument 14.

16

1939, 21. august. Bratislava. – Prípis predsedníctva vlády vo veci transferu miezd slovenských pracovných síl zamestnaných v Nemecku. Zvýšenie sadzieb.

<u>Predsedníctvo vlády v Bratislave</u>

Číslo: 8382/39   V Bratislave dňa 21. augusta 1939

Predmet: Poukazovanie robotníckych
           úspor z Nemecka do vlasti –
           zvýšenie limitu.

Všetkým ministerstvám a Slovenskej Národnej banke
v Bratislave.

Na návrh ministerstva vnútra zo dňa 18. augusta 1939 číslo 100-18.951/9-1939[1] vláda v schôdzi dňa 21. augusta 1939 sa uzniesla na nasledovnom:

1./ Vláda poveruje ministerstvo zahraničných vecí a Slovenskú Národnú banku, aby s príslušnými činiteľmi v Nemecku v najkratšej dobe vyjednali zvýšenie všetkých robotníckych úspor poukazovateľných z Nemecka na územie Slovenského štátu najmenej o 50 % to jest

pre priemyselných robotníkov najmenej	RM 60
pre poľnohospodárskych robot. sezónnych najmenej	RM 45
pre poľnohospodársku čeľaď najmenej	RM 38.

Súčasne nech je ujednané zvýšenie obnosu RM 10 na RM 30, ktorý možno v minciach previesť pre osobnú potrebu pri prechode cez hranicu, pričom majú byť robotníci upozornení, že tieto mince budú zameňované za nižší kurz.

2./ Vláda súhlasí s tým, aby ministerstvo vnútra povolilo ďalšie najímanie takých robotníkov do Nemecka pre ktorých nemožno zabezpečiť na území Slovenského štátu, ani poľnohospodársku, ani inú prácu, poťažne takých robotníkov, ktorí nebudú potrební pre práce akéhokoľvek druhu vo vlasti.

Uznesenie vlády zo dňa 13. júna 1939 intimované predsedníctvom vlády dňa 14. júla 1939[2] číslo 5.557/V-1939 zostáva i naďalej nezmenené – mimo bodu 5. – v platnosti.

Za predsedu vlády: Dr. Koso [v. r.]

SNA, f. ÚPV, š. 95, 3166/1944. Originál, strojopis, 1 strana.

---

1 Návrh nepublikujeme. Pozri SNA, f. ÚPV, š. 95, 3166/1944.
2 Pozri dokument 12.

17

1939, 27. september. Bratislava. – Memorandum vedenia Slovenského kresťansko--sociálneho odborového združenia MZV, týkajúce sa žiadostí slovenských poľnohospodárskych robotníkov v Nemecku.

Ústredie Slovenského kresťansko-sociálneho odborového združenia,
Bratislava, Ul. Štefana Raneyssa 3.

Titl.   Bratislava, 27. septembra 1939
                                                     Dnes! Lehota 4. X. 1939

Ministerstvo zahraničných vecí
Slovenskej republiky
v Bratislave.

Na[d]väzujúc na naše podanie, predložené Vám cestou ministerstva vnútra zo dňa 17. júla 1939[1] dovoľujeme si naše podanie doplniť nasledovné:
Dňa 24. septembra 1939 usporiadali sme vo Viedni poradu robotníckych gazdov slovenského sezónneho poľnohospodárskeho robotníctva z okolia Viedne. Tejto pracovnej porady zúčastnilo sa asi 1000 zástupcov 5600 robotníkov, teda takmer jednej šestiny slovenského poľnohospodárskeho robotníctva v Nemecku.
Sťažnosti a požiadavky robotníkov je možné zhrnúť do nasledovných hlavných bodov:
1./ Posielanie zárobkov rodinám na Slovensko a tvorenie rezervy na zimné obdobie.
2./ Neplatenie hodín cez čas, keďže na naše robotníctvo sa vzťahuje pracovný a platový zákon nemecký.
3./ Zníženie prideľovaného deputátu a poskytovanie náhrady v peniazoch.
4./ Úprava pracovnej doby pre robotníka u hospodárov na roveň robotníkov na statkoch.
5./ Ujasnenie otázky plnenia odvodovej a vojenskej služby.[2]
Sdeľujúc toto slávnemu ministerstvu zahraničných vecí, žiadame úctivo, aby jednané bolo s príslušnými nemeckými a slovenskými úradmi a prevedené boli nasledovné naše návrhy.
1. Posielanie zárobkov
Povolením nemeckých devízových úradov zvýšila sa mesačná kvóta z Rm 30 na Rm 45[3] alebo z Ks 270 na Ks 405 za sezónu na Rm 270, resp. na Ks 2 430. Počítajúc však pomerne malú rodinu 4 osoby na jedného poľnohospodárskeho robotníka, z výše uvedenej čiastky Ks 405 môže si rodina ponechať na zimné mesiace maximálne Ks 150 teda na celú zimu Ks 900. Je samozrejmé, že čiastka táto nedostačuje ani našim príslovečne skromným, poľnohospodárskym robotníkom.
Žiadame preto úctivo, aby pre naše robotníctvo tak isto ako je povolené pre robotníctvo z Maďarska, Itálie a Juhoslávie, povolené bolo poslať domov Rm 450 za sezónu (Ks 4 050) a to tým skôr, keďže Slovensko dnes stojí pevnejšie po boku Nemecka, nežli národy iné. Povolením tejto čiastky by bolo najskromnejšie o rodiny sezónnych poľnohospodárskych robotníkov postarané. (Ostalo by na zimné mesiace ca Ks 2 500 asi Ks 400 mesačne).
Riešenie, ktoré s najlepším úmyslom zaviedlo ministerstvo financií Slovenskej republiky, i keď mu za toto vyslovujeme našu vďaku, nepokladáme z hľadiska štátneho hospodárstva za najvhodnejšie a to z nasledovných dôvodov:
Ministerstvo financií povolilo pre naše robotníctvo zamestnané v Nemecku bezcolný dovoz potrieb do čiastky Ks 5 000 na osobu teda pre 50 000 robotníkov Ks 250 000 000.

Vzhľadom na už povolené zvýšenie posielania zárobkov ríšskymi úradmi na Rm 270 a pri event. povolení na Rm 450 by sa povolená, resp. predpokladaná čiastka Ks 5 000 na robotníka, znížila na Ks 2 000 teda úhrnom na Ks 100 000 000. Pri dovoze, vzhľadom na mimoriadne pomery válečné, kedy nie je možné potraviny doviesť, prichádzajú v úvahu: bicykle, motocykle a šijacie stroje, okrem niektorých potrieb menšieho významu. Keď počítame, že 50 % robotníkov by tieto predmety muselo odpredať pod rukou, isto by tu nastala strata u robotníkov z čiastky Ks 50 000 000 ca 30%-ná teda Ks 15 000 000, hospodársky zničených by bolo ca 200 obchodníkov [s] týmito potrebami na Slovensku a štát by prišiel na cle a na daniach o ca Ks 7 500 000. Okrem toho by sa na vývoznej listine nemeckej táto vývozná čiastka Ks 50 000 000 v náš neprospech oproti Nemecku neobjavila. I keď by nemecké úrady toto za vývoz pokladali môže sa toto prejaviť u nich len ako obchod domáci, keďže vyše uvedené potreby by boli zakúpené v drobnom obchode domácom.

Dovoľujeme si preto navrhnúť, aby cestou Obchodnej komory a to v lehote najkratšej zistené bolo, že aká bola za posledné 3 roky priemerná ročná spotreba bicyklov, motocyklov a šijacích strojov u obchodníkov [s] týmito potrebami na Slovensku a potom za čiastku Ks 50 000 000 zakúpené boli tieto predmety v Nemecku a účty uhradené z účtu zárobkov nášho robotníctva v Nemecku. Je samozrejmé, že na tieto predmety by boli ponechané doterajšie clá, avšak pri dovoze týchto predmetov z iných štátov bola by primeraná colná prirážka.

Ako stavovskí a parlamentní zástupcovia robotníctva, ktorého národohospodársky význam len v malej miere naše podanie pripomína, osobujeme si právo s majetkom tohoto robotníctva hospodáriť tak, aby sa predišlo stratám a preto navrhujeme, aby pre výše uvedené predmety boli slovenským obchodníkom pridelené Rm za cenu akú platí Nemecko našim robotníkom teda Rm za Ks 9. Predpokladáme, že v Nemecku je Rm vždy Rm. Prevedením tohoto nášho návrhu predišlo by sa stratám robotníkov o Ks 15 000 000, stratám štátu o Ks 7 500 000, stratám obchodníkov taktiež Ks 5 000 000 – spolu Ks 27 500 000. Pretože na pohľad javí sa tento výpočet nepravdepodobný dovoľujeme si názorne uviesť nasledovný príklad:

Robotník kúpi si bicykel za Rm 100 teda za Ks 900 doma ho predá pod rukou za Ks 600 javí sa strata Ks 300 u robotníka, Ks 100 u obchodníka, Ks 100 štátu na cle. Keď tento bicykel bude kúpený priamo v továrni za cenu vo veľkom a pre vývoz bude jeho cena ca RM 70 teda 70 x 9 = Ks 630 k tomu clo Ks 100 zisk obchodníka Ks 100 – spolu Ks 830. Kupujúci síce zaplatí väčšiu čiastku ale má ručenie, že vadný materiál bude mu bezplatne nahradený, ďalej nebude ubitý obchod [s] týmito predmetmi a štát okrem cla obdrží príslušné dane (zárobkovú, obratovú a dôchodkovú).

V prípade, že by obchodníci nemohli túto čiastku v čase do konca novembra zložiť v Ks mohli by byť vydané na vyplatenie robotníkom ich zárobkov začiatkom decembra (aby sa predišlo rozmnožovaniu obeživa) pokladničné poukážky 6 mesačne, ktoré by sa prenajímaním tovaru postupne splácali. Predpokladáme, že výše uvedené predmety v najbližších dvoch rokoch cenove nepoklesnú a preto môžu obchodníci tieto zakúpiť na pevno už dnes.

Venujúc čo najväčšiu pozornosť poľnohospodárskemu robotníctvu v cudzine, nemôžeme si nepovšimnúť robotníctva domáceho a preto žiadame, aby pri výplate peňazí posielaných robotníkmi z cudziny bolo z každej Rm zrazené Ks 0,10 a táto čiastka poukazovaná bola na účet „Prémie domáceho poľnohospodárskeho robotníctva" do Roľníckej vzájomnej pokladnice v Bratislave. Z týchto peňazí by boli udelené prémie poľnohospodárskym robotníkom, ktorí pracovali na Slovensku, pretože ich zárobky sú o veľa menšie, nežli zárobky robotníkov v cudzine.

Uvažujúc rozumne, priznávame, že naši poľnohospodári nemôžu platiť robotníkov v takej výške ako hospodári v Nemecku, chceme preto pre robotníkov, ktorí pracovali na Slovensku zaistiť zvláštne odstupňované prémie a tak zaistiť poľnohospodárske robotníctvo pre náš štát v budúcom roku.

Pri povoľovaní Rm obchodníkom á Ks 9 by sa ku každej RM dala prirážka Ks 0,30.

Pri tejto príležitosti dovoľujeme si žiadať, aby nám bolo presne sdelené, či robotníctvo, ktoré je v Nemecku zamestnané od apríla a nemohlo posiať peniaze poslať domov, bude môcť celú čiastku poslať domov naraz, alebo či musí dodržovať mesačné kvóty. Takýchto robotníkov je viac, ktorým zamestnávatelia len v tieto dni vrátili peniaze, ktoré hodlali poslať domov už začiatkom augusta a to s poukazom na to, že nemecké devízové úrady odobranie peňazí odmietli.

Dovoľujeme si žiadať úctivo o skoré vybavenie tohoto úseku našej žiadosti, aby sme robotníctvo v Nemecku mohli upozorniť, aby ďalšie predmety v Nemecku nekupovalo a predišlo tak stratám. Robotníkov, ktorí si už predmety zakúpili vyzveme, aby si od obecného úradu ich terajšieho pobytu vyžiadali potvrdenie, že bicykel, alebo iný predmet zakúpili si už pred 1. októbrom 1939 a týmto dokladom sa pri prechode hraníc našim colným úradom preukázali.

2. Neplatenie hodín cez čas.

Podľa nariadenia nemeckej vlády počínajúc dňom 1. IX. 1939 prestávajú sa vyššie honorovať pracovné hodiny cez čas. Pretože na naše robotníctvo sa vzťahujú pracovné a platové zákony nemecké, vzťahuje sa i bezplatná nadpráca na nich. Ostáva však otázka, či naši robotníci mravne, štátne resp. národne sú povinní ako príslušníci iného národa a štátu prinášať tie isté obete, ako robotníci domáci.

Chápeme, že nie je možné a dobre mysliteľné, aby slovenské robotníctvo malo na základe honorovania hodín cez čas – vyššie platy resp. zárobky, ako robotníctvo domáce, ale nie sme vstave uznať, že by naše robotníctvo, od ktorého sa bude vyžadovať, aby prispelo hmotne na vybudovanie Slovenskej republiky, malo pracovať na ten istý účel na dvoch miestach.

Dovoľujeme si preto žiadať úctivo, aby jednané bolo s vládou nemeckou, aby za hodiny, ktoré robotníctvo pracuje nad zmluvou stanovený čas, boli ako dosiaľ honorované, avšak peniaz tento nebol vyplatený robotníctvu[,] ale priamo Národnej banke Slovenskej a to ako príspevok slovenského robotníctva v Nemecku na zlatý poklad Slovenskej republiky.

Keď skromne odhadneme, že za mesiac september a október 1939 pracovať bude každý robotník len 40 hodín nad stanovený pracovný čas, pri odmene Ks 2,50 na hodinu vychádza čiastka Ks 100 na robotníka na 36 000 poľnohospodárskych robotníkov Ks 3 600 000 pri všetkých slovenských robotníkov v Nemecku ca Ks 5 000 000. I keď táto čiastka nie je svetoborná, nutné je uvážiť, že robotníctvo, ktoré je t. č. zamestnané v Nemecku si bude vedomé občianskych povinností a vedomé, že minimálnu čiastku týchto povinností už začína plniť.

3. Zníženie deputátu.

Zavedením prideľovania potravín občianstvu v Nemecku postavení boli naši robotníci pred prenikavé zníženie prideľovaného deputátu, určeného na jeho stravovanie. Správy robotníctva sú veľmi rozdielne a to najmä pri múke, kde čiastka hovorí o 250 gr a čiastka 750 gr. Aby sa predišlo nedorozumeniam a nespokojnosti robotníctva, dovoľujeme si žiadať úctivo, aby táto otázka čo najskôr prejednaná bola s príslušnými úradmi v Nemecku a za naše robotníctvo nech sú stanovené kvóty najvyššie, ako za ťažko pracujúcich.

Rozdiel v naturáliách povstalý medzi zmluvou a skutočne t. č. prideľovaných naturálií, nech je robotníctvu podľa doterajšieho spôsobu uhradený v hotovosti a to za bežné tržné ceny a takto získané hotovosti nech sú povolené previesť na Slovensko nad stanovenú čiastku Rm 450. Čiastka, ktorá bude za deputát zvlášť na základe zníženia získaná, nech je určitým obnosom v Rm maximalizovaná a jej prevod na Slovensko pre všetkých robotníkov povolený. Poznamenávame, že ušetrený deputát si robotníctvo vozievalo domov, ako čiastku zárobku. Keďže t. č. to nie je možné, je treba umožniť robotníctvu, aby si tieto potraviny mohlo zakúpiť doma.

4. Ustálenie pracovnej doby u maloroľníkov.

Ojedinelé sú sťažnosti robotníctva, že menší hospodári, u ktorých sú naši robotníci zamestnaní po 1-2 osobách nedodržujú zmluvou ujednanú pracovnú dobu 11 hodinovú, ale nechávajú robotníctvo za denný plat pracovať 12 a viac hodín. Prosíme, aby zamestnávatelia boli upozornení cestou krajských úradov práce v Nemecku, že pracovné zmluvy sú záväzné pre obe strany.

Na toto dovoľujeme si upozorniť len preto, aby sa z pokusov nestalo pravidlo a nebolo takto naše robotníctvo o ca 10% platu ukrátené, resp. potreba našich poľnohospodárskych robotníkov pre Nemecko o 10% znížená.

5. Vojenská služba.

Pri rozhovoroch vyskytlo sa veľmi mnoho dotazov ohľadom plnenia vojenskej povinnosti ako aj dostavenia sa k odvodu.

Prosíme, aby ministerstvo národnej obrany vydalo generálne nariadenie, že kedy budú odvody pre robotníkov t. č. v Nemecku sa nachádzajúcich prevedené a kde, resp. do ktorej doby sa musia odvodu povinní na Slovensku k odvodu dostaviť.

Podľa predbežných odhadov budú všetky poľné práce začiatkom novembra ukončené a robotníctvo sa bude vracať hromadne do vlasti. V prípade, že odvodu povinný musel by sa dostaviť k odvodu začiatkom októbra, musel by svoj pracovný pomer prerušiť a po odvode nemohol by sa pre eventuálnu vzdialenosť a pre značné cestovné náklady do svojho pracovného pôsobiska vrátiť, ostal by na Slovensku niekoľko (3–4) týždňov bez práce a ušlý zárobok by mu pri nastúpení vojenskej služby určite chyboval.

Poznamenávame, že medzi poľnohospodárskym robotníctvom ešte vždy platí porekadlo že „kto nebol vojakom, není chlapom" a že robotníci nechcú vojenskej povinnosti uhýbať a dotazy boli robené skôr z obavy, aby takto predišli event. nepríjemnostiam, keďže im bolo povedané (kým? jedni tvrdia, že nemeckými úradmi, iní tvrdia, že zamestnávateľmi), že pokiaľ sú v Nemecku zamestnaní na sezónu nemusia sa pod uplynutím zmluvy k odvodom hlásiť.

6. Jednanie o pracovných zmluvách na rok 1940, zahájenie.

Sledujúc pozorne dnešný stav, dovoľujeme si žiadať úctivo, aby započaté bolo s Nemeckom jednanie o dodávaní poľnohospodárskeho robotníctva na rok 1940 a stanovená bola čím skôr príslušná kvóta.

Tento náš návrh dovoľujeme si odôvodniť tým, že zabraním Poľska a získaním veľkého počtu poľských válečných zajatcov, hrozí nám nebezpečie, že bude týmito silami naše robotníctvo z pracovného trhu nemeckého vylúčené.

Sdelujúc toto slávnemu ministerstvu prosíme, aby v budúcnosti pri jednaní o zmluvách boli k týmto jednaniam povolaní odboroví zástupcovia robotníctva a takto sa predišlo dlhým a ťažkým jednaniam dodatočným a nespokojnosti robotníctva.

Toto naše podanie dovoľujeme si zaslať v odpise s pripojením odpisu nášho podania zo dňa 17. júla 1939:

a/ Ministerstvu hospodárstva Slovenskej republiky
b/ Ministerstvu financií Slovenskej republiky
c/ Ministerstvu vnútra Slovenskej republiky
d/ Ministerstvu národnej obrany Slovenskej republiky
e/ Generálnemu sekretariátu Hlinkovej slovenskej ľudovej strany
f/ Národnej banke slovenskej

g/ Poštovej sporiteľni slovenskej
h/ Obchodnej a priemyselnej komore
i/ Slovenskému úradu práce pre poľnohospodárske robotníctvo a
j/ Krajinskému úradu práce v Bratislave.

S úctivou žiadosťou, aby titl. úrady svoje pripomienky zaslali najneskôr do 4. októbra 1939 priamo ministerstvu zahraničných vecí v origináli a v odpise nášmu Ústrediu, aby sme event. nedorozumenia v najkratšom čase mohli odstrániť.

Ďakujúc za prajné vybavenie našej úctivej žiadosti slávnemu ministerstvu zahraničných vecí ako aj pod a/ až j/ uvedeným úradom a ústavom už vopred, podpisujeme sa

S prejavom hlbokej úcty za:
Ústredie Slovenského kresťansko-sociálneho odborového združenia,
Bratislava, Raneyssová č.3.
Ján Mora, poslanec S.S.[4] – ústredný tajomník.

ANBS, f. SNB, š. 34. Originál, strojopis, 9 strán.

1 Dokument sme nemali k dispozícii.
2 Po vstupe SR do vojny proti Poľsku po boku Nemecka slovenské orgány nariadili obmedzenie odchodu robotníkov do ríše z dôvodu povolávania záloh. Túto otázku upravovalo nariadenie MV z 13. 9. 1939: *„Ministerstvo vnútra oddelenie pre sociálnu starostlivosť po dohode s ministerstvom národnej obrany v Bratislave v dôsledku mimoriadneho povolávania zálohy zastavilo prepúšťanie na prácu do Nemecka tých osôb so Slovenska, ktoré sú narodené v rokoch 1900-1919 a sú záložníkmi. Osoby, ktoré môžu byť prepustené na prácu do Nemecka potrebujú okrem riadnych cestovných dokladov do cudziny aj naďalej potvrdenie ministerstva vnútra a obvyklé potvrdenie krajinského úradu práce. O tom upovedomujem p. prednostov výšuvedených úradov so žiadosťou, aby upozornili príslušných pohraničných kontrolných orgánov, že vojenské osoby, narodené v r. 1900-1919 ako aj tie, ktoré sa nevykážu uvedenými dokladmi, nesmú prepustiť cez hranice na práce do Nemecka."* (SNA, f. MF, inv. č. 26, š. 121.)
3 Pozri dokumenty 12 a 16.
4 Slovenský snem.

18
1939, 8. december. Berlín. – Dohoda medzi Nemeckou ríšou a Slovenskou republikou o nábore slovenských pracovných síl do Nemecka a Protektorátu Čecha a Morava.

Zápisnica.
V čase od 4. do 8. decembra 1939 konali sa porady medzi zástupcami nemeckej vlády a vlády slovenskej o najímaní a zmluvnom zaväzovaní slovenských robotníkov.
Týchto porád sa zúčastnili:
zo strany nemeckej:
Hetzell, ministerský radca v ríšskom ministerstve práce,
Dr. Bargheer, hlavný vládny radca v ríšskom ministerstve práce,
Dr. Kaestner, vládny radca v ríšskom ministerstve práce,
Schmilinsky, hlavný vládny radca v ríšskom ministerstve práce,
Rödiger, legačný radca v zahraničnom úrade,
Dr. Brendler, hlavný vládny radca v ríšskom ministerstve výživy a poľnohospodárstva,
Laumann, assessor v ríšskom ministerstve hospodárstva,
zo strany slovenskej:
Dr. Anton Bezák, odborový prednosta slovenského ministerstva vnútra,
J. Schwarz, legačný attaché Slovenského vyslanectva v Berlíne.

I.

Jednania boli vedené s výhradou schválenia oboch vlád priloženého ujednania o „Nemecko-slovenskej dohode o slovenských robotníkoch".

II.

1./ Dohodnuté bolo, že slovenskí robotníci môžu byť v rámci dohody na prácu do Nemecka najímaní len potiaľ, pokiaľ prevod zárobkových úspor im môže byť umožnený.

2./ Zo slovenskej strany sa kladie dôraz na to, aby poľnohospodárske stále robotníctvo, poľnohospodárska čeľaď, bola, pokiaľ je to možné, zamestnávaná len v Ostmarku[1] a v strednom Nemecku. Zo strany nemeckej sa prehlasuje, že podľa možností bude tejto žiadosti vyhovené.

3./ Zo slovenskej strany bolo vyslovené želanie na ochranu robotníctva, zamestnaného podľa tejto dohody v Nemecku, vysielať obmedzený počet povereníkov. Z nemeckej strany sa s týmto prejavuje súhlas s podmienkou, že ochrana bude prevádzaná v najužšej súčinnosti s príslušnými nemeckými úradmi.

4./ Na dotaz slovenskej strany bolo zo strany nemeckej prehlásené, že slovenské sezónne poľnohospodárske robotníctvo a hospodárska čeľaď nebudú prispievať na ríšsky vyživovací stav.

5./ Slovenská strana prejavuje súhlas s tým, že na dosiahnutie daňových výhod potrebné potvrdenia – podľa pripojeného vzoru – dá svojimi úradmi vyhotoviť.

6./ Pre uľahčenie prevodu zárobkových úspor vydajú príslušné slovenské úrady každému robotníkovi, ktorý bude ich cestou najatý – pokiaľ možno strojom písaný – osobný list podľa pripojeného vzoru.

7./ Zhodné sú názory o tom, že toho času v platnosti súce pracovné zmluvy ostávajú až do skončenia zmluvného pomeru v platnosti.

8./ Nemecká strana vyhradzuje si sdeliť, že akým spôsobom budú môcť byť – podľa tejto dohody najatým robotníkom – poskytnuté pasové uľahčenia.

9./ Rozšírenie tejto dohody na Protektorát Čechy a Morava bude z nemeckej strany vzaté do úvahy.

Tento odpis s prílohami bude dvojmo v prvopise v nemeckej reči vyhotovený; vyhotovenie v reči slovenskej ostáva vyhradené.

Berlín, 8. decembra 1939

Za nemeckú delegáciu:
Hetzell v. r.

Za slovenskú delegáciu:
Dr. Štefan Polyak v. r.

[Príloha]

Berlín, 8. decembra 1939

Dňa 8. decembra bola porada medzi zástupcami ríšskeho ministra práce a zástupcami Slovenskej vlády. Tejto porady sa zúčastnili:
Zo strany nemeckej:
Ministerský riaditeľ ríšskeho ministerstva práce
Dr. Beisiegel,
Prednosta oddelenia ministerský radca
Dr. Zschucke a
ministerský radca
Dr. Wiedemann.
Zo slovenskej strany :

Odborový prednosta Dr. Bezák,
legačný attaché Schwarz.
Predmetom jednania bola príprava dohody o starostlivosti o nezamestnaných z jedného štátu na území štátu druhého.

Bolo zistené, že slovenskí štátni príslušníci v Nemecku a nemeckí ríšski príslušníci na Slovensku sú, v nárokoch a povinnostiach pri podpore v nezamestnanosti vlastným štátnym príslušníkom na roveň postavení.

Ďalej sa predpokladá, že príslušník jedného štátu, ktorý získal nároky na dávky v podpore v nezamestnanosti druhého štátu, keď sa zdržuje v čase nezamestnanosti vo vlastnom štáte, obdrží práve tak dávky, ako by bol nárok na tieto získal vo vlastnom štáte.

Zástupcovia Slovenskej vlády poukazujú na to, že všetci tí slovenskí štátni príslušníci, ktorí sú v čase od 1. júla 1939 do 30. júna 1940 v Nemecku v priemysle zamestnaní, takmer všetci sa po skončení pracovného pomeru vrátia na Slovensko, kde však ako sa dá predvídať len po dlhšom čase nájdu prácu. Keď ostanú v Nemecku bude na nich pripadajúce podpory znášať ríšska základina pre včlenenie do práce. Podľa toho javí sa lacnejším, keď Nemecko dá Slovensku určitý príspevok na výdavky, ktoré po návrate jeho štátnych príslušníkov, mu dávkami na podporách v nezamestnanosti vzniknú. Zástupcovia Slovenskej vlády pri ich požiadavkách vychádzajú z toho, že okrúhle 30 000 slovenských štátnych príslušníkov podliehajúcich príspevkovej povinnosti, je t. č. v Nemecku zamestnaných.

Zástupcovia ríšskeho ministerstva práce poukazujú však na to, že z tohoto počtu, ktorý môže byť hodnotený majú byť odpočítaní tí, ktorí sa navrátia v období, v ktorom ich rýchle umiestnenie je i na Slovensku možné alebo tí, ktorí z iných dôvodov nemusia byť podporovaní, ďalej tí, ktorí v Nemecku ostanú, ako aj tí, ktorí len pomerne krátky čas v Nemecku pracovali. Do úvahy prichádzajú teda ako navratívší sa asi 17 000 robotníkov, ktorí najmenej 39 týždňov v Nemecku príspevky platili. Pre týchto robotníkov treba brať v úvahu, že musia byť priemerne RM 1 za pracovný deň po 36 pracovných dní na Slovensku podporovaní.

Podľa toho pripadá na každého do úvahy prichádzajúceho slovenského robotníka úhrnná čiastka RM.-, pre celé horeuvedené číslo, teda čiastka okrúhle RM 600 000.

Zástupcovia slovenskej vlády prosia, aby od podrobností bolo odhliadnuté, lebo ich registračný systém je ešte len v začiatočnom vývine a podrobne bude môcť byť vedený len pre robotníkov, pre ktorých po uplynutí tohoto bežného roku nová zmluva je zamýšľaná. S ohľadom na to, že na Slovensku bude musieť byť založený podporný fond pre nezamestnaných, ktorého financovanie robí ťažkosti, prosia páni ďalej, aby čiastka RM 600 000 v 6 mesačných čiastkach, počínajúc dňom 1. januára 1940, bez preukazu o odchode jednotlivých robotníkov bola daná k dispozícii.

Z nemeckej strany budú tieto návrhy prijaté a s urýchlením písomným osvedčením, v súčinnosti s ostatnými zúčastnenými ríšskymi rezortmi a s výhradou možnosti transferu vybavené.

Dr. Beisiegel v. r.   Dr. Bezák v. r.

[Príloha 2]

Nemecko-slovenská dohoda o slovenských robotníkoch.

I.

Slovenská vláda vyhlasuje, že je uzrozumená s tým, aby slovenský robotníci na Slovensku boli najímaní a sprostredkovaní k zamestnávaniu do poľnohospodárskych a priemyselných podnikov v Nemecku.

II.

Zaväzovanie robotníkov sa uskutoční podľa pripojených zmlúv pre poľnohospodárske sezónne robotníctvo, pre poľnohospodárske stále robotníctvo a pre nie – poľnohospodárskych robotníkov. Všetky zmeny týchto pracovných zmlúv budú Slovenskej vláde sdelené. Pred dôležitejšími zmenami v neprospech robotníctva, bude Slovenskej vláde včas daná možnosť k zaujatiu stanoviska. Ríšsky minister práce je ochotný predmetom Slovenskej vlády k zmenám pracovných zmlúv vyjsť v ústrety.

Slovenské úrady budú vplývať na robotníkov, aby podmienky pracovných zmlúv dodržiavali. Robotníci, ktorí porušia zmluvy, nemajú byť v budúcnosti na prácu do Nemecka sprostredkovaní.

III.

Pri najímaní a zaväzovaní robotníkov pôsobia z nemeckej strany poverenci ríšskeho ministerstva práce, so slovenskej strany slovenským ministerstvom vnútra splnomocnené úrady a ustanovizne.

IV.

Potreby jednotlivých zamestnávateľov budú príslušnými nemeckými úradmi slovenskému ministerstvu vnútra oznámené.

Zamestnávateľom alebo na základe jeho plnej moci nemeckými úradmi podpísané zmluvy budú štvormo menovanému ministerstvu predkladané. Ak sú zmluvy podpísané zamestnávateľom budú príslušným nemeckým úradom úradnou pečaťou a podpisom opatrené.

Slovenské ministerstvo vnútra odpošle zmluvy s najväčším urýchlením ním povereným úradom a ustanovizniam. Tieto pripravia robotníctvo; nemeckí poverenci najmú robotníkov z počtu pripravených robotníkov. Meno, priezvisko ako aj domovská obec robotníka majú byť do zmluvy pojaté. Robotníci majú byť o obsahu zmluvy podrobne poučení a zmluvy majú vlastnoručne podpísať. Uzavretie zmluvy bude príslušným slovenským úradom podpisom a úradnou pečaťou potvrdené.

Z úplne vyhotovených zmlúv obdržia po 1 exemplári príslušné nemecké úrady, príslušné slovenské úrady, zamestnávateľ a robotník.

V.

Z oboch strán nech je dbané, aby najímanie, sprostredkovanie a zaväzovanie slovenských robotných síl dialo sa len v rámci tejto dohody.

VI.

Na základe tejto dohody najatým robotníkom budú slovenskými úradmi vydané jednotlivo cestovné pasy. Slovenské úrady budú pôsobiť k tomu, aby výdavky (dávky, poplatky) za vystavovanie týchto cestovných pasom boli čo najnižšie.

VII.

Príslušné slovenské úrady nechajú robotníkov úradnými lekármi pred odchodom z domovskej obce lekársky prehliadnuť a prípadne zaštepiť. Pri lekárskej prehliadke nech je pokračované podľa pripojených direktív.[2]

VIII.

Slovenské úrady sa postarajú o včasný odchod zaviazaných robotníkov a čas odcestovania ohlásia príslušnému nemeckému úradu. Príslušný nemecký úrad prevezme robotníkov na slovenských hraniciach.

IX.

Príslušný nemecký úrad poukáže za každého najatého robotníka sprostredkovací poplatok (incl. poplatku za lekársku prehliadku) Ks 25 príslušnému slovenskému úradu. Tento poplatok nesmie byť účtovaný na ťarchu robotníka.

X.

Slovenskí robotníci v Nemeckej ríši – pokiaľ ide o pracovné podmienky, incl. pracovného súdnictva, ochrany práce, sociálneho poistenia a verejnej starostlivosti – sú zásadne na roveň postavení robotníkom nemeckým.

XI.

Nemecká vláda sa postará, aby ubytovanie slovenských robotníkov bolo mravne a zdravotne nezávadné.

XII.

Slovenským robotníkom budú zrážané len zákonom predpísané zrážky zo mzdy. Pre zrážky na daň zo mzdy sú pre slovenských robotníkov smerodajné toho času užívané medzištátne zmluvy o zabránení dvojitému zdaneniu.

XIII.

Každá zmena pôvodného sprostredkovania slovenských robotníkov bude nemeckými úradmi práce príslušným slovenským úradom oznámená. Úrady práce sa budú snažiť robotníkov, v prípade predčasného zrušenia ich pracovnej zmluvy, nezavineného robotníkom u iného zamestnávateľa umiestniť dľa možnosti za stejných podmienok a aspoň na čas platnosti doterajšej zmluvy.

XIV.

Pre nemocenské poistenie rodinných príslušníkov robotníkov, pokiaľ títo rodinní príslušníci ostali na území Slovenského štátu, platí dohoda uzavretá medzi Slovenskou Ústrednou sociálnou poisťovňou v Bratislave a Ríšskymi zväzmi nemeckých nemocenských poisťovní. Pre starobné a úrazové poistenie slovenských robotníkov bude používaná až do uzavretia zvláštnej dohody Nemecko-Česko-slovenská zmluva o sociálnom poistení z 21. marca 1931.[3]

XV.

Prevod mzdových úspor slovenských robotníkov a otázky, ktoré s poistením nezamestnaných zo zamestnávania slovenských robotníkov v Nemecku povstanú budú upravené zvlášť.

XVI.

Táto dohoda platí až do 31. decembra 1940 a mlčky sa predlžuje vždy o jeden rok, keď nebude najneskôr dňa 1. októbra pred koncom kalendárneho roku vypovedaná.

Berlín, 8. decembra 1939.

Za nemeckú delegáciu:
Hetzell v. r.

Za slovenskú delegáciu:
Dr. Štefan Polyak v. r.
predseda a splnomocnený minister:
Dr. Bezák v. r.
J. Schwarz v. r.

SNA, f. ÚPV, š. 95, 3166/1944. Cyklostyl, strojopis, 10 strán.

1 Rakúsko po „anšluse".
2 Smernice nepublikujeme.
3 Pozri Sbírka zákonů a nařízení státu Československého č. 209/1933 – úmluva mezi republikou Československou a říší Německou o sociálním pojištění z 21. 3. 1931.

19

1939, 21. december. Bez uvedenia miesta [Berlín]. – Návrhy legačného ataše slovenského vyslanectva v Berlín vo veci zlepšenia ochrany záujmov slovenských pracovných síl zamestnaných na území Nemeckej ríše a Protektorátu Čechy a Morava.

9984/39   21. decembra 1939
Návrh koncip. pol. správy Jozefa Schwarza
o ochrane slovenských robotníkov v Nemecku
Sch/B

Ministerstvu zahraničných vecí
v Bratislave

Väčšia čiastka slovenského zemedelského robotníctva zamestnaného tohoto roku v Nemecku sa vrátila domov. Zo Slovenska na prácach v Nemecku bolo dohromady do 70 000 ľudí. Časť zemedelského robotníctva na zimu sa umiestnila v továrňach a pri stavbách, tak že v Nemecku na zimu s priemyslovým robotníctvom, s čeľaďou sa týmito bývalými zemedelskými sezónnymi robotníkmi ostáva okolo 35 000 ľudí.

Odhliadnuc od počiatočných ťažkostí (miestne pomery, neznalosť reči, nezvyklá strava, ale hlavne ťažkosti so zasielaním peňazí[1]), väčšina ľudí je ako tak spokojná so svojou prácou a so zárobkom.

Celkom nedostatočná bola však ochrana našich ľudí. Nakoľko jej význam nebol dostatočne docenený, dovolil by som si zo skúsenosti podotknúť, že starostlivosť o našich robotníkov je jednak pre nich, jednak pre štát sám veľmi dôležitá a nutná a za žiadnych okolností nesmie byť budúcne, tak nedostačujúca, ako uplynulého roku.

Jeden úradník pridelený vyslanectvu v Berlíne, na túto prácu nestačí a obmedzené možnosti viedenského konzulátu neznamenajú v pomere k potrebe skoro nič.

Postavenie nášho robotníka v mnohých prípadoch nie je závideniahodné. Má starosť, oprávnenú sťažnosť a pod., obracia sa všade, ale hlavne na svoj zastupiteľský úrad o radu, o skorú pomoc, o návštevu. Keď vidí, že úrady najmä zastupiteľský, nereaguje zavčasu na jeho volanie, alebo vôbec nereaguje na jeho oprávnené žiadosti (to nie je ani možné pri toľkej práci, priemerne je vyše 20 robotníkov za deň na vyslanectve o radu a pomoc) časť bezradne opustí prácu; roztrpčení robia výčitky vláde, že sa o nich dostatočne nestará, šomre na nemecké pomery a podobne. Keď niet obživy pre týchto ľudí doma, treba im uľahčiť ich položenie v cudzine.

Je nutné zriadiť v Nemecku systematickú a dostačujúcu ochranu slovenského robotníctva z našej strany. Pomoc nemeckých úradov máme zaistenú.

Taliani, Bulhari, Maďari a Juhoslovania ačkoľvek majú menej robotníkov v Nemecku, majú riadne vybudovanú túto ochranu svojich robotníkov, majú celú sieť úradníctva ako i duchovných.[2]

Len pri návštevách sa vidí pravý stav vecí a dá sa najviac pre našich ľudí urobiť. Jednak naši ľudia vidia, že sa o nich naša vláda stará a jednak vo väčšine prípadov sa dá hneď na mieste zjednať náprava.

Je nutné, aby aspoň raz za dva mesiace bola každá skupina, alebo jednotlivec navštívený. K tomu treba však ľudí.

Dovolil by som si navrhnúť ako minimum prideliť vyslanectvu v Berlíne niekoľkých úradníkov, ktorí by tvorili akýsi ochranný úrad pre slovenské robotníctvo v Nemecku tzv. „Betreuungsstelle für slowakische Arbeiter". Túto Betreuungsstelle, ktorá sa môže priamo obracať na nemecké úrady, viedol by vyšší úradník. Betreuungsstelle je pre celú Ríšu a sprostredkuje styk s úradmi, najmä s Reichsarbeitsministeriumom. U Talianov vedením tejto agendy, je poverený soc. attaché veľvyslanectva.

Vedúci úradník vedie úrad, sprostredkuje styk s úradmi, vybavuje jak stránky tak i korešpondenciu. Má pridelených pre vnútornú službu ešte dvoch úradníkov, a to pre prijímanie stránok, vybavovanie korešpondencie, nutnú návštevu miesta, skupiny, alebo jednotlivca. Pre vonkajšiu službu má pridelených ešte troch úradníkov, ktorí majú za úkol systematickú kontrolu a návštevu našich ľudí. Berlínska Betreuungsstelle má pôsobnosť pre tzv. staré Nemecko[3] a Vých. Prusy.

Pre obvod viedenského konzulátu navrhoval by som prideliť dvoch ľudí k vnútornej a dvoch ľudí k vonkajšej službe.

Pre obvod pražského generálneho konzulátu, ktorému ev. môže byť pripojený Sudetenland,[4] navrhoval by som prideliť jedného úradníka pre vnútornú a dvoch pre vonkajšiu službu.

Pre duchovnú starostlivosť navrhoval by som pre Berlín troch kňazov, pre Viedeň a Prahu po dvoch kňazoch.

Pridelení úradníci nemusia mať ani stredoškolského vzdelania a nemusia byť ani štát. úradníkmi (môžu byť vypožičaní zo Sekretariátu, Propagandy a pod.). Stačí, aby ovládali nemeckú reč a mali nejaký vzťah k sociálnej práci a aby boli hlavne svedomití.

Ako úhradu pre výdavky s dosadením týchto úradníkov (platy, cestovné trovy) dovolil by som si navrhnúť časť peňazí, ktoré obdrží Slovensko od nemeckých úradov, ako manipulačný poplatok za každého najatého robotníka. Tento manipulačný poplatok robil na rok 1939 Ks 5 za jednu najatú osobu. Na môj návrh presadili sme s pánom drom Bezákom, prednostom 9. odd. ministerstva vnútra, pri uzavretí „dohody medzi slovenskou a nemeckou vládou o sprostredkovaní slovenských robotníkov na práce, v Nemeckom ríšskom území" v Berlíne" v dňoch 4. – 8. decembra 39,[5] že nemecké úrady na rok 1940 zaplatia za každého jedného najatého robotníka na Slovensku Ks 25. Z tohoto obnosu príde asi 4 – 5 Ks na lekársku prehliadku, ktorú prehliadku prevedú slovenské úrady. V dohode s min. vnútra 9 odd. dala by sa časť týchto peňazí použiť na úhradu predloženého návrhu.

Prosil by som ministerstvo zahraničných vecí predložený návrh podporovať.

Jozef Schwarz [v. r.]
koncip. polit. správy

SNA, f. ÚPV, š. 95, 3671/1944. Originál, strojopis, 2 strany.

1 Pozri dokumenty 15 a 17.
2 Pozri dokument 22.
3 Nemecky Altreich – Nemecko v hraniciach spred marca 1938.
4 Sudety.
5 Pozri dokument 18.

20

1940, 13. január. Bratislava. – Prípis MV ministerstvu hospodárstva a ministerstvu dopravy a verejných prác, týkajúci sa počtu naverbovaných a zamestnaných slovenských pracovných síl v Nemeckej ríši v roku 1939 a stanovenia počtu na rok 1940.

Ministerstvo vnútra
Číslo: 4662/ IVa-1940   Bratislava, dňa 13. januára 1940

Slovenské robotníctvo do Nemecka –
najímanie. Zaistenie domácej potreby.

1./ Ministerstvu dopravy a verejných prác,
2./ Ministerstvu hospodárstva
v Bratislave.

Ministerstvo vnútra pripravuje najímanie slovenských robotníkov na práce do Nemecka v roku 1940 a to podľa dohody uzavretej v dňoch 2. – 8. XII. 1939 v Berlíne[1] a schválenej slovenskou vládou dňa 10. I. 1940.[2] Aby toto najímanie sa mohlo konať so zreteľom na domácu potrebu pracovných síl, žiadame Vás o záväzné sdelenie nasledovných dát aspoň v zaokrúhlených číslach.

1./ počet robotníkov, zamestnaných na prácach, prevádzaných Vaším rezortom v r. 1939, približnú dobu zamestnávania a priemerné mzdy, a

2./ počet robotníkov, ktorých budete zamestnávať na prácach Vaším rezortom prevádzaných v r. 1940, približnú dobu zamestnávania a priemerné mzdy.

Slovenský úrad práce pre poľnohospodárske robotníctvo súčasne žiadam, aby urobil obdobné opatrenie ohľadom poľnohospodárskeho robotníctva.

Upozorňuje sa, že v r. 1939 bolo na prácu do Nemecka najatých /zaokrúhlene/:
a/ na práce poľnohospodárske   40 000 osôb,
b/ na práce priemyselne (investičné) stavebné, priemyselné práce, atď. 23 000 osôb
c/ okrem toho odišlo bez povolenia do Nemecka a tam pracovalo asi   <u>15 000 osôb</u>
spolu zaokrúhlene   68 000 osôb.

Pre rok 1940 má byť na práce do Nemecka najatých – po zistení skutočného počtu slovenských robotníkov ostavších v Nemecku – maximálne 53 000 osôb,[3] inclusive tam už sa nachádzajúcich robotníkov zo Slovenska.

Žiadame preto, aby nám záväzná odpoveď bola daná <u>do 1. februára 1940,</u> aby sme Vašu potrebu pracovných síl mohli zaistiť. Po započatí najímania začiatkom februára 1940 nebude už možné Vaše požiadavky vziať do úvahy.

V prípade, že termín <u>1. februára 1940</u> nebude dodržaný bude ministerstvo vnútra nútené rozhodovať podľa vlastnej úvahy a so zreteľom k počtu nezamestnaných robotníkov na Slovensku.

V odpise posielame:
1./ Kancelárii prezidenta republiky,
2./ Predsedníctvu vlády,
3./ Ministerstvu zahraničných vecí,
4./ Ministerstvu financií,
5./ Slovenskej národnej banke,
6./ Úradu práce pre poľnohospodárske robotníctvo,
7./ Krajinskému úradu práce,
8./ Ústrediu slovenského kresťansko-sociálneho odborového sdruženia a

9./ Deutsche Gewerkschaft v Bratislave, Kamenné nám. č.5.

Za ministra:
Dr. Bezák v. r.

Za správnosť vyhotovenia:
Prednosta výpravne:

SNA, f. ÚPV, š. 95, 3166/1944. Cyklostyl, strojopis, 2 strany.

1 Pozri dokument 18.
2 Pozri SNA, f. ÚPV, š. 95, 3166/1944. Schválenie malo potvrdiť MZV vo forme verbálnej nóty adresovanej nemeckému vyslanectvu.
3 Počet 53 000 robotníkov bol dohodnutý na 2. zasadnutí spoločných vládnych výborov, tiež zvýšenie dobropisu na krytie miezd na 135 miliónov Ks a ustálené príjmy na prevod 30 – 60 RM. Pozri PA AA, Gesandtschaft Preßburg, Paket 207, W 2 Nr. 1a.

21

1940, 5. február. Bratislava. – Verbálna nóta nemeckého vyslanectva adresovaná MZV vo veci náboru slovenských pracovných síl do Nemecka a dodržiavania ustanovení o vojnovom hospodárstve.

Konzept.[1]

Aktenz. R 4, Nr. 2   Eilt sehr!
Nr. 502/1940
1 Durchdruck

Verbalnote.

Die Deutsche Gesandtschaft beehrt sich dem Ministerium des Äussern der Slowakei mitzuteilen, dass die Deutsche Regierung dem Ergebnis der deutsch-slowakischen Verhandlungen vom 4. – 8. Dezember 1939 in Berlin über die Anwerbung und Verpflichtung slowakischer Arbeitskräfte, wie in Niederschrift vom 8./XII. v. J. niedergelegt worden ist,[2] zugestimmt hat.

Sie erlaubt sich hierbei zu bemerken, dass die slowakischen Vertreter bei den Verhandlungen darauf hingewiesen worden sind und anerkannt haben, dass die für die deutschen Arbeiter geltenden Bestimmungen der Gesetze für die Kriegswirtschaft auch auf slowakische Arbeiter anzuwenden sind.

Die Deutsche Gesandtschaft gestattet sich, die Slowakische Regierung hiervon zu verständigen mit der Bitte, ihre Zustimmung zu der getroffenen Vereinbarung erklären zu wollen. Sie wäre dem Ministerium des Äussern der Slowakei dankbar, wenn ihr baldmöglichst die zustimmende Erklärung bekannt gegeben werden könnte.[3]

Pressburg, den 5. Februar 1940.

An das
Ministerium des Äussern
der Slowakei
in Bratislava.

PA AA, Gesandtschaft Preßburg, Paket 75, R 4 Nr. 2, Band I. Kópia, strojopis, 1 strana.

1 Nóta bola MZV odoslaná 6. 2. 1940.
2 Pozri dokument 18.

3 MZV odpovedalo nemeckému vyslanectvu na nótu až 1. 6. 1940: *„Das slowakische Innenministerium teilt dem hiesigen Ministerium des Äusseren mit, dass die in der Verbalnote der Deutschen Gesandtschaft angeführten Verhandlungen durch die Slowakische Regierung <u>bereits am 11. I. 1940 gutgeheissen worden sind.</u>"* (Pozri SNA, f. ÚPV, š. 95, 3166/1944)
„Im Interesse der in Deutschland arbeitenden slowakischen Arbeiterschaft wäre es zweckmässing, den Absatz der Verbalnote, der das Gesetz über die Wehrwirtschaft betrifft, <u>näher zu erklären,</u> damit eventuelle Missverständnisse ausgeschlossen werden." (PA AA, Gesandtschaft Preßburg, Paket 75, R 4 Nr. 2, Band I)

22
1940, 18. marec. Bratislava. – Prípis Generálneho sekretariátu HSĽS slovenskému konzulátu vo Viedni, týkajúci sa pridelenia duchovných k jednotlivým robotníckym kolóniám v Nemeckej ríši.

Hlinkova slovenská ľudová strana
(Strana slovenskej národnej jednoty)
Generálny sekretariát

Čís. jed. 5469/40. G/P.   Bratislava, 18. marca 1940

Predmet: Štatistika slov. robotn. v Nemecku.

P.T.
Generálny konzulát Slovenskej republiky
vo Viedni.

Slovutný pán konzul![1]

Jeho Excelencia osvietený pán biskup spišský Ján VOJTAŠŠÁK obrátil sa na nás, aby sme Vás požiadali o štatistiku robotníctva slovenského v Nemecku. Pán biskup chce poslať do Nemecka kňazov,[2] ale aby tak urobiť mohol, musí vedieť, kde a koľko je slovenských robotníkov. Ide menovite o väčšie centrá.
Keď Vás o toto úctivo prosím, značím sa v úcte a oddanosti.

Na stráž!
ústredný tajomník
Kirschbaum [v. r.]

SNA, f. MZV, š. 974, bez čísla. Originál, strojopis, 1 strana.

1 Rudolf Vávra.
2 Otázka vyslania kňazov do Nemecka za účelom pastoračnej činnosti sa riešila už v roku 1939. Po súhlase ríšskeho ministra pre cirkevné záležitosti mal k 15. 12. 1939 vycestovať do Nemecka kňaz Jozef Pavčík zo Spišskej diecézy, do kompetencie ktorej patrila duchovná správa slovenských pracovných síl v ríši. (BArch Berlín, R 5101/24044. Prípis ríšskeho ministra pre cirkevné záležitosti berlínskemu biskupovi z 18. 8. 1939.) J. Pavčík pôsobil spočiatku v okolí Drážďan. Neskôr vystriedal Augustína Novajovského, ktorý mal na starosti robotnícke enklávy v Eisenerzi a Loebene v Štajersku. Okrem nich bol do Horného Rakúska (Linec) pridelený farár Ján Slivka. (SNA, f. MZV, š. 974. Prípisy biskupského úradu v Spišskej Kapitule viedenskému konzulátu z 25. 4. a 18. 10. 1940.)

116

23

1940, 11. apríl. Bratislava. – Záznam prednostu oddelenia IVa ministerstva vnútra A. Bezáka, určený pre ministra vnútra F. Ďurčanského, vo veci možných dôsledkov nedodržania dohody o pracovných silách z 8. 12. 1939.

Ministerstvo vnútra

Číslo 61498/IV/a-1940   V Bratislave, dňa 11. apríla 1940

Predmet: Zastavenie najímania slovenského robotníctva do cudziny.[1]

Odvolávajúc sa na dnešný rozhovor v záležitosti zastavenia najímania robotníctva do Nemecka,[2] držím za svoju povinnosť svoje upozornenie k tomuto opatreniu podať aj písomne.

K veci dovoľujem si hlásiť nasledovné:

Pri rokovaniach s Nemeckom v dňoch 4. – 8. XII. 1939 v Berlíne mali [sme] ujednať dohodu o umiestnení prebytočného slovenského robotníctva. Podľa presných prepočtov na medziministerskej porade došlo sa k cifre 60 000 osôb, ktoré by mohlo Slovensko v Nemecku umiestniť a pre ktorých by sa na Slovensku veľmi ťažko práca hľadala a to či už z dôvodov nedostatočného vybavenia našich technických úradov, alebo z nedostatočnej zamestnanosti nášho priemyslu na Slovensku, ako aj preto, že strediská, kde sme umiestňovali najväčší počet poľnohospodárskeho robotníctva, nám odpadli. Po rozhovore s p. guvernérom Slovenskej národnej banky dohodli sme sa, že do Nemecka môže Slovensko dodať ešte 25 – 30 000 robotníkov, pretože počet robotníctva, ktorý ostal v Nemecku sa odhadoval tiež na 25 – 30 000 osôb a preto sme stanovili počet robotníctva na 53 000 s tým, že v prípade nutnosti pôjdeme na 55 000 osôb. Počet max. 53 000 osôb bol tiež do dohody slovensko-nemeckej dňa 8. decembra 1939 pojatý.

Táto dohoda so všetkými protokolmi bola predložená vláde Slovenskej republiky na schválenie a bola uznesením ministerskej rady dňa 10. januára 1940 schválená. Nemecká vláda tiež túto dohodu schválila, čo bolo verbálnou nótou nemeckého vyslanectva v Bratislave nášmu ministerstvu zahraničných vecí oznámené.

Podpísaný je toho názoru, že keď sme sa zmluvne zaviazali robotníctvo 53 000 osôb dodať, je našou povinnosťou záväzok aspoň približne dodržať a to tým skôr, keď vykazujeme 55 000 nezamestnaných a robotníctvo domáha sa práce, ktorú mu dnes ani zajtra dať nemôžeme a plné rozprúdenie investičných prác si vyžiada určitú dobu. Nedodržanie zmluvy môže mať ďalekosiahle následky politické i hospodárske. Nemecko si to môže vykladať ako čin nie priateľský. Medzi robotníctvom – najmä poľnohospodárskym – vzbudí tento počin nespokojnosť, pretože zamestnávatelia robotníctvo upovedomili, že zmluvy pre rok 1940 boli už schválené a zaslané úradom práce na Slovensku na vybavenie a robotníctvo je už prostredníctvom robotníckych gazdov na cestu pripravované. Situáciu zhoršuje aj okolnosť, že investičné práce ešte ani dobre nezačali a taktiež nejdú robotníci do Protektorátu, kde ich bolo v minulom roku vyše 12 000.

Taktiež nepovažujem za vhodné, aby všetko poľnohospodárske robotníctvo bolo takto prevychované na investičné robotníctvo, lebo títo sa len ťažko vracajú k poľnohospodárskej práci a v budúcnosti ich nebudeme môcť nikde umiestniť.

Poukazujem na vyše uvedené a prosím o pokyny čo máme oznámiť zástupcom ríšskeho ministerstva práce (asi 14 úradníkov), ktorí sú práve teraz v Bratislave a po úradoch práce na Slovensku prítomní, kde podľa zmluvy spolupôsobia pri najímaní a zaväzovaní robotníctva, aby to vzali na vedomie a išli domov.

Teraz máme nevybavených zmlúv na 18 000 poľnohospodárskych robotníkov, ktoré sú rozposlané po Slovensku.

Prednosta odd. IV/a

Pánu
ministrovi vnútra Slovenskej republiky
Dr. Ferdinandovi Ďurčanskému
v Bratislave

SNA, f. MV, š. 1249, 61496/1940. Kópia, strojopis, 3 strany.

---

1 A. Bezák vyhotovil 15. 4. 1940 k uzneseniu vlády príslušný prípis s nasledovným obsahom: *„Podľa uznesenia vlády Slovenskej republiky zo dňa 10. apríla 1940 zastavujem s okamžitou platnosťou všetko ďalšie najímanie robotníctva do cudziny. Robotníctvo, ktoré bolo do doručenia tohoto výnosu najaté a zaviazané, môže ešte prácu v cudzine nastúpiť.*
Úrady práce pre poľnohospodárske robotníctvo a okresné (mestské) verejné sprostredkovateľne práce oznámia obratom pošty svojim ústredným úradom počet robotníctva, ktoré bolo v roku 1940 – do doručenia tohoto výnosu – najaté a zaviazané a nech uvedú počet robotníctva na odchod pripraveného.
Nevybavené zmluvy, rozposlané na podriadené Vám úrady si od týchto vyžiadajte a ponechajte si ich až do ďalšej úpravy u Vášho úradu. "

2 A. Bezák z rozhovoru vyhotovil nasledovný záznam: *„Dnes 11. apríla 1940 povolal podpísaného prednostu odd. IV.a p. minister vnútra a sdelil mu, že podľa uznesenia vlády zo dňa 10. apríla 1940 sa všetko ďalšie najímanie robotníctva do cudziny zastavuje. Ako dôvod bolo uvedené, že robotníctvo musí byť zamestnané doma, kde sa potrebná práca zaobstará.*
Na námietky podpísaného, že sme sa zmluvne zaviazali Nemecku dodať 53 000 robotníkov a že na tento počet robotníctva sú pracovné zmluvy dodané, resp. pripravené, pán minister sdelil, že uznesenie vlády musí byť prevedené. V ďalšom poukázal podpísaný na to, že robotníctvo sa domáha práce, ktorú mu na Slovensku teraz dať nemôžeme, pretože žiadne verejné práce nie sú natoľko pripravené, aby mohli byť prevádzané a že vykazujeme vyše 50 000 nezamestnaných, ďalej že zmluva s Nemeckom bola ako vládou Slovenskej republiky tak i vládou Nemeckej ríše schválená a jej nedodržanie môže mať za následok ďaleko siahajúce následky politické a hospodárske (Nemecko si môže to vykladať ako čin nie priateľský); okrem nespokojnosti robotníctva, najmä poľnohospodárskeho, ktoré bolo od zamestnávateľov upovedomené, že pracovné zmluvy sú už schválené a zaslané úradom práce na Slovensku na vybavenie.
Keďže pán minister trval na prevedení uznesenia vlády, podpísaný predložil p. ministrovi k podpisu výnos, ktorým sa ďalšie najímanie zastavuje (č. j.../IV/a/40) ako aj svoje pripomienky podal ešte raz pod. č. j. ... písomne. " Pozri tiež dokument 24.

24

1940, 19. apríl. Bratislava. – Telegram nemeckého vyslanectva Zahraničnému úradu, týkajúci sa rozhodnutia slovenskej vlády neprekročiť zmluvne stanovený kontingent slovenských pracovných síl.

Telegramm
(Geh. Ch. V.)

Bratislava, den 19. April 1940 – 14.15 Uhr
Ankunft: den 19. April 1940 – 20.00 Uhr

Nr. 103 v. 19. 4.
Citissime!

Auf Grund slowakischen Ministerratsbeschlusses vom 10. April,[1] gleichzeitig mit Verhandlungen der beiden Regierungsausschüsse in Berlin, anordnete Innenminister mit Wirkung vom 15. April trotz Fehlens 20 000 Arbeiter von vereinbarter Zahl von 53 000 sofortige Einstellung jeder weiteren Werbung für Deutschland.

Bei Rücksprache mit Außenminister erklärt dieser, Beschluß Ministerrats sei wegen eigenen Bedarfs an Arbeitern erfolgt.[2] Protokoll vom 8. Dezember spreche nur von „höchstens" 53 000, Verpflichtung der Slowakischen Regierung zur Zulassung dieser Höchstzahl bestehe nicht. 33 000 befinden sich bereits in Deutschland, 3 000 bereits angeworbene liefen noch, weitere 5 000 gäbe Außenminister auf eigene Verantwortung frei. Ministerrat werde am 24. April weiteren Beschluß fassen, ob restliche 12 000 Landarbeiter freigegeben werden.[3] Verweigerung weiterer Arbeitertransporte bedeutet Gefährdung der Ernährung und damit wehrwirtschaftliche Vorsorgen, besonders in Ostmark.

Erbitte Weisung möglichst vor Ministersitzung am Mittwoch, insbesondere hinsichtlich slowakischer Auslegung Dezembervereinbarung.[4]

Bernard

BArch Berlín, R 901/111277. Cyklostyl, strojopis, 1 strana.

1 SNA, f. ÚPV, š. 95, 3166/1944. Pozri tiež dokument 23.
2 Vyslanec H. Bernard k rozhovoru s F. Ďurčanským vo vyhotovenom zázname uviedol: *„ Minister Durčansky nahm mir gegenüber am 18. 4. – 13 Uhr – folgende Stellungnahme ein: Nach den ihm mitgeteilten Zahlen wären bereits 35 – 40 000 Arbeiter in Deutschland. 18 000 weitere wären angeworben, so dass die Zahl von 53 000 bereits überschritten sei. Der Ministerrat habe daraufhin ihn angewiesen, die weitere Anwerbung zu stoppen, da die Arbeitskräfte benötigt würden. Ich erwiderte dem Minister, dass wir uns darüber im Klaren seien, dass Anwerbungen über die Zahl von 53 000 hinaus einer zwischenstaatlichen Regelung bedürften. Uns käme es darauf an, dass die fehlenden 18 – 20 000 Arbeiter sofort nach Deutschland kämen, wo sie in der Landwirtschaft dringendst benötigt würden. Von den vereinbarten 26 000 landwirtschaftlichen Arbeitern seien erst etwas mehr als 6 000 in Deutschland. Minister Durčansky versprach mir, sich sofort zu unterrichten und mir Bescheid zu geben. "* (PA AA, Gesandtschaft Preßburg, Paket 208, W 2 S 1a, Band I. Bernardov záznam pre E. Geberta z 18. 4. 1940.) V ten istý deň večer dal F. Ďurčanský pokyn, aby úrady práce nasledujúci deň sprostredkovali prácu ďalším 8 000 poľnohospodárskym robotníkom. (PA AA, Gesandtschaft Preßburg, Paket 208, W 2 S 1a, Band I. Gebertov záznam pre H. Bernarda z 18. 4. 1940; tiež SNA, f. MV, š. 1255, 85597/1940.)
3 Vláda sa na tomto zasadnutí uzniesla, *„ aby nad počet 36 000 slovenských robotníkov bolo odoslaných ďalších 5 000 robotníkov do Nemecka, tento počet však nesmie byť prekročený. "* (SNA, f. ÚPV, š. 95, 3166/1944.) O štyri dni neskôr bola slovenská strana ochotná uvoľniť 12 000 pracovných síl pod podmienkou, že im bude garantované vyplácanie miezd. PA AA, Gesandtschaft Preßburg, Paket 208, W 2 S 1a, Band I. Gebertov záznam z 26. 4. 1940.) Nemecká strana súhlasila a slovenská vláda na zasadnutí 30. 4. povolila odoslanie dohodnutého počtu robotníkov do Nemecka. (SNA, f. ÚPV, š. 95, 3166/1944.) Pozri tiež dokument 31.
4 Zahraničný úrad zaslal 23. 4. 1940 vyslanectvu nasledovnú inštrukciu: *„Nach Fühlungnahme mit Ressorts wird gebeten, ohne näheres Eingehen auf Auslegung Dezember-Vereinbarung zu betonen, daß restliche 12 000 dringend gewünscht werden. "* (BArch Berlín, R 901/111277. Morathov telegram bratislavskému vyslanectvu z 23. 4. 1940)

25

1940, 24. apríl. Praha. – Prípis protektorátnej vlády úradu ríšskeho protektora vo veci náboru slovenských poľnohospodárskych robotníkov do Protektorátu Čechy a Morava.

13345/3551/40/Ko   24. April 40

Arbeiter aus der Slowakei für landwirtschaftliche
Arbeiten im Protektorat Böhmen und Mähren
für das Jahr 1940   <u>Sehr dringend!</u>

An das Amt
des Herrn Reichsprotektors
in Böhmen und Mähren

in Prag.

Das Ministerratspräsidium beehrt sich das Amt des Herrn Reichsprotektors auf die Angelegenheit der Heranziehung von Arbeitern aus der Slowakei nach Böhmen und Mähren für die bevorstehenden landwirtschaftlichen Arbeiten aufmerksam zu machen, welche Angelegenheit das Ministerium für Landwirtschaft für sehr dringen erachtet.

Das Ministerium für Landwirtschaft hat bereits im Oktober 1939 angeregt, dass im Jahre 1940 für die landwirtschaftliche Erzeugung im Protektorate Böhmen und Mähren die notwendigen Arbeitskräfte aus der Slowakei sichergestellt werden. Mit den Schreiben vom 7. November 1939, Zl. 76 385/II B/1939, vom 20. November 1939, Zl. 78 365/II B/1939, vom 16. Dezember 1939, Zl. 88 857/II B/1939, und mit den Memoranden des Ministers für Landwirtschaft vom 27. Februar 1940, Zl. 17 921/II B/1940, und vom 22. März 1940, Zl. 27 173/II B/1940, wurde auch das Amt des Herrn Reichsprotektors – Gruppe VIII (Landwirtschaft) – auf die Dringlichkeit dieser Frage aufmerksam gemacht. Abschriften dieser Schriftstücke werden beigelegt.

Soweit hier bekannt ist, haben die Verhandlungen des Reichsarbeitsministeriums mit der slowakischen Regierung bis zum heutigen Tage zu keinem positiven Ergebnis geführt und es kann mit der Arbeitsvermittlungsaktion bisher nicht begonnen werden. Dadurch sind der landwirtschaftlichen Erzeugung auf dem Gebiete des Protektorates Böhmen und Mähren, die auf die eingearbeitete slowakische Arbeiterschaft angewiesen ist, sehr grosse Schwierigkeiten erwachsen, weil die Feldarbeiten bei günstiger Witterung bereits im vollen Gange sind, und die Landwirte sind begreiflicherweise durch die Unsicherheit sehr beunruhigt, ob sie die notwendigen Arbeitskräfte haben werden und wie sie daraufhin ihren landwirtschaftlichen Anbauplan gestalten sollen.

Durch jede weitere Verzögerung – und heute entscheidet bereits jeder einzelne Tag – erwächst die Gefahr unersetzbarer Wirtschaftsverluste, was mit Rücksicht auf die Notwendigkeit der Sicherstellung der Ernährung der Bevölkerung namentlich in der heutigen ernsten Zeit auf jede Art hintangehalten werden muss. In der Slowakei warten die Gruppen der Saisonarbeiter mit ihren Gazden (Gruppenleitern) zumeist bereits vorbereitet, und es ist selbstverständlich, dass sie sich – falls sie nicht ehestens auf das Gebiet des Protektorates zur Arbeit abreisen können – insbesondere auf verschiedene Investitionsarbeiten zersplittern, die derzeit im Frühjahr an verschiedenen Orten aufgenommen worden sind.

Es handelt sich um eine grosse Zahl landwirtschaftlicher Arbeiter (man rechnet mit der Ankunft von ungefähr 12 000 Saisonarbeitern aus der Slowakei und einer kleineren Zahl von Gesinde),[1] die durch heimische Kräfte nicht ersetzt werden können. Deshalb kann das Ministerium für Landwirtschaft, das im Bereiche seines Ressorts alle Mittel rechtzeitig angewendet hat, die zum Ziel führen könnten, bereits heute nicht mehr für eine weitere Entwicklung der Dinge verantwortlich gemacht werden, namentlich nicht für die allfälligen unersetzbaren landwirtschaftlichen Schäden, die durch jeden weiteren Verzug entstehen werden.

Da es sich um eine Frage von ganz ausserordentlicher Bedeutung im dringenden öffentlichen Interesse, d. i. um das Gelingen der begonnenen landwirtschaftlichen Erzeugungsschlacht handelt (es wird besonderes Gewicht auf die Erhöhung des Rübenanbaues um 25% gelegt, unsere Arbeiter beherrschen die mit dem Be(…)[2] und Behandlung der Rübe verbundenen Feldarbeiten zum grossen Teile überhaupt nicht oder haben sie bereits vergessen, so dass namentlich in dieser Richtung die slowakischen Arbeiter unersetzlich sind), beehrt sich das Ministerratspräsidium das Amt des Herrn Reichsprotektors um wirksame Intervention und um Fürsprache an geeigneter Stelle zu ersuchen, damit diese dringende und für die Sicherstellung der Verpflegung wichtige Frage unverzüglich gelöst werde.

Das Ministerpräsidium dankt dem Amt des Herrn Reichsprotektors bereits im voraus ergebenst für die erwiesene Unterstützung und das Entgegenkommen in dieser so wichtigen und dringenden Angelegenheit.[3]

Für den Vorsitzenden
der Regierung:

SNA, f. AKP Praha, š. 23, sign. A 1281/43. Kópia, strojopis, 3 strany.

1 Slovenská vláda sa na zasadnutí 8. 5. 1940 uzniesla na vyslaní 5 000 sezónnych robotníkov do Protektorátu Čechy a Morava. (SNA, f. ÚPV, š. 95, 3166/1944.)
2 Zvyšná časť slova je nečitateľná.
3 Pozri dokument 29.

26

1940, 25. apríl. Bratislava. – Prípis ministerstva vnútra Krajinskému úradu práce vo veci zvýšenia kontingentu pracovných síl do Nemecka.

Ministerstvo vnútra

Čís. 70.455/IV-a/1940.   V Bratislave, dňa 25. apríla 1940

Predmet: Slovenskí robotníci v Nemecku, najímanie v r. 1940,
                stanovenie kontingentu na 41 000 osôb.

Krajinskému úradu práce
Slovenskému úradu práce pre hospodárske robotníctvo
v Bratislave.

Dodatkom k tunajšiemu výnosu zo dňa 18. IV. 1940 č. j. 70.445/IV-a/1940 sdeľujem, že kontingent slovenského robotníctva pre Nemecko na rok 1940 bol stanovený na 41 000 osôb.[1] Vzhľadom na to, že podľa správ došlých od nemeckých úradov prostredníctvom Slovenského vyslanectva v Berlíne nachádzalo sa v Nemecku ku dňu 6. I. 1940

priemysel. robotníkov	20 424
poľnohosp. robotníkov	3 600
spolu	24 024 osôb.

K tomu príde ešte:

Priemyselné robotníctvo najaté a odposlané v r. 1940	5 500 osôb.
Poľnohosp. robotníctvo najaté do 15. apríla 1940	9 313 osôb
Spolu	38 837 osôb
Ostáva ešte najať	2 163 osôb
Spolu	41 000 osôb.

Sdeľujúc Vám toto žiadame, aby vládou stanovený počet robotníctva nebol za žiadnych okolností prekročený a robíme za správne prevedenie tohoto výnosu pp. prednostov úradov práce osobne zodpovednými.

Všetky doterajšie výnosy, ktoré by prítomnému nariadeniu odporovali, týmto zrušujeme.

Za ministra:

SNA, f. MV, š. 1255, 85597/1940. Kópia, strojopis, 1 strana.

1 Pozri dokumenty 23 a 24.

27

1940, 26. apríl. Bratislava. – Sťažnosť Franza Karmasina predsedovi vlády V. Tukovi vo veci údajného obchádzania príslušníkov nemeckej národnosti pri nábore pracovných síl do Nemecka.

Der Führer der Deutschen Volksgruppe
in der Slowakei   Pressburg, am 26. April 1940
                                                                                              F/P.

An den
Herrn Ministerpräsidenten Dr. Adalbert Tuka,
Pressburg.

Hochgeehrter Herr Ministerpräsident!

In einer dringenden Sache muss ich mich abermals an Sie, hochgeehrter Herr Ministerpräsident, wenden. Das Deutsch Probener-Kremnitzer Gebiet ist, wie bekannt, ein ausgesprochenes Wanderarbeitergebiet.[1] In der tschechoslowakischen Zeit hatten wir ausserordentliche Schwierigkeiten, weil die Leiter der Arbeitsämter nachgewiesen parteipolitisch vorgingen[2] und unsere Leute immer benachteiligten. Es war ein wirklicher Leidensweg, den unsere Leute durchzumachen hatten. Wir waren glücklich, dass wir im Vorjahr erstmalig mit Hilfe der slowakischen Regierung unseren Leuten wirklich restlos helfen konnten.[3]

Sie werden, hochgeehrter Herr Ministerpräsident, sicher auch zur Kenntnis genommen haben, dass die Kameraden des Deutsch Proben-Kremnitzer Gebietes diszipliniert waren, dass von dort keine Klagen kamen, ja ich konnte kürzlich die Feststellung machen, dass gerade im Gajdler[4] Notariat der Steuereingang 95% beträgt. Ein wohl einzig dastehendes Ergebnis.

In den letzten Tagen haben sich bei der Arbeiterwerbung Schwierigkeiten ergeben. Ich will nicht im Augenblick das Vorgehen des Leiters des Neutrauer Arbeitsamtes einer scharfen Kritik unterziehen, weil mir nicht daran liegt, Schwierigkeiten zu machen, sondern weil ich meinen Leuten helfen will. Ich will daher nur die allgemeine Feststellung machen, dass in den letzten Tagen die Anwerbung der deutschen Arbeiter zweimal eingestellt, dann auf kurze Zeit wieder begonnen und nunmehr wieder eingestellt worden ist.[5]

2 000 Kameraden und Kameradinnen, die immer, selbst zur Zeit schärfster tschechischer Unterdrückung, im Reiche auf Arbeit waren, scheinen von einem Einsatz ausgeschlossen zu sein.

Meine Amtswalter berichten, dass sie nur mit Mühe eine geplante Demonstration in Prievidza verhindern konnten,[6] mit dem Hinweis darauf, dass dadurch eine Intervention erschwert würde.

Auf die Dauer aber kann ich, hochgeehrter Herr Ministerpräsident, die Garantie für diese Leute, die ja nur von ihrer Arbeit in Deutschland leben, keinerlei Rücklagen machen und daher auf diese Arbeit angewiesen sind, nicht übernehmen.

Ich bitte Sie dringend, hochgeehrter Herr Ministerpräsident, tunlichst auf telegraphischen oder telefonischen Wege dem Neutraer Arbeitsamt Weisung erteilen zu lassen, den deutschen Arbeitern den Weg zu ihrem Arbeitsplatze nicht zu versperren.[7]
Ich betone nochmals, dass meine Kameraden nie woanders, als in Deutschland gearbeitet haben. Ihr Beruf und gleichzeitig ihr Schicksal ist es nun einmal, landwirtschaftliche Wanderarbeiter zu sein. Es ist bestimmt kein rosiges Los, das ihnen beschieden ist. Eben darum müsste man ihnen die Wege dahin erleichtern und nicht noch erschweren. Schon jetzt haben sie wirtschaftliche Verluste dadurch erlitten, dass sie wochenlang zu Hause sitzen müssen, statt im Reiche für sich und ihre Familie Geld zu verdienen.[8]
Ich bin überzeugt, hochgeehrter Herr Ministerpräsident, dass Sie sich meinem Argumente nicht verschliessen werden, und meinen Kameraden den Weg zu ihrem Arbeitsplatze zu ermöglichen werden.

Heil Hitler! Na straž [sic!]!
Karmasin [v. r.]

SNA, f. MV, š. 1255, 85573/1940. Originál, strojopis, 3 strany.

1 V období rokov 1921 – 1937 sprostredkovali úrady prácu v Nemecku niekoľko tisíc osobám nemeckej národnosti z Hauerlandu: v roku 1921 – 40, 1922 – 300, 1924 – 60, 1925 – 270, 1926 – 580, 1927 – 820, 1928 – 1 500, 1929 – 2 300, 1930 – 2 800, 1931 – 1 200, 1936 – 850, 1937 – 5 700. V rokoch 1923, 1932 – 1935 sa nábor neuskutočnil. (KASPAREK, Max Udo. Karpatendeutsche Wanderarbeiter. Ein Problem der deutschen Volksgruppe in der Slowakei. In *Deutsche Arbeit*, roč. 41, 1941, s. 81.)
2 V posledných rokoch existencie ČSR zneužívali sprostredkovanie práce v Nemecku na politický boj v tomto jazykovom ostrove agrárna strana a Karpatendeutsche Partei.
3 Pozri dokumenty 6, 7 a 9.
4 Dnešné Kľačno.
5 V tejto veci intervenoval na ministerstve vnútra poslanec, farár a bývalý oblastný vedúci kraja Kremnica – Nemecké Pravno Jozef Steinhübel. Prednosta oddelenia IV/a MV Anton Bezák odmietal uznať podiel viny slovenských úradov na vzniknutom stave. Argumentoval tým, „*že v smerniciach k najímaniu v r. 1940 bolo vyslovene povedané, aby robotníci nemeckej národnosti boli prednostne najímaní a že pri najímaní spolupôsobia zástupcovia Ríšskeho ministerstva práce, ktorí si do určitej miery robotníkov vyberajú a preto nemožno našim úradom nič vytýkať.*" (SNA, f. MV, š. 1255, 84 400/1940.)
6 Pozri tiež správu ÚŠB z 15. 5. 1940 (SNA, f. ÚPV, š. 95, 3671/1944)
7 V prípise MV F. Karmasinovi z 30. 4. 1940 prednosta oddelenia IV/a MV A. Bezák na margo problému uviedol: „*Nezrovnalosť, ktorá zdanlivo nastala v neprospech robotníkov nemeckej národnosti je tá, že v prvom rade najímané bolo robotníctvo do krajov, kde poľné práce začínajú skôr (Ostmark) a odkiaľ prišli zmluvy písané už na mená robotníckych gazdov s určením nástupného termínu. Do tohoto však prišiel zákaz ďalšieho najímania a tak sa stalo, že zmluvy, ktoré mali byť obsadené robotníkmi nemeckej národnosti nemohli byť vybavené. Z tohoto je zrejmé, že úradom práce nemožno – hoci sebe menšiu – nesprávnosť vytýkať.*
Inak si dovoľujem upozorniť, že dnes sa ministerská rada uzniesla celú záležitosť upraviť a úrady práce dostali úpravu, aby im dané pokyny dodržiavali. Z kontingentu 12 000 osôb obdržia úrady práce pre hosp. robotníctvo vo Zvolene, v Nitre a v Prešove, teda v obvodoch, kde sú nemecké národné ostrovy, celkom 8 850 robotníckych miest (74%).*" Porovnaj dokumenty 28 a 30.
V prípise ministrovi vnútra F. Ďurčanskému z toho istého dňa zaujal A. Bezák nasledovné stanovisko: „*Slovenskí robotníci z rečových dôvodov boli posielaní len skupinove a na miesta, kde sa poľné práce začínajú prv (Ostmark). Nemeckí robotníci mali byť – vzhľadom na rečové znalosti – posielaní jednotlive a to na miesta kde sa poľné práce začínajú neskoršie a do krajov, v blízkosti vojenných operácií. Do toho však prišiel zákaz vlády najímať ďalšie robotníctvo do Nemecka, v dôsledku čoho toto opatrenie postihlo robotníctvo, ktoré malo byť podľa programu neskoršie najímané, teda robotníctvo nemecké.
Z tohoto je zrejmé, že úradom nemožno vytýkať žiadnu zlomyseľnosť.*" (SNA, f. MV, š. 1255, 85573/1940.)
8 Podčiarknuté v origináli príslušným referentom MV, ktorý dostal spis na vybavenie.

28
**1940, 13. máj. Bratislava. – Správa poverenca ríšskeho ministra práce pre „Ostmark"
o priebehu náboru slovenských pracovných síl do Nemecka.**

Der Beauftragte der Zweigstelle Ostmark   Pressburg, am 13. Mai 1940
des Reichsarbeitsministeriums
für Arbeitseinsatz und Arbeitslosenhilfe
G. Z. 5770.30

An den
Herrn Überleitungskommissar
für die Landesarbeiter in Ostmark
Wien I
Hohenstaufengasse 2

Betrifft: Bericht über den Stand der Werbung slow. Arbeitskräfte auf Grund des deutsch-
slow. Staatsvertrages vom 8. 12. 39.

Die auf Grund der deutsch-slowakischen Vereinbarung vom 8. 12. 39. eingeleitete
Werbung gewerblicher und landw.[irtschaftlicher] Arbeitskräfte[1] konnte bisher mit fol-
gendem Ergebniss durchgeführt werden:
Höchstkontingent: 53 000 Arbeitskräfte.
Verteiler:
1. Vor Abschluss des Staatsvertrages in Deutschland beschäftigt:
a) Industrie: 20 424
b) Landwirtschaft: 3 600 mit Sud. G.[2] u. Ostm.
2. Neuzuzug auf Grund des Staatsvertrages im Jahre 1940:
a) Industrie: 5 500
b) Landwirtschaft: <u>23 476</u>
1 und 2 zusammen: 53 000 Arbeitskräfte.
Landwirtschaft.
Verteilung des Slowakenkontingents nach Aufnahmelandesarbeitsämtern:

	Wanderarbeiter	Gesindekräfte
Schlesien	200	-------
Brandenburg	600	-------
Niedersachsen	600	-------
Rheinland	--------	3 000
Hessen	--------	2 000
Mitteldeutschland	1 800	-------
Sachsen	300	-------
Ostmark	9 000	-------
Sudetengau	7 000	-------
Bayern	-------	500
Nordmark	66	-------
Pommern	12	-------
Westfalen	104	-------
Insgesamt	19 682	5 500

Wanderarbeiter   19 682
Gesindekräfte   5 500
                  25 182

Verträge für 1 706 Arbeitskräfte über Kontingent.

Bis einschliesslich 10. V. 1940 konnte folgende Anzahl von Wanderabeitern abbefördert werden:

LAA Ostmark	7 890 Arbeitskräfte
LAA Mitteldeutschland	1 106 Arbeitskräfte
LAA Brandenburg	373 Arbeitskräfte
LAA Hessen	28 Arbeitskräfte
LAA Sudetengau	2 468 Arbeitskräfte
LAA Schlesien	46 Arbeitskräfte
LAA Niedersachsen	480 Arbeitskräfte
LAA Nordmark	38 Arbeitskräfte
LAA Sachsen	269 Arbeitskräfte
Insgesamt	12 688 Arbeitskräfte

Bis zum 17. Mai 1940 sind zum Abtransport vorgemeldet:

LAA Ostmark	977 Arbeitskräfte
LAA Mitteldeutschland	569 Arbeitskräfte
LAA Brandenburg	230 Arbeitskräfte
LAA Hessen	70 Arbeitskräfte
LAA Sudetenland	2 863 Arbeitskräfte
LAA Schlesien	185 Arbeitskräfte
LAA Niedersachsen	196 Arbeitskräfte
LAA Sachsen	48 Arbeitskräfte
Pommern	12 Arbeitskräfte
	5 150 Arbeitskräfte

Es können also bis zum 17. V. 1940 insgesamt <u>17 838 Arbeiter</u> abbefördert werden, sodass nach dem von der Slowakischen Regierung zur Werbung freigegebenen Kontingent von 23 476 nur noch 5 638 Arbeiter für die Werbung frei sind bzw. noch auf ihre Abbeförderung warten. Ich bitte, Ihre Bemühungen darauf abzustellen, dass in aller nächster Zeit die Freigabe für die Anwerbung der restlichen 1 706 Arbeiter erreicht wird. Mit Freigabe weiterer landw. Arbeitskräfte könnte ohne besondere Verhandlungen gerechnet werden, wenn nachgewiesen wird, dass weniger als 3 600 Überwinterter in Deutschland beschäftigt sind. Die zahlenmässige Freigabe weiterer landw. Arbeiter würde sich nach der Zahl der zurückgegebenen Bankausweise richten.

<u>Gesindekräfte.</u>

Anlässlich meiner letzten Berichterstattung am 9. 5. 40. in Wien habe ich Herrn Präsidenten Gärtner[3] und auch Herrn Regierungsrat Dr. Tischer darauf aufmerksam gemacht, dass die Werbung volksdeutscher Arbeitskräfte für Gesindeverträge auf Schwierigkeiten stösst. Ich bemerke nochmals, dass ich unter Einschaltung der Deutschen Partei und der Deutschen Gewerkschaft[4] kein Mittel unversucht gelassen habe, um diese Aktion aus Gründen der Sicherheit des Staates zum Erfolge zu führen. Der Hinweis, dass der Einsatz der Volksdeutschen aus abwehrmässigen Gründen in diesem Jahre nur in den Grenzgebieten erfolgen kann und die Tatsache, dass die eigentlichen Ernährer der Familien in diesem Jahre bei der gewerblichen Vermittlung gegenüber den Slowaken bevorzugt im Reich untergebracht worden sind, fand bei den zurückgebliebenen Volksdeutschen kein Verständnis.[5] Ich bitte deshalb erneut, die Frage der Umschreibung der Gesindevertäge auf Wanderverträge für das Rheinland in Erwägung zu ziehen. Durch den Abschluss der Wanderarbeitervermittlung bei verschiedenen anderen Werbestellen, sind die für die deutschen Sprachgebiete zuständigen Werbestellen Nitra und Zvolen erneut verstärkt worden. Die bei anderen Stellen freigewordenen Werber haben den ausdrücklichen Auftrag, nochmals sämtliche Ortschaften in den deutschen Sprachgebieten wegen Besetzung der Gesindeverträge aufzusuchen. Ich hoffe in ca. 8 Tagen über den Erfolg dieser Aktion erneut berichten zu können.

Einsatz slow. landw. Arbeitskräfte im Protektorat Böhmen und Mähren.

Wegen der Abgabe landw. Arbeitskräfte für das Protektorat Böhmen und Mähren wurde ich am 10. 5. 40 in das Slowakische Innenministerium gerufen. Herr Simovic teilte mir im Auftrage des Sektionschef Dr. Bezak mit, dass die Slowakische Regierung der Abgabe von 5 000 slow. Arbeitskräften zugestimmt habe.[6] Zur Durchführung der Aktion sollen am Mittwoch, den 15. 5.[7] 40. Verhandlungen im Slowakischen Innenministerium stattfinden.[8] Den Verhandlungen sollen beiwohnen Herr Oberregierungsrat Dr. Kohl beim Reichsprotektor, Abt.[eilung] Arbeitseinsatz und Herr Dr. Netschina oder Herr Dr. Prabletz vom landwirtschaftlichen Ministerium in Prag. Ich habe in dieser Angelegenheit dem Herrn Präsidenten Gärtner am 10. 5. 40. telefonisch und am 11. 5. 40 schriftlich berichtet. Da die Werbung dieser Kräfte im Rahmen der laufenden Aktion mit erledigt werden soll, werde ich über den Ausgang der für Mittwoch, den 15. 5. 40 in Aussicht genommenen Verhandlungen erneut berichten.

Industrie.

Gesamtkontingent 25 924 Arbeitskräfte.

Vor Abschluss des Staatsvertrages in Deutschland beschäftigt:
                        20 424 Arbeitskräfte
Neuzuzug auf Grund des Staatsvertrages: 5 500 Arbeitskräfte
Insgesamt   25 924 Arbeitskräfte.

Das Kontingent Neuzuzug auf Grund des Staatsvertrages ist erschöpft. Wegen Überschreitung des Kontingents um 2 648 Arbeitskräfte haben gesonderte Verhandlungen im Slowakischen Innenministerium stattgefunden. Im Hinblick darauf, dass von den vor Abschluss des Staatsvertrages im Reich beschäftigten gewerblichen Arbeitern ca. 2 bis 3 000 nach erfolgter Beurlaubung die Rückreise in das Reich nicht mehr angetreten haben, hat sich das Innenministerium bereit erklärt, über die Abgabe weiterer gewerblichen Arbeitskräfte als Ersatz für nicht zurückgekehrte Urlauber zu verhandeln, sobald nachgewiesen wird, dass weniger wie insgesamt 25 924 gewerbliche Arbeiter im Reich beschäftigt werden. Um Schwierigkeiten mit dem Slowakischen Innenministerium zu vermeiden, bitte ich in Zukunft die Genehmigung zur Beschäftigung slow. gewerblicher Arbeiter nur dann zu erteilen, wenn einwandfrei feststeht, dass die im Staatvertrage vorgesehene Zahl von 25 924 Arbeitskräften hierdurch nicht überschritten wird.

Die noch vorliegenden Aufträge, mit Ausnahme des Restauftrages Alpine Montan – Eisenerz – und zwar:

Leuna	Rest	78 Arbeitskräfte
Bayr. St. W. Piesteritz		50 Arbeitskräfte
Dynamit AG		118 Arbeitskräfte

konnten erledigt werden. Der Auftrag Buna Schkopau[9] wird in den nächsten Tagen erledigt. Wegen Erledigung dieser Aufträge verweise ich auf die am 9. Mai 1940 geführte vertrauliche Aussprache mit Herrn Präsidenten Gärtner.

Wegen Bereitstellung von Arbeitskräften unter Verzicht auf Lohntransfer werde ich gesondert berichten.

gez.: Rehfeld

PA AA, Gesandtschaft Preßburg, Paket 208, W 2 S 1a, Band I. Kópia, strojopis, 4 strany.

1 Pozri dokument 18.
2 Sudetengau.
3 Friedrich Gärtner, prezident pobočky „Ostmark" ríšskeho ministerstva práce vo Viedni.
4 Odborová organizácia DP. Vznikla koncom januára 1939. V decembri 1940 sa premenovala na Arbeitsfront der Volksdeutschen.
5 Porovnaj dokument 27.
6 Pozri dokument 25.
7 V origináli 15. 4.
8 Pozri dokument 29.
9 V origináli Schkobau.

29

1940, 15. máj. Bez uvedenia miesta. – Protokol z rokovania o nábore slovenských poľnohospodárskych robotníkov do Protektorátu Čechy a Morava.

Niederschrift
über die Verhandlungen über die Anwerbung von 5 000 slowakischen Wanderarbeiter für das Protektorat Böhmen und Mähren am 15. 5. 1940.[1]

Verhandlungsteilnehmer: Sektionschef Dr. Bezak vom slow. Innenministerium
Hr. Simoviz
ORR Dr. Kohl vom Reichsprotektor in Böhmen und Mähren
ORR Dr. Rieber
ROI Rehfeld von der Dienststelle des Reichsarbeitsministers in Pressburg
Vertreter der beteiligten slowakischen Arbeitsämter.

Die Anwerbung wird im Rahmen der zwischenstaatlichen Vereinbarung vom 8. 12. 1939[2] durch die Dienststelle des Reichsarbeitsministers in Pressburg durchgeführt. Für das Dienstverhältnis wird der Arbeitsvertrag von Jahre 1939 zu Grunde gelegt. Dieser Vertrag wird durch die folgenden Punkte ergänzt bzw. abgeändert:

1.) Die Anwerbegebühr beträgt 25 Kc und wird vom Arbeitgeber getragen.

2.) Hinsichtlich der ärztlichen Behandlung der zurückgebliebenen Familienangehörigen wird eine Vereinbarung zwischen den Trägern der Sozialversicherung im Protektorat und in der Slowakei in gleicher Weise herbeigeführt werden, wie er für die Vermittlung ins übrige Reichsgebiet bereits besteht.

3.) Die slowakische Regierung wünscht eine Betreuung durch slowakische Geistliche, soweit sich dies als erforderlich erweist.

4.) Die slowakischen Arbeitskräfte dürfen grundsätzlich in Bezug auf die Arbeitsbedingungen nicht schlechter gestellt sein als einheimische Arbeitskräfte.

5.) Für die Beilegung von Differenzen, die sich aus dem Arbeitsvertrag ergeben, sind die Arbeitsgerichte (nicht Schiedsgericht) zuständig, doch wird zunächst eine Beilegung unter Einschaltung des zuständigen Oberlandrates versucht.

6.) Für die Entlohnung kommen die im § 3 angesetzten Löhne zuzüglich 45% zur Anwendung.

Soweit mit der einheimischen Arbeiterschaft Akkordsätze vereinbart werden, gelten diese auch für die slowakischen Wanderarbeiter, wobei das Deputat mit einem entsprechenden Satz pro Person und Tag (in Aussicht genommen 6 Kc) angerechnet wird.

7.) Das Deputat bleibt unverändert wie im Arbeitsvertrag von 1939 vorgesehen.

8.) Die slowakische Regierung wünscht, dass den Wanderarbeitern eine Kleiderkarte mit 70 Punkten ausgestellt wird. Diese Frage wird mit den zuständigen Stellen des Wirtschaftsministeriums sofort geregelt.

9.) Da der Lohntransfer tatsächlich nur für etwa 6 Monate und für eine geringere Zahl von Wanderarbeitern als vorgesehen in Anspruch genommen wird, soll der monatliche Transferbetrag möglichst so festgesetzt werden, dass Ledige einen Transfer von 300 Kc und Verheiratete von 400 Kc vornehmen können. Über die Überweisungsgebühr wird mit der Böhmischen Nationalbank eine Vereinbarung ähnlich wie mit der Deutschen Verrechnungskasse getroffen.

10.) Die heutige Vereinbarung bezieht sich zunächst auf 5 000 Wanderarbeiter,[3] die bis zur Beendigung der Saisonarbeiten (nicht über den 15. 12. hinaus) beschäftigt werden. Soweit ein Teil dieser Kräfte über den Dezember hinaus bis zum April weiterhin als Gesindekraft im Protektorat verbleiben will, werden die Arbeitsbedingungen für diese Kräfte dann besonders geregelt.

11.) Das Transferverfahren wird in gleicher Weise wie bei dem Transfer aus dem übrigen Reichsgebiet geregelt, also 6 Bankausweise ausgestellt, wovon je einen Arbeitgeber, 2 die Böhmische Nationalbank, 2 die Postsparkasse in Pressburg und 1 das slowakische Innenministerium erhält.

12.) Die Frage der Besteuerung muss in der Weise geregelt werden, dass diejenigen Kräfte, die ihre Wohnung in der Slowakei behalten, im Protektorat steuerfrei sind, sodass keine Doppelbesteuerung stattfindet. Falls eine Steuer erhoben wird, sind diese Steuerbeträge auf das Konto des slowakischen Staates abzuführen.

13.) Die slowakischen Wanderarbeiter werden gegen Unfall wie bisher in Pressburg versichert.

14.) Die Reisekosten vom Heimatort an die Arbeitsstelle und nach ordnungsgemässer Beendigung des Arbeitsverhältnisses zurück an den Heimatort trägt der Betriebsführer.

15.) Soweit die in § 4 (2) beim Abgang vorgesehene Naturalprämie an Getreide nicht in natura ausgegeben werden kann, muss sichergestellt sein, dass die Barablösung ebenfalls am Schluss des Arbeitsverhältnisses transferiert werden kann. Ebenso muss mit dem letzten Transfer auch die Treueprämie, die mit 100 Kc festgesetzt wird, transferiert werden können.

16.) Um eine sofortige Bezahlung der Beförderungskosten durch die Betriebsführer sicherzustellen, wird von den Betriebsführern bei der Einreichung der Arbeitsverträge eine Pauschale an das Sozialministerium in Prag eingezahlt, sodass durch das Sozialministerium die Rechnungen des Reisebüros unmittelbar bezahlt werden können. Das Sozialministerium beteiligt sich zur Hälfte an den anfallenden Druckkosten für die notwendigen Formulare (Bankausweise und Zahlungsaufträge), die schätzungsweise ca. 80 000 Ks betragen.

17.) Die Arbeitsverträge werden in 4-facher Ausfertigung eingereicht, wovon je 1 Exemplar das slowakische Arbeitsamt, das Sozialministerium in Prag, der Arbeitgeber und der Arbeitnehmer erhält.

18.) Durch Anweisung an die in Frage kommenden Grenzübertrittsstellen wird sichergestellt, dass die Einreiseerlaubnis für die Wanderarbeiter erteilt wird.

PA AA, Gesandtschaft Pressburg, Paket 208, W 2 S 1a, Band I. Kópia, strojopis, 3 strany.

---

1 Pozri dokument 25.
2 Pozri dokument 18.
3 Pozri dokument 25.

30

**1940, 26. máj. Bratislava. – Správa poverenca ríšskeho ministra práce pre „Ostmark"
o priebehu náboru slovenských pracovných síl do Nemecka.**

Der Beauftragte der Zweigstelle Ostmark   Pressburg, am 26. Mai 1940
des Reichsarbeitsministeriums
für Arbeitseinsatz und Arbeitslosenhilfe
G. Z. 5770

An den
Herrn Reichsarbeitsminister
Berlin SW 11
Saarlandstrasse 96

Betrifft: Anwerbung in der Slowakei;
       hier: wöchentliche Berichterstattung über die Zahl der aus der Slowakei
       abbeförderten landw. Arbeitskräfte.

Auf Grund des Erlasses des Herrn Überleitungskommissars für die Landesarbeitsäm-
ter in der Ostmark vom 17. 5. 1940 – G. Z. IIb 5770 – berichte ich, dass in der Zeit bis 19.
5. 1940 und in der Woche vom 20. 5. bis 26. 5. 1940 folgende Anzahl landw. Arbeitskräfte
aus der Slowakei abbefördert worden ist:

	Bis 19. 5. 40 abgereist	Vom 20. 5. bis 26. 5. 40 ausger. [eist]	Summe:	Kontingent:
Ostmark	9 396	58	9 454	9 000
M. Deutschland	1 586	57	1 643	1 800
Brandenburg	549	25	574	630
Hessen	207	696	903	2 000
Sudetenland	6 352	378	6 730	7 241
Schlesien	186	12	198	212
Niedersachsen	696	16	712	700
Nordmark	74	14	88	86
Sachsen	296	8	304	300
Pommern	12	----	12	12
Rheinland	-----	513	513	3 000
Westfalen	-----	34	34	104
Bayern	-----	-----	------	500
	19 354	1 811	21 165	25 585

Kontingent auf Grund des deutsch-slowakischen Staatsvertrages vom 8. 12. 1939
23 476 landw. Arbeitskräfte.

Zusätzliches Kontingent gemäss Beschluss des slow. Innenministeriums vom
21. 5. 1940 auf Antrag des Unterzeichneten für zurückerhaltene Bankausweise 1 500
landw. Arbeitskräfte. Es handelt sich hierbei um Bankausweise für überwinterte landw.
Arbeitskräfte, die das slowakische Innenministerium als überzählig zurückerhalten hat.

Insgesamt: 24 976 landw. Arbeitskräfte.

Nachsatz.

Die Gesindekräfte für Bayern gelangen am Montag, den 27. 5. 1940 ab Presov mittels
Sonderzug zur Abförderung.

Das LAA Mitteldeutschland hat das ihm zugeteilte Kontingent von 1 800 landw. Arbeitskräfte nicht ausgenützt. Es fehlen Verträge für insgesamt 153 Arbeitskräfte, um deren baldige Entsendung gebeten wird.

In meinem Bericht vom 13. 5. 1940 an den Herrn Überleitungskommissar für die Landesarbeitsämter der Ostmark habe ich auf die Schwierigkeiten bezüglich der Besetzung der Gesindeverträge hingewiesen.[1] Eine Besserung der Verhältnisse ist nicht eingetreten und kann auch eine solche in Zukunft nicht erwartet werden, nachdem die slowakische Regierung die Freigabe weiterer 5 000 landw. Arbeiter und 400 Forstarbeiter für das Protektorat verfügt hat.[2] Weiterhin hat Herr Ministerpräsident Dr. Tucka [sic!] am 25. Mai 1940 über das slow. Innenministerium bekanntgeben lassen, dass die slow. Regierung dem Antrag auf Erhöhung des Kontingents um weitere 10 000 landw. Arbeitskräfte seine Zustimmung geben wird.[3] Ich bin ermächtigt worden, hierüber meine vorgesetzte Dienststelle zu unterrichten, damit die nötigen Vorarbeiten für die Anwerbung dieser Arbeiter inzwischen eingeleitet werden können. Im Hinblick auf die inzwischen erfolgte Erhöhung des Kontingents und mit Rücksicht auf die vorgeschrittene Jahreszeit ist es notwendig, dass die Frage der Besetzung der restlichen Gesindeverträge neuerlich geprüft wird. Ich bitte zu berücksichtigen, dass ein Teil von den im vorigen Jahre nach Schlesien und Ostpreussen vermittelten Gesindekräften[4] recht schlechte Erfahrungen gemacht hat und hierdurch die Vermittlung dieser Kräfte in diesem Jahr ausserordentlich erschwert wird. Wenn nur 50% der angeforderten Zahl an Gesindekräften gestellt werden konnte, so lag es auch daran, dass die kriegerischen Auseinandersetzungen im Westen[5] die Leute veranlasst haben, die Annahme von Arbeitsstellen im Rheinland zu vermeiden. In dieser Beziehung haben es auch die Juden hier im Lande Propaganda nicht fehlen lassen. Die deutschen Sprachgebiete, die bisher, um der Aktion zu einem Erfolg zu verhelfen, nur mit Gesindeverträgen beliefert worden sind, können im Interesse einer beschleunigten Durchführung der Werbung der Kräfte für das neue Kontingent von der Wanderarbeitervermittlung nicht mehr ausgeschlossen werden. Die Klagen der Volksdeutschen wegen Nichtberücksichtigung bei der Verteilung der Wanderarbeiterverträge haben einen solchen Umfang angenommen, dass Nachteile für die Dienststellen der Deutschen Partei und der Deutschen Gewerkschaft zu befürchten sind. Ich habe mich aus diesem Grunde entschliessen müssen, sämtliche deutschen Sprachgebiete für die Anwerbung landw. Wanderarbeiter freizugeben.

Das slowakische Innenministerium hat mich beauftragt, bei meiner vorgesetzten Dienststelle anzufragen, in welcher Höhe das Nachkontingent von 10 000 Arbeitskräften für Landwirtschaft und Industrie aufzuteilen ist. Ich bitte diesbezüglich um nähere Weisungen.

gez.: Rehfeld

Abschrift
der Deutschen Gesandtschaft
Pressburg
mit der Bitte um Kenntnisnahme übersandt

Rehfeld [v. r.]

PA AA, Gesandtschaft Preßburg, Paket 208, W 2 Nr. S 1a, Band I. Kópia, strojopis, 3 strany.

---

1 Pozri dokument 28.
2 Pozri dokumenty 25 a 29.
3 Porovnaj dokumenty 23 a 24.
4 K počtom z roku 1939 pozri dokumenty 6, 7, 9 a 10.
5 10. 5. 1940 vtrhli nemecké jednotky do Holandska a Belgicka. Začalo sa tzv. západné ťaženie, ktoré skončilo porážkou Francúzska.

31

1940, 29. máj. Bratislava. – Verbálna nóta nemeckého vyslanectva adresovaná MZV vo veci uvoľnenia ďalšieho kontingentu slovenských pracovných síl do Nemecka.

Konzept.[1]

Durchdruck
Deutsche Gesandtschaft
Aktenz. W 2, Nr. 1a – Nr. 2872
1 Durchdruck

Verbalnote.

Die Deutsche Gesandtschaft[2] beehrt sich dem Ministerium des Äussern der Slowakei mitzuteilen:

Die Lage des landwirtschaftlichen Arbeitseinsatzes im Deutschen Reich zwingt die Reichsregierung dazu, jede Möglichkeit der Hereinnahme ausländischer Arbeitskräfte im Auge zu behalten; die Überprüfung des slowakischen Arbeitsmarktes ergibt nun, dass trotz der fortgeschrittenen Saison noch eine grosse Zahl einsatzfähiger Industrie- und Landarbeiter verfügbar ist, die in der Slowakei selbst im laufenden Jahr nicht mehr zum vollwertigen Einsatz kommen können und daher bei einer Bewilligung zur Arbeitsübernahme im Reich die slowakischen Wirtschaftsinteressen nicht nur schädigen, sondern diesen Wirtschaftsinteressen dadurch dienen, dass sie den slowakischen Arbeitsmarkt entlasten und Arbeitsverdienste aus dem Reich zu Gunsten der slowakischen Wirtschaftskraft zur Überweisung bringen können.

Die Deutsche Gesandtschaft hat mit grosser Genugtuung zur Kenntnis genommen, dass in den letzten Tagen über Beschluss der Slowakischen Regierung neben den 53 000 Arbeitskräften die in den Dezemberverhandlungen der Regierungsausschüsse festgelegt wurden, weitere 10 000 Arbeiter zur Arbeitsübernahme im Reiche frei gegeben werden.[3]

Die Deutsche Gesandtschaft beehrt sich an die Slowakische Regierung die Bitte zu richten, zusätzlich nocheinmal 15 000 Landarbeiter mit grösstmöglichster Beschleunigung zur Ausreise nach dem Reich frei zu geben, um damit dringendste wirtschaftliche Bedürfnisse des Reiches zu befriedigen.

Das Auswärtige Amt Berlin, welches seinerseits auf die rascheste Erwirkung der Freigabe weiterer Arbeitskräfte Wert legt, gibt bekannt, dass das Reichswirtschaftsministerium mit dem Lohntransfer für die zusätzlichen [Arbeitskräfte] im bisherigen Rahmen einverstanden ist.

Die Deutsche Gesandtschaft beehrt sich ihre Bitte um möglichst rasche Behandlung dieses Antrages und eine eheste aufrechte Erledigung zu wiederholen und für jedes Entgegenkommen schon im Voraus den verbindlichsten Dank auszusprechen.[3]

Pressburg, den 29. Mai 1940

An das
Ministerium des Äussern
der Slowakei,
Pressburg.

PA AA, Gesandtschaft Preßburg, Paket 208, W 2 Nr. 1 a, Band I. Kópia, strojopis, 2 strany.

---

1 Nótu odovzdal MZV E. Gebert 29. 5. 1940.
2 Vyslanectvo už deň pred odoslaním tejto nóty informovalo Zahraničný úrad o rozhodnutí slovenskej vlády: *„Slowakisches Aussenministerium gibt heute bekannt, dass weitere 10 000 Arbeiter freigegeben werden. Erforderliche Zahlungsverkehrregelung zwischen Reichswirtschaftsministerium und slowakischer Nationalbank*

wäre nachzuholen. " (PA AA, Gesandtschaft Preßburg, Paket 208, W 2 S 1a. Ringelmannov telegram z 28. 5. 1940.)
3 Pozri dokument 24.
4 MZV odpovedalo na nótu 3. 6. 1940. Nóta mala nasledovné znenie: *„Das Ministerium des Äussern beehrt sich die Deutsche Gesandtschaft darauf aufmerksam zu machen, dass ausser diesen in der Verbalnote angeführten 63 000 Arbeitern für das Protektorat Böhmen und Mähren ein Kontingent von 5 000 Arbeitern bewilligt wurde, deren Arbeitsverhältnis durch ein Kollektivsonderabkommen geregelt wird.*
Das Ministerium des Äussern teilt mit, dass der Herr Aussenminister betreffend das weitere Arbeiterkontingent sogleich dem am 29. Mai 1940 tagenden Ministerrat zur Stellungnahme vorgelegt und empfohlen hat, wobei der Arbeitertransfer in der mit H. Ministerialdirigent Dr. Bergemann vereinbarten Weise zu regeln wäre.
Der Ministerrat beschloss die zuständigen Behörden anzuweisen auf dem slowakischen Arbeitsmarkt festzustellen, welche Situation gegenwärtig vorhanden ist.
Den zuständigen Behörden wurde der Auftrag erteilt, die Angelegenheit innerhalb einer Woche durchzuführen.
Das Ministerium des Äussern hofft im Laufe einiger Tage in der Lage zu sein eine definitive Antwort erteilen zu können. "

32

1940, 29. máj. Bratislava. – Pokyn ministerstva vnútra Krajinskému úradu práce a Slovenskému úradu práce pre hospodárske robotníctvo, týkajúci sa rozdelenia dodatočného kontingentu, o ktorý žiadala nemecká strana.[1]

Ministerstvo vnútra
Čís. 100.895/IV-a-1940 V Bratislave dňa 29. mája 1940

Predmet: Slovenskí robotníci v Nemecku – zvýšenie kontinentu 53 000
o 1 500 priemyselných a 8 500 hospodárskych robotníkov.

Krajinskému úradu práce,
Slovenskému úradu práce
pre hospod. robotníctvo
v Bratislave.

Na základe súhlasu ministerského predsedu a po dohode s p. ministrom vnútra[2] povoľujem ďalšie najímanie 10 000 robotníkov nad už povolený kontingent 53 000 osôb na prácu do Nemecka a 5 000 do Protektorátu. Pre najímanie sú smerodajné pokyny, ktoré Vám boli tunajším výnosom č. 30626/IV-a-40[3] oznámené.
Tento povolený kontingent 10 000 osôb nech je rozdelený nasledovne:
a/ Robotníctvo priemyselné:
Obvod okr. verejnej sprostredkovateľne práce:

1/ Zlaté Moravce	100 osôb
2/ Nitra	400 osôb
3/ Piešťany	150 osôb
4/ Revúca	100 osôb
5/ Humenné	300 osôb
6/ Hlohovci	100 osôb
7/ L. Sv. Mikuláš	50 osôb
8/ Orava (Dol. Kubín, Trstená)	100 osôb
9/ Holíč	100 osôb
10/ Považie	100 osôb
Spolu	1 500 osôb.

b/ Robotníctvo poľnohospodárske:
1/ Obvod úradu práce Bratislava 1000 osôb

2/ Obvod úradu práce Nitra		1500 osôb
3/ Obvod úradu práce Trenčín		2000 osôb
4/ Obvod úradu práce Žilina		2000 osôb
5/ Obvod úradu práce Zvolen		1000 osôb
6/ Obvod úradu práce Prešov		1000 osôb
Spolu	8500	8 500 osôb
		10 000 osôb

Povolenie najať 400 osôb pre Göringswerke v Eisenerzu resp. 400 lesných robotníkov pre Protektorát ostáva v platnosti a títo robotníci nech sú najímaní v kraji Šoporňa, Starý Tekov, Revúca, resp. v obciach z Poľska k Slovensku sa vrátivších.

Najaté robotníctvo vybavte všetkými potrebnými tlačivami už na Slovensku, aby sa predišlo dodatočnému dopisovaniu a nedorozumeniam medzi robotníctvom.

Správcov okr. verejných sprostredkovateľní práce resp. úradov práce upozornite, aby robotníctvu určenú čiastku pokynoch č. 30.626/IV-a-40, prečítali a na všetky závažné body pracovných zmlúv, robotníctvo upozornili.

Za ministra
Dr. Bezák v. r.

Predsedníctvu vlády
v Bratislave

Na vedomie.

Za ministra
Dr. Bezák v. r.

Za správnosť vyhotovenia
prednosta výpravne I.

SNA, f. ÚPV, š. 95, 3166/1944. Kópia, strojopis, 2 strany.

1 Pozri dokument 31.
2 Ferdinand Ďurčanský.
3 Pozri SNA, f. ÚPV, š. 95, 3166/1944. Slovenskí robotníci v Nemecku. Pokyny k najímaniu v roku 1940 z 19. 2. 1940.

33

1940, 2. jún. Bratislava. – Správa poverenca ríšskeho ministra práce pre „Ostmark" o ďalšom priebehu náboru slovenských poľnohospodárskych robotníkov do Nemecka.

Abschrift.

Der Beauftragte der Zweigstelle Ostmark   Pressburg, den 2. Juni 1940
des Reichsarbeitsministeriums
für Arbeitseinsatz und Arbeitslosenhilfe
G. Z. 5770

An den
Herrn Reichsarbeitsminister
Berlin SW 11
Saarlandstrasse 96

<u>Betrifft</u>: Anwerbung in der Slowakei;
   hier: wöchentliche Berichterstattung über die Zahl der aus der Slowakei
   abbeförderten landwirtschaftlichen Arbeitskräfte.

Auf Grund des Erlasses des Herrn Überleitungskommissars für die Landesarbeitsämter in der Ostmark vom 17. V. 1940 – G. Z. IIb 5770 – berichte ich, daß in der Zeit vom 26. 5. 1940 und in der Woche vom 27. 5. bis 2. 6. 1940 folgende Anzahl landw. Arbeitskräfte abbefördert worden ist:

	Bis 26. 5. 40 ausgereist	Vom 27. 5. – 26. 5. 40 ausgereist	Summe:	Kontingent:
Ostmark	9 454	47	9 501	12 250
Mitteldeutschl. [and]	1 643	10	1 653	1 800
Brandenburg	574	3	577	630
Hessen	903	122	1 025	2 000
Sudetenland	6 730	66	6 796	7 241
Schlesien	198	5	203	212
Niedersachsen	712	----	712	700
Nordmark	88	----	88	88
Sachsen	304	1	305	300
Pommern	12	----	12	12
Rheinland	513	106	619	3 000
Westfalen	34	64	98	104
Bayern	-----	256	256	500
Ostpreussen	-----	2	2	2
Protektorat Böhmen u. Mähren	-----	614	614	5 000
	21 165	1 296	22 461	33 839

Verfügbares Kontingent gemäß Beschluß beider Regierungen vom 8. Dezember 1939 23 476 landw. Arbeitskräfte.

Zusätzliches Kontingent gemäß Beschluß des slowakischen Innenministeriums vom 21. 5. 1940 auf Antrag des Unterzeichneten für zurückerhaltene Bankausweise 1 500 landw. Arbeitskräfte.

Aus dem von der slowakischen Regierung am 25. 5. 1940 bewilligten Kontingent von 10 000 Arbeitskräften[1] gemäß telefonischer Mitteilung des Herrn Überleitungskommissars für die Landesarbeitsämter in der Ostmark 5 000 landw. Arbeitskräfte.

Auf Grund der Vereinbarung zwischen der slowakischen Regierung und dem Protektorat Böhmen und Mähren vom 15. 5. 1940 5 000 landw. Arbeitskräfte.[2]

Demnach können insgesamt <u>34 976 landw. Arbeitskräfte</u> verpflichtet und abbefördert werden.

<u>Nachsatz:</u>

Bei Bereinigung der Auftragskartei ist festgestellt worden, daß über 800 landw. Arbeitskräfte als vertraglich verpflichtet und mit Bankausweisen versehen ohne Wissen der Werbestellen in das Reichsgebiet abgewandert sind. Die tatsächliche Abreise wurde noch nicht bei allen einwandfrei durch Nachfrage bei den Angehörigen der Arbeiter und den Heimatgemeinden festgestellt. Auf Grund der von hier angestellten Erhebungen ist jedoch festgestellt worden, daß die Ausreise dieser Arbeiter vorwiegend über das Grenzamt Mosty erfolgt ist. Ich habe vor ca. 3 Wochen dieserhalb mit dem Leiter des Grenzamtes Mosty verhandelt und dabei in Erfahrung bringen können, daß nicht nur landw., sondern auch gewerblichen slowakischen Arbeitern die Ausreise in das Reichsgebiet gestattet worden ist. Der Sichtvermerk für die Ausreise dieser Arbeiter ist durch den Landrat in Teschen[3] erteilt worden. Ich habe noch am gleichen Tage mit dem Herrn Landrat Krügler in Teschen verhandelt und auf die Gefahren aufmerksam gemacht, die eine Förderung der ungeregelten Abwanderung solcher Kräfte mit sich bringt. Herr Landrat Krügler will der Auffassung gewesen sein, daß er mit dieser Maßnahme der deutschen Wirtschaft einen großen Dienst erweise, da ihm bekannt sei, daß in Deutschland nicht nur gewerbliche, sondern auch landwirtschaftliche Arbeitskräfte fehlen. Es wurde vereinbart, daß in Zukunft nur solche Arbeitskräfte nach Deutschland einreisen dürfen, welche im Pass den Vermerk tragen: „Durch Reichsarbeitsministerium angeworben, Tag der Ausreise…"

Protektorat Böhmen und Mähren.

Der verzögerte Abschluß der Vereinbarung zwischen der slowakischen Regierung und dem Protektorat Böhmen und Mähren hat dazu geführt, daß die früher im Protektorat Böhmen und Mähren beschäftigten slowakischen Arbeiter zum Teil schon ausgereist sind. In der ersten Werbungswoche konnte die illegale Ausreise von insgesamt 503 Personen in das Protektorat festgestellt werden. Die Aufträge solcher Betriebe, zu denen die Arbeiter auf Grund einwandfreier Feststellung bereits abgereist sind, werden unerledigt mit entsprechendem Vermerk wieder an den Herrn Reichsprotektor unter Anrechnung auf das Kontingent zurückgesandt. Die amtlichen slowakischen Stellen, die von dieser Angelegenheit Kenntnis erhalten haben, sind nicht gewillt, diese planlose Abwanderung ihrer Arbeiter zu dulden. Die Verpflichtung dieser Kräfte, denen mit Hilfe der Oberlandräte des Protektorats die Einreise in das Protektorat ermöglicht wurde, soll nachträglich erfolgen, wie auch die Bankausweise zur Durchführung des Lohntransfers nachträglich ausgestellt werden sollen. Der Eingang der Aufträge aus dem Protektorat geht nur zögernd vor sich, sodaß die Werbung dieser Kräfte außerordentliche Verzögerungen erleidet und auch die Zusammenstellung der Sonderzüge hierdurch stark erschwert wird.[4]

Auf Antrag des Herrn Reichsprotektors[5] hat sich das slowakische Innenministerium bereit erklärt, außer dem Kontingent von 5 000 landwirtschaftlichen Arbeitkräften 400 Forstarbeiter für das Protektorat zur Verfügung zu stellen. Die Abteilung 2/IV wurde hierüber von mir telefonisch verständigt.

gez.: Rehfeld

Abschriftlich
der Deutschen Gesandtschaft
Pressburg,
Moyzesgasse,
mit der Bitte um Kenntnisnahme ergebenst übersandt

Rehfeld [v. r.]

PA AA, Gesandtschaft Preßburg, Paket 208, W 2, Nr. S 1a, Band I. Kópia, strojopis, 3 strany.

1 Pozri dokument 31.
2 Pozri dokument 29.
3 Tešín.
4 Porovnaj dokument 25.
5 Konstantin von Neurath.

34

**1940, 4. jún. Bratislava. – Správa poverenca ríšskeho ministra práce pre „Ostmark"
o priebehu náboru slovenských priemyselných robotníkov do Nemecka.**

Abschrift.

Der Beauftragte der Zweigstelle Ostmark   Pressburg, den 4. Juni 1940
des Reichsarbeitsministeriums
für Arbeitseinsatz und Arbeitslosenhilfe
G. Z. 5780

An den
Herrn Reichsarbeitsminister
Berlin SW 11
Saarlandstrasse 96

Betrifft: Anwerbung in der Slowakei;
hier: wöchentliche Berichterstattung über die Zahl der aus der Slowakei
abbeförderten gewerblichen Arbeiter

Auf Grund des Erlasses des Herrn Überleitungskommissars für die Landesarbeitsämter in der Ostmark vom 17. 5. 1940, G. Z. IIb 5770, berichte ich, dass in der Zeit bis 26. 5. 1940 und in der Woche vom 27. 5. bis 2. 6. 1940 folgende Anzahl gewerblicher Arbeitskräfte abbefördert worden ist:

	Bis 26. 5. 40 ausgereist:	Vom 27. 5. bis 2. 6. 40 ausger.[eist]:	Summe:
Sachsen	1 540	-----	1 540
Mitteldeutschld.	2 722	410	3 133
Niedersachsen	1 451	-----	1 451
Ostmark	1 275	-----	1 275
Südwestdeutschld.	28	-----	28
Sudetenland	10	-----	10
Hessen	118w	-----	118
Brandenburg	94	-----	94
Schlesien	386	-----	386
Bayern	782	-----	782
	8 406	410	8 818

Nachsatz:
Bei den in der Woche vom 27. 5 bis 2. 6. 1940 abbeförderten Arbeitskräften handelt es sich um die Aufträge Buna Schkopau[1] und Leuna. Der Auftrag Buna Schkopau lautet über 450 Maurer und Zimmerleute, von denen 405 gestellt worden sind. Restgestellung erfolgt zu einem späteren Zeitpunkt. Bei dem Auftrag Leuna handelt es sich um 5 Arbeitskräfte als Restgestellung. Die in der Woche vom 27. 5. 1940 bis 2. 6. 1940 abbeförderten gewerblichen Arbeitskräfte werden auf das neue Kontingent gemäss einer Vereinbarung mit dem Leiter des Krajinsky urad prace nicht angerechnet.
Das Landesarbeitsamt Niederdonau hat mir fernmündlich mitgeteilt, dass gemäss Weisung des Herrn Reichsarbeitsministers[2] aus dem am 25. 5. 1940 von der slowakischen Regierung bewilligten Nachkontingent von 10 000 Arbeitskräften[3] – davon 5 000 Arbeitskräfte für die Industrie – folgende Aufträge erledigt werden können:

1. Stickstoffwerke Ostmark	Linz 300 Arbeiter
2. Alu.-Werke Bitterfeld	Bitterfeld 150 Ofenarb.[eiter]
3. I. G. Farben Bitterfeld	Werke:
	Stassfurt 550 Arbeiter
	Aken und Bitterfeld
	Insgesamt: 1 000 Arbeiter.

Die Werbung dieser Kräfte wird mit Rücksicht auf die Dringlichkeit am 4. 6. 1940 eingeleitet werden. Die baldige Übersendung der Aufträge bitte ich zu veranlassen bzw. so zu beschleunigen, dass der Eingang derselben noch vor Abbeförderung der Arbeiter erwartet werden kann. Der hier weilende Vertreter der Dynamit AG, Herr Müller, will durch Herrn Baasch vom Reichsamt für Wirtschaftsausbau die Gestellung von slowakischen Arbeitskräften für folgende Betriebe der Dynamit AG zugesichert erhalten haben:

1. Bauvorhaben Christianstadt[4]	800 Arbeiter
2. Bauvorhaben Gloewen[5]	250 Arbeiter
3. Bauvorhaben Malchow[6]	300 Arbeiter
Insgesamt:	1 350 Arbeiter.

Ich bitte um telefonische Verständigung über LAA Niederdonau, ob die Vorarbeiten zur Werbung dieser Kräfte eingeleitet werden können.

gez.: Rehfeld

Abschrift
der Deutschen Gesandtschaft
Pressburg,
zur gefl. Kenntnisnahme.

Rehfeld [v. r.]

PA AA, Gesandtschaft Preßburg, Paket 208, W 2, Nr. S 1a, Band I. Kópia, strojopis, 2 strany.

---

1 V origináli Schkobau.
2 Fritz Seldte.
3 Pozri dokument 31.
4 Dnešné Krzystkowice v poľskej časti Dolnej Lužice.
5 Mesto v dnešnej spolkovej krajine Brandenburg, okres Prignitz.
6 Mesto v dnešnej spolkovej krajine Mecklenburg-Vorpommern, okres Mecklenburgische Seenplatte.

35

1940, 10. jún. Bratislava. – Správa poverenca ríšskeho ministra práce pre „Ostmark" o priebehu náboru slovenských priemyselných robotníkov do Nemecka.

Der Beauftragte der Zweigstelle Ostmark   Pressburg, am 10. Juni 1940
des Reichsarbeitsministeriums
für Arbeitseinsatz und Arbeitslosenhilfe
G. Z. 5780

An den
Herrn Reichsarbeitsminister
Berlin SW 11
Saarlandstrasse 96

Betrifft: Anwerbung in der Slowakei;
       hier: wöchentliche Berichterstattung.

<u>Vorgang</u>: Erlass LAA Wien Niederdonau v. 17. 5. 40 – G. Z. IIb 5770.

Auf Grund vorbezeichneten Erlasses berichte ich, dass in der Zeit bis 2. 6. 40 und in der Woche vom 2. 6. bis 9. 6. 40 folgende Anzahl gewerblicher Arbeitskräfte abbefördert worden ist:

	Bis 2. 6. 40 ausgereist:	Vom 3. 6. bis 9. 6. 40 ausgereist:	Summe:
Sachsen	1 540	-----	1 540
Mitteldeutschld.	3 133	-----	3 133
Niedersachsen	1 451	-----	1 451
Ostmark	1 275	472	1 747
Südwestdeutschld.	28	-----	28
Sudetenland	10	-----	10
Hessen	118	-----	118
Brandenburg	94	-----	94
Schlesien	386	-----	386
Bayern	782	-----	782
	8 817	472	9 289

Bei den in der Woche vom 3. 6. 40 bis 9. 6. 40 abbeförderten Arbeitskräften handelt es sich um die Erledigung folgender Vorträge:

   1. Sprengstoffwerke Blumau b./Wr. Neustadt   52 H.-Arbeiter

   2. Alpine Montan „Hermann-Göring-Werke" Eisenerz Steierm.[ark] 420 Bergarbeiter.

Die für diese beiden Betriebe gestellten Arbeitskräfte werden gleichfalls nicht auf das Kontingent angerechnet. Die Genehmigung des Herrn Überleitungskommissars für die Landesarbeitsämter der Ostmark zur Gestellung dieser Kräfte liegt vor. Hierzu wird mitgeteilt, dass die Firma bei ihren verschiedenen Werken und Baustellen in der Ostmark grössere Abgänge und zwar vornehmlich in dem kriegswichtigen Betrieb Eisenerz zu verzeichnen hat. Es handelt sich hierbei hauptsächlich um Urlauber, die aus nicht bekannten Gründen, zum Teil jedoch aus entstandenen Passschwierigkeiten heraus, nicht an ihre Arbeitsstellen zurückgekehrt sind.[1] Seit Januar ds. Js. sollen insgesamt 703 slow. gewerbl. [iche] Arbeiter ausgeschieden sein. Ähnlich liegen die Verhältnisse in den kriegswichtigen Betrieb Sprengstoff-Werke Blumau b./Wr. Neustadt.

Trotz der enormen Überlastung in der Werbung der Arbeitskräfte für Industrie und Landwirtschaft gelang erstmalig im engsten Einvernehmen mit der Deutschen Partei und der Beauftragung des Arbeitsamtes Wien der Einsatz von 20 Lehrlingen (Volksdeutsche) bei der Wiener Lokomotiv AG in Wien. Zur Stärkung des volksdeutschen Elementes werde ich dieser Frage weiterhin meine besondere Aufmerksamkeit schenken,[2] sobald die übrigen Arbeiten in der Werbung der Kräfte für Industrie und Landwirtschaft etwas nachlassen.

Der Herr Präsident des Landesarbeitsamtes Wien-Niederdonau[3] hat mich davon in Kenntnis gesetzt, dass aus dem 1. Nachtragskontingent von 10 000 Arbeitskräften 5 000 Arbeiter für die Industrie gestellt werden können. Aus diesem Kontingent sind bisher und zwar in der Woche vom 3. 6. bis 9. 6. 40 für LAA Oberdonau 23 gewerbl. Arbeiter gestellt worden. Es handelt sich hierbei um die Teilerledigung eines Auftrages (Stickstoffwerke AG Ostmark in Linz).

Aus dem 5 000 Mann Kontingent sind mir bisher nach Mitteilung des Herrn Baasch vom Reichsamt für Wirtschaftsaufbau folgende Aufträge zur Besetzung gemeldet worden:

   1. Stickstoffwerke AG Ostmark Linz   300 Arbeiter

   2. Dynamit AG   1 350 Arbeiter

3. I. G. Wolfen in Bitterfeld	700 Arbeiter
4. Buna Schkopau[4] b./Merseburg[5]	500 Arbeiter
5. Leuna-Werke in Leuna	800 Arbeiter
6. Continental AG Hannover	100 Arbeiter
7. Alu. Bitterfeld	200 Arbeiter

Mit Rücksicht auf die Dringlichkeit und im Hinblick darauf, dass dem Reichsamt für Wirtschaftsausbau das Verfügungsrecht über das 5 000 Mann Kontingent eingeräumt sein soll, habe ich die Werbung der Kräfte für vorstehende Aufträge eingeleitet. Da die Aufteilung des Kontingents mit Zustimmung des RAM[6] erfolgt, bitte ich, um unliebsame Auseinandersetzungen mit den hier weilenden Firmenvertretern und auch dem Reichsamt für Wirtschaftsausbau selbst, zu vermeiden, jeden bestätigten Vertrag unter Angabe der Anzahl der zu stellenden Kräfte telegrafisch der Dienststelle in Pressburg bezw. Übernahmestelle LAA Wien Nd. Donau bekanntzugeben.

Ungeregelte Ausreise von Arbeitskräften.

In letzter Zeit wiederholten sich die Fälle, wo deutsche Polizeibehörden den hier in der Slowakei wohnenden Arbeitern Sichtvermerke für die Einreise in das Reichsgebiet erteilen. So ist wieder vor einigen Tagen festgestellt worden, dass seitens einer Firma in Malchow, es handelt sich ohne Zweifel um eine Baustelle der Dynamit AG, mit Umgehung der Arbeitseinsatzbehörden slowakische Staatsangehörige zur Arbeitsaufnahme in das Reich veranlasst werden. Die Einreise wird dadurch ermöglicht, dass bei dem Herrn Landrat des Kreises Waren die Pässe dieser slowakischen Staatsangehörigen durch Mittelspersonen vorgelegt werden, worauf seitens des Landrates ein Sichtvermerk zur Aus- und Wiedereinreise in das deutsche Reichsgebiet erteilt wird. Diese meine Beobachtungen haben mich bereits schon einmal veranlasst hierüber der Deutschen Gesandtschaft zu berichten, jedoch haben die von dieser Stelle eingeleiteten Massnahmen bisher zu keinem Erfolge geführt. Ich bitte dieses Verfahren, das geeignet erscheint den geregelten Einsatz ausländ.[ischer] Arbeiter im Reichsgebiet erheblich zu stören, in Hinkunft zu unterbinden.

Das slowakische Aussenministerium hat der Deutschen Gesandtschaft, wie ich bereits am 10. 6. 40 dem LAA Wien-Niederdonau telefonisch berichtete, mitgeteilt, dass als 2. Nachtragskontingent weitere 10 000 Arbeiter gestellt werden können.[7] Bei der im Anschluss hieran im slowakischen Innenministerium geführten Unterredung wurde mir, mit Rücksicht auf die augenblickliche Lage des Arbeitseinsatzes der Wunsch unterbreitet, das 2. Nachtragskontingent wie folgt aufzuteilen:

3 000 landw. Arbeitskräfte
7 000 gewerbliche Arbeitskräfte.

Wegen Aufteilung des Kontingents bitte ich um nähere Weisungen, damit das slowakische Innenministerium entsprechend unterrichtet werden kann.

gez. Rehfeld

In Abschrift
der Deutschen Gesandtschaft,
- Konsulatabteilung,
Pressburg,
mit der Bitte um Kenntnisnahme ergebenst übersandt

Rehfeld [v. r.]

PA AA, Gesandtschaft Preßburg, Paket 208, W 2, Nr. S 1a, Band I. Kópia, strojopis, 3 strany.

---

1 Pozri tiež dokument 30.
2 Pozri tiež dokumenty 28 a 30.
3 Alfred Proksch (1891-1981), člen DNSAP, v rokoch 1938 – 1945 zastával uvedenú funkciu.

4 V origináli chybne Schkobau.
5 K pomerom v Merseburgu pozri dokument 46.
6 Reichsarbeitsminister.
7 Pozri dokument 36.

36

1940, 11. jún. Bratislava. – Správa nemeckého vyslanectva Zahraničnému úradu o rozhodnutí slovenskej vlády uvoľniť ďalší kontingent slovenských pracovných síl do Nemecka.

Konzept.[1]

Durchdruck
Deutsche Gesandtschaft   Pressburg, den 11. Juni 1940
Aktenz.: W 2 Nr. 1a Nr. 3203
Inhalt: Freigabe slowakischer Arbeitskräfte
           für das Reich
Im Anschluss an den telegraf. Bericht vom
30. 5. 40 Nr. 177[2] und vom 10. 6. 40 Nr. 195[3]

2 Durchdrucke

Wegen Freigabe weiterer slowakischer Arbeitskräfte für das Reich beehre ich mich mitzuteilen, dass das Ministerium des Äussern der Slowakei heute telefonisch die grundsätzliche Zustimmungserklärung zur Freigabe weiterer 10 000 Arbeiter gab;[4] die Frage, ob dabei in erster Linie Landarbeiter oder Industriearbeiter nach Deutschland abgegeben werden sollen, soll der Vereinbarung der zuständigen Arbeitsämter überlassen bleiben. Ebenso bittet das Ministerium des Äussern der Slowakei, dass die erforderlichen Vereinbarungen über die Regelung des Zahlungsverkehrs nachträglich zwischen dem Reichswirtschaftsministerium und der slowakischen Nationalbank getroffen werden.

Der Pressburger Vertreter des Herrn Reichsarbeitsministers, Rehfeld, wurde von der Gesandtschaft sofort telefonisch in Kenntnis gesetzt.

Der Dringlichkeit wegen, sandte die Gesandtschaft unverzüglich nach Erhalt der telefonischen Verständigung seitens des Ministeriums des Äussern der Slowakei ein Telegramm nachfolgenden Inhalts an das Auswärtige Amt:

„Aussenministerium mitteilt, dass weitere 10 000 Arbeiter unter Vorbehalt späterer Zahlungsverkehrsregelung durch Reichswirtschaftsministerium und slowakische Nationalbank freigegeben werden."

gez. Ringelmann

An
das Auswärtige Amt
Berlin.

PA AA, Gesandtschaft Preßburg, Paket 208, W 2 Nr. 1 a, Band I. Kópia, strojopis, 1 strana.

1 Správa bola odoslaná 12. 6. 1940.
2 Telegram mal nasledovné znenie: „*Wegen Freigabe weiterer slowakischer Arbeitskräfte bei Aussenministerium und Innenministerium interveniert. Entscheidung im Hinblick auf Regierungskrise erst in einigen Tagen zu erwarten. Auf Transferschwierigkeiten wird besonders verwiesen, weshalb Rücksprache mit dem zu Bankverhandlungen in Berlin weilenden Minister Polyak empfehlenswert. gez. Bernard.*" (PA AA, Gesandtschaft Preßburg, Paket 208, W 2, Nr. S 1a, Band I.)
3 Telegram sa zhoduje s obsahom posledného odseku publikovanej správy.

4 Minister zahraničných vecí a vnútra F. Ďurčanský potvrdil rozhodnutie písomne, keď v liste vyslancovi H. Bernardovi uviedol: *„Exzellenz, bezugnehmend auf die Verbalnote Nr. 2872 vom 29. Mai 1940 erlaube ich mir Ihnen mitzuteilen, dass ich Anweisung gegeben habe ein weiteres Kontingent von 10 000 Arbeitern für das Reich unter der Voraussetzung freizugeben, dass das Transfer der Löhne mit dem Finanzministerium und der Nationalbank einvernehmlich gelöst wird."* (PA AA, Gesandtschaft Preßburg, Paket 208, W 2 S 1a, Band I.)

37

1940, 15. jún. Bratislava. – Správa poverenca ríšskeho ministra práce pre „Ostmark" o priebehu náboru slovenských priemyselných robotníkov do Nemecka.

Der Beauftragte der Zweigstelle Ostmark   Pressburg, am 15. Juni 1940
des Reichsarbeitsministeriums
für Arbeitseinsatz und Arbeitslosenhilfe
G. Z. 5780

An den
Herrn Reichsarbeitsminister
Berlin SW 11
Saarlandstrasse 96

Betrifft: Anwerbung in der Slowakei;
         hier: wöchentliche Berichterstattung.
Vorgang: Erlass des LAA Wien Niederdonau v. 17. 5. 40 – G. Z. IIb 5770 –.

Auf Grund des vorstehend bezeichneten Erlasses berichte ich, dass in der Woche vom 9. 6. bis 16. 6. 40 folgende Anzahl gewerblicher Arbeitskräfte abbefördert worden ist:
I. Nachtragskontingent 5 000 gewerbl.[icher] Arbeiter.

	Bis 9. 6. 40 ausge-reist:	Vom 9. 6. bis 16. 6. 40 ausger.[eist]:	Summe:
LAA O. Donau	23	267	290
Schlesien	-----	663	663
	23	930	953

Bei den in der Woche vom 9. 6. 40 bis 16. 6. 40 abbeförderten Arbeitskräften handelt es sich um die Erledigung folgender Aufträge:
1. Stickstoffwerke AG Ostmark Linz   267[1] Arbeiter
Die 10 fehlenden Kräfte werden noch gestellt.
2. Bauvorhaben der Dynamit AG Christianstadt   663[2] Arbeiter
Die fehlenden 37 Arbeiter werden noch gestellt.
Neben den in meinem Bericht vom 10. 6. vom Reichsamt für Wirtschaftsausbau gemeldeten Aufträgen hat mir der Vertreter des Reichsamtes in Pressburg aus dem 5 000 Mann Kontingent die Besetzung des nachstehenden Auftrages gemeldet:
1. Bayrische Stickstoffwerke Altötting   300 Arbeiter.
Die Werbung dieser Kräfte ist eingeleitet und soll die Abbeförderung dieser Arbeiter am 25. 6. 1940 mit Fa. 1087 erfolgen.

                                            gez. Rehfeld

In Abschrift
an die
Deutsche Gesandtschaft,
Pressburg,

mit der Bitte um Kenntnisnahme ergebenst übersandt.

Rehfeld [v. r.]

PA AA, Gesandtschaft Preßburg, Paket 208, W 2, Nr. S 1a, Band I. Kópia, strojopis, 1 strana.

1 Pozri dokument 35.
2 Pozri dokument 34.

38

1940, 18. jún. Bratislava. – Správa poverenca ríšskeho ministra práce pre „Ostmark" o priebehu náboru slovenských poľnohospodárskych robotníkov do Nemecka.

Der Beauftragte der Zweigstelle Ostmark   Pressburg, am 18. Juni 1940
des Reichsarbeitsministeriums
für Arbeitseinsatz und Arbeitslosenhilfe
G. Z. 5770

An den
Herrn Reichsarbeitsminister
Berlin SW 11
Saarlandstrasse 96

Betrifft: Anwerbung in der Slowakei;
         hier: wöchentliche Berichterstattung.
Vorgang: Erlass des LAA Wien Niederdonau v. 17. 5. 40 – G. Z. IIb 5770.

Auf Grund vorbezeichneten Erlasses berichte ich, dass bis 9. 6. 40 und in der Woche vom 10. 6. 40 bis 16. 6. 40 folgende Anzahl landw. Arbeitskräfte abbefördert worden ist:

	Bis 9. 6. 40 ausgereist:	Vom 10. 6. – 16. 6. 40 ausg.[ereist]:	Summe:	Kontingent:
Ostmark	9 561	292	9 853	14 191
Mitteldeutschl. [and]	1 667	2	1 669	1 871
Brandenburg	579	-----	579	641
Hessen	1 144	19	1 163	1 200
Sudetenland	7 206	117	7 311	7 363
Schlesien	209	-----	209	269
Niedersachsen	712	20	732	719
Nordmark	88	-----	88	86
Sachsen	315	-----	315	312
Pommern	12	-----	12	46
Rheinland	988	-----	988	1 000
Westfalen	104	-----	104	101
Bayern/München	386	6	392	400

Bayern/Nürn-berg	23	-----	23	33
Ostpreussen	2	-----	2	2
Südwest-deutschl.	-----	4	4	4
Illegal ausge-reist	755	-----	755	-----
	23 751	460	24 211	28 285
Protektorat legal	1 392	2 340	3 732	
Protektorat illegal	270	659	929	5 000
	25 413	3 459	28 872	33 258

Verfügbares landw. Kontingent einschl. Protektorat Böhmen und Mähren jedoch ohne dem 2. Nachtragskontingent 34 976 landw. Arbeiter.

Die restlichen Kräfte für das Protektorat Böhmen und Mähren werden im Laufe dieser Woche zur Abbeförderung gelangen. Dadurch, dass der Eingang der Verträge für die Landwirtschaft nur langsam vor sich geht, wurde ein Teil der Werber bei der Anwerbung der Arbeitskräfte für die Industrie eingesetzt. Mit Rücksicht auf die vorgeschrittene Jahreszeit und im Hinblick darauf, dass die hier noch vorhandenen arbeitslosen Landarbeiter bei der jetzt beginnenden Heuernte und im Anschluss hieran bei der Getreideernte ausreichend Beschäftigung finden können, bitte ich zu veranlassen, dass die Verträge beschleunigt zur Besetzung übersandt werden. Bei dieser Gelegenheit wiederhole ich die mir vom slowakischen Innenministerium vorgetragene Bitte aus dem 2. Nachtragskontingent von 10 000 Arbeitskräften nur 3 000 Arbeitskräfte zu Gunsten der Landwirtschaft zu verteilen.[1] Ein weiterer Bedarf kann mit Rücksicht auf die vorgeschrittene Jahreszeit aus dem 2. Nachtragskontingent nicht gedeckt werden.

gez. Rehfeld

In Abschrift
an die
Deutsche Gesandtschaft,
Pressburg,
mit der Bitte um Kenntnisnahme ergebenst übersandt.

Rehfeld [v. r.]

PA AA, Gesandtschaft Preßburg, Paket 208, W 2, Nr. S 1a, Band I. Kópia, strojopis, 2 strany.

1 Pozri tiež dokument 35.

39

1940, 19. – 20. jún. Bez uvedenia miesta. – Správa sociálneho pridelenca slovenského vyslanectva v Berlíne Ľ. Mutňanského o služobnej ceste v slovenskej robotníckej enkláve v Christianstadte. Upozorňuje na zlú náladu medzi robotníctvom pre nedodržanie prísľubov zo strany nemeckého zamestnávateľa.

Správa o úradnej ceste v Christianstadte[1] dňa 19. a 20. VI. 1940.

Po návšteve na Arbeitsamte[2] v Soran[3] a po prejednaní niekoľko vecí týkajúcich sa našich robotníkov odišli sme spolu s vedúcim tamojšieho Arbeitsamtu p. Scholtzeom do Christianstadtu.

Našiel som tam neobyčajne rozvírené pomery.

Zo strany zamestnávateľa som počul nasledovné:

Asi pred týždňom došiel do Christianstadtu nový transport slov. robotníkov. Títo slov. robotníci nechceli nastúpiť prácu, a to preto, že im bolo na Slovensku na sprostredkovateľniach práce v Nitre, Topoľčanoch a v Trnave sľúbené, že nádenníci dostanú 71 pfenigov a odborníci 85 pfenigov. Zamestnávateľ však tvrdí opačne, že oni môžu len toľko platiť, koľko im pripúšťa tarifa t. j. pre nádenníkov 59 pfenigov a pre odborníkov 71 pfenigov.

Určitá časť týchto slov. robotníkov nechcela nastúpiť prácu, chovala sa úplne nedisciplinovane a nakoľko chovanie týchto ohrozovalo verejný poriadok a pokoj závodu, boli títo na krátku dobu zatknutí, ale neskoršie prepustení. Nechceli ale ani po tomto nastúpiť prácu. I pracovný výkon slov. robotníkov je neuspokojivý.

Toľko zamestnávatelia.

Čo naši robotníci?

Mzdy: Tí, ktorí došli posledným transportom tvrdia, že im bolo sľúbené v Nitre, Topoľčanoch a v Trnave mzda vo výške 85 pfenigov pre odborníkov a 71 pfenigov nádenníkom. Na svojich požiadavkách trváme!

Dovolenka: Žiadali, dodržiavať ¼ ročne ženatým a ½ ročne slobodným.

Strava: nedostačujúca a zlá.

Pracovné miesto veľmi ďaleko, cca 12 km.

Poukazy na šaty: nemáme pracovného odevu a topánok.

Poukazovanie: neskoro sa doručujú a poslať viac.

Zistil som, že nálada medzi našimi robotníkmi je veľmi zlá.

Niektorí sa chovali i pri mojej prítomnosti veľmi nedisciplinovane a surovo a absolútne negatívne vo všetkom. Nedôvera je tak veľká, že nechceli ani s vedúcim závodov už jednať, niektorí dokonca sa nepekne vyslovili o Nemecku vôbec. Zdá sa, že v pozadí celej veci je politická propaganda.

Keď som videl situáciu a v niektorých veciach ako mzdovej a dovolenke nemohol som docieliť dohody, zariadil som so súhlasom zamestnávateľa a Arbeitsamtu, že tí, ktorí nechcú za týchto podmienok robiť, môžu odísť domov. Zaplatia si však sami cestovné.

V niektorých veciach podal som našim informácie a žiadal, aby sa obrátili na vyslanectvo, lebo zanechať prácu je trestné a neprípustné.

Stravy je skutočne málo, zvlášť chleba. Vo veci dovolenej sa našim vyhovie, keď budú najnutnejšie veci hotové a pôjdu v etapách.

Navrhujem, aby táto správa bola doručená ministerstvu vnútra. Nech patričné úrady dbajú o to, aby slovenskí robotníci pred odchodom do Nemecka boli správne poučení a aby úrad propagandy venoval zvýšenú pozornosť našim slovenským robotníkom, lebo chovanie ako som zistil v Christianstadte neslúži slovensko-nemeckým vzťahom a môže mať v budúcnosti aj štátno-politické následky.

Doporučujem, aby sme sa informovali na patričných sprostredkovateľniach v Nitre, Trnave a Topoľčanoch, či tvrdenie našich robotníkov sa zakladá na pravde. Ďalej budem pozorne sledovať tamojšie pomery, nakoľko sa tam stavia dynamitka, aby nedošlo k ďalším ťažkostiam.[4]

Ľudovít Mutňanský [v. r.]

SNA, f. MZV, š. 135, 52031/1940. Kópia, strojopis, 2 strany.

1 Dnešné Krzystkowice, miestna časť mesta Nowogród Bobrzański v poľskom Dolnom Sliezsku.
2 Úrad práce.
3 Správne Sagan, dnešný Żagań v poľskom Dolnom Sliezsku.
4 Ústredný úrad práce zaslal správu na prešetrenie okresným sprostredkovateľniam práce v Nitre, Topoľčanoch a Trnave. Podľa ich prípisov „*robotníctvu najatému pre fmu Dynamit Nobel AG v Christianstadte boli mzdové a pracovné podmienky oznámené a to pre nádenníkov hodinová mzda 59 Rpf, pre odborníkov (murár, tesár atď.) 71 Rpf. Pracovná doba 10 hodín denne, ženatým robotníkom príplatok 1 RM denne, ubytovanie zdarma.*" (SNA, f. MZV, š. 135, 52031/1940. Prípis ÚÚP MV z 9. 8. 1940.)

40

1940, 28. jún. Bez uvedenia miesta [Bratislava]. – Návrhy vedúceho sekcie IVa ministerstva vnútra A. Bezáka vo veci repatriácie slovenských štátnych príslušníkov vo Francúzsku a v Belgicku. Uvádza možnosť náboru baníkov do Nemeckej ríše.

114379/IV/a/1940   28. júna 1940

Predmet: Belgia – slovenskí robotníci – ochrana.

Pánu ministrovi vnútra Dr. Ferd. Ďurčanskému
v Bratislave.

Predkladajúc pripojený úradný záznam[1] dovoľujem si poznamenať, že robotníctvo, ktoré sa z Belgie vracia, sťažuje si na pomery, ktoré tam v dôsledku vojny povstali ako aj na to, že v okolí Charleoroy sú nútení robotníci spávať pod stanmi, keďže domy sú neobývateľné a čakajú, že i v zásobovaní nastanú určité medzere.

Navrhujem preto, aby – pre ten prípad, že toto robotníctvo bude repatriované –, bolo s nemeckými úradmi dojednané.

A.

1. Všetkým robotníkom, ktorí sa hodlajú vrátiť do vlasti bude poskytnutá kreditovaná jazda po nemecko-slovenské hranice na účet soc. odb. ministerstva vnútra v Bratislave, ak nemajú dostatok vlastných prostriedkov,

2. cestovné pasy robotníkov budú uznané za platné, keď domovská obec robotníka ostala na terajšom území slovenského štátu,

3. k prevedeniu repatriácie robotníkov budú pridelení k Vyslanectvu nemeckej ríše v Brüxelles 2 úradníci slovenskí a to jeden na vybavovanie otázok pasových a druhý na likvidáciu mzdových a ostatných finančných pohľadávok slovenských robotníkov.

B.

(pre prípad presprostredkovania robotníctva)

1. ak nemecké úrady majú na týchto robotníkoch záujem, ktorí sú z prevažnej čiastky baníci a robotníci z ťažkého priemyslu dojednať, aby sa najímanie tohoto robotníctva pre Nemecko (najmä si želáme čím viac pre Ostmark) previedlo priamo v Belgii,

2. robotníctvo by sa najalo tak ako sa najíma na Slovensku t. j. podpísaním zmluvy a za prítomnosti zástupcu firmy, u ktorej by robotníctvo v Nemecku pracovalo, najímanie by previedli úradníci uvedení pod A/3,

3. pracovné a mzdové podmienky by boli pre týchto robotníkov tie isté, ako sú platné pre ostatné slovenské robotníctvo v Nemecku.

C.
(pre prípad, že by robotníci ostali v Belgicku)

1. Zriadiť generálny konzulát v Brüxelles,

2, do zriadenia konzulátu prideliť potrebné sily k Vyslanectvu nemeckej ríše v Brüxelles pre úkoly pod A/3 uvedené.

Vzhľadom na to, že záležitosť robotníkov v Belgii je veľmi súrna, prosím aby bol daný príkaz ministerstvu zahraničných vecí, aby podľa rozhodnutia a podľa alternatívy A/,B/, resp. C/ potrebné u nemeckých úradov zariadilo.

Konkrétne navrhujem pre Belgicko:

1 úradníka ovládajúceho jazyk francúzsky z ministerstva zahraničia a

1 úradníka z robotníckej ochrany t. č. účinkujúceho v Nemecku,

ktorý by ochranu, resp. presprostredkovanie previedol.

Súčasne prosím o úpravu, či táto záležitosť musí byť skutočne v ministerskej rade prejednávaná, aby som mohol návrh k 3. VII. ministerskej rade predložiť.[2]

Úhrada nákladov, ak bude rozhodnuté podľa alternatívy B/ by bola z poplatkov za sprostredkovanie robotníctva do Nemecka; inak len z riadneho rozpočtu sociálnej starostlivosti.

Prednosta odd. IV/a:

Bezák [v. r.]

SNA, f. MV, IVa 131645/1940. Originál, strojopis, 2 strany.

---

1 Záznam z toho istého dňa mal nasledovné znenie: „*Telefonoval p. Ing. Mračna, šéf polit. sekcie MZV, že jednal telefonicky s p. ministrom Černákom, vyslancom v Berlíne, ohľadom ochrany našich robotníkov v Belgicku. Podľa správy p. ministra Černáka, nemecké úrady by proti ochrane našich robotníkov nič nenamietali a žiadajú, aby menovaná bola vhodná osoba k výkonu tejto funkcie a po dohode s nemeckou brannou mocou by táto osoba mohla nastúpiť svoju funkciu.*
Ďalej p. minister Černák sdelil, že robotníctvo by mohlo byť z Belgicka premiestnené do Nemecka, ale že k tomu potrebuje súhlas našej vlády."

2 Návrh nebolo potrebné predložiť. V Bezákovom prípise MZV z 11. 7. 1940 sa k predmetnej záležitosti uvádza: „*Pán minister Dr. Ďurčanský dňa 9. júla 1940 schválil pripojené návrhy prednostu oddelenia IV/a ministerstva vnútra zo dňa 28. júna 1940. V dôsledku toho vám tieto návrhy zasielame k ďalšiemu urýchlenému pokračovaniu. Záležitosť netreba predložiť vláde k rozhodnutiu. Na príkaz pána ministra sa taktiež upozorňuje, že medzi našimi robotníkmi v Belgii a vo Francii netreba robiť propagandu pre návrat do vlasti, ale každému kto sa o to prihlási treba bezpodmienečne umožniť návrat.*" Záležitosť sa ťahala niekoľko rokov a slovenská strana ju spájala s možnosťou vytvorenia zastupiteľského úradu vo vichystickom Francúzsku. Pozri dokument 106.

41

**1940, 1. júl. Bratislava. – Správa poverenca ríšskeho ministra práce pre „Ostmark"
o priebehu náboru slovenských poľnohospodárskych robotníkov do Nemecka.**

Der Beauftragte der Zweigstelle Ostmark   Pressburg, am 1. Juli 1940
des Reichsarbeitsministeriums
für Arbeitseinsatz und Arbeitslosenhilfe
G. Z. 5770

An den
Herrn Reichsarbeitsminister
Berlin SW 11
Saarlandstrasse 96

Betrifft: Anwerbung in der Slowakei;
         hier: wöchentliche Berichterstattung.
Vorgang: Erlass des LAA Wien-Niederdonau v. 17. 5. 40 – G. Z. IIb 5770.

Auf Grund vorbezeichneten Erlasses berichte ich, dass in der Zeit bis 23. 6. 40 und
in der Woche vom 24. 6. 40 bis 30. 6. 40 folgende Anzahl landw. Arbeitskräfte aus der
Slowakei abbefördert worden ist:

	Bis 23. 6. 40 ausgereist:	Vom 24. 6. – 30. 6. 40 ausg.[ereist]:	Summe:	Kontingent:
Ostmark	10 949	405	11 354	14 800
Mitteldeutschl. [and]	1 712	149	1 861	2 100
Brandenburg	584	34	618	1 364
Hessen	1 217	7	1 224	2 000
Sudetenland	7 399	6	7 405	10 200
Schlesien	209	-----	209	218
Niedersachsen	735	19	754	1 000
Nordmark	88	63	151	786
Sachsen	444	47	491	900
Pommern	14	151	165	412
Rheinland	1 039	-----	1 039	3 000
Westfalen	104	-----	104	100
Bayern/München	392	2	394	500
Bayern/Nürnberg	23	482	505	628
Ostpreussen	13	-----	13	10
Südwestdeutschl.	4	-----	4	-----
Illegal ausgereist	755	-----	755	-----
	25 681	1 365	27 046	38 018
Protektorat B. u. M.	4 015 leg.	16	4 081	5 000
Protektorat B. u. M.	777 illeg.	-----	777	
	4 792	66	4 858	43 018

Mithin insgesamt abbefördert: 31 904 landw. Arbeitskräfte. Verfügbares Kontingent einschl. Nachtrag 1 und 2 und des Kontingents Böhmen und Mähren: 40 976 landw. Arbeitskräfte.

Ich habe bei meiner Bereisung der Werbestellen am 29. und 30. 6. 40 eine Prüfung der Abgabeziffern vorgenommen, wobei ich zu folgendem Ergebnis gekommen bin:

Abgabefähigkeit der Werbestelle:

Bratislava	200 Wanderarbeiter	
Trencin	200 Wandarbeiter	
Zilina	200 Wandarbeiter	500 Waldarbeiter
Presov	700 Wandarbeiter	200 Waldarbeiter
Nitra	500 Wandarbeiter	500 Waldarbeiter
Zvolen	150 Wandarbeiter[1]	

Es stehen demnach insgesamt zur weiteren Abgabe in das Reichsgebiet zur Verfügung:

Waldarbeiter	1 200
Wanderarbeiter	1 950.

Nach erfolgter Werbung dieser Kräfte ist das in der Slowakei vorhandene Angebot an land.- und forstwirtschaftlichen Arbeitskräften erschöpft. Eine weitere Anwerbung von Arbeitskräften würde nicht nur viel Kosten verursachen, sondern auch zur Folge haben, dass der hiesigen Landwirtschaft die Kräfte zur Einbringung ihrer Ernte fehlen.

Da mit dem noch vorhandenen Angebot an landw. Arbeitskräften das verfügbare Kontingent von 40 976 landw. Arbeitskräften in Anspruch genommen werden kann, bitte ich zu prüfen, inwieweit das noch verfügbare Kontingent von ca. 6 000 Arbeitskräften zu Gunsten der Industrie verteilt werden kann. Mit einer weiteren Abgabe von Arbeitskräften für die Landwirtschaft kann erst nach Einbringung der hiesigen Ernte, die 14 Tage bis 3 Wochen früher wie in Mittel- und Norddeutschland beendet ist, gerechnet werden. Sollte ein Einsatz dieser Kräfte im Reichsgebiet erwünscht sein, bitte ich schon jetzt sicherzustellen, dass die Aufträge hierfür eingeholt werden, damit der Einsatz dieser Kräfte sofort nach Beendigung der hiesigen Getreideernte zum Beginn der Getreideernte in Mittel- und Norddeutschland erfolgen kann.[2]

gez. Rehfeld

In Abschrift
an die
Deutsche Gesandtschaft,
Pressburg,
mit der Bitte um Kenntnisnahme ergebenst übersandt.

Rehfeld [v. r.]

PA AA, Gesandtschaft Preßburg, Paket 208, W 2, Nr. S 1a, Band I. Kópia, strojopis, 2 strany.

---

1 Porovnaj dokument 32.
2 Pozri dokumenty 47, 49 a 57.

42

1940, 3. júl. Bratislava. – Správa poverenca ríšskeho ministra práce pre „Ostmark" o priebehu náboru slovenských priemyselných robotníkov do Nemecka.

Der Beauftragte der Zweigstelle Ostmark   Pressburg, den 3. Juli 1940
des Reichsarbeitsministeriums
für Arbeitseinsatz und Arbeitslosenhilfe
G. Z. 5780

An den
Herrn Reichsarbeitsminister
Berlin SW 11
Saarlandstrasse 96

Betrifft: Anwerbung in der Slowakei;
       hier: wöchentliche Berichterstattung.
Vorgang: Erlass des LAA Wien Niederdonau v. 17. 5. 40 – G. Z. IIb 5760.

Auf Grund des vorbezeichneten Erlasses berichte ich, daß in der Zeit bis 23. 6. 40 und in der Woche vom 24. 6. 40 bis 30. 6. 40 folgende Anzahl slow. gewerbl. Arbeiter abbefördert worden ist:

Nachtr. Kont. 1	Bis 23. 6. 40 ausgereist:	Vom 24. 6. 40 bis 30. 6. 40 ausger.[eist]:	Summe:
Oberdonau	290	-----	290
Schlesien	663	300	963
Hessen o.[hne] Trans.[fer]	14	-----	14
Mitteldeutschl.	1 792	6	1 798
Niedersachsen	103	-----	103
Bayern	-----	708	708
Rheinland	-----	45	45
Brandenburg	-----	72	72
Steiermark	-----	32	32
	2 862	1 163	4 025

Bei den in der Woche vom 24. 6. 40 bis 30. 6. 40 abbeförderten Arbeitskräften handelt es sich um die Erledigung bezw. Teilerledigung folgender vom Reichsamt für Wirtschaftsausbau gemeldeter Aufträge:

1. Dynamit AG Baustelle Kraiburg   235 Arbeiter
2. Dynamit AG Baustelle Troisdorf   45 Arbeiter
3. Dynamit AG Baustelle Ebenhausen   139 Arbeiter
4. Dynamit AG Baustelle Christanstadt   300 Arbeiter
5. Dynamit AG Baustelle Hohensaaten   72 Arbeiter
6. Hermann-Göring-Werke „Alpine Montan" Eisenerz   32 Arb. a. Kontint.[1]
7. Leuna-Werke, Merseburg   6 Arbeiter
8. Bayrische Stickstoffwerker Altötting   289 Arbeiter.

Verfügbares Kontingent Nachtrag 1 und 2 insgesamt: 9 000 gewerbl. Arbeitskräfte.

Der Arbeitseinsatzreferent der Alpine Montan AG „Hermann Göring", Linz, Herr Krutschina und sein hier seit längerer Zeit stationierter Vertreter, Herr Knechtsberger, haben mir mitgeteilt, daß für den Betrieb Eisenerz in Steiermark aus dem Nachtragskontingent 1 und 2 durch das Reichsarbeitsministerium 1 000 bis 1 200 Bergarbeiter genehmigt worden seien. Die Anforderungen für 1 200 Arbeitskräfte sollen bereits über die zuständigen Arbeitsämter eingereicht worden sein. Da die Firma bereits wiederholt wegen Freigabe der Werbung dieser Kräfte schriftlich wie auch persönlich bei mir angefragt hat, bitte ich um Mitteilung, ob mit der Freigabe der Werbung bezw. mit der Erteilung der Genehmigung zur Beschäftigung dieser Arbeiter aus dem 1. und 2. Nachtragskontingent gerechnet werden kann. Die Arbeitseinsatzreferenten der Hermann-Göring-Werke unterhalten zur slowakischen Regierung gute persönliche Beziehungen und sind die slowakischen amtlichen Stellen an einer Erledigung dieses Auftrages außerordentlich interessiert. Der Sektionschef des Slowakischen Innenministeriums, Herr Dr. Bezak, hat mir in dieser Angelegenheit mitgeteilt, daß er bereit sei, weitere 1 200 Arbeitskräfte außerhalb des bisherigen Kontingents[2] für die Reichswerke Hermann Göring zu bewilligen, falls der Bedarf an Arbeitskräften infolge anderer dringender Anforderungen aus dem jetzt vorhandenen Kontingent nicht gedeckt werden kann. Ich bitte diesbezüglich um eine Entscheidung.

In meinem Wochenbericht an den Herrn Reichsarbeitsminister vom 1. 7. 1940 – G. Z. 5770 – für die Zeit vom 24. 6. 40 bis 30. 6. 40 habe ich mitgeteilt, daß mit dem noch vorhandenen Angebot an landwirtschaftlichen Arbeitskräften das verfügbare landwirtschaftliche Kontingent von insgesamt 40 976 Arbeitskräften mit nur ca. 35 000 landwirtschaftlichen Arbeitskräften in Anspruch genommen werden kann.[3] Ich habe aus diesem Grunde gebeten, die Frage zu prüfen, inwieweit dieses nicht verbrauchte Kontingent infolge des Nachlassens des Angebots an landwirtschaftlichen Arbeitskräften zu Gunsten der Industrie verteilt werden kann. Da aus diesem Kontingent weitere Anforderungen der Industrie befriedigt werden könnten, bitte ich dieserhalb mit Herrn Reg. Rat Dr. Kästner im Reichsarbeitsministerium Rücksprache zu pflegen.

Die ASW[4] – Bauleitung Espenhein – hat mir mitgeteilt, daß von den im Februar dieses Jahres gestellten 1 500 slowakischen Arbeitern ca. 200 Arbeitskräfte von ihrem Heimaturlaub nicht wieder zurückgekehrt sind. Auf Befragen der wieder eingetroffenen Urlauber soll der Firma mitgeteilt worden sein, daß dieser oder jener

1. überhaupt im Heimatort verbleiben wolle,

2. erst für Einbringung der Ernte und Erledigung der nötigen Feldarbeiten Sorge tragen müsse und

3. wegen Einberufung zum slowakischen Heeresdienst nicht wieder an die Arbeitsstelle zurückkehren könne.

Die Firma ASW – Baustelle Espenhein – welche ein Bauvorhaben der Dringlichkeitsstufe I[5] durchzuführen hat, hat den begreiflichen Wunsch geäussert, doch dafür Sorge zu tragen, daß entweder die beurlaubten Kräfte zur Rückkehr an die Arbeitsstelle veranlaßt werden oder aber seitens der deutschen und der slowakischen Behörden der Frage der Gestellung von Ersatzkräften näher getreten wird. Ich habe dieserhalb mit dem Slowakischen Innenministerium Verhandlungen geführt, wobei mir die Zusicherung gemacht worden ist, daß für diese ausgeschiedenen Arbeiter ohne Beanspruchung des laufenden Kontingents Ersatzkräfte gestellt werden können. Da sich derartige Anfragen einzelner Firmen in letzter Zeit wiederholen, bitte ich auch in dieser Frage um eine grundsätzliche Entscheidung.

gez. Rehfeld

In Abschrift
an die
Deutsche Gesandtschaft,
Pressburg,
mit der Bitte um Kenntnisnahme ergebenst übersandt.

Rehfeld [v. r.]

PA AA, Gesandtschaft Preßburg, Paket 208, W 2, Nr. S 1a, Band I. Kópia, strojopis, 3 strany.

1 Arbeiter außer Kontingent.
2 Išlo o pracovné sily dodatočného kontingentu 10 000 robotníkov, ktorý slovenská vláda schválila 12. 6. 1940. (SNA, f, ÚPV, š. 95, 3671/1944.)
3 Pozri dokument 41.
4 Aktiengesellschaft Sächsische Werke.
5 Mimoriadne vysoký stupeň dôležitosti.

43

1940, 8. júl. Bratislava. – Správa poverenca ríšskeho ministra práce pre „Ostmark" o priebehu náboru slovenských priemyselných robotníkov do Nemecka.

Der Beauftragte der Zweigstelle Ostmark des Reichsarbeitsministeriums für Arbeitseinsatz und Arbeitslosenhilfe <u>G. Z. 5780</u>	Pressburg, den 8. Juli 1940

An den
Herrn Reichsarbeitsminister
<u>Berlin SW 11</u>
Saarlandstrasse 96

<u>Betrifft</u>: Anwerbung in der Slowakei;
hier: wöchentliche Berichterstattung.
<u>Vorgang</u>: Erlaß des LAA Wien Niederdonau v. 17. 5. 1940 – G. Z. IIb 5770.

Auf Grund vorbezeichneten Erlasses berichte ich, daß in der Zeit bis 30. 6. 1940 und in der Woche vom 1. 7. 1940 bis 7. 7. 40 folgende Anzahl slow. gewerbl. Arbeiter verpflichtet und abbefördert worden ist:
Nachtragskontingent 1

	Bis zum 30. 6. 40 ausgereist:	Vom 1. 7. 40 bis 7. 7. 40 ausgereist:	Summe:
LAA Oberdonau	290	42	332
LAA Schlesien	963	-----	963
LAA Hessen	14	77	91
LAA Mitteldeutsch-land	1 798	425	2 223
LAA Niedersachsen	103	-----	103
LAA Bayern	708	-----	708
LAA Rheinland	45	-----	45
LAA Brandenburg	72	-----	72
LAA Steiermark	32	26	58
LAA Wien-Nieder-donau	-----	50	50
	4 025	620	4 645

Bei den in der Woche vom 1. 7. 40 bis 7. 7. 40 abbeförderten Arbeitskräften handelt es sich um die Erledigung bezw. Teilerledigung folgender Aufträge:

Auftrag Nr. 31	Leuna Werke, Merseburg	425 Arbeiter
Auftrag Nr. 45	Dynamit AG, Hess. – Lichtenau	77 Arbeiter
Auftrag Nr. ?	Alpine Montan, Eisenerz	26 Arbeiter
Auftrag Nr. 44	Donauchemie AG, Linz	42 Arbeiter
Auftrag Nr. 58	Nova Schwechat, Schwechat	50 Arbeiter.

Verfügbares Kontingent Nachtrag 1 und 2 insgesamt 9 000 gewerbliche Arbeiter.

gez. Rehfeld.

In Abschrift
an die
Deutsche Gesandtschaft,
Pressburg,
mit der Bitte um Kenntnisnahme ergebenst übersandt.

Rehfeld [v. r.]

PA AA, Gesandtschaft Preßburg, Paket 208, W 2, Nr. S 1a, Band I. Kópia, strojopis, 2 strany.

44

1940, 14. júl. Bratislava. – Správa poverenca ríšskeho ministra práce pre „Ostmark" o priebehu náboru slovenských poľnohospodárskych robotníkov do Nemecka.

Der Beauftragte der Zweigstelle Ostmark   Pressburg, den 14. Juli 1940
des Reichsarbeitsministeriums
für Arbeitseinsatz und Arbeitslosenhilfe
G. Z. 5770   Schnellbrief

An den
Herrn Reichsarbeitsminister
Berlin SW 11
Saarlandstrasse 96

Betrifft: Anwerbung in der Slowakei;
        hier: wöchentliche Berichterstattung.
Vorgang: Erlass des LAA Wien-Niederdonau v. 17. 5. 40 – G. Z. IIb 5770.

Auf Grund vorbezeichneten Erlasses berichte ich, dass in der Zeit vom 8. 7. 40 bis 14. 7. 40 folgende Anzahl landw. Arbeitskräfte aus der Slowakei abbefördert worden ist:

	Bis zum 7. 7. 40 ausgereist:	Vom 8. 7. – 14. 7. 40 ausg.[ereist]:	Summe:	Kontingent:
LAA Ostmark	11 421	515	11 936	14 800
LAA Mittel-deutschl.	1 962	9	1 971	2 100
LAA Branden-burg	618	371	989	1 364
LAA Hessen	1 225	-----	1 225	2 000

LAA Sudeten-land	7 405	253	7 658	10 200
LAA Schlesien	209	-----	209	218
LAA Niedersachsen	755	-----	755	1 000
LAA Nordmark	498	204	702	786
LAA Sachsen	498	93	591	900
LAA Pommern	216	92	308	412
LAA Rheinland	1 039	-----	1 039	3 000
LAA Westfalen	104	-----	104	100
LAA Bayern/München	394	-----	394	500
LAA Bayern/Nürnberg	570	70	640	628
LAA Ostpreussen	13	-----	13	10
LAA Südwestdeutschl.	4	-----	4	-----
Illegal ausgereist	897	-----	897	-----
	27 828	1 607	29 435	38 018
Protektorat B. u. M.	4 108 legal	-----	4 108	5 000
Protektorat B. u. M.	777 illegal	-----	777	
	4 885	66	4 885	
Gesamtsumme:	32 713	1 607	34 320	43 018

Mithin bis 14. 7. 1940 insgesamt 34 320 landw. Arbeitskräfte abbefördert. Verfügbares landw. Kontingent einschl.[iesslich] Nachtrag 1 und 2 und des Kontingents für Protektorat Böhmen und Mähren: 40 976 landw. Arbeitskräfte.

Der Auftrag des Reichsforstamtes über die Gestellung von 120 Volksdeutschen für die Harzgewinnung konnte inzwischen erledigt werden. Am 8. 7. 40 wurden hierfür 50 Arbeiter in Marsch gesetzt, hingegen die restlichen 70 Arbeiter am Dienstag, den 16. 7. 40 zur Abbeförderung gelangen.

Dem Herrn Reichsprotektor für das Protektorat Böhmen und Mähren[1] sind für die Beseitigung der Winterschäden in den Staatsforsten durch das slowakische Innenministerium 4 bis 500 Waldarbeiter zugestanden worden.[2] Ich werde den hier vorliegenden Auftrag zur Durchführung bringen, nachdem die vorliegenden Aufträge auf Forstarbeiter für das übrige Reichsgebiet besetzt sind. Ein weiteres Zurückhalten dieser Kräfte für Verträge auf Forstarbeiter für das Reichsgebiet ist nicht möglich, da amtl.[iche] slowakische Stellen die baldige Abnahme dieser Kräfte entweder für die Forstwirtschaft oder für die Industrie bei mir beantragt haben.

gez. Rehfeld.

In Abschrift
an die
Deutsche Gesandtschaft,
Pressburg,
Moyzesgasse,
zur Kenntnisnahme ergebenst übersandt.

Rehfeld [v. r.]

PA AA, Gesandtschaft Preßburg, Paket 208, W 2, Nr. S 1a, Band I. Kópia, strojopis, 2 strany.

1 Konstantin von Neurath.
2 Pozri dokument 32.

45

1940, 15. júl. Bratislava. – Správa poverenca ríšskeho ministra práce pre „Ostmark" o priebehu náboru slovenských priemyselných robotníkov do Nemecka.

Der Beauftragte der Zweigstelle Ostmark   Pressburg, den 15. Juli 1940
des Reichsarbeitsministeriums
für Arbeitseinsatz und Arbeitslosenhilfe
G. Z. 5780

An den
Herrn Reichsarbeitsminister
Berlin SW 11
Saarlandstrasse 96

Betrifft: Anwerbung in der Slowakei;
          hier: wöchentliche Berichterstattung.
Vorgang: Erlaß des LAA Wien Niederdonau v. 17. 5. 1940 – G. Z. IIb 5770.

Auf Grund vorbezeichneten Erlasses berichte ich, daß in der Zeit vom 8. 7. 1940 bis 14. 7. 1940 folgende Anzahl slow. gewerblicher Arbeiter aus der Slowakei abbefördert worden ist:
Nachtragskontingent 1 und 2

	Bis zum 7. 7. 40 ausgereist:	Vom 8. 7. 40 bis 14. 7. 40 ausgereist:	Summe:
LAA Oberdonau	332	176	508
LAA Schlesien	-----	405	505[1]
LAA Hessen	91	-----	91
LAA Mitteldeutschl.	2 223	188	2 341
LAA Niedersachsen	103	-----	103
LAA Bayern	708	21	729
LAA Rheinland	45	650	695
LAA Brandenburg	1 035	-----	1 035[2]
LAA Steiermark	58	27	85
LAA Wien-Niederdonau	50	-----	50
LAA Nordmark	-----	171	171
insgesamt	4 645	1 568	6 313

Bei den in der Woche vom 8. 7. 1940 bis 14. 7. 40 abbeförderten Arbeitskräften handelt es sich um die Erledigung bezw. Teilerledigung folgender Aufträge:
Auftrag No. 49   Dynamit AG, Baustelle Christianstadt   405 Arb.

Auftrag No. 37,	Dynamit AG, Baustelle Dretz (nicht Glöwen) 171 Arb.	
Auftrag No. ?	Alpine Montan AG, Eisenerz	27 Arb.
Auftrag No. 43	IG Farben AG, Ludwigshafen	300 Arb.
Auftrag No. 51	IG Farben AG, Ludwigshafen	250 Arb.
Auftrag No. 53	Bayrische Stickstoff AG, Diesteritz	118 Arb.
Auftrag No. ?	Dynamit AG, Baustelle Troisdorf, bei Köln	87 Arb.
Auftrag No. 46	Dynamit AG, Baustelle Ebenhausen	21 Arb.

Nach einem mir in Abschrift vorliegenden Vermerk des LAA Wien-Niederdonau[3] hat Herr Ing. Hecker vom Reichsarbeitsministerium am 8. 7. 1940 gebeten festzustellen:

1.) Wieviele gewerbliche und landwirtschaftliche Kräfte von hier gestellt werden, falls das 2. Nachtragskontingent mit 10 000 Arbeitskräften beschränkt bleibt,

2.) ob eine Erhöhung auf 11 500 Mann zu erwarten ist und wieviel in diesem Falle auf den gewerblichen Sektor entfallen.

Die Beantwortung dieser Fragen ergibt sich aus meinem Wochenbericht vom 3. 7. 1940 für die Zeit vom 24. 6. bis 30. 6. 40,[4] in welchem ich mitgeteilt habe, daß mit dem noch vorhandenen Angebot an land- und forstwirtschaftlichen Arbeitskräften das verfügbare landwirtschaftliche Kontingent von insgesamt 40 976 Arbeitskräften infolge Erschöpfung des Angebotes mit nur ca. 35 000 Arbeitskräften in Anspruch genommen werden kann. Die letztgenannte Zahl dürfte sich nach einer neueren Erhebung um weitere 1 000 land- und forstwirtschaftliche Arbeitskräfte erhöhen, sodaß, falls die Abnahme weiterer landwirtschaftlicher Kräfte nach Einbringung der hiesigen Getreideernte, die um den 10. 8. 40 beendet sein dürfte, nicht erwünscht ist, aus dem landwirtschaftlichen Sektor ca. 5 000 Arbeitskräfte für die Industrie bereitgestellt werden können. Da die Slowakei nach Erfüllung des 2. gewerblichen Nachtragskontingents mit Rücksicht auf die hier jetzt beginnende Ernte in den nächsten 3 Wochen nur noch 3 – 4 000 gewerbliche Arbeitskräfte abgeben kann, ist die Beantragung einer Erhöhung des 2. Nachtragskontingents auf 11 500 Arbeitskräfte infolge fehlenden Angebote nicht erforderlich. Der Auftrag Alpine Montan „Hermann Göring" Linz über 1 200 Arbeitskräfte wird nach Mitteilung des Slowakischen Innenministeriums nicht auf das Nachtragskontingent 1 und 2 angerechnet, falls der Bedarf dieses Betriebes aus diesen beiden Kontingenten infolge dringender Anforderungen nicht gedeckt werden kann. Wegen Übertragung des freigewordenen landwirtschaftlichen Kontingents bitte ich nochmals mit Herrn Reg. Rat Kästner im Reichsarbeitsministerium Rücksprache zu pflegen.

gez. Rehfeld.

In Abschrift
an die
Deutsche Gesandtschaft,
Pressburg,
Moyzesgasse,
mit der Bitte um Kenntnisnahme ergebenst übersandt.

Rehfeld [v. r.]

PA AA, Gesandtschaft Preßburg, Paket 208, W 2, Nr. S 1a, Band I. Kópia, strojopis, 3 strany.

---

1 Porovnaj dokument 43.
2 Porovnaj dokument 43.
3 Záznam sa nepodarilo nájsť.
4 Pozri dokument 42.

46

1940, 16. júl. Berlín. – Správa sociálneho pridelenca slovenského vyslanectva v Berlíne Ľ. Mutňanského o služobnej ceste v slovenskej robotníckej enkláve v Merseburgu.

Správa z úradnej cesty v Merseburg a okolie dňa 12. – 14. VII. 1940

Dňa 12. t. m. po príchode do Merseburgu navštívil som tamojší Arbeitsamt, kde mi referovali o chovaní sa niektorých našich robotníkov.

V sprievode vedúceho Arbeitsamtu navštívili sme personálneho referenta Ammoniakwerkov pána kapitána Mattiho.

Vedúci závodu sa sťažovali, že pracovný výkon slovenských robotníkov sa zhoršil, napriek tomu, že závod sa všemožne snaží vyhovieť našim robotníkom. V poslednej dobe sa stalo, že niektorí naši robotníci podnecovali svojich kamarátov k nerozvážnym činom a týchto závod so súhlasom Arbeitsamtu poslal domov.

S vedúcim závodu a vedúcim Arbeitsamtu navštívili sme skoro všetky lágre, kde sú naši ubytovaní.

Čo hovoria naši?

So mzdou sú spokojní (Zarobia 70 – 80 Pf hodinovú mzdu.). Sťažujú sa vo veci platenia vysokej dane „Lohnsteuer"[1] a to menovite slobodní, ktorí vydržiavajú svojich rodinných príslušníkov. Nakoľko som zistil, že Finanzamt[2] v Merseburgu patričný zákon zvláštnym spôsobom praktizuje, prisľúbil som, že vyžiadame si od Finanzamtu v Merseburgu úradný výklad tohto zákona, resp. ako oni to praktizujú. Súčasne žiadal som, aby si každý zaopatril patričné potvrdenie z domu vo veci daňovej. Naši robotníci, ktorí došli s posledným transportom nedostali ešte vyplatenú mzdu za cestovné 2 dni. Závod sľúbil, že to dostanú.

Poukazovanie úspor ide pomaly a už dva mesiace nedostali rodinní príslušníci vyplatené už poukázané obnosy.[3] Vysvetlil som, že sa tu jedná o prevedenie nového predpisu a používanie tzv. bankového zošitu, ktoré boli zhodou okolností pozde dodané našim robotníkom.

Strava: V prílohe sú smernice vo veci stravovania.[4]

Všeobecná je sťažnosť, že je málo chleba. (Dostávajú 750 gr na 2 dni.) Naši robotníci tvrdia, že preto je slabší výkon práce, lebo strava nestačí. Zvlášť ten chlieb, toho je málo.

Ubytovanie je hromadné, všade je čisto. Žiadal som, aby vo veci stravy nastalo zlepšenie.

Taktiež som žiadal, aby nám oznámili každý prípad, keď by videli, že sa vyskytnú prípady nedorozumenia alebo osobne neprípustné akcie jednotlivca. Jeden prípad nech sledujú zvlášť pozorne.

V Buna-Werke som zistil, že naši cítia sa lepšie a je aj väčšia spokojnosť. I tu sa sťažovali, že je málo chleba.

Niektoré jednotlivé žiadosti sme na mieste vybavili.

Vo veci „Lohnsteuer" vyžiadame patričné informácie na Finanzamte v Halle.

Ďalej navštívil som našich, ktorí pracujú v Müchellu a Gleisethal a okolie v uhoľných baniach. Zásadné sťažnosti boli vo veci dovolenky a platenia „Lohnsteueru" a na tlmočníka v Elisabeth-Grube.

Vo veci „Lohnsteueru" som im povedal, že vyžiadame patričnú správu od patričného Finanzamtu.

Otázka dovolenky je tu tá, že robotníci zamestnaní v uhoľných baniach podliehajú tzv. „Tarifsordnungu", ktorý robotníkovi umožní dovolenku len po 12 mesiacoch.

Podnik chápe túžbu našich robotníkov a dáva im ju 1/2-ročne, ale to sa zdá našim byť málo. Podnik nemôže ani pri najlepšej vôli poskytnúť 1/4-ročne dovolenku.

Doterajší tlmočník Lulak bol na môj zákrok vymenený.

Sťažovali sa, že poslali 17. V. 1940 domov svoje úspory a že doteraz nedošli ich rodinám.
Vybavil som niektoré osobné žiadosti tamojších robotníkov.

Zaznamenal:
Mutňanský [v. r.]

Berlín, 16. 7. 1940

SNA, f. MV, š. 1269, IVa 126264/1940. Originál, strojopis, 3 strany.

---

1 Daň z príjmu.
2 Finančný úrad.
3 Pozri tiež dokumenty 39 a 51.
4 Dokument sme nemali k dispozícii.

47

1940, 29. júl. Bratislava. – Správa poverenca ríšskeho ministra práce pre o priebehu náboru slovenských poľnohospodárskych robotníkov do Nemecka.

Der Beauftragte   Pressburg, den 29. Juli 1940
des Reichsarbeitsministeriums
Preßburg
G. Z. 5770.30   Schnellbrief

An den
Herrn Reichsarbeitsminister
Berlin SW 11
Saarlandstrasse 96

Betrifft: Anwerbung in der Slowakei;
         hier: wöchentliche Berichterstattung.
Vorgang: Erlaß des LAA Wien-Niederdonau vom 17. 5. 1940 – G. Z. IIb 5770.

Auf Grund vorbezeichneten Erlasses berichte ich, daß in der Zeit bis 21. 7. 1940 und in der Woche vom 22. 7. bis 27. 7. 1940 folgende Anzahl landw. Arbeiter verpflichtet und abbefördert worden ist:

	Bis zum 21. 7. 40 ausgereist:	Vom 22. 7. – 27. 7. 40 ausgereist:	Summe:	Kontingent:
LAA Ostmark	12 161	279	12 440	14 800
LAA Mittel-deutschl.	1 972	-----	1972	2 100
LAA Branden-burg	989	105	1 094	1 364
LAA Hessen	1 225	-----	1 225	2 000
LAA Sudeten-land	7 658	575	8 233	10 200
LAA Schlesien	209	-----	209	218

LAA Nieders-achsen	755	-----	755	1 000
LAA Nordmark	773	30	803	786
LAA Sachsen	591	42	633	900
LAA Pommern	308	-----	308	412
LAA Rheinland	1 039	-----	1 039	3 000
LAA Westfalen	104	-----	104	100
LAA Bayern/ München	394	-----	394	500
LAA Bayern/ Nürnberg	642	-----	642	628
LAA Ostpreus-sen	13	-----	13	10
LAA Südwest-deutschl.	4	-----	4	-----
Illegal ausgereist	897	-----	897	-----
	29 734	1 031	30 765	38 018
Prot. Böhmen und Mähren	4 108 leg.	-----	4 108	5 000
Prot. Böhmen und Mähren	874 illeg.	-----	874	
	4 982	-----	4 982	
Gesamtsumme:	34 716	1 031	35 747	43 018

Mithin bis 27. 7. 1940 insgesamt 35 747 landwirtschaftliche Arbeitskräfte abbefördert.

In der Gesamtsumme von 35 747 sind insgesamt 1 067 forstwirtschaftliche Arbeiter enthalten. Die Werbung für die noch hier erliegenden Aufträge auf ca. 1 000 Waldarbeiter einschließlich Protektorat ist eingeleitet worden.[1] Der Transport dieser Kräfte kann jedoch mit Rücksicht auf die jetzt zur Zeit noch laufende Erntearbeit vor dem 20. 8. 1940 nicht erwartet werden. In meinem Wochenbericht vom 22. dieses Monats[2] habe ich darauf hingewiesen, daß die Erledigung der noch hier vorliegenden Forstarbeiteraufträge in Frage gestellt ist, falls den noch anzuwerbenden Arbeitskräften nicht die gleichen Transfersätze wie für die Industrie zugestanden werden. Ich bitte aus diesem Grunde nochmals in der Frage der Erhöhung des Transfers für Forstarbeiter eine möglichst beschleunigte Entscheidung herbeizuführen.

gez. Rehfeld.

In Durchschrift
an die
Deutsche Gesandtschaft,
Pressburg,
mit der Bitte um Kenntnisnahme ergebenst übersandt.

Rehfeld [v. r.]

PA AA, Gesandtschaft Preßburg, Paket 208, W 2, Nr. S 1a, Band I. Kópia, strojopis, 2 strany.

---

1 Porovnaj dokument 43.
2 Správu sa nepodarilo nájsť.

48

1940, 29. júl. Bratislava. – Správa poverenca ríšskeho ministra práce o priebehu náboru slovenských priemyselných robotníkov do Nemecka.

Der Beauftragte   Pressburg, am 29. Juli 1940
des Reichsarbeitsministeriums
Preßburg
G. Z. 5780.30

An den
Herrn Reichsarbeitsminister
Berlin SW 11
Saarlandstrasse 96

Betrifft: Anwerbung gewerbl. Arbeiter in der Slowakei;
       hier: wöchentliche Berichterstattung.
Vorgang: Erlaß des LAA Wien Niederdonau vom 17. 5. 1940 – G. Z. IIb 5770.

Auf Grund vorbezeichneten Erlasses berichte ich, daß in der Zeit vom 1. Januar 1940 bis 21. Juli 1940 und in der Woche vom 22. Juli bis 27. Juli 1940 folgende Anzahl slow. gewerblicher Arbeiter verpflichtet und für folgende Landesarbeitsämter abbefördert worden ist:

	Bis zum 21. 7. 40 ausgereist:	Vom 22. 7. 40 bis 27. 7. 40 ausgereist:	Summe:
LAA Wien-Niederdonau	1 271	287	1 558
LAA Linz	668	-----	668
LAA Salzburg	68	-----	68
LAA Graz	1 944	577	2 521
LAA Brandenburg	2 413	-----	2 413
LAA Mitteldeutschland	6 052	189	6 241
LAA Sachsen	1 540	-----	1 540
LAA Niedersachsen	1 204	-----	1 204
LAA Bayern/München	1 893	36	1 929
LAA Bayern/Nürnberg	94	-----	94
LAA Südwestdeutschland	29	-----	29
LAA Rheinland	292	-----	292
LAA Hessen	91	-----	91
LAA Westfalen	350	-----	350
LAA Nordmark	171	-----	171
LAA Sudetenland	10	-----	10
	18 090	1 089	19 179

In der Zeit vom 1. 1. 1940 bis einschließlich 27. 7. 1940 sind somit insgesamt 19 179 slow. gewerbl. Arbeiter verpflichtet und abbefördert worden.

Verfügbares Kontingent lt. Staatsvertrag v. 8. 12. 39[1]   5 500
Nachtragskontingent 1. Teil   5 000
Nachtragskontingent 2. Teil   4 000
Sonderkontingent für Alpine Montan „Hermann-Göring-Werke"   1 200

Sonderkontingent durch Ausfall von nicht zurückgekehrten Urlaubern
und dgl.   4 076
insgesamt: 19 776.

Im Hinblick darauf, daß die Slowakei, soweit es sich um den gewerblichen Sektor handelt, vorläufig weiterhin abgabefähig bleibt, wird der Abzug weiterer gewerblicher Kräfte von den amtlichen slow. Stellen auch über den Rahmen des vereinbarten Kontingents stillschweigend anerkannt. Da Betriebsstilllegungen und auch Betriebseinschränkungen in der Slowakei angekündigt sind, muß, und zwar insbesondere nach Einbringung der Ernte, mit einem Ansteigen der Arbeitslosenziffer gerechnet werden. Soweit ein dringender Bedarf an ausländischen Arbeitskräften noch vorliegen sollte, bitte ich hierfür unverbindlich Aufträge entgegenzunehmen. Gemäß einer Vereinbarung mit dem slowakischen Innenministerium werde ich wegen Besetzung solcher noch eingehenden Verträge von Fall zu Fall mit slowak. Innenministerium verhandeln.

Bei den in der Woche vom 22. 7. bis 27. 7. 1940 abbeförderten Arbeitskräften handelt es sich um die Erledigung folgender Aufträge:

Auftrag No. 30   Reichsbahndirektion Wien   287 Arbeiter
Auftrag No.   Alpine Montan „Hermann-Göring-Werke"   577 Arbeiter
Auftrag No. 51   IG Farben, Ludwigshafen   36 Arbeiter (Rest gestell.)
Auftrag No. 52   IG Farben, Wolfen   189 Arbeiter

Nach meinen Beobachtungen haben in letzter Zeit 5 000 bis 6 000 im Reichsgebiet beschäftigte slow. Arbeiter ihren Ernteurlaub in die Slowakei eingetreten. Diese Kräfte, die in den meisten Fällen von Seiten ihrer Arbeitgeber nur für 14 Tage beurlaubt sind, haben in ihren Pässen Sichtvermerke für die Aus- und Wiedereinreise mit einer der Urlaubsdauer entsprechenden Gültigkeit. Infolge der anhaltenden nassen Witterung muß mit einer erheblichen Verzögerung in der Einbringung der Ernte gerechnet werden. Wie ich zum Teil schon jetzt feststellen mußte, haben diese Verhältnisse zu Urlaubsüberschreitungen geführt, die sich insofern unangenehm auswirken, als Gültigkeitsdauer der Arbeiterrückfahrkarten und Sichtvermerke am Tage der beabsichtigten Ausreise verfallen sind. Um diesen Arbeitern die Einreise in das Reichsgebiet zur Erfüllung ihres Vertrages zu ermöglichen, werden von mir in Zusammenarbeit mit der Deutschen Gesandtschaft neue gebührenfreie Sichtvermerke erteilt. Um den Arbeitern auch die Weiterreise mit den von ihnen gelösten und verfallenen Arbeiterrückfahrkarten zu ermöglichen, bitte ich mit der Reichsbahndirektion in Berlin wegen Verlängerung der Gültigkeitsdauer der Arbeiterrückfahrkarten für die aus der Slowakei ausreisenden Arbeiter für die Zeit bis 20. 8. 1940 zu verhandeln. Ich habe den Termin bis 20. 8. 1940 vorgeschlagen, da nach meiner Schätzung bis zu diesem Zeitpunkt die Ernte eingebracht sein dürfte.

gez. Rehfeld.

In Durchschrift
an die
Deutsche Gesandtschaft,
Pressburg,
Moyzesgasse,
mit der Bitte um Kenntnisnahme ergebenst übersandt.

Rehfeld [v. r.]

PA AA, Gesandtschaft Preßburg, Paket 208, W 2, Nr. S 1a, Band I. Kópia, strojopis, 3 strany.

1 Pozri dokument 18.

49

1940, 6. august. Bratislava. – Správa poverenca ríšskeho ministra práce o priebehu náboru slovenských poľnohospodárskych robotníkov do Nemecka.

Der Beauftragte   Pressburg, am 6. VIII. 40
des Reichsarbeitsministeriums
Preßburg
G. Z. 5780.30   Schnellbrief

An den
Herrn Reichsarbeitsminister
Berlin SW 11
Saarlandstrasse 96

Betrifft: Anwerbung in der Slowakei;
          hier: wöchentliche Berichterstattung.
Vorgang: Erlass des LAA Wien-Niederdonau v. 17. 5. 40 – G. Z. IIb 5770.

Auf Grund vorbezeichneten Erlasses wird berichtet, dass in der Zeit bis 27. 7. 40 und in der Woche vom 27. 7. 40 bis 3. 8. 40 folgende Anzahl landw. Arbeiter verpflichtet und abbefördert worden ist:

	Bis 27. 7. 40 ausgereist:	Vom 28. 7. 40 bis 3. 8. 40 ausgereist:	Summe:
LAA Ostmark	12 440	25	12 465
LAA Mitteldtschl.	1 972	-----	1 972
LAA Brandenburg	1 094	-----	1 094
LAA Hessen	1 225	-----	1 225
LAA Sudetenland	8 233	15	8 248
LAA Schlesien	209	-----	209
LAA Niedersachsen	755	-----	755
LAA Nordmark	803	-----	803
LAA Sachsen	633	-----	633
LAA Pommern	308	-----	308
LAA Rheinland	1 039	-----	1 039
LAA Westfalen	104	-----	104
LAA Bayern/München	394	-----	394
LAA Bayern/Nürnberg	642	-----	642
LAA Ostpreussen	13	-----	13
LAA Süddeutschland	4	-----	4
Illegal ausger.[eist]	897	-----	897
	30 765	40	30 805
Protektorat Bö. u. Mähren	4 108 legal	18 legal	4 126

Protektorat Bö. u. Mähren	874 illegal	------	874
Gesamtsumme:	35 747	58	35 805

Mithin wurden bis 3. 8. 1940 insgesamt: 35 805 land- u. forstwirtschaftliche Arbeiter verpflichtet und abbefördert.

Für die Industrie wurden bis 3. 8. 40 insgesamt 19 716 gewerbliche Arbeiter verpflichtet und abbefördert.[1]

Mithin Industrie und Landwirtschaft insgesamt: 55 521 Arbeitskräfte.

In der Frage der Erhöhung des Lohntransfers für die verpflichteten und zu verpflichtenden Waldarbeiter ist bisher eine Entscheidung nicht ergangen.[2] Ich mache nochmals auf die Gefahr aufmerksam, dass nicht nur mit einer stärkeren Abwanderung der bereits im Reich beschäftigten slow. Waldarbeiter gerechnet werden muss, sondern auch die Besetzung der noch hier erliegenden Waldarbeiterverträge in Frage gestellt ist. Die Forderung der Waldarbeiter auf Erhöhung des Lohntransfers ist durchaus berechtigt, da zu berücksichtigen ist, dass die Waldarbeiter gegenüber den landw. Wanderarbeitern insofern im Nachteil sind, als die Landarbeiter mit ihren Familienangehörigen gemeinsam die Arbeit in Deutschland aufnehmen, hingegen der Waldarbeiter seine Familienangehörigen, es handelt sich hierbei überwiegend um kinderreiche Familien, in der Heimat lassen muss. Die Protektoratsregierung hat diesen Verhältnissen inzwischen Rechnung getragen. Die Anwerbung der Waldarbeiter für das Protektorat musste jedoch auf Weisung des LAA Wien-Niederdonau bisher unterbleiben, da der unterschiedliche Transfer die Werbung der Waldarbeiter für das übrige Reichsgebiet in Frage stellt. Ich bitte also nochmals in der Frage der Angleichung der Transfersätze der Waldarbeiter an die der Arbeiter der Industrie möglichst bald eine Entscheidung treffen zu wollen.[3]

In der Anlage [sende ich] ein Rundschreiben der Deutschen Partei, Hauptamt für Sozialpolitik,[4] Pressburg, mit der Bitte um Kenntnisnahme.

gez. Rehfeld.

Abschriftlich
an die
Deutsche Gesandtschaft,
Pressburg,
Moyzesgasse,
mit der Bitte um gefl. Kenntnisnahme.

Rehfeld [v. r.]

PA AA, Gesandtschaft Preßburg, Paket 208, W 2, Nr. S 1a, Band I. Kópia, strojopis, 2 strany.

1 Podrobnejšie pozri dokument 50.
2 Pozri dokument 53.
3 Pozri tiež dokumenty 44 a 47.
4 Obežník sa v prílohe nenachádza.

50

1940, 6. august. Bratislava. – Správa poverenca ríšskeho ministra práce o priebehu náboru slovenských priemyselných robotníkov do Nemecka.

Der Beauftragte   Pressburg, am 6. August 1940
des Reichsarbeitsministeriums
Preßburg
G. Z. 5780.30

An den
Herrn Reichsarbeitsminister
Berlin SW 11
Saarlandstrasse 96

Betrifft: Anwerbung in der Slowakei;
           hier: wöchentliche Berichterstattung.
Vorgang: Erlass des LAA Wien Niederdonau v. 17. 5. 40 – G. Z. IIb 5770.

Auf Grund vorbezeichneten Erlasses wird berichtet, dass in der Zeit bis 27. 7. 40 und in der Woche vom 28. 7. 40 bis 3. 8. 40 folgende Anzahl slow. gewerblicher Arbeiter verpflichtet und für folgende Landesarbeitsämter abbefördert worden ist:

	Bis zum 27. 7. 40 ausgereist:	Vom 28. 7. 40 bis 3. 8. 40 ausgereist:	Summe:
LAA Wien Niederdonau	1 558	-----	1 558
LAA Oberdonau	668	-----	668
LAA Tirol-Salzburg	68	-----	68
LAA Graz	2 521	120	2 641
LAA Brandenburg	2 413	-----	2 413
LAA Mitteldeutschland	6 241	276	6 517
LAA Sachsen	1 540	-----	1 540
LAA Niedersachsen	1 204	141	1 345
LAA Bayern/München	1 929	-----	1 929
LAA Bayern/Nürnberg	94	-----	94
LAA Südwestdeutschland	29	-----	29
LAA Rheinland	292	-----	292
LAA Hessen	91	-----	91
LAA Westfalen	350	-----	350
LAA Nordmark	171	-----	171
LAA Sudetenland	10	-----	10
	19 179	537	19 716

In der Zeit vom 1. 1. 1940 bis einschl. 3. 8. 40 sind somit insgesamt 19 716 gewerbl. Arbeiter verpflichtet und abbefördert worden.

Für die Landwirtschaft wurden bis einschl. 3. 8. 40 35 805 land- u. fortswirtschafl. Arbeiter verpflichtet und abbefördert.[1]

Mithin Industrie u. Landwirtschaft insgesamt: 55 521 Arbeitskräfte.

Bei den in der Woche vom 28. 7. bis 3. 8. 40 abbeförderten Arbeitskräfte handelt es sich um die Erledigung folgender Aufträge:

Auftrag Nr. 64   Fettchemie-Hubbe-Fahrenholz   91 Arbeiter

Auftrag Nr. 68	Elektrowerke Zschornewitz b./Bitterfeld	185 Arbeiter
Auftrag Nr. 63	Continental Hannover	141 Arbeiter
Auftrag Nr. 60	Alpine Montan „Herm. Göring" Eisenerz	120 Arbeiter.

Der Auftrag der Alpine Montan „Hermann Göring" Eisenerz, kann noch nicht in der genehmigten Höhe erledigt werden.[2] Nach Mitteilung des Beauftragten der Firma soll die Abnahme der noch fehlenden Kräfte nach Fertigstellung der Unterkunftsräume erfolgen. Mit der Werbung der Arbeitskräfte für den letzten Auftrag No. 70 Leuna-Werke kann erst am Dienstag nächster Woche begonnen werden. Der Beauftragte der Firma Leuna-Werke wird an diesem Tage in die Slowakei einreisen, um die Bedingungen des Vertrages und die zahlenmäßige Aufteilung der Arbeiter nach Berufen bekanntgeben.

Die Firma Dynamit Nobel AG hat über das Reichsamt für Wirtschaftsausbau aus dem ihr zugebilligten Kontingent für ihre Baustelle in St. Lambrecht (Steiermark) die Werbung von 35 Maurern und 35 Zimmerleute beantragt. Die Werbung dieser Kräfte ist durchgeführt und wird der Abtransport derselben im Laufe dieser Woche bezw. am Anfang der nächsten Woche erfolgen. Da dieser Auftrag mit dem Reichsarbeitsministerium abgesprochen werden soll, bitte ich um baldige Bekanntgabe des Auftrages.

Bei der Durchführung der Anwerbung von gewerblichen Arbeitern wurde festgestellt, daß in Lipt. Sv. Mikulas ca. 180 qualifizierte Facharbeiter für den Tunnelbau zur Verfügung stehen. Es handelt sich hierbei um Mineure, die meines Wissens dringend in Deutschland benötigt werden. Falls Anforderungen für solche Kräfte vorliegen sollten, kann über dieses Angebot sofort verfügt werden. In dem gleichen Ort haben sich außerdem 200 Streckenarbeiter um Arbeit nach Deutschland beworben. Da für den Auftrag der Reichsbahndirektion Wien 500 Kräfte angefordert worden sind und bisher aus mir nicht bekannten Gründen nur 300 gestellt werden durften, kann bei Zustimmung des RAM[3] gleichfalls auf diese Kräfte zurückgegriffen werden. In der Gemeinde Valasko Dubowa[4] stehen 70 Telegrafenarbeiter für den Einsatz im Reich zur Verfügung. Das Urad prace in Michalovce bemüht sich bei mir schon längere Zeit um die Abnahme von 120 Frauen für Fabrikarbeiten. Sollte der Einsatz dieser Kräfte im Reich möglich sein, bitte ich nähere Mitteilung.

In der Anlage ein Rundschreiben der Deutschen Partei, Hauptamt für Sozialpolitik, Pressburg, welches den Einsatz von Volksdeutschen im Reichsgebiet behandelt,[5] mit der Bitte um Kenntnisnahme.

Infolge Urlaubsüberschreitungen mußte in der Woche vom 29. 7. bis 3. 8. 1940 insgesamt 26 Urlaubern der Sichtvermerk erneuert werden. Wegen Urlaubsüberschreitungen ohne triftigem [sic!] Grund wurde in diesem Zeitraum insgesamt 32 Urlaubern die Einreise in das Reichsgebiet verweigert.

In der Anlage eine Zusammenstellung der im Jahre 1940 angeworbenen und in das Reichsgebiet ausgereisten slowakischen Arbeiter.[6]

2 Anlagen

gez. Rehfeld.

Abschriftlich
an die
Deutsche Gesandtschaft,
Pressburg,
Moyzesgasse,
mit der Bitte um gefl. Kenntnisnahme.

Rehfeld [v. r.]

PA AA, Gesandtschaft Preßburg, Paket 208, W 2, Nr. S 1a, Band I. Kópia, strojopis, 3 strany.

1 Podrobnejšie pozri dokument 49.
2 V tomto prípade bol kontingent stanovený na 1 200 pracovných síl.
3 Reichsarbeitsminister.
4 Správne Valašská Dubová.
5 V prílohe sa nenachádza. Pozri dokument 60.
6 Prílohu nepublikujeme.

51

1940, 8. august. Bratislava. – List Poštovej sporiteľne ministerstvu vnútra vo veci meškania prevodu miezd slovenských pracovných síl z Nemecka.

Poštová sporiteľňa v Bratislave
Riaditeľstvo

Čj. 1880-R-1940   V Bratislave dňa 8. augusta 1940

Vec: Oneskorené poukazovanie úspor slov. robotníkov z Nemecka
K č. 127.194/IV-a/1940.

Ministerstvo vnútra,
Bratislava.

Dovoľujeme si oznámiť, že sme dostali dňa 2. augusta 1940 od Deutsche Verrechnungskasse v Berlíne platobné príkazy so zoznamami robotníckych úspor z Nemecka. Dobropis od Slovenskej národnej banky[1] na tieto poukazy sme však neobdržali nakoľko ich táto ešte nedostala z Nemecka. Jedná sa o dva poukazy a to na čiastku RM 44 811,65 pre 934 príjemcov a na RM 65 002,36 pre 1 296 príjemcov.

Dobropisy sme ihneď urgovali u Deutsche Verrechnungskasse. Tieto nám boli konečne dňa 7.VIII. 1940 zaslané Slovenskou národnou bankou. Ihneď sme zariadili všetko k ich realizovaniu.

Toto dávame na vedomosť, aby ste k prípadným intervenciám mohli poskytnúť správnu informáciu, ak by sa vyskytli prípadné sťažnosti na oneskorené vybavenie výplat.

Námestník prednostu:

SNA, f. MV, š. 1269, IVa 127194/1940. Originál, strojopis, 1 strana.

1 SNB sa v liste MV z polovice augusta 1940 sťažovala na pomalý postup Poštovej sporiteľne pri vyplácaní transferovaných miezd: *„Odvolávame sa na náš list na Vás zo dňa 11. t. m. č. 14705 a oznamujeme Vám znovu, že Poštová sporiteľňa úhrady, ktoré zasielajú slovenskí robotníci pracujúci v Nemecku, likviduje až s trojtýždňovým oneskorením.*
Vzhľadom k tomuto, Slovenská národná banka bola nútená likvidovanie analogických úhrad dochádzajúcich z Protektorátu pre príslušníkov tam pracujúcich robotníkov prenechať obchodným bankám. Poznamenávame však, že spomenuté banky sú bežnou agendou tak zaťažené, že likvidovanie zmienených úhrad nemôžu tiež hladko prevádzať, nakoľko banky pracujú aj tak s dvojitou frekvenciou a likvidácia robotníckych úspor by sa mohla prevádzať len na úkor bežnej práce.
Žiadame Vás preto, aby ste u Poštovej sporiteľne v tejto veci zakročili, pričom podotýkame, že odmena, ktorú Poštová sporiteľňa je oprávnená si pri každej úhrade počítať, plne dostačuje k hradeniu výloh, ktoré vo forme náhrady za prácu po pracovnom čase by platila svojim zamestnancom.
Konečne Vás zdvorile žiadame, aby v tejto veci bola docielená konečná náprava, poneváč daným stavom je aj agenda Slovenskej národnej banky zaťažovaná, nakoľko jej dochádza denne mnoho sťažností a reklamácií a to nielen z tuzemska ale aj z cudziny."

52

1940, 10. august. Bratislava. – Prípis Ústredia Slovenského kresťansko-sociálneho odborového združenia slovenskému vyslanectvu v Berlíne, týkajúci sa organizačno-technického zabezpečenia členov odborov, zamestnaných v Nemeckej ríši.

Odpis.

Ústredie
Slovenského kresťansko-sociálneho
odborového sdruženia
Bratislava, Raneyssova ul. č. 3   Bratislava dňa 10. VIII. 1940

Číslo jednania: 17623/940-Č
Predmet: Slovenskí robotníci v Nemecku.

P. T.
Slovenské vyslanectvo
v <u>Berlíne</u>.

Čo najúctivejšie si dovoľujeme obrátiť sa na Vás vo veci slovenských robotníkov, zamestnaných v Nemecku. Ide o vyriešenie otázky členstva týchto robotníkov v odborovej organizácii, platenia členských príspevkov, starostlivosť o týchto robotníkov, posielanie im nášho slovenského časopisu,[1] atď. V tejto veci sme už svojho času tamojšiemu vyslanectvu písali a podpísaný v poslednom čase v tejto veci hovoril aj osobne s pánom vyslancom splnomocneným ministrom Matúšom Černákom a s pánom sociálnym referentom tamojšieho vyslanectva Ľudovítom Mutňanským.

Úctivo prosíme, aby v uvedenej veci tamojšie slovenské vyslanectvo nadviazalo styk a začalo rokovanie s tamojším nemeckým pracovným frontom.[2] K započatiu tohoto rokovania za našu odborovú organizáciu tamojšie slovenské vyslanectvo zmocňujeme.

Podľa nášho názoru najsprávnejšie by bolo, keď by sme mohli celú vec prerokovať a dohodnúť sa priamo so zástupcami vedenia tamojšieho pracovného frontu. Preto by sme týmto cieľom radi poslali svojich zástupcov do Nemecka. Je tu však tá ťažkosť, že vybavenie príslušných formalít spojených s touto cestou pomerne dosť dlho trvá. Vzhľadom na túto okolnosť dovoľujeme si úctivo navrhnúť ten postup, aby tamojšie slovenské vyslanectvo láskavo tlmočilo vedeniu nemeckého pracovného frontu našu úctivú prosbu, aby boli vyslaní do Bratislavy splnomocnení zástupcovia nemeckého pracovného frontu, ktorí by s nami prerokovali a dohodli všetko, čo bude v predmetnej veci potrebné a možné.

V každom prípade by sme pokladali za cieľuprimerané, keď by sa tohoto rokovania medzi zástupcami nemeckého pracovného frontu a našou organizáciou zúčastnil aj zástupca tamojšieho slovenského vyslanectva.

Ďalej úctivo poznamenávame, že aj pred uskutočnením spomenutej dohody chceli by sme hneď posielať slovenským robotníkom do Nemecka náš odborový týždenník Slovenský robotník, a síce zdarma.[3] Toto by sme mohli uskutočniť v tom prípade, keď by sme od tamojšieho vyslanectva dostali adresy, na ktoré by sme mali náš časopis posielať. Poznamenávame, že keď je niekde napríklad 500 slovenských robotníkov, tam by sme mohli posielať aspoň 200 exemplárov časopisov, keď je niekde 100 slovenských robotníkov, tam by sme posielali asi 40 exemplárov a pod. Podľa toho by sme prosili oznámiť nám, že koľko kde exemplárov časopisu by sme mali posielať. Sme presvedčení, že ráčite chápať význam a potrebnosť zasielania nášho časopisu slovenským robotníkom do Nemecka.[4]

Očakávajúc Vaše vzácne správy a ďakujúc Vám za láskavosť, znamenáme sa so slovenským pozdravom

Na Stráž
R. Čavojský[5] v. r.
hlavný tajomník – poslanec

SNA, f. MV, š. 1272, 139850/1940. Kópia, strojopis, 2 strany.

1 Ide o týždenník *Slovenský robotník.*
2 Pozri dokument 80.
3 Kolportáž periodika ríšske úrady zamietli.
4 Odpis prípisu dostalo 23. 8. 1940 aj ministerstvo vnútra. V sprievodnom liste ústredie odborov žiadalo ministerstvo vnútra, oddelenie IVa o súčinnosť v predmetnej záležitosti: *„ Úctivo prosíme, aby nám ministerstvo vnútra všemožne napomáhalo pri uskutočnení toho, aby bola vyriešená otázka členstva slovenských robotníkov v odborovej organizácii, platenia členských príspevkov, starostlivosti o týchto robotníkov, posielania im nášho slovenského časopisu atď.*
Táto vec by sa mohla vybaviť takým spôsobom ako sme to už navrhli vyslanectvu, že totižto by prišli zástupcovia nemeckého pracovného frontu na Slovensko a so zástupcami našej odborovej organizácie by vec prerokovali a sa dohodli, alebo mohol by túto vec prerokovať v Nemecku zástupca slovenského vyslanectva v Berlíne, ktorý by bol k tomu súčasne zmocnený aj našou odborovou organizáciou a ktorý by pri tomto rokovaní pokračoval podľa našich smerníc, dohodnutých s našim ministerstvom vnútra.
Prosíme, aby bolo ministerstvom vnútra oznámené do Nemecka okrem iného aj to, že naša organizácia je jedinou robotníckou odborovou organizáciou a že rozhodnutím ministra vnútra Alexandra Mach len členovia našej odborovej organizácie majú nárok na všetky tie výhody, ktoré v poslednom čase naša odborová organizácia so zamestnávateľmi ujednala, ako i to, že ostatné robotnícke organizácie boli rozpustené. Takýmto spôsobom, i keď je v našej organizácii ešte dobrovoľné členstvo, jednako je do istej miery možno našu organizáciu pokladať za poloofíciálnu. "
5 R. Čavojského nemecké spravodajské orgány hodnotili viac-menej negatívne. Predovšetkým ideologicky upätá Bezpečnostná služba ríšskeho vodcu – SD – ho charakterizovala *„ als einer der Exponenten des politischen Katholizismus in der Slowakei "* (BArch Berlín, R 70 Slowakei/260, Bl. 301-302. Lämmelova správa RSHA z 30. 5. 1941.)

53

1940, 12. august. Bratislava. – Správa poverenca ríšskeho ministra práce o priebehu náboru slovenských poľnohospodárskych robotníkov do Nemecka.

Der Beauftragte   Pressburg, den 12. August 1940
des Reichsarbeitsministeriums
Preßburg
G. Z. 5770.30

An den
Herrn Reichsarbeitsminister
Berlin SW 11
Saarlandstrasse 96

Betrifft: Anwerbung in der Slowakei;
            hier: wöchentliche Berichterstattung.
Vorgang: Erlaß des LAA Wien-Niederdonau vom 17. 5. 1940 – G. Z. IIb 5770.

Auf Grund vorbezeichneten Erlasses berichte ich, daß in der Zeit bis 3. 8. 1940 und in der Woche vom 5. 8. bis 11. 8. 1940 folgende Anzahl landw. Arbeiter verpflichtet und abbefördert worden ist:

LAA	Bis 3. 8. 40 ausgereist:	Vom 5. 8. 40 bis 11. 8. 40 ausgereist:	Summe:
Wien-Niederdonau	12 465	47	12 512
Mitteldeutschland	1 972	-----	1 972
Brandenburg	1 094	2	1 096
Hessen	1 225	-----	1 225
Sudetenland	8 248	77	8 325
Schlesien	209	-----	209
Niedersachsen	755	-----	755
Nordmark	803	-----	803
Sachsen	633	2	635
Pommern	308	-----	308
Rheinland	1 039	-----	1 039
Westfalen	104	-----	104
Bayern/München	394	-----	394
Bayern/Nürnberg	642	-----	642
Ostpreussen	13	-----	13
Südwestdeutschland	4	-----	4
Illegal ausgereist	897	-----	897
	30 805	128	30 933
Protektorat Böhm. u. Mähren	4 126 legal	55	4 181
Protektorat Böhm. u. Mähren	874 illegal	------	874
	35 805	183	35 988

Mithin wurden bis 11. 8. 1940 insgesamt: <u>35 988 land- u. forstwirtschaftliche Arbeiter</u> verpflichtet und abbefördert.

Für die Industrie wurden bis 11. 8. 1940 insgesamt: <u>19 972 gewerbliche Arbeiter</u> verpflichtet und abbefördert.[1]

Mithin Landwirtschaft und Industrie insgesamt: <u>55 960 Arbeitskräfte.</u>

Am Donnerstag, den 8. August haben deutsch-slowakische Wirtschaftsberatungen unter Führung der Herrn Ministerialdirigenten Dr. Bergemann in Pressburg stattgefunden.[2] In einer Vorbesprechung, an welcher deutscherseits die Mitglieder der handelspolitischen Delegation, Herr Legationsrat Dr. Hudeczek,[3] Herr Reg. Rat Dr. Mathie[4] und der Unterzeichnete als Beauftragter des Reichsarbeitsministeriums und slowakischerseits der Sektionschef im Slowakischen Innenministerium, Herr Dr. Bezak, teilgenommen haben, wurde die Frage der Erhöhung der Lohnüberweisung für slowakische landwirtschaftliche und gewerbliche Arbeiter behandelt. Die günstige Entwicklung der handelspolitischen Beziehungen zwischen Deutschland und der Slowakei macht es möglich, den in dieser Beziehung seitens der slowakischen Regierung geäußerten Wünschen weitgehendst Rechnung zu tragen. Es wurde folgende Vereinbarung besprochen:

Die monatlichen Überweisungssätze sollen in Zukunft nunmehr betragen: für

1.) gewerbliche Arbeiter:	Verheiratete	RM 70.—
	Unverheiratete	RM 60.—
2.) landwirtsch. Arbeiter:	Verheiratete	RM 54.—
	Unverheiratete	RM 40.—.[5]

Die Auszahlung der Beiträge soll in Zukunft durch die Postsparkasse Pressburg nicht mehr zu einem Kurs von RM 1 = Ks 9, sondern zu einem Kurs von RM 1 = Ks 11 erfolgen.[6]

gez. Rehfeld.

In Durchschrift
an die
Deutsche Gesandtschaft,
<u>Pressburg,</u>
Moyzesgasse,
mit der Bitte um gefl. Kenntnisnahme.

Rehfeld [v. r.]

PA AA, Gesandtschaft Preßburg, Paket 208, W 2, Nr. S 1a, Band I. Kópia, strojopis, 2 strany.

1 Podrobnejšie pozri dokument 54.
2 Protokol z rokovaní sa nachádza v PA AA, R 106 251.
3 Karl Hudeczek (1889-1971), 1939 – 1945 referent Obchodno-politického oddelenia Auswärtiges Amtu, majúci v kompetencii juhovýchodnú Európu. Od roku 1942 vedúci referátov IVa a IVb. 1939 – 1944 podpredseda Nemeckého vládneho výboru.
4 Správne Matthiae.
5 Napokon sa obe delegácie dohodli na nasledovnom transfere: ženatí poľnohospodárski robotníci mohli zasielať 55 RM, slobodní 40 RM. Ženatí priemyselní robotníci 70 RM, slobodní 60 RM. (PA AA, R 106 251. Protokol zo zasadnutia predsedov nemecko-slovenských vládnych výborov zo 7. – 14. 8. 1940.)
6 Pozri protokol zo zasadnutia predsedov výborov.

54
1940, 12. august. Bratislava. – **Správa poverenca ríšskeho ministra práce o priebehu náboru slovenských priemyselných robotníkov do Nemecka.**

Der Beauftragte   Pressburg, den 12. August 1940
des Reichsarbeitsministeriums
Preßburg
<u>G. Z. 5780.30</u>

An den
Herrn Reichsarbeitsminister
<u>Berlin SW 11</u>
Saarlandstrasse 96

<u>Betrifft</u>: Anwerbung in der Slowakei;
        hier: wöchentliche Berichterstattung.
<u>Vorgang</u>: Erlaß des LAA Wien Niederdonau v. 17. 5. 1940 – G. Z. IIb 5780.

Auf Grund vorbezeichneten Erlasses wird berichtet, daß in der Zeit bis 3. 8. 1940 und in der Woche vom 5. 8. 1940 bis 11. 8. 1940 folgende Anzahl gewerblicher Arbeiter verpflichtet und für folgende Landesarbeitsämter abbefördert worden ist:

	Bis zum 3. 8. 40 ausgereist:	Vom 5. 8. 40 bis 11. 8. 40 ausgereist:	Summe:
LAA Wien Niederdonau	1 558	187	1 745
LAA Oberdonau	668	-----	668
LAA Tirol-Salzburg	68	-----	68

LAA Graz	2 641	58	2 699
LAA Brandenburg	2 413	-----	2 413
LAA Mitteldeutschl.	6 517	-----	6 517
LAA Schlesien	-----	6	6
LAA Sachsen	1 540	-----	1 540
LAA Niedersachsen	1 345	5	1 350
LAA Bayern/München	1 929	-----	1 929
LAA Bayern/Nürnberg	94	-----	94
LAA Südwestdeutschl.	29	-----	29
LAA Rheinland	292	-----	292
LAA Hessen	91	-----	91
LAA Westfalen	350	-----	350
LAA Nordmark	171	-----	171
LAA Sudetenland	10	-----	10
	19 716	256	19 972

In der Zeit vom 1. 1. 1940 bis 11. 8. 1940 sind somit insgesamt <u>19 972 gewerbliche Arbeiter</u> verpflichtet und abbefördert worden.

Für die Landwirtschaft wurden bis einschliesslich 11. 8. 1940 <u>35 988 land- und forstwirtschaftliche Arbeiter</u> verpflichtet und abbefördert.[1]

Mithin Industrie und Landwirtschaft insgesamt: <u>55 960 Arbeitskräfte.</u>

Bei den in der Woche vom 5. 8. bis 11. 8. 1940 abbeföderten Arbeitskräften handelt es sich um die Erledigung folgender Aufträge:

Auftrag No. 64	Donau Chemie, Moosbierbaum	117 Arbeiter
Auftrag No. 49	Semperit, Österr.-Amer. Gummi AG, Traiskirchen	70 Arbeiter
Auftrag No. 60	Alpine Montan „Herm. Göring", Eisenerz	15 Arbeiter
Auftrag No. 34	Continental, Hannover	5 Arbeiter
Auftrag No. 62	Glasfabrik Weißwasser, Weißwasser	6 Arbeiter.

Am Donnerstag, den 8. August haben deutsch-slowakische Wirtschaftsberatungen unter Führung der Herrn Ministerialdirigenten Dr. Bergemann in Pressburg stattgefunden. In einer Vorbesprechung, an welcher deutscherseits die Mitglieder der handelspolitischen Delegation, Herr Legationsrat Dr. Hudeczek, Herr Reg. Rat Dr. Mathie[2] und der Unterzeichnete als Beauftragter des Reichsarbeitsministeriums und slowakischerseits der Sektionschef im Slowakischen Innenministerium, Herr Dr. Bezak, teilgenommen haben, wurde die Frage der Erhöhung der Lohnüberweisung für slowakische landwirtschaftliche und gewerbliche Arbeiter behandelt. Die günstige Entwicklung der handelspolitischen Beziehungen zwischen Deutschland und der Slowakei macht es möglich, den in dieser Beziehung seitens der slowakischen Regierung geäußerten Wünschen weitgehendst Rechnung zu tragen. Es wurde folgende Vereinbarung besprochen:

Die monatlichen Überweisungssätze sollen in Zukunft nunmehr betragen: für

1.) gewerbliche Arbeiter:	Verheiratete	RM 70.—
	Unverheiratete	RM 60.—
2.) landwirtsch. Arbeiter:	Verheiratete	RM 54.—
	Unverheiratete	RM 40.—.[3]

Die Auszahlung der überwiesenen Beiträge soll in Zukunft durch die Postsparkasse Pressburg nicht mehr zu einem Kurs von RM 1 = Ks 9, sondern zu einem Kurs von RM 1 = Ks 11 erfolgen.[4]

Infolge Urlaubsüberschreitungen mußte in der Woche vom 5. 8. bis 11. 8. 1940 insgesamt 52 Urlaubern der Sichtvermerk erneuert werden.

Wegen Urlaubsüberschreitungen ohne triftigem [sic!] Grund wurde in diesem Zeitraum insgesamt 28 Urlaubern die Wiedereinreise in das Reichsgebiet verweigert.

gez. Rehfeld.

In Durchschrift
an die
Deutsche Gesandtschaft,
Pressburg,
Moyzesgasse,
mit der Bitte um gefl. Kenntnisnahme.

Rehfeld [v. r.]

PA AA, Gesandtschaft Preßburg, Paket 208, W 2, Nr. S 1a, Band I. Kópia, strojopis, 3 strany.

1 Podrobnejšie pozri dokument 53.
2 Správne Matthiae.
3 Porovnaj dokument 53.
4 Pozri protokol zo zasadnutia predsedov výborov (PA AA, R 106 251).

55

1940, 12. august. Berlín. – List sociálneho atašé slovenského vyslanectva ministerstvu vnútra, ku ktorému prikladá správy zo služobných ciest po regiónoch, v ktorých boli zamestnané slovenské pracovné sily.

Slovenské vyslanectvo
v Berlíne

Berlín, dňa 12. 8. 1940

Čís.: 15237/40
Vec: Správa o stave slovenských robotníkov
v Nemecku za mesiace júl, august.
Sch/Ht

Ministerstvu vnútra odd. IV a
Bratislava.

V prílohe zasielam 5 správ z mojich návštev u slovenských robotníkov v Nemecku.

Pri poslednej návšteve v Sudetsku zistil som, ako v správe uvádzam, že pre celé Sudetsko sú veľmi nízke tarify, takže naše robotníctvo v pomere k iným našim robotníkom v Nemecku zarobilo veľmi málo. Je len samozrejmé, že robotníci sú veľmi nespokojní. K tomu ešte vo väčšine zlé ubytovanie len zväčšuje nespokojnosť.

Moje zistenie som ústne i písomne predniesol na Reichsarbeitsministeriu, kde mi podľa možnosti prisľúbili nápravu.[1]

Ak sa pomery v Sudetoch nezlepšia budeme nútení k ochrane našich robotníkov nabudúce nevyjednávať zmluvy pre Sudetsko.

Vo všeobecnosti je málo stravy, deputát sa vydáva v zlej akosti.

Po odchode pána Holienčíka do Viedne odišiel i pán Mutňanský, takže som ostal v úrade úplne sám. Týmto trpí veľa celá agenda, nakoľko stále návštevy stránok zaneprázdňujú a nedovolia včas odpovedať na dotazy a nie je možné vyhovieť mnohým úradným žiadostiam o návštevu našich ľudí, nehovoriac ani o žiadostiach našich robotníkov o návštevy a zákroky.

Preto prosím o skoré pridelenie dvoch pomocníkov.

Schwarz [v. r.]
leg. attaché

[Príloha 1]
Popis úradnej cesty v obvode Dresden a Leipzig v dňoch 15. – 20. 6. 40.

16. VI.　　　Na nádraží v Drážďanoch ma čakalo úradné auto z Landesarbeitsamtu. Navštívil som výlučne slovenské poľnohospodárske robotníctvo. Na Rittergute Bären-klause 12, Dresden – Protlis[2] 6, Dresden – Lautegast[3] 4, Kaitz[4] 6, Mochau 5 osôb. Skupiny celkove spokojné až na skupinu v Bärenklause, kde boli nezrovnalosti v otázke kuchárky. Určená bola kuchárka a jej plat. V Kaitze vraj dostávali malé prídely potravín. Podľa zmluvy však im viac neprináleží.

17. VI.　　　Návšteva Mölbis 30, Lunzenau 1, Dippoldiswalde 10, Langenmersdorf[5] 6, Höhnicken[6] 1, Püchau 8 ľudí. V Dippoldiswalde zasielané peniaze neskoro dôjdu na Slovensko. Zamestnávateľ neskoro zasielal peniaze. Sľúbil, že peniaze bude zavčasu zasielať. V Püchau strava zlá a zlé ubytovanie. Na ubytovaní sa nič nedalo meniť, nakoľko zamestnávateľ iného miesta nemal. Stravu sľúbil prilepšiť.

18. VI.　　　Navštívil som obce Miltiz bei Leipzig 3, Rittergut Markkleberg Ost 7, Rittergut Grosspösna 16, Stiftgut Podelwitz 8, Pristeblich[7] 1, Kleinzschocher 4, Rehbuch 6, Rittergut Lauer 4 osoby. V Grosspösne neklapal transfer peňazí. Neskoro dostali robotníci bankové preukazy. Tie však už došli tak, že keď zamestnávateľ hneď po prvom zašle peniaze, dôjdu načas. Málo stravy, však podľa zmluvy presne. V Priestablich dlhá pracovná doba, zavčasu vstávať, strava.

19. VI.　　　Návšteva v Gaschwitz 15, Kleinzschocher 4, Rttgt Knauthain 25, Rttgt Porschnitz 8, Zschocher 4, Mauna 8, Bleicha 9 osôb.

Veľká nespokojnosť v Knauthain so stravou a zaobchádzaním. Inšpektor veľmi zlý, zlé ubytovanie, dvere bez zámku. Všetci chceli byť premiestnení, alebo domov. V skupine bolo 15 dievčat. Zistil som, že skupina dostáva potraviny podľa terajších predpisov. Naši si to však nevedia presne zadeliť. Dva razy sa do týždňa najedia a na ostatné dni im zostane málo. Obdržia zámok na bývanie a inšpektor prisľúbil sa mierniť. Ak sa pomery na statku nepolepšia, úrad práce skupinu premiestni.

20. VI.　　　Návšteva v obciach Mögen 3, Lüttewitz 2, Gröbern 2, Piskowitz 4 osoby. V Mögen sa našim zdal zárobok malý a strava špatná. V Lüttewitz mnoho roboty.

Návštevy poľnohospodárskych robotníkov sú obtiažne, nakoľko našich robotníkov nemožno vždy nájsť na dvore, sú zväčša na poli roztratení. Dlho treba čakať až sa nájdu na poli. Vzdialenosti obce sú tiež veľké. Vo všeobecnosti v navštívených obciach nemali sa naši zle, až na niektoré skupiny. Ťažkosti so stravou sú skoro všade, ale v tej veci sa teraz mnoho robiť nedá. Kde sa čo vybaviť a zlepšiť dalo, zariadil som na mieste.

Schwarz [v. r.]
leg. attaché

[Príloha 2]
Správa o ceste v Höltze a Hamburgu v dňoch 25. – 28. VI. 1940.

V dňoch 18. a 19. VI. trikrát telefonovala správa chemickej továrne v Höltzi vo Vestfálsku, ako i zástupca DAF v Münstri, aby niekto prišiel z vyslanectva, že 375 robotníkov

Slovákov chce na každý pád opustiť pracovné miesto. Príčina: Pre letecké útoky a zhodenie nepriateľských bômb sú naši znepokojení a chcú byť premiestnení alebo ísť domov.

25. VI.   Poobede došiel som do Münstru a hneď sa dal do spojenia s Arbeitsamtom a so zástupcom DAF, ktorý ma na starosti lágre robotníkov v celom okolí. Nakoľko Höltz je vzdialený vyše 70 km a spojenia nebolo, cestoval som na druhý deň do Recklinghausen, odtiaľ autom ďalej do Höltzu. Všetkých robotníkov som hneď nemohol zhromaždiť, lebo pracujú roztrúsení po veľkých stavbách. Na večer na 18.00 hod. bolo zvolané naše robotníctvo v počte 375 osôb do lágra.

Sťažnosti: Strach pred nepriateľskými bombami. Už 14. deň stále musia chodiť do leteckých krytov, potom sa riadne nevyspia, Lohnsteuer,[8] Bezugscheiny,[9] tlmočník, dovolené. Uspokojil som našich ľudí, vyjednal pre nich dovolené, pre ženatých po troch mesiacoch, pre slobodných po 6 mesiacoch, vymohol tlmočníka, ktorý dostane za to zaplatené, zjednal nápravu vo veci Lohnsteueru ako i dostal od vedúcich uistenie, že vo veciach Bezugscheinov na šaty sa všemožne zasadia pre našich ľudí. Naši robotníci sa uspokojili a sľúbili zostať. Medzi jednaním dva razy bolo trúbené na letecký poplach. Vedúci firiem si chválili prácu našich robotníkov.

Vlaky cez noc vo Vestfálsku skoro nechodia. Na druhý deň mal som prísť do Hamburgu o pol tretej. Pre ťažkú poruchu trate bol náš vlak vedený inou cestou, takže som došiel do Hamburgu po 18.00 hodine.

V Hamburgu nasledujúci deň navštívil som 76 našich ľudí, ktorí vyslanectvo žiadali o návštevu. U firmy Burmeister mali naši ťažkosti s mzdou a s bývaním, ako i s neskorým zasielaním peňazí a s Trennungszulage.[10] Medzitým však platy našich robotníkov boli upravené, takže v tejto otázke sporu nebolo. Nakoľko firma nemá láger, platí našim súkromné byty v meste ako i cestovné z bytu a späť.

Vo veci Trennungszulage firma prisľúbila tieto našim robotníkom vyplácať, ako i pravidelne a včas posielať peniaze. Ináč sťažností nebolo. Práca je dobrá. Firma je s našimi robotníkmi spokojná.

Schwarz [v. r.]
leg. attaché

[Príloha 3]
<u>Úradná správa zo služobnej cesty dňa 10. júla 1940 v Flatowe, okres Osthavelland.</u>

Dňa 10. júna nám telefonovala Landesbauernschaft v Berlíne (Dr. Wolmark), že mu bolo oznámené z Flatowa, že tam slovenskí robotníci stávkujú. Prosil, aby vyslanectvo čím prv vyslalo úradníka, aby vec urovnal.

Po dohovore s Arbeitsamtom v Niederbarnin[11] vybral som sa do Flatowa v sprievode úradníka Arbeitsamtu.

Vo Flatowe pracuje 29 ľudí, ktorí prišli na hromadnú zmluvu, ale teraz sú 1 – 4 rozdelení u sedliakov. Ľuďom boli pasy pobraté a nebola urovnaná pracovná doba ako i odmena za prácu. 9. 7. večer si hromadne žiadali od Ortsbauernführera pasy a to v jeho dome. Ten ich vyhnal, zavolal políciu, že vraj ho naši ľudia ohrozujú. Medzi Ortsbauernführerom a našimi ľuďmi došlo k výtržnostiam, nakoľko Ortsbauernführer udrel niekoľkých našich robotníkov. Pasy vraj nemá a že im ich vydá len v nedeľu. Naši robotníci na to nechceli pracovať. Na druhý deň však išli ešte všetci do práce, lenže všetci chceli preč z miesta.

Po dohovore s úradníkom z Arbeitsamtu, úradníkom Kreisgefolgschaftu (ten tam tiež došiel) a zamestnávateľmi bolo dohodnuté, že robotníci budú denne najviac 11 hodín robiť a nedeľu 1 ½ hod. (u koní vo dvoroch) a za to dostanú týždenne čistých 14 RM a okrem toho úplné zaopatrenie. Za každú [na]viac odpracovanú hodinu dostanú hodinovú mzdu a 50 % príplatok a v nedeľu dvojitú mzdu a 50 % príplatok. Pasy im budú v sobotu vydané. Dvoch ľudí Arbeitsamt premiestni do druhého okresu.

Nezrovnalosti z 9. VII. 1940 večer boli urovnané. Naši robotníci sa uspokojili s týmto riešením sporných otázok.

Schwarz [v. r.]
leg. attaché

[Príloha 4]
Úradná správa zo služobnej cesty v dňoch 13. – 16. júla 1940.

V piatok 11. VII. 1940 požiadalo Reichsarbeitsministerium (p. Matejak) telefonicky vyslanectvo, aby niekto zašiel na ostrov Pööl[12] – Brandenhausen[13] pri Wismare a urovnal stávku robotníkov a zároveň navštívil okolitých robotníkov. Nakoľko som bol na vyslanectve v sociálnom oddelení sám, prisľúbil som návštevu na nedeľu. Ešte v sobotu večer dojednal som vo Wismare so zástupcami Arbeitsamtu podrobnosti návštev.

14. VII. 1940 Robotníci na ostrove Pööl v počte osem mali ťažkosti so stravou a chceli odísť, nakoľko v mieste a v okolí sú časté nepriateľské nálety letecké. Vec stravy v dohode so zamestnávateľom som dojednal tak, že zamestnávateľ bude variť pre všetkých, nakoľko nákup potravín je ďaleko od bydliska našich ľudí a oni nevychádzajú s pridelenými lístkami. Bolo určené, že zamestnávateľ bude vyplácať mzdu každú nedeľu ráno a bolo presne stanovené na aký čas a koľko. Dohodnuté bolo, aby robotníci mohli i v akorde pracovať. Spor bol urovnaný.

Navštívil som ešte v okrese miesta: Damkusen[14] 8 našich ľudí, Dreweskirchen[15] 24 ľudí, Kirch Musow[16] 10 ľudí, Klein Waltersdorf[17] 12 a v Büttelkowe 12 ľudí. Na týchto miestach neboli zvláštne ťažkosti. V Kirch Musow si ľudia žiadali lístky na šaty a v Klein Wollersdorf [sic!] chýbali niektoré čiastky nábytku. Zamestnávatelia sľúbili dľa možnosti lístky zaobstarať a doplniť potrebný nábytok.

15. 7. 1940 Obvod Arbeitsamtu Roztok:[18] Návštevy v Hirschendorfe[19] 10, Neuendorfe[20] 12, Retschowe 15, Nienhagen 12 a Purk[s]hof 8 ľudí. V Retschowe naši vôbec nevychádzali so stravou. Vlastná kuchárka nedobre varila. Variť bude nabudúce zamestnávateľ. Za stravu naši týždenne platia RM 4,50 a za to dostanú ešte veci nakúpené na lístky, ako maslo, marmeládu, mäso a syr. Ako deputátny peniaz obdrží osoba týždenne RM 3. V ostatných miestach neboli väčšie ťažkosti. Chleba je všade málo. Toľko však dostanú, koľko im patrí. Kde sa dalo, zjednal som polepšenie.

16. 7. 1940 Návštevy v okrese Arbeitsamt Göstrow.[21] Broberow[22] 20, Borkow 18, Klaker[23] 17, Amalienhof 12.

V Borkowe ubytovanie síce dobré, pekný dom, ale nedostatočne zariadené. V jednej izbe spali tri dievčatá na jednej posteli. V druhej izbe, kde prv Poliaci bývali, naši našli plno vší. Nebolo umývadiel. Zamestnávateľovi bolo Arbeitsamtom nariadené ihneď zjednať nápravu. Každý obdrží vlastnú posteľ, po dve osoby umývadlá a zavšivená posteľ sa ihneď odstráni a zašle k dezinfekcii. Ostatné miesta sú v poriadku.

Celkový dojem.
Spokojnosť s prácou a odmenou. Nespokojnosť vo väčšej časti so stravou, najmä s nedostatkom chleba. Naši ľudia, najmä tí, ktorí sú prvý rok v Nemecku nevedia sa dosť vpraviť do pomerov s lístkami na stravu a odev. Toľko však presne dostávajú čo i nemeckí občania a preto je ťažko niečo robiť.

Schwarz [v. r.]
leg. attaché

[Príloha 5]
Úradná správa o služobnej ceste v dňoch od 26. júla do 1. augusta 1940 v Sasku a v Sudetenlande.

Telefonické požiadanie Reichsarbeitsministeria (u tel. pán referent Matiak) o návštevu k novoprišlým Slovákom, ktorí sa zdráhajú pracovať na niektorých miestach v Sasku a veľa písomných sťažností ako aj žiadosti o návštevu v Sudetsku boli podkladom tejto úradnej cesty.

Po dohode s Landesarbeitsamtom v Dresden ešte toho istého dňa t. j. 26. júla vybral som sa do Meissen, odkiaľ autom od Arbeitsamtu navštívil som ešte ten deň ako i na druhý deň niekoľko miest nespokojných Slovákov. Boli to miesta: Rittergut Rottschönberg[24] 17 ľudí, Rittergut Oberremisberg 9 ľudí, Rittergut Bieverstein[25] 11 ľudí, Kanzleilehngut Obergruna 4 ľudia, Rittergut Zschochau 8 ľudí, Freigut Ickowitz 4 ľudia, u Rud. Friedela, Grötern[26] 2 ľudia, Willi Dietscha 4 ľ. a u Roberta Steigera, Marna, 8 ľudí. Novoprišlí robotníci nechceli uveriť, že miestna tarifa je taká nízka, doma im vraj povedali, že za mesiac zarobia i 100 RM. Priemerný zárobok mesačný je 35 RM s plným zaopatrením. Strava je pre väčšinu ľudí nedostačujúca a je vo všeobecnosti málo chleba. Robotníkom bol stav vecí vysvetlený a pracujú ďalej.

V Sudetenlande sú zárobkové pomery ešte horšie. Tarifa je veľmi nízka, chlap nad 18 rokov zarobí na hodinu 18 Rpf. Chlap od 16 do 18 rokov zarobí 15 Rpf a niže 16 rokov 12 Rpf.

Ženy niže 16 rokov zarobia 10 Rpf, od 16 – 18 rokov 12 Rpf a nad 18 rokov 13 Rpf. K tomu dostávajú všetci deputát, ktorý nie je dobrej akosti. Za čas žatvy t. j. 30 dní, zvýši sa hodinová mzda u chlapov o 0,04 RM, u žien o 0,03 RM. Keď sa akorduje padá tento prídavok.

Divné je ustanovenie, že počas akordných prác strhuje sa za deputát každému jednému 1 RM. Nič však na deputát viac nedostanú než obvykle.

Byty sú vo všeobecnosti veľmi zlé. Ľudia naši sú tam väčšinou nespokojní a poukazujú, že ostatní Slováci v ostatnom Nemecku zarobia za podobných okolností 3 – 4 razy viac. Na rok nechce ani jeden do Sudet. Dopravné spojenie v Sudetsku je teraz veľmi zlé. Navštívil som v okrese Trautenau[27] v Humelhof[28] a v okolí Wildschützu[29] 21 ľudí, v okolí Brüx[30] v Rudelsdorfe[31] 36 ľudí a vo Würschen[32] 37 ľudí dovedna. V okolí Saazu[33] Hof Pawiesen s 30 ľuďmi.

Spiatočnou cestou na požiadanie Landesarbeitsamtu v Dresden zastavil som sa na Arbeitsamte v Crimmitschau a v okrese Zwickau navštívil som Rittergut Schweinsburg s 18 Slovákmi, Rittergut Rosenhof a Rittergut Tauhof s 12 Slovákmi. Na poslednom mieste boli všetci naši už pár dní zavretí v škole, nakoľko nechceli za tarifných podmienok pracovať. Tarifa je tu, ako som bol prv spoznal v Sasku, tiež dosť nízka.

V prípade tomto sa ale jednalo čiastočne o nedorozumenie, nakoľko naši sa nevedeli rečovo nijak dorozumieť. Vec sa vysvetlila, ale nakoľko sa dalo vidieť, že skupina nebude na statku spokojná a ani zamestnávateľ nekládol dôraz na ich zotrvanie, Arbeitsamt skupinu premiestni. Na ostatných miestach nespokojnosť so zárobkom a so stravou. Čo sa dalo na mieste napraviť, napravil som, ostatné veci sa budú prejednávať u Reichsarbeitsministeria.

Schwarz [v. r.]
leg. attaché

SNA, f. MV, š. 1271, 137836/1940. Originál, strojopis, 8 strán.

1 Príslušné podania sa nám vo fonde R 3901 v berlínskom Bundesarchive nepodarilo nájsť.
2 Správne Prohlis.
3 Správne Laubegast
4 Správne Kaditz.
5 Správne Langenberndorf.
6 Správne Hähnichen.
7 Správne Pristäblich.
8 Daň z príjmu.
9 Odberné poukážky.
10 Odlučné.
11 Správne Niederbarnim.
12 Správne Poel.
13 Správne Brandenhusen.
14 Správne Dammhusen, dnes mestská časť Wismaru.
15 Správne Dreveskirchen
16 Správne Kirch Mulsow.
17 Správne Klein Woltersdorf.
18 Správne Rostock. V minulosti sa používal aj slovanský názov Roztoky.
19 Správne Häschendorf.
20 Správne Niendorf.
21 Správne Güstrow.
22 Správne Bröbberow.
23 Správne Laage.
24 Správne Rothschönberg.
25 Správne Bieberstein.
26 Správne Gröden.
27 Trutnov.
28 Humlův dvůr.
29 Vlčice.
30 Most.
31 Rudolice nad Bílinou.
32 Vršany.
33 Žatec.

56
Bez uvedenia dátumu [polovica augusta 1940] a miesta [Bratislava]. – Prehľad počtu naverbovaných a zamestnaných slovenských pracovných síl na území Nemeckej ríše.

Rekapitulácia[1]

Landesarbeitsamt:	Priem.	Sezónni rob.	Čeľaď.	Lesní rob.	Spol.
Bayern	1 823	524	397	-	2 744
Brandenburg	2 302	1 128	46	-	3 476
Hessen	234	1 054	108	-	1 396
Mitteldeutschland	6 144	1 831	14	-	7 989
Niedersachsen	1 204	858	-	-	2 062
Nordmark	1 100	973	-	-	2 073
Ostpreussen		11	-	-	11
Pommern		350	-	-	350
Westfalen	350	197	1	-	548
Ostmark	3.307	10 924	488	1 289	16 008
Schlesien	6	261	-	-	267
Sachsen	1 540	739	-	-	2 279

Südwestdeutschland	30	4	-	-	34
Sudetenland	10	8 110	-	-	8 120
Rheinland	38	-	1 071	-	1 109
Spolu	18 088	26 964	2 123	1 289	48 464

Spolu – robotníkov na poľnohosp. prácach   30 376
Spolu – robotníkov na priemysel. prácach   18 088
Úhrnom   48 464[2]

SNA, f. MZV, š. 135, bez čísla. Kópia, strojopis, s rukopisnými dodatkami 1 strana.

1 Ide o stav k 12. 8. 1940.
2 Porovnaj dokumenty 53, 54, 57 a 58.

57

1940, 25. august. Bratislava. – Správa poverenca ríšskeho ministra práce o priebehu náboru slovenských poľnohospodárskych robotníkov do Nemecka.

Der Beauftragte   Pressburg, am 25. August 1940
des Reichsarbeitsministeriums
Preßburg
G. Z. 5770.30

An den
Herrn Reichsarbeitsminister
Berlin SW 11
Saarlandstrasse 96

Betrifft: Anwerbung in der Slowakei;
          hier: wöchentliche Berichterstattung.
Vorgang: Erlass des LAA Wien-Niederdonau v. 17. 5. 1940 – G. Z. IIb 5770.

Zu vorbezeichnetem Erlass berichte ich, dass in der Zeit bis 11. 8. 40 und in den beiden Wochen vom 12. 8. 40 bis 25. 8. 40 folgende Anzahl slow. land.- u. forstw. Arbeitskräfte verpflichtet und für nachstehend genannte Landesarbeitsämter abbefördert worden ist:

	Bis 11. 8. 40 ausgereist:	Vom 12. 8. 40 bis 25. 8. 40 ausgereist:	Summe:
LAA Wien-Niederdonau	12 512	35	12 547
LAA Mitteldeutschland	1 972	-----	1 972
LAA Brandenburg	1 096	-----	1 096
LAA Hessen	1 225	-----	1 225
LAA Sudetenland	8 325	45	8 370
LAA Schlesien	209	-----	209
LAA Niedersachsen	755	-----	755
LAA Nordmark	803	-----	803
LAA Sachsen	635	-----	635
LAA Pommern	308	-----	308
LAA Rheinland	1 039	-----	1 039
LAA Westfalen	104	-----	104

LAA Bayern/München	394	-----	394
LAA Bayern/Nürnberg	642	-----	642
LAA Ostpreussen	13	2	15
LAA Südwestdeutschland	4	-----	4
Illegal ausgereist	897	-----	897
	30 933	82	31 015
Protek. Böhm. u. Mähren	4 181 legal	197	4 378
Protek. Böhm. u. Mähren	874	------	874
	35 988	279	36 267

Mithin wurden bis 25. 8. 1940 insgesamt 36 267 land- u. forstwirtschaftl. Arbeiter verpflichtet und abbefördert.

Für die Industrie wurden bis 25. 8. 40 insgesamt 20 195 gewerbl. Arbeiter verpflichtet und abbefördert.[1]

Industrie und Landwirtschaft insgesamt: 56 462 Arbeitskräfte.

Mit Bezug auf den Erlass vom 13. 8. 40 – GZ.Va 5771.30/487 – an den Herrn Präsidenten des Landesarbeitsamtes Wien-Niederdonau übersende ich in der Anlage eine Aufstellung über die noch unerledigten Vermittlungsaufträge auf landw. Arbeitskräfte.[2] Es handelt sich hierbei überwiegend um kleinere Verträge des Sudetenlandes, deren Übersendung sehr spät bzw. zu einem Zeitpunkt erfolgte, als die Ernte in der Slowakei im Gange war und die noch hier vorhandenen arbeitslosen Landarbeiter im Mutterlande Beschäftigung fanden. Mit Rücksicht auf die vorgeschrittene Jahreszeit und im Hinblick auf die Möglichkeit eines verstärkten Einsatzes von Kriegsgefangenen werde ich von der Erledigung der in anl. Liste aufgeführten Verträge absehen. Von den noch zu besetzenden Verträgen auf Forstarbeiter übersende ich gleichfalls in der Anlage eine Aufstellung. Nachdem der Auftrag für die Protektoratsregierung über 400 Forstarbeiter inzwischen erledigt werden konnte,[3] wird die Erledigung der in der anl. Liste aufgeführten Forstarbeiterverträge in Angriff genommen. Die Besetzung dieser Verträge ist mit Forstarbeitern aus der Ostslowakei in Aussicht genommen und wird die Werbung in der Zeit vom 31. 8. 40 bis 7. 9. 40, wo für die Industrie in der Ostslowakei geworben wird, durchgeführt. Da bei einer Reihe von Forstarbeiterverträgen nur Teilgestellungen erfolgt sind, müssen weiter ca. 200 Forstarbeiter als Restgestellung für die Ostmark geworben und verpflichtet werden. Die Protektoratsregierung hat um die Gestellung weiterer 1 000 Forstarbeiter für die Staatsforsten [sic!] angesucht. Ob die Gestellung dieser Kräfte möglich sein wird kann im Augenblick nicht übersehen werden, da durch den in Aussicht genommenen Bau der Reichsautobahn verschiedene Gebiete für die Anwerbung von Arbeitskräften gesperrt bleiben müssen.

gez. Rehfeld.

In Durchschrift
an die
Deutsche Gesandtschaft,[4]
Pressburg,
Moyzesgasse,
mit der Bitte um gefl. Kenntnisnahme.

Rehfeld [v. r.]

PA AA, Gesandtschaft Preßburg, Paket 208, W 2, Nr. S 1a, Band I. Kópia, strojopis, 3 strany.

---

1 Podrobnejšie pozri dokument 58.
2 Prílohy sa pri správe nenachádzajú.

3 Pozri dokumenty 44, 47 a 49.
4 Rehfeld zaslal správu vyslanectvu 30. 8. 1940. Predošlé správy išli vyslanectvu v deň, kedy ich Rehfeld vy-
hotovil.

58

**1940, 25. august. Bratislava. – Správa poverenca ríšskeho ministra práce o priebehu
náboru slovenských priemyselných robotníkov do Nemecka.**

Der Beauftragte   Pressburg, am 25. August 1940
in Pressburg
G. Z. 5780.30

An den
Herrn Reichsarbeitsminister
Berlin SW 11
Saarlandstrasse 96

Betrifft: Anwerbung in der Slowakei;
         hier: wöchentliche Berichterstattung.
Vorgang: Erlass des LAA Wien Niederdonau v. 17. 5. 40 – G. Z. IIb 5770.

Zu vorbezeichnetem Erlass berichte ich, dass in der Zeit bis 11. 8. 40 und in den beiden
Wochen vom 12. 8. 40 bis 25. 8. 40 folgende Anzahl slow. gewerbl. Arbeiter verpflichtet
und für nachstehend genannte Landesarbeitsämter abbefördert worden ist:

	Bis 11. 8. 40 aus-gereist:	Vom 12. 8. 40 bis 25. 8. 40 ausgereist:	Summe:
LAA Wien Niederdonau	1 745	174	1 919
LAA Oberdonau	668	5	673
LAA Tirol-Salzburg	68	10	78
LAA Graz	2 699	37	2 736
LAA Brandenburg	2 413	-----	2 413
LAA Mitteldeutschland	6 517	-----	6 517
LAA Schlesien	6	-----	6
LAA Sachsen	1 540	-----	1 540
LAA Niedersachsen	1 350	-----	1 350
LAA Bayern/München	1 929	-----	1 929
LAA Bayern/Nürnberg	94	-----	94
LAA Südwestdeutschland	29	2	31
LAA Rheinland	292	-----	292
LAA Hessen	91	-----	91
LAA Westfalen	350	-----	350
LAA Nordmark	171	-----	171
LAA Sudetenland	10	-----	10
	19 972	223	20 195

In der Zeit vom 1. Januar 1940 bis 25. August 1940 sind somit insgesamt 20 195 ge-
werbliche Arbeiter verpflichtet und abbefördert worden.
Für die Landwirtschaft wurden bis einschl. 25. August 1940 insgesamt 36 267 land- u.
forstwirtschaftliche Arbeiter verpflichtet und abbefördert.[1]

Industrie und Landwirtschaft insgesamt: 56 462.

Bei den in den beiden Wochen vom 12. 8. 40 bis 25. 8. 40 abbeförderten Arbeitskräften handelt es sich um die Erledigung folgender Aufträge:

Auftrag Nr. 30	Reichsbahndirektion Wien	173 Arbeiter
Auftrag Nr.	Dynamit AG, Baustelle St. Lamprechts Stm.	22 Arbeiter
Auftrag Nr. 19/15/3	Rathausberg Böckstein	10 Arbeiter
Auftrag Nr. 14/1	Deutsche Tunnelbaugesellsch. Freiburg i. Br.[2]	2 Arbeiter
Auftrag Nr. 24/49/1	Wasserstrassendirektion Wien	1 Arbeiter
Auftrag Nr. 60	Alpine Montan „Herm. Göring-Werke"	15 Arbeiter.

In der angegebenen Berichtszeit mussten für 61 in die Heimat beurlaubte slow. Arbeiter neue Sichtvermerke erteilt werden. Wegen Urlaubsüberschreitungen ohne triftigem [sic!] Grund wurden 36 Urlauber abgewiesen. Unerlaubt wollten 139 Arbeiter eine Beschäftigung in Deutschland aufnehmen, die an der Ausreise durch Versagung des Sichtvermerks gehindert wurden.

Im Zuge der politischen Neuordnung der Slowakei[3] hat die slowakische Regierung das Verbot der Beschäftigung arischer Personen weiblichen Geschlechts in jüdischen Haushalten ausgesprochen. Das Innenministerium verbietet auf Grund Abs. 2 Nr. 190/1940[4] Slow. Gesetzblatt ab 15. September 1940 die Beschäftigung von arischen Personen weibl. Geschlechts unter 40 Jahren in jüdischen Haushaltungen. Durch die Verordnung des Innenministers werden schätzungsweise 1 000 Hausgehilfen bis spätestens 15. 9. 40 ihren Arbeitsplatz verlassen. Da nach Mitteilung der Deutschen Gewerkschaft[5] durch Verkündung dieses Gesetzes ca. 300 volksdeutsche Hausgehilfinnen ihren Arbeitsplatz verlassen (,) bitte ich zu erwägen, ob der Einsatz dieser freiwerdenden Kräfte und zwar in kinderreichen Haushalten möglich gemacht werden kann.

Protektoratsangehörige in der Slowakei.

Das LAA Wien-Niederdonau hat mich beauftragt festzustellen, wieviel Protektoratsangehörige in der Slowakei beschäftigt werden bezw. in welchem Umfange eine Abwanderung dieser Kräfte in das Protektorat und in das Reichsgebiet erfolgt ist. Ich habe in einem Bericht an das LAA Wien-Niederdonau Anfang ds. Js. mitgeteilt, dass schätzungsweise 5 000 bis 6 000 Protektoratsangehörige einer Beschäftigung in der Slowakei nachgegangen sind.[6] Nach Mitteilung der Deutschen Gesandtschaft in Pressburg haben seit dieser Zeit ca. 1 000 Protektoratsangehörige um die Ausstellung von Protektoratspässen und um die Einreiseerlaubnis in das Protektorat angesucht. Bei diesen Protektoratsangehörigen handelt es sich um Angestellte der freien Wirtschaft, des Staatsdienstes und um Beamte der Post und Eisenbahn. Nach Mitteilung des Wehrwirtschaftsoffiziers bei der Deutschen Heeresmission[7] beschäftigen die Rüstungsbetriebe der Slowakei (Skoda) ca. 1 500 Protektoratsangehörige als Techniker, Angestellte und Facharbeiter wie Dreher, Fräser u. dergleichen. Der Abbau dieser Kräfte soll wegen Mangel an geeigneten slow. Fachkräften vor Beendigung des Krieges nicht möglich sein. Im Zuge der laufenden Werbeaktion sind Protektoratsangehörige nur vereinzelt unmittelbar in das Reich vermittelt worden.

Die Arbeitseinsatzlage in der Slowakei wird durch den geplanten Bau einer Reichsautobahn[8] schon in nächster Zeit eine wesentliche Besserung erfahren. Um Störungen in der Durchführung dieses Bauvorhabens, soweit es sich um den Einsatz von Arbeitskräften handelt, zu vermieden, haben am 21. 8. 40 im Einvernehmen mit dem Slow. Innenministerium mit der Generalinspektion für das Strassenbauwesen in der Slowakei und dem Unterzeichneten Verhandlungen stattgefunden. Die Werbung von Arbeitskräften für das Reichsgebiet erstreckt sich in nächster Zeit, mit Ausnahmen bei Anforderungen besonderer Fachkräfte, nur noch auf solche Gebiete die von der geplanten Strecke nicht berührt werden. Bis zum Beginn der Frostperiode sollen 8 bis 10 000 Arbeitskräfte an der Reichsautobahn beschäftigt werden. Auf Grund der niedrigen Löhne (Ks 3,20) ist ein verstärkter Einsatz von Juden und Zigeunern in Aussicht genommen.

gez. Rehfeld.

Abschrift
der
Deutschen Gesandtschaft,[9]
Pressburg,
zur gefl. Kenntnisnahme.

Rehfeld [v. r.]

PA AA, Gesandtschaft Preßburg, Paket 208, W 2, Nr. S 1a, Band I. Kópia, strojopis, 3 strany.

1 Podrobnejšie pozri dokument 57.
2 Freiburg in Breisgau v Schwarzwalde.
3 Rozumej vyhlásenie „slovenského národného socializmu" V. Tukom na zhromaždení 31. 7. 1940 na Hviezdo-slavovom námestí v Bratislave.
4 V pôvodine mylne 1939. Ide o § 6 , ods. 1 nariadenia s mocou zákona č. 209 z 3. 9. 1940 o povinnom zamest-návaní pomocníc v domácnostiach Sl. z.
5 Odborová organizácia DP.
6 Na základe nemecko-slovenskej dohody o prevzatí protektorátnych príslušníkov zo 6. 11. 1940 muselo zo Slovenska do 1. 7. 1943 odísť 21 012 zamestnancov štátnej správy českej národnosti. (SNA, f. ÚPV, š. 17, 2016/1943.)
7 Major Behm.
8 Pravdepodobne išlo o diaľnicu na území „Ostmarku", ktorá podľa pôvodných plánov mala spojiť aj Bratislavu s Viedňou.
9 Správa došla vyslanectvu 30. 8. 1940.

59

1940, 5. september. Bratislava. – Prípis ministerstva vnútra adresovaný ministerstvu zahraničných vecí, obsahujúci návrhy a doplnky pre novú dohodu o pracovných silách s Nemeckou ríšou.

Ministerstvo vnútra

Čís.: 145546/IV/a/1940   V Bratislave, dňa 5. septembra 1940

Predmet: Nemecko – najímanie slovenského robotníctva
v r. 1941 – návrh na jednanie o novej úmluve.

Pozor! Termínované!

Ministerstvu zahraničných vecí
v Bratislave.

Podľa článku XVI. slovensko-nemeckej dohody zo dňa 8. XII. 1939 platí táto dohoda do 31. XII. 1940 a predlžuje sa vždy mlčky o jeden (1) rok, keď nebude do 1. októbra toho–ktorého roku vypovedaná.[1]

Vzhľadom na to, že ministerstvo vnútra má v úmysle navrhnúť niektoré zmeny tejto dohody, navrhuje, aby ministerstvo zahraničných vecí – po prípadnom vyžiadaní si súhla-su vlády – oznámilo len z dôvodov formálnych vláde nemeckej, že platnosť tejto úmluvy končí dňom 31. XII. 1940 a že týmto dňom končia i všetky pracovné zmluvy, na základe spomenutej úmluvy uzavreté.

Ministerstvo vnútra predloží svoje pozmeňovacie návrhy – prostredníctvom tam. ministerstva – príslušným nemeckým úradom v najkratšom čase.
V zásade navrhneme pozmeniť nasl. články:

II.
Najímané bude len priemyselné a sezónne poľnohospodárske robotníctvo, poľnohospodárska čeľaď ako taká nebude najímaná,

III.
najímanie prevádzajú slovenské úrady práce, resp. verejné sprostredkovateľne, zaväzovanie robotníkov prevádzajú zástupcovia ríšskeho ministra práce,

IV.
pracovné zmluvy budú dodané v 4. exempl. a k týmto budú pripojené v 4. exempl. objednávacie listy, obsahujúce: potrebný počet osôb, mzdy, ubytovanie, stravovanie, zrážky atď. podľa vzoru, ktorý bude predložený dodatočne.

IX.
Poplatky za najímanie sa zvyšujú na Ks <u>68</u> za každého robotníka. Z tejto čiastky uhradené budú:

a/ najímacie výlohy, poplatky atď.	Ks 20
b/ lekárske prehliadky	Ks 6
c/ náklady na sociálnu a duchovnú ochranu robotníctva	Ks 20
d/ náklady na paušálne poistenie robotníkov pre prípad smrti mimo pracovnej doby a	Ks 12
e/ na dodávanie časopisov a pokynov jednotlivým skupinám	<u>Ks 10</u>
	Ks 68.

XI.
Slovenskí robotníci podliehajú všetkým zrážkam ako robotníci nemeckí. Dane a príspevky na poistenie proti nezamestnanosti, zrážané zo mzdy slovenských robotníkov budú účtované a ukladané na zvláštnom účte v prospech slovenského štátu. Všetci robotníci majú byť prispievajúcimi členmi DAF o čom bude zvláštna dohoda medzi príslušnými odb. org. slovenskými a medzi DF uzavretá (za podpory nemeckej vlády).[2]
Keďže je <u>výpovedný termín zročný už dňa 1. X. 1940</u>, žiadame, aby prítomný spis bol vybavený s najväčším urýchlením, s dodržaním termínu uvedeného v zmluve.[3]

Na stráž!
Za ministra: Bezák [v. r.]

SNA, f. MV, š. 1272, 145546. Originál, strojopis, 2 strany.[4]

1 Pozri dokument 18.
2 Pozri dokument 80.
3 Predsedníctvo vlády svojim prípisom MZV z 9. 9. 1940 iniciatívu MV spočiatku nepodporilo: *„Predmetná vec môže sa predložiť vláde len v prípade, že pán minister zahraničia by sa rozhodol za výpoveď a vyhradil by si súhlas vlády k tomuto kroku.*
Z tamojšieho prípisu však nevidieť, či bolo o tejto veci referované pánu ministrovi zahraničia s predložením mu konkrétneho návrhu. Tamojšie ministerstvo uzná, žeby bolo divné, aby tento konkrétny návrh a referovanie vykonalo Predsedníctvo vlády namiesto tamojšieho ministerstva.

Hoci Predsedníctvo vlády nie je kompetentné vyjadrovať sa vo veci samej, pokladá za vhodné poznamenať svoj názor, že forma výpovede zmluvy sotva by zodpovedala srdečnému rázu stykov medzi Slovenskou republikou a Nemeckou ríšou a tamojšie ministerstvo iste nájde primeranejšiu formu uplatňovania žiaducich zmien. Sdeľuje sa v odpise Ministerstvu vnútra so žiadosťou, aby podobné návrhy v budúcnosti zasielalo s aprobáciou pána ministra vnútra." Neskôr však postoj zmenilo a 23. 9. 1940 vyjadrilo svoj súhlas, aby sa pozmeňovacie návrhy predostreli nemeckým miestam vo forme verbálnej nóty. (SNA, f. MZV, š. 135, 116077/1940.) Reakciu nemeckej strany sa nám nepodarilo zistiť.
4 Nachádza sa aj v SNA, f. ÚPV, š. 17, 3166/1944.

60
1940, 6. september. Bratislava. – Prípis vyslanca Manfreda von Killingera poverencovi ríšskeho ministerstva práce vo veci odchodu celých rodín etnických Nemcov na práce do ríše.

Gesandter von Killinger   6. September 1940
Aktenz.: W 2 – Nr. 1a – Nr. 4786
Betrifft: Hereinnahme slowakischer Staatsangehöriger
            deutscher Volkszugehörigkeit in das Deutsche Reich

Vom national-politischen Standpunkt sind nach wie vor Bedenken dagegen geltend zu machen, dass volksdeutsche Arbeiter, die zur Arbeit nach dem Reich gehen, ihre Frauen mitnehmen, da erfahrungsgemäss mit der Hinausnahme der Frauen praktisch in den meisten Fällen eine Verlegung des gesamten Hausstandes in das Gebiet des Altreiches und in weiterer Folge der dauernde Verlust dieser Menschen für die deutsche Volksgruppe im karpathedeutschen Raum verbunden ist.

Da wir in diesem Raum das Deutschtum nicht aus dem Grunde schwächen dürfen, weil Arbeitskräfte im gesicherten Raum des Grossdeutschen Reiches notwendig sind, wird man nach Auffassung der Gesandtschaft der Ausreise der Frauen nur unter besonders berücksichtigungswürdigen Voraussetzungen zustimmen können.[1]

Nach Auffassung der Gesandtschaft müssten aber in Fällen, in denen die Frauen nachkommen und daher im Reiche selbst ein regelrechter Hausstand gegründet wird, die Arbeiterlohntransfer-Begünstigungen entfallen, da ein unmittelbarer Anlass bei Verlegung des Hausstandes für einen solchen Transfer nicht mehr, oder äusserstenfalls in beschränktem Umfang gegeben ist.

                                               gez. von Killinger.

An den
Beauftragten des Reichsarbeitsministeriums,
Pressburg.

PA AA, Gesandtschaft Preßburg, Paket 208, W 2, Nr. S 1a, Band I. Kópia, strojopis, 1 strana.

---

1 Otázka vycestovania manželiek do Nemecka sa dostala na pretras opäť na jeseň 1942. Vyvolala čulú korešpondenciu medzi úradovňou Splnomocnenca pre pracovné nasadenie, Volksdeutsche Mittelstelle (VoMi) a samotnou Deutsche Partei. Vedenie DP považovalo odchod manželiek za pracujúcimi mužmi za oslabovanie substancie nemeckej menšiny a neprejavovalo prílišný súhlas s nariadením bratislavskej úradovne Splnomocnenca pre pracovné nasadenie verbovať na práce aj manželky. Spor nevyriešila ani VoMi, keď zaujala nasledovné, pomerne šalamúnske stanovisko: *„Meines Erachtens kann eine Regelung nur in der Weise erfolgen, dass nicht die Dienststelle des Generalbevollmächtigten für den Arbeitseinsatz in der Slowakei entscheidet, ob Angehörige vom im Reich im Arbeitseinsatz befindlichen Volksdeutschen ebenfalls ins Reichsgebiet übersiedeln, vielmehr muss die Entscheidung meines Erachtens bei der Volksgruppenführung liegen, die allerdings, soweit dies volkspolitisch tragbar ist, den Wünschen des Generalbevollmächtigten für den Arbeitseinsatz Rechnung tragen müsste."* (BArch Berlin, R 59/47, Bl. 4. Brücknerov záznam pre H. Kubitza zo 4. 11. 1942.)

61

1940, 9. september. Bratislava. – Správa poverenca ríšskeho ministra práce o priebehu náboru slovenských poľnohospodárskych robotníkov do Nemecka.

Der Beauftragte   Pressburg, am 9. September 1940
des Reichsarbeitsministeriums
Preßburg
G. Z. 5770.30   Schnellbrief.

An den
Herrn Reichsarbeitsminister
Berlin SW 11
Saarlandstrasse 96

Betrifft: Anwerbung in der Slowakei;
          hier: wöchentliche Berichterstattung.
Vorgang: Erlass des LAA Wien-Niederdonau vom 17. 5. 40 – G. Z. IIb 5770.

Zu vorbezeichnetem Erlass berichte ich, dass in der Zeit vom 1. 1. 40 bis 8. 9. 1940 folgende Anzahl land.- u. forstwirtschaftl. Arbeiter verpflichtet und für nachstehend genannte Landesarbeitsämter und dem Protektorat Böhmen und Mähren abbefördert worden ist:

Aufnahme-Landesarbeitsamt:	Bis 25. 8. 40 ausgereist:	Vom 26. 8. 40 bis 8. 9. 40 ausgereist:	Summe:
Ostmark	12 547	36	12 583
Mitteldeutschland	1 972	10	1 982
Brandenburg	1 096	-----	1 096
Hessen	1 225	-----	1 225
Sudetenland	8 370	265	8 635
Schlesien	209	1	210
Niedersachsen	755	-----	755
Nordmark	803	-----	803
Sachsen	635	2	637
Pommern	308	-----	308
Rheinland	1 039	2	1 041
Westfalen	104	-----	104
Bayern/München	394	-----	394
Bayern/Nürnberg	642	-----	642
Ostpreussen	15	-----	15
Südwestdeutschland	4	-----	4
Illegal ausgereist	897	-----	897
	31 015	316	31 331
Protekt. Böhm. u. Mähren	4 378 leg.	229	4 607
Protekt. Böhm. u. Mähren	874 illeg.	------	874
	36 267	545	36 812

Mithin wurden bis 8. September 36 812 land- u. forstwirtschaftl. Arbeiter verpflichtet und abbefördert.
Industrie und Landwirtschaft insgesamt: 57 725 Arbeiter.

Die in meinem Bericht vom 25. 8. 40 angekündigte Werbung von Arbeitskräften für die Forstbetriebe der Ostmark[1] wurde in der Zeit vom 31. 8. 40 bis 7. 9. 40 in Verbindung mit der Werbung gewerblicher Arbeiter mit Erfolg durchgeführt. Der Abtransport der geworbenen 350 Waldarbeiter erfolgt am 14. 9. 40. Die Werbung der Forstarbeiter für das Protektorat Böhmen und Mähren für das 2. Nachtragskontingent in Höhe von 1 000 Forstarbeiter habe ich vorläufig zurückgestellt und zwar im Hinblick darauf, dass der in Aussicht genommene Vertrag zwischen der Slowakischen Regierung und der Protektoratsregierung noch nicht zum Abschluss gekommen ist[2] und auch die Ostmark einen weiteren Bedarf von 3 bis 400 Forstarbeitern angekündigt hat.

gez. Rehfeld.

An die
Deutsche Gesandtschaft,[3]
Pressburg,
Moyzesgasse
mit der Bitte um Kenntnisnahme gefl. übersandt.

Rehfeld [v. r.]

PA AA, Gesandtschaft Preßburg, Paket 208, W 2, Nr. S 1a, Band I. Kópia, strojopis, 2 strany.

---

1 Pozri dokument 57.
2 Záznamy z rokovaní sa nám nepodarilo nájsť.
3 Správa došla vyslanectvu 13. 9. 1940.

62

1940, 9. september. Bratislava. – Správa poverenca ríšskeho ministra práce o priebehu náboru slovenských priemyselných robotníkov do Nemecka.

Der Beauftragte   Pressburg, am 9. September 1940
des Reichsarbeitsministeriums
Preßburg
G. Z. 5780.30   Schnellbrief.

An den
Herrn Reichsarbeitsminister
Berlin SW 11
Saarlandstrasse 96

Betrifft: Anwerbung in der Slowakei;
        hier: wöchentliche Berichterstattung.
Vorgang: Erlass des LAA Wien-Niederdonau v. 17. 5. 40 – G. Z. IIb 5770.

Zu vorbezeichnetem Erlass berichte ich, dass in der Zeit bis 25. 8. 40 und in den beiden Wochen vom 26. 8. bis 8. 9. 40 folgende Anzahl slow. gewerbl. Arbeiter verpflichtet und abbefördert worden ist:

Aufnahmelandesarbeitsamt:	Bis 25. 8. 40 ausgereist:	Vom 26. 8. 40 bis 8. 9. 40 ausgereist:	Summe:
Wien-Niederdonau	1 919	127	2 046
Oberdonau	673	-----	673
Tirol-Salzburg	78	-----	78
Graz/Steiermark	2 736	3	2 739
Brandenburg	2 413	-----	2 413
Mitteldeutschland	6 517	475	6 992
Schlesien	6	6	12
Sachsen	1 540	20	1 560
Niedersachsen	1 350	14	1 364
Bayern/München	1 929	-----	1 929
Bayern/Nürnberg	94	-----	94
Südwestdeutschland	31	-----	31
Rheinland	292	-----	292
Hessen	91	73	164
Westfalen	350	-----	350
Nordmark	171	-----	171
Sudetenland	10	-----	10
	20 195	718	20 913

In der Zeit vom 1. Januar 1940 bis 8. September 1940 sind somit insgesamt 20 913 slow. gewerbl. Arbeiter verpflichtet und abbefördert worden.

Für die Landwirtschaft wurden bis einschl. 8. September 1940 insgesamt: 36 812 land.- u. forstwirtschaftl. Arbeiter verpflichtet und abbefördert.[1]

Industrie und Landwirtschaft zusammen: 57 725 Arbeiter.

Bei den in der Zeit vom 26. 8. 40 bis 8. 9. 40 abbeförderten gewerblichen Arbeitskräften handelt es sich um die Erledigung folgender Aufträge:

Auftrag Nr. 70	Leuna-Werke	350 Arbeiter
Auftrag Nr. 93	Buna-Werke Schkobau[2]	125 Arbeiter
Auftrag Nr. 30	Reichsbahndirektion Wien	55 Arbeiter
Auftrag Nr. 60	Alpine Montan „Hermann Göring" Eisenerz	3 Arbeiter
Auftrag Nr. 21	Kupferschieferbergbau Nentershausen[3]	73 Arbeiter
Auftrag Nr. 95	Nord. Erzkontor (Haldenabbau) Freital[4]	20 Arbeiter
Auftrag Nr. 94	Asbest-u. Kieselguhrwerke Uelzen	14 Arbeiter
Auftrag Nr.	Glasfabrik GmbH Weisswasser OL	6 Arbeiter
Auftrag Nr. 91	Zuckerfabrik Leopoldsdorf	58 Arbeiter
Auftrag Nr.	Deutsche Erdöl GmbH Schwechat	34 Arbeiter

In der angegebenen Berichtszeit mussten für 56 Arbeiter, die sich in der Slowakei auf Urlaub befanden und aus berechtigten Gründen zur Urlaubsüberschreitungen [sic!] gezwungen waren, neue Sichtvermerke erteilt werden. Wegen Urlaubsüberschreitungen ohne triftigem Grund wurden 41 Urlauber abgewiesen. Unerlaubt wollten 93 Arbeiter eine Beschäftigung in Deutschland aufnehmen, die jedoch an der Ausreise durch Versagung des Sichtvermerkes gehindert wurden.

Nach den von mir gemachten Beobachtungen hat die Slowakei und zwar vermutlich überwiegend durch die Beendigung der Getreideernte, wieder einen erheblichen Zugang an Arbeitslosen zu verzeichnen. Wenn auch der grösste Teil dieser Zugänge durch neue Bedarfsmeldungen aus dem Reich untergebracht werden kann, so stehen nach Erledigung dieser Aufträge im Augenblick weitere 2 bis 3 000 gewerbliche Arbeitskräfte hier zur Verfügung.

Verschiedene wehrwirtschaftlich wichtige Betriebe im mitteldeutschen Raum klagen über starke Abwanderung ihrer slowakischen Arbeitskräfte. Nach den mir zugegangenen Mitteilungen handelt es sich hierbei überwiegend um Volksdeutsche, die ihre Abkehr von der Arbeitsstelle mit den nächtlichen Fliegerbesuchen begründen. Da durch ein von mir eingerichtetes Verfahren die Wiedervermittlung dieser Kräfte auf eine neue Arbeitsstelle nicht möglich ist, kann dem Wunsche verschiedener Firmen, die Arbeiter zur Rückkehr an der alten Arbeitsstelle [sic!] zu bewegen, Rechnung getragen werden. Die Arbeiter erhalten von mir die schriftliche Aufforderung zur Ausreise zu erscheinen, andernfalls mit einer Vermittlungssperre von 2 Jahren in das Reichsgebiet zu rechnen ist. Diese Gegenmassnahme hat dazu geführt, dass bereits verschiedene Arbeiter ihre Arbeit an den alten Arbeitsplatz wieder aufgenommen haben. Die in Bitterfeld abgekehrten Arbeiter führen jedoch Klage, dass dort im Lager die Schutzvorrichtungen bei Fliegerangriffen recht mangelhaft sind. Die Angst dieser Arbeiter wäre berechtigt, wenn die mir gemachten Angaben stimmen, nachdem dort im Lager nicht ein einziger Schutzgraben vorhanden ist.

gez. Rehfeld.

An die
Deutsche Gesandtschaft,[5]
Pressburg,
Moyzesgasse
mit der Bitte um Kenntnisnahme gefl. übersandt.

Rehfeld [v. r.]

PA AA, Gesandtschaft Preßburg, Paket 208, W 2, Nr. S 1a, Band I. Kópia, strojopis, 3 strany.

1 Podrobnejšie pozri dokument 61.
2 Správne Schkopau.
3 Nentershausen, obec v Hesensku, v okrese Hersfeld-Rotenburg.
4 Freital, mesto v Sasku, neďaleko Drážďan.
5 Správa došla vyslanectvu 13. 9. 1940.

63

1940, 23. september. Bratislava. – Správa poverenca ríšskeho ministra práce o priebehu náboru slovenských poľnohospodárskych robotníkov do Nemecka.

Der Beauftragte   Pressburg, am 23. September 1940
des Reichsarbeitsministeriums
Preßburg
G. Z. 5770.30

An den
Herrn Reichsarbeitsminister
Berlin SW 11
Saarlandstrasse 96

Betrifft: Anwerbung in der Slowakei;
          hier: wöchentliche Berichterstattung.
Vorgang: Erlass des LAA Wien-Niederdonau v. 17. V. 40 – G. Z. IIb 5770.30-

Auf Grund vorbezeichneten Erlasses berichte ich, dass in der Zeit vom 1. 1. 40 bis 8. 9. 40 und in den beiden Wochen vom 9. 9. 40 bis 22. 9. 40 folgende Anzahl slow. land- u. forstwirtschaftl. Arbeiter verpflichtet und abbefördert worden ist:

für Landesarbeitsamt:	Bis 8. 9. 40 ausgereist:	Vom 9. 9. 40 bis 22. 9. 40 ausger.:	Insgesamt:
Ostmark	12 583	295	12 878
Mitteldeutschland	1 982	3	1 985
Brandenburg	1 096	-----	1 096
Hessen	1 225	-----	1 225
Sudetenland	8 635	54	8 689
Schlesien	210	-----	210
Niedersachsen	755	-----	755
Nordmark	803	1	804
Sachsen	637	-----	637
Pommern	308	-----	308
Rheinland	1 041	-----	1 041
Westfalen	104	-----	104
Bayern/München	394	2	396
Bayern/Nürnberg	642	-----	642
Ostpreussen	15	-----	15
Südwestdeutschland	4	-----	4
Illegal ausgereist	897	-----	897
	31 331	355	31 686
Protekt. Böhm. u. Mähren	4 607 legal	-----	4 607
Protekt. Böhm. u. Mähren	874 illegal	-----	874
	36 812	355	37 167

In der Zeit vom 1. 1. 40 bis 22. 9. 40 wurden somit insgesamt 37 167 land- u. forstw. Arbeiter verpflichtet und abbefördert.

Für die Industrie wurden bis 22. 9. 40 insgesamt: 22 081 slow. gewerbl. Arbeiter verpflichtet und abbefördert.[1]

Industrie und Landwirtschaft insgesamt: 59 248 Arbeiter.

Forstarbeiter. Bis zum 14. 9. 40 ist für die nachgenannten Landesarbeitsämter folgende Anzahl von slow. Forstarbeitern angeworben und ausgereist:

LAA Niedersachsen	30
LAA Nordmark	110
LAA Sudetenland	190
LAA Wien-Niederdonau	414
LAA Oberdonau	262
LAA Steiermark-Kärnten	455
LAA Tirol-Salzburg	298
Protektorat B. u. M.	406
	2 165

Nach der hiesigen Auftragskartei bleibt nur noch folgende Anzahl von Forstarbeitern zu werben:

LAA Wien-Niederdonau	----
LAA Linz-Oberdonau	20
LAA Steiermark-Kärnten	23
LAA Tirol-Salzburg	10
	53

Dazu kommen noch Nachtragsgestellungen für solche Aufträge, für die nur eine verhältnismässig geringere Zahl von Kräften gestellt worden war als die ursprünglich laut Auftrag geforderte. Hierfür habe ich folgende Nachtragsgestellungen in Aussicht genommen:

LAA Wien-Niederdonau	37
LAA Linz-Oberdonau	27
LAA Steiermark-Kärnten	10
LAA Tirol-Salzburg	<u>66</u>
	140

In Aussicht genommen ist ferner eine weitere Anwerbung von 700 Forstarbeitern für die Landesarbeitsämter Wien-Niederdonau u. Linz-Oberdonau. Weitere 1 000 Forstarbeiter sind für das Protektorat zu werben, sodass insgesamt 1 893 Forstarbeiter noch gestellt werden müssen.[2]

gez. Rehfeld.

In Durchschrift
an die
Deutsche Gesandtschaft,[3]
Pressburg,
mit der Bitte um Kenntnisnahme ergebenst übersandt.

Rehfeld [v. r.]

PA AA, Gesandtschaft Preßburg, Paket 208, W 2, Nr. S 1a, Band I. Kópia, strojopis, 2 strany.

1 Pozri dokument 64.
2 Porovnaj dokument 65.
3 Správa došla vyslanectvu 1. 10. 1940.

64

1940, 23. september. Bratislava. – Správa poverenca ríšskeho ministra práce o priebehu náboru slovenských priemyselných robotníkov do Nemecka.

Der Beauftragte   Pressburg, am 23. September 1940
des Reichsarbeitsministeriums
Preßburg
G. Z. 5780.30

An den
Herrn Reichsarbeitsminister
Berlin SW 11
Saarlandstrasse 96

Betrifft: Anwerbung in der Slowakei;
      hier: wöchentliche Berichterstattung.
Vorgang: Erlass des LAA Wien-Niederdonau v. 17. V. 40 – G. Z. IIb 5770.30-

Auf Grund vorbezeichneten Erlasses wird berichtet, dass in der Zeit vom 1. 1. 40 bis 8. 9. 40 und in den beiden Wochen vom 9. 9. 40 bis 22. 9. 40 folgende Anzahl slow. gewerblicher Arbeiter verpflichtet und abbefördert worden ist:

für Landesarbeitsamt:	Bis 8. 9. 40 ausgereist:	Vom 9. 9. 40 bis 22. 9. 40 ausger.:	Insgesamt:
Wien-Niederdonau	2 046	-----	2 046
Oberdonau	673	3893	1 062
Tirol-Salzburg	78	-----	78
Graz-Steiermark	2 739	-----	2 739
Brandenburg	2 413	-----	2 413
Mitteldeutschland	6 992	402	7 394
Schlesien	12	-----	12
Sachsen	1 560	-----	1 560
Niedersachsen	1 364	-----	1 364
Bayern/München	1 929	-----	1 929
Bayern/Nürnberg	94	80	174
Südwestdeutschland	31	-----	31
Rheinland	292	292	584
Hessen	164	-----	164
Westfalen	350	-----	350
Nordmark	171	-----	171
Sudetenland	10	-----	10
	20 918	1 163	22 081

In der Zeit vom 1. Januar 1940 bis 22. September 1940 sind somit insgesamt 22 081 slow. gewerbl. Arbeiter verpflichtet und abbefördert worden.

Für die Land.- u. Forstwirtschaft wurden bis einschl. 22. September 1940 insgesamt: 37 167 Arbeitskräfte verpflichtet und abbefördert.[1]

Industrie und Landwirtschaft zusammen: 59 248 Arbeitskräfte.

Bei den in der Zeit vom 9. 9. 40 bis 22. 9. 40 abbeförderten gewerblichen Arbeitskräften handelt es sich um die Erledigung bezw. Teilerledigung folgender Aufträge:

Auftrag Nr. 102	Alu-Werke Töging[2]	106 Arbeiter
Auftrag Nr. 107	Alu-Werke Ranshofen[3]	233 Arbeiter
Auftrag Nr. 113	Elektro-Werke Nürnberg	80 Arbeiter
Auftrag Nr. 104	IG-Farben Ludwigshafen	292 Arbeiter
Auftrag Nr. 105	IG-Farben Bitterfeld	194 Arbeiter
Auftrag Nr. 91a	IG-Farben Bitterfeld-Wolfen	208 Arbeiter

In der angegeben Berichtszeit erhielten 30 Arbeiter, die sich in der Slowakei auf Urlaub befanden und aus berechtigten Gründen zur Urlaubsüberschreitung gezwungen waren, neue Sichtvermerke erteilt. Wegen unberechtigter Urlaubsüberschreitung wurden 21 Arbeiter abgewiesen. Unerlaubt wollten 52 Arbeiter eine Beschäftigung in Deutschland aufnehmen, die jedoch an der Ausreise durch Versagung des Sichtvermerkes gehindert wurden. Folgende grössere Betriebe haben um die Rückführung ihrer beurlaubten Kräfte und auch solcher Arbeiter, die aus unbekannten Gründen ihren Arbeitsplatz heimlich verlassen haben, bei der hiesigen Dienststelle des Reichsarbeitsministeriums angesucht:

1.) ASW Sachsenwerk Espenhain b./Leipzig	218 Arbeiter
2.) Ammoniakwerke Merseburg	125 Arbeiter
3.) IG-Farben Wolfen-Bitterfeld	85 Arbeiter
4.) Alpine Montan „Hermann-Göring" Eisenerz	500 Arbeiter

Ich bitte zu entscheiden, inwieweit solchen Anträgen einzelner Firmen stattgegeben werden kann. In Ruzomberok, das grösste Abgabegebiet für die Alpine Montan „Hermann Göring" Eisenerz habe ich bei der Werbung vor ca. 14 Tagen 400 Bergarbeiter festgestellt, die im Laufe ds. Js. ihren Arbeitsplatz verlassen haben. Die Bergarbeiter haben sich zur Rückkehr an ihren alten Arbeitsplatz entschlossen, nachdem sie feststellen mussten, dass ihnen jede Möglichkeit zu einer anderweitigen Aufnahme einer Beschäftigung in Deutschland durch die hiesige Dienststelle des Reichsarbeitsministeriums genommen ist. Bei der Prüfung der Frage der Freigabe dieser Kräfte bitte ich zu berücksichtigen, dass die Arbeiter im vorigen Jahre durch wilde Werbungen und dergl. eine gewissenhafte Vermittlungstätigkeit nicht kennen gelernt haben. In dem Glauben, dass ihnen auch in diesem Jahre durch Vertragsbruch keine wirtschaftlichen Nachteile entstehen können, haben sich dieselben zu Vertragsbrüchen verleiten lassen, die sie jetzt bitter bereuen. Durch die Rückführung dieser Kräfte würde auch erreicht werden, dass die übrigen Arbeiter an der Arbeitsstelle hieraus ihre Lehren ziehen. Sollte gegen die Rückführung dieser Kräfte keine Einwendung erhoben werden, bitte ich zu entscheiden, mit welchen Arbeitsunterbrechungen die Arbeiter an ihren Arbeitsplätzen zurückgeführt werden dürfen. Die Kosten für die Rückführung der Arbeiter ab deutsche Grenze müssten durch die in Frage kommenden Betriebsführer getragen werden.

Das Ustred[ny] urad prace hat mir mitgeteilt, dass die in die Heimat rückkehrenden Arbeitertransporte grosse Zugverspätungen dadurch verursachen, dass die Arbeiter Fahrkarten nur bis zur Übergangsstation besitzen. Der den Arbeitern im Rahmen der Freigrenze zur Verfügung stehende Betrag reicht oft nicht aus, um die Fahrkosten bis zur Zielstation bestreiten zu können. Um solchen Schwierigkeiten begegnen zu können, bitten die amtl. slow. Stellen die Betriebsführer darauf aufmerksam zu machen, dass das Reisebüro „MER"[4] den slow. Arbeitern bereits an der Ausgangsstation bis zur Heimatstation Fahrkarten aushändigen kann.

Der Herr Präsident des Landesarbeitsamtes Wien-Niederdonau[5] hat mich im Auftrage des Reichsarbeitsministeriums ersucht festzustellen, in welchem Umfange die Slowakei Arbeiter für Braunkohlengruben abgeben kann. Die von mir hierüber angestellten Erhebungen haben ergeben, dass ausgesprochene Facharbeiter für Braunkohlengruben hier nur vereinzelt zur Verfügung stehen. Die hier vorhandenen Braunkohlenbetriebe in Handlova, Cakonovce[6] und Gelnica sind so beschäftigt, dass die hier vorhandenen Kräfte, soweit es sich um ausgesprochene Braunkohlearbeiter handelt, Aufnahme finden können. Ein weiterer Abzug solcher Kräfte empfiehlt sich nicht im Interesse der volksdeutschen Gruppe, da speziell die Braunkohlenbetriebe in Handlova (im deutschen Sprachgebiet) mit dem Zuzug slow. Arbeitskräfte rechnen müssten.[7] Es ist jedoch durchaus möglich ca. 300 Berg- und Grubenarbeiter aus anderen Gebieten zur Verfügung zu stellen.

Zur Feststellung der weiteren Abgabefähigkeit der einzelnen Bezirke in der Slowakei habe ich das Slowakische Innenministerium gebeten durch Runderlass an sämtliche Arbeitsämter folgendes anzuordnen:

Durch Austrommeln sollen in den einzelnen Gemeinden alle freien Arbeitskräfte, die nach Deutschland gehen wollen, aufgefordert werden, sich unverzüglich bei ihren zuständigen Arbeitsämtern zu melden. Ich habe weiterhin gebeten die Berichte der Arbeitsämter so abfassen zu lassen, dass stets auch ersichtlich ist, welchen Berufen die Arbeiter angehören, wieviele Rückwanderer aus dem Deutschen Reiche unter den Gemeldeten sind und welche grösseren Bauvorhaben in den einzelnen Bezirken vorgesehen sind, damit die tatsächliche Abgabefähigkeit unter Berücksichtigung des Eigenbedarfes an Arbeitskräften möglichst genau zu ersehen ist. Da die Arbeitsämter bis 1. Oktober berichten müssen, werde ich über das Ergebnis der Auszählung Mitteilung machen.[8]

gez. Rehfeld.

In Durchschrift
an die
Deutsche Gesandtschaft,[9]
Pressburg,

mit der Bitte um Kenntnisnahme ergebenst übersandt.

Rehfeld [v. r.]

PA AA, Gesandtschaft Preßburg, Paket 208, W 2, Nr. S 1a, Band I. Kópia, strojopis, 3 strany.

1 Podrobnejšie pozri dokument 63.
2 Töging am Inn v Bavorsku, v okrese Altötting.
3 Ranshofen, dnešná časť hornorakúskeho mesta Braunau am Inn.
4 Mitteleuropäisches Reisebüro.
5 Alfred Proksch.
6 Správne Čakanovce.
7 Spolužitie oboch etník v Handlovej sa začalo komplikovať krátko po vyhlásení slovenskej samostatnosti. Za katalyzátor eskalácie vzájomných vzťahov možno vo všeobecnosti považovať štrajk baníkov na prelome októbra/novembra 1940.
8 Pozri dokument 68.
9 Správa došla vyslanectvu 1. 10. 1940.

65

1940, 27. september. Bratislava. – Záznam poradcu slovenskej vlády pre hospodárske záležitosti E. Geberta k rôznym problémom, súvisiacimi s náborom slovenských pracovných síl do Nemecka.

Dr. Erich Gebert

Aktennotiz.

Am 27. 9. 1940 spricht Pg. Rehfeld vom Reichsarbeitsministerium mit einem Vertreter des Reichsarbeitsministeriums beim Reichsprotektor in Prag und einem Vertreter des Landesarbeitsamtes Wien vor, und zwar:

1.) wegen der Hinausnahme von 1 500 Holzarbeitern zur Winterarbeit ins Protektorat, des weiteren 700 gewerblichen Arbeitern in das Reich.

Das Übereinkommen sei mit der Slowakischen Regierung perfekt, doch warte die Slowakische Regierung die Ratifizierung des Vertrages über die Hinausnahme slowakischer Arbeitskräfte ins Reich ab.[1]

2.) Für diese Waldarbeiter sei der gleiche Transferbetrag wie für die gewerblichen Arbeiter in Aussicht genommen.

3.) Im Hinblick auf den geänderten Kurs[2] einigen wir uns dahin, dass im Verkehr mit dem Protektorat die Transferziffer von 75 bezw. 65 auf 70 – 60 herabgesetzt wird.

4.) Es wird zur Erwägung gestellt, an Stelle der Zuteilung von 70 Kleiderkartenpunkten den Leuten die Möglichkeit zu geben, im Wege einer Bevorschussungsaktion die erforderlichen Kleidungsstücke den Arbeitern vor ihrer Ausreise zuzuteilen.

5.) Weitere Hinausnahme von Volksdeutschen in das Reich bezw. Werbung bei der slowakischen Wehrmacht. Ich wiederhole den Standpunkt der Gesandtschaft, dass aus nationalpolitischen Gründen die Entvölkerungsaktion unter allen Umständen unterbleiben muss, zumal für die vielen deutschen Positionen, die im Zuge der slowakischen Aufbauarbeit notwendig sind, an sich die erforderliche Anzahl von Menschenkräften kaum wird verfügbar gestellt werden können.[3]

Rehfeld bittet jedoch nochmals um eine Stellungnahme des Staatssekretärs Karmasin im Gegenstand.

6.) Wegen der in Frage kommenden Arbeiterzahlen wird einvernehmlich folgendes Bild als einigermassen wahrscheinlich angenommen: aus der Landwirtschaft werden mit

Ende Herbst 40 000, aus den Aussenberufen in der Industrie 20 000 slowakische Arbeitskräfte zurückkommen; für das kommende Jahr rechnet man mit höchstens 30 – 40 000 Arbeitskräften, die an Stelle bisher 70 – 80 000 für die Arbeit im Reich und Protektorat werden frei gegeben werden können.

Pressburg, den 27. September 1940 — Dr. Gebert [e. h.]

PA AA, Gesandtschaft Preßburg, Paket 75, R 4, Nr. 2, Band I. Originál, strojopis, 2 strany.

---

1 Platila ešte dohoda z 8. 12. 1939. Pozri dokument 18.
2 Od 1. 10. 1940 sa protektorátna koruna prepočítavala k slovenskej korune kurze 1 : 1,16. Zmenil sa aj kurz protektorátnej koruny voči ríšskej marke, a to z 10 : 1 na 11,725 : 1.
3 Pozri dokumenty 60 a 66.

66

1940, 7. október. Bratislava. – Správa poverenca ríšskeho ministra práce o priebehu náboru slovenských priemyselných robotníkov do Nemecka.

Der Beauftragte — Pressburg, am 7. Oktober 1940
des Reichsarbeitsministeriums
Preßburg
G. Z. 5780.30

An den
Herrn Reichsarbeitsminister
Berlin SW 11
Saarlandstrasse 96

Betrifft: Anwerbung in der Slowakei;
  hier: wöchentliche Berichterstattung.
Vorgang: Erlass des LAA Wien-Niederdonau v. 17. 5. 40 – G. Z. IIb 5770.30-

Ich nehme Bezug auf vorstehend bezeichneten Erlass und berichte, dass in der Zeit vom 1. 1. 40 bis 22. 9. 40 und in den beiden Wochen vom 23. 9. 40 bis 5. 10. 40 folgende Anzahl slow. gewerblicher Arbeiter verpflichtet und abbefördert worden ist:

Für Landesarbeitsamt:	Bis 22. 9. 40 ausgereist:	Vom 23. 9. 40 bis 5. 10. 40 ausg.:	Insgesamt:
Wien-Niederdonau	2 046	97	2 143
Oberdonau	1 062	142	1 204
Tirol-Salzburg	78	-----	78
Graz-Steiermark	2 739	288	3 027
Brandenburg	2 413	99	2 512
Mitteldeutschland	7 394	369	7 763
Schlesien	12	-----	12
Sachsen	1 560	20	1 580
Niedersachsen	1 364	-----	1 364
Bayern/München	1 929	-----	1 929
Bayern/Nürnberg	174	-----	174

Südwestdeutschland	31	9	40
Rheinland	584	-----	584
Hessen	164	20	184
Westfalen	350	-----	350
Nordmark	171	-----	171
Sudetenland	10	-----	10
	22 081	1 044	23 125

In der Zeit vom 1. Januar 1940 bis 5. Oktober 1940 sind somit insgesamt <u>23 125 slow. gewerbl. Arbeiter</u> verpflichtet und abbefördert worden.

Für die Land- u. Forstwirtschaft wurden bis einschl. 5. Oktober 1940 insgesamt: <u>37 200 land- u. forstw. Arbeiter</u> verpflichtet und abbefördert.[1]

Industrie und Landwirtschaft insgesamt: <u>60 325 Arbeitskräfte.</u>

Bei den in der Zeit vom 23. 9. 40 bis 5. 10. 40 abbeförderten gewerblichen Arbeitskräften handelt es sich um die Erledigung bezw. Teilerledigung folgender Aufträge:

Auftrag Nr. 103	Donau-Chemie in Moosbierbaum	97 Arbeiter
Auftrag Nr. 60 a-e	Alpine Montan „Hermann Göring-Werke" Eisenerz	288 Arbeiter
Auftrag Nr. 91a	IG-Farben Bitterfeld-Wolfen	101 Arbeiter
Auftrag Nr. 122	Elektrowerke Zschornewitz	5 Arbeiter
Auftrag Nr. 92	Aluminiumwerke Bitterfeld	130 Arbeiter
Auftrag Nr. 111	Deutsche Grube Bitterfeld	99 Arbeiter
Auftrag Nr. 114	Preussische Bergwerkshütten AG Rüdersdorf	99 Arbeiter
Auftrag Nr. 96	IG-Farben Griesheim[2]	20 Arbeiter
Auftrag Nr.	Ostmärkische Stickstoffwerke Linz	142 Arbeiter
Auftrag Nr. 90	Braunkohlenwerke Salzdetfurth[3]	34 Arbeiter
Auftrag Nr. 95	H. Schulz Freital i. Sa.	20 Arbeiter

In der angegebenen Berichtszeit erhielten 150 Urlauber, die sich in der Slowakei auf Urlaub befanden und aus berechtigten Gründen zu Urlaubsüberschreitungen gezwungen waren, neue Sichtvermerke erteilt. Hierunter befanden sich vor allen Dingen Arbeitskräfte aus der Landwirtschaft, die von ihren Betriebsführern in der arbeitsarmen Zeit zwischen Getreide- u. Hackfruchternte beurlaubt waren und zur Einbringung der Hackfruchternte wieder zurückgerufen worden sind. Es handelt sich um Arbeiter landw. Betriebe in Ostmark. Wegen unberechtigter Urlaubsüberschreitung wurden insgesamt 61 Arbeitskräfte abgewiesen.

Das Reichsamt für Wirtschaftsausbau hat um Erledigung folgender Aufträge, die vom RAM noch nicht bestätigt sind, hier angesucht:

1.) Ammoniakwerk Merseburg	300 Volksdeutsche als Betriebsarbeiter
2.) IG-Farben Wolfen	100 Volksdeutsche als Betriebsarbeiter

Die Werbung von volksdeutschen Arbeitskräften für beide Aufträge habe ich inzwischen eingeleitet. Die Besetzung der Verträge mit abzurüstenden Soldaten der volksdeutschen Gruppe, die vermutlich vom Reichsamt beim RAM angeregt worden ist, hatte nur einen kleinen Teilerfolg. Nach meiner Schätzung dürften aus dieser Aktion und zwar 700 zur Entlassung kommenden volksdeutschen Heeresangehörigen nur ca. 50 Arbeitskräfte beiden Betrieben zugeführt werden können.[4] Ich habe einen meiner besten Werber nochmals zur Durchkämmung der deutschen Sprachgebiete veranlasst. Nach dem bisher hier vorliegenden Ergebnis ist es gelungen den Auftrag:

1.) Ammoniakwerk Merseburg mit	171 Volksdeutschen u.
2.) IG-Farben Wolfen mit	74 Volksdeutschen zu besetzen.

Insgesamt können beide Aufträge mit nicht mehr wie 300 Volksdeutschen besetzt werden. Bei dieser Sachlage bitte ich Aufträge auf Gestellung volksdeutscher Kräfte im

Hinblick auf die Belange der volksdeutschen Gruppe vorerst nicht wieder entgegen zu nehmen.

Wegen Anforderung von Protektoratsangehörigen aus der Slowakei verweise ich auf mein Schreiben vom 7. 10. 1940 – G.Z. 5780.30-.[5]

gez. Rehfeld

In Durchschrift
an die
Deutsche Gesandtschaft,[6]
Pressburg,
mit der Bitte um Kenntnisnahme ergebenst übersandt.

Rehfeld [v. r.]

PA AA, Gesandtschaft Preßburg, Paket 208, W 2, Nr. S 1a, Band I. Kópia, strojopis, 2 strany.

1 Správa o nábore poľnohospodárskych pracovných síl sa nezachovala.
2 Griesheim, mesto v Hesensku, neďaleko Darmstadtu.
3 Bad Salzdetfurth, kúpeľné mesto v Dolnom Sasku, v okrese Hildesheim.
4 Porovnaj dokument 65.
5 Pozri poznámku 1.
6 Správa došla vyslanectvu 10. 10. 1940.

67

1940, 24. október. Bratislava. – Správa poverenca ríšskeho ministra práce o priebehu náboru slovenských poľnohospodárskych robotníkov do Nemecka.

Der Beauftragte   Pressburg, den 24. Oktober 1940
des Reichsarbeitsministeriums
Preßburg
G. Z. 5770.30

An den
Herrn Reichsarbeitsminister
Berlin SW 11
Saarlandstrasse 96

Betrifft: Anwerbung in der Slowakei;
          hier: wöchentliche Berichterstattung.
Vorgang: Erlaß des LAA Wien-Niederdonau vom 17. 5. 1940 – G. Z. 5770.30-

Auf Grund vorbezeichneten Erlasses berichte ich, daß in der Zeit vom 1. 1. 1940 bis 22. 9. 1940 und in den Wochen vom 23. 9. 1940 bis 19. 10. 1940 folgende Anzahl slowakischer land- u. forstwirtschaftlicher Arbeiter verpflichtet und abbefördert worden ist:

Für Landesarbeitsamt:	Bis 22. 9. 40 ausgereist:	Vom 23. 9. 40 bis 19. 10. 40 ausgereist:	Insgesamt:
Ostmark	12 878	203	13 081
Mitteldeutschland	1 985	-----	1 985
Brandenburg	1 096	-----	1 096
Hessen	1 225	-----	1 225

Sudetenland	8 689	-----	8 689
Schlesien	210	-----	210
Niedersachsen	755	15	770
Nordmark	804	-----	804
Sachsen	637	44	681
Pommern	308	-----	308
Rheinland	1 041	7	1 048
Westfalen	104	-----	104
Bayern/München	396	-----	396
Bayern/Nürnberg	642	-----	642
Ostpreussen	15	-----	15
Südwestdeutschland	4	-----	4
Illegal ausgereist	897	-----	897
	31 686	269	31 955
Protekt. Böhm. u. Mähren	4 607 legal	296	4 903
Protekt. Böhm. u. Mähren	874 illegal	-----	874
	37 167	565	37 732

In der Zeit vom 1. Januar 1940 bis 19. Oktober 1940 wurden somit insgesamt: 37 732 land- u. forstwirtsch. Arbeiter verpflichtet und abbefördert.

Für die Industrie wurden bis 19. 10. 1940 23 761[1] slowakische gewerbliche Arbeiter verpflichtet und abbefördert.

Industrie und Landwirtschaft insgesamt: 61 493 Arbeiter.

Die Werbung weiterer Forstarbeiter für das Landesarbeitsamt Wien-Niederdonau ist eingeleitet und erfolgt der Abtransport dieser Kräfte am 4. 11. 1940.[2]

Die Werbung der Forstarbeiter für das Protektorat ist gleichfalls eingeleitet und soll der nächste Sonderzug mit Forstarbeitern in das Protektoratgebiet am 12. 11. 1940 abgehen.

gez. Rehfeld.

Durchschriftlich
der Deutschen Gesandtschaft,[3]
Pressburg,
mit der Bitte um Kenntnisnahme ergebenst übersandt.

Rehfeld [v. r.]

PA AA, Gesandtschaft Preßburg, Paket 208, W 2, Nr. S 1a, Band I. Kópia, strojopis, 2 strany.

1 Pozri dokument 68.
2 Porovnaj dokument 69.
3 Správa došla vyslanectvu 30. 10. 1940.

68

1940, 24. október. Bratislava. – Správa poverenca ríšskeho ministra práce o priebehu náboru slovenských priemyselných robotníkov do Nemecka.

Der Beauftragte   Pressburg, den 24. Oktober 1940
des Reichsarbeitsministeriums
Preßburg
G. Z. 5780.30

An den
Herrn Reichsarbeitsminister
Berlin SW 11
Saarlandstrasse 96

Betrifft: Anwerbung in der Slowakei;
    hier: wöchentliche Berichterstattung.
Vorgang: Erlaß des LAA Wien-Niederdonau vom 17. 5. 1940 – G. Z. IIb 5770.30-

Auf Grund vorbezeichneten Erlasses wird berichtet, daß in der Zeit vom 1. 1. 1940 bis 5. 10. 1940 und in den beiden Wochen vom 6. 10. bis 19. 10. 1940 folgende Anzahl slowakischer gewerblicher Arbeiter verpflichtet und abbefördert worden ist:

Für Landesarbeitsamt:	Bis 5. 10. 40 ausge-reist:	Vom 6. 10. 40 bis 19. 10. 40 ausgereist:	Insgesamt:
Wien-Niederdonau	2 143	21	2 164
Linz-Oberdonau	1 204	-----	1 204
Tirol-Salzburg	78	-----	78
Graz-Steiermark	3 027	-----	3 027
Brandenburg	2 512	-----	2 512
Mitteldeutschland	7 763	254	8 017
Schlesien	12	361	373
Sachsen	1 580	-----	1 580
Niedersachsen	1 364	-----	1 364
Bayern/München	1 929	-----	1 929
Bayern/Nürnberg	174	-----	174
Südwestdeutschland	40	-----	40
Rheinland	584	-----	584
Hessen	184	-----	184
Westfalen	350	-----	350
Nordmark	171	-----	171
Sudetenland	10	-----	10
	23 125	636	23 761

In der Zeit vom 1. Januar 1940 bis 19. Oktober 1940 sind somit insgesamt 23 761 slowakische gewerbliche Arbeiter verpflichtet und abbefördert worden.

Für die Land- und Forstwirtschaft wurden bis 19. Oktober 1940 insgesamt: 37 732 Arbeitskräfte verpflichtet und abbefördert.

Industrie und Landwirtschaft insgesamt: 61 493 Arbeitskräfte.

Bei den in der Zeit vom 6. 10. 1940 bis 19. Oktober 1940 abbeförderten slowakischen gewerblichen Arbeitskräften handelt es sich um die Erledigung bezw. Teilerledigung folgender Aufträge:

Auftr. No. 108	IG Farben, Heydebreck[1]	174 Arb.
Auftr. No. 109	Hydrier-Werke, Blechhammer	187 Arb.
Auftr. No. 123	Ammoniak-Werke, Merseburg	170 Arb.
Auftr. No. 127	Ammoniak-Werke, Merseburg (Teilgestellung)	5 Arb.
Auftr. No. 131	IG Farben, Bitterfeld-Wolfen	79 Arb.
Auftr. No. 121	Deutsche Erdöl AG, Schwechat	21 Arb.

In der vergangenen Berichtszeit erhielten 84 Urlauber, die sich in der Slowakei auf Urlaub befanden und aus berechtigten Gründen zu Urlaubsüberschreitungen gezwungen waren, oder aber ohne Sichtvermerk aus dem Reichsgebiet zum Urlaubsantritt in die Slowakei eingereist sind, neue Sichtvermerke erteilt. Wegen unberechtigter Urlaubsüberschreitung mußten in der angegebenen Berichtszeit insgesamt 45 slowakische Arbeitskräfte abgewiesen werden. Auf wiederholte telefonische Rückfragen beim Landesarbeitsamt Wien-Niederdonau ist mir mitgeteilt worden, daß die Aufträge:

1.) Auftr. No. 123, Ammoniak-Werke, Merseburg, mit 170 Betriebsarb.[2]
2.) Auftr. No. 127, Ammoniak-Werke, Merseburg, mit 220 Betriebsarb.
3.) Auftr. No. 131, IG Farben, Bitterfeld-Wolfen, mit 80 Betriebsarb.

besetzt werden könnten. Die Vorarbeiten für die Werbungen der noch zu stellenden Kräfte sind inzwischen eingeleitet worden.

Ich bestätige weiterhin den Auftrag No. 132, Alpine Montan „Hermann Göring Werke" Eisenerz, der mit 290 Urlaubern aus dem Bezirk Ruzomberok besetzt werden kann. Die Werbung dieser Kräfte, die bereits in diesem Jahre für diesen Betrieb verpflicht gewesen sind und denen die Ausreise nach Deutschland für andere Arbeitsplätze durch Verweigerung der Sichtvermerke versagt worden ist, erfolgt gleichfalls in den nächsten Tagen.[3]

Am 15. 10. 1940 wurden im Auftrage des Volksgruppenführers, Herrn Ing. Karmasin, 54 Jugendliche als Lehrlinge im Landesarbeitsamtsbezirk Erfurt eingesetzt. Bei dieser Aktion sind eingeschaltet der Gauleiter Sauckel,[4] das Landesarbeitsamt Mitteldeutschland, das Arbeitsamt Weimar und der VDA.[5] Die Verteilung der Lehrlinge erfolgt in Zusammenarbeit mit der Berufsberatung des Arbeitsamtes Weimar auf verschiedene kleine Betriebe. Den in Frage kommenden Betrieben ist bei dem Einsatz dieser Jungen zur Auflage gemacht worden, daß dieselben nach Beendigung der Lehrzeit wieder in die Slowakei zurückkehren müssen.[6]

Die am 1. 10. 1940 erfolgte Zählung der Arbeitslosen hat ergeben, daß für einen Einsatz im Reich weitere 7 – 8 000 Arbeitskräfte in der Slowakei zur Verfügung stehen.

gez. Rehfeld

Durchschriftlich
der Deutschen Gesandtschaft,[7]
Pressburg,
mit der Bitte um Kenntnisnahme ergebenst übersandt.

Rehfeld [v. r.]

PA AA, Gesandtschaft Preßburg, Paket 208, W 2, Nr. S 1a, Band I. Kópia, strojopis, 3 strany.

---

1 Dnešný Kędzierzyn v Opolskom vojvodstve.
2 Na okraji sa nachádza strojopisná poznámka „*Bereits abberufen"* – „*už odvolané".*
3 Porovnaj dokument 70.
4 Friedrich „Fritz" Sauckel (1894 – 1946), od roku 1927 župný vedúci NSDAP v Durínsku, v rokoch 1942 – 1945 generálny splnomocnenec pre pracovné nasadenie. Zodpovedný za násilné odvedenie viac ako päť miliónov ľudí na nútené práce do Nemeckej ríše.
5 Volksbund für das Deutschtum im Ausland.
6 SD-Abschnitt vo Weimare uvádzal ako hlavné zámery akcie: „*Diese Jungen sollen durch ihre Lehrzeit bei ausgesuchten Handwerkmeistern zu tüchtigen Handwerkern herangebildet werden, die dann, da eine Einbür-*

gerung für sie nicht in Frage kommt, nach Ablauf der Lehrzeit wieder in ihre Volksgruppe in der Slowakei zurückkehren und dort als Handwerker vorbildlich tätig sein sollen. 2.) Durch ihren Eintritt in die thüringische Hitler-Jugend und durch die Schulung sollen sie ausgebildet werden, daß sie auch in der Jugendbewegung der Deutschen Partei tätig sein können. " (BArch Berlín, R 70 Slowakei/10, Bl. 4-5. Nedatovaná správa weimarského SD-Abschnitt, začiatok roku 1941) SD vyslovovala s výsledkami ich pobytu značnú nespokojnosť, pretože pôvodné predstavy zainteresovaných strán sa naplnili len čiastočne.

7 Správa došla vyslanectvu 30. 10. 1940.

69

1940, 11. november. Bratislava. – Správa poverenca ríšskeho ministra práce o priebehu náboru slovenských poľnohospodárskych robotníkov do Nemecka.

Der Beauftragte   Pressburg, am 11. November 1940
des Reichsarbeitsministeriums
Preßburg
G. Z. 5770.30

An den
Herrn Reichsarbeitsminister
Berlin SW 11
Saarlandstrasse 96

Betrifft: Anwerbung in der Slowakei;
          hier: wöchentliche Berichterstattung.
Vorgang: Erlass des LAA Wien-Niederdonau v. 17. 5. 40 – G. Z. IIb 5770.30-

Auf Grund vorbezeichneten Erlasses berichte ich, dass in der Zeit vom 1. 1. 1940 bis 19. 10. 1940 und in den Wochen vom 20. 10. 1940 bis 9. 11. 1940 folgende Anzahl slow. land- u. forstwirtschaftlicher Arbeiter verpflichtet und abbefördert worden ist:

Für Landesarbeitsamt:	Bis 19. 10. 40 ausgereist:	Vom 20. 10. 40 bis 9. 11. 40 ausg.:	Summa:
Ostmark	13 081	220	13 301
Mitteldeutschland	1 985	-----	1 985
Brandenburg	1 096	-----	1 096
Hessen	1 225	-----	1 225
Sudetenland	8 689	-----	8 689
Schlesien	210	-----	210
Niedersachsen	770	-----	770
Nordmark	804	-----	804
Sachsen	681	-----	681
Pommern	308	-----	308
Rheinland	1 048	-----	1 048
Westfalen	104	-----	104
Bayern/München	396	-----	396
Bayern/Nürnberg	642	-----	642
Ostpreussen	15	-----	15
Südwestdeutschland	4	-----	4
Illegal ausgereist	897	-----	897
	31 955	223	32 178

Protekt. Böhm. u. Mähren	4 903 legal	-----	4 903
Protekt. Böhm. u. Mähren	874 illegal	-----	874
	37 732	223	37 955

In der Zeit vom 1. 1. 1940 bis 9. 11. 1940 wurden somit insgesamt: 37 955 land- u. forstw. Arbeiter verpflichtet und abbefördert.

Für die Industrie wurden bis 9. 11. 1940 24 531[1] gewerbl. Arbeiter verpflichtet und abbefördert.

Industrie und Landwirtschaft insgesamt: 62 486 Arbeitskräfte.

Das Angebot an Forstarbeitern hat sich nach Beendigung der Hackfruchternte erheblich verstärkt. Falls Bedarf bestehen sollte, können aus der Slowakei ca. 2 000 Forstarbeiter für die Winterschlägerungen zur Verfügung gestellt werden. Aus dem jetzt zur Verfügung stehenden Angebot werden in den nächsten Tagen für Niederdonau 200 Forstarbeiter abbefördert[2] und weitere 200 Forstarbeiter für das Protektorat Böhmen und Mähren zur Beseitigung der Schneebruchschäden angeworben. Bei dem derzeitigen Angebot an Forstarbeitern handelt es sich um gute Fachkräfte, die jedoch über den 30. 4. 41 hinaus wegen Bewirtschaftung ihres Eigenbesitzes nicht beschäftigt werden können.

gez. Rehfeld.

Durchschriftlich
der Deutschen Gesandtschaft,[3]
Pressburg,
Friedrich Schillerstrasse 1
mit der Bitte um Kenntnisnahme ergebenst übersandt.

Rehfeld [v. r.]

PA AA, Gesandtschaft Preßburg, Paket 208, W 2, Nr. S 1a, Band I. Kópia, strojopis, 2 strany.

---

1 Pozri dokument 70.
2 Porovnaj dokument 67.
3 Správa došla vyslanectvu 16. 11. 1940.

70

1940, 11. november. Bratislava. – Správa poverenca ríšskeho ministra práce o priebehu náboru slovenských priemyselných robotníkov do Nemecka.

Der Beauftragte   Pressburg, den 11. November 1940
des Reichsarbeitsministeriums
Preßburg
G. Z. 5780   Schnellbrief

An den
Herrn Reichsarbeitsminister
Berlin SW 11
Saarlandstrasse 96

Betrifft: Anwerbung in der Slowakei;
         hier: wöchentliche Berichterstattung.
Vorgang: Erlaß des LAA Wien-Niederdonau vom 17. 5. 1940 – G. Z. IIb 5770.30-

Auf Grund vorbezeichneten Erlasses berichte ich, daß in der Zeit vom 1. 1. 1940 bis 19. 10. 1940 und in den Wochen vom 20. 10. 1940 bis 9. 11. 1940 folgende Anzahl slowakischer gewerblicher Arbeiter verpflichtet und abbefördert worden ist:

Für Landesarbeitsamt:	Bis 19. 10. 40 ausgereist:	Vom 20. 10. 40 bis 9. 11. 40 ausgereist:	Summe:
Wien-Niederdonau	2 164	126	2 290
Linz-Oberdonau	1 204	11	1 215
Tirol-Salzburg	78	-----	78
Graz-Steiermark	3 027	87	3 114
Brandenburg	2 512	-----	2 512
Mitteldeutschland	8 017	176	8 193
Schlesien	373	331	704
Sachsen	1 580	10	1 590
Niedersachsen	1 364	6	1 370
Bayern/München	1 929	-----	1 929
Bayern/Nürnberg	174	-----	174
Südwestdeutschland	40	4	44
Rheinland	584	-----	584
Hessen	184	19	203
Westfalen	350	-----	350
Nordmark	171	-----	171
Sudetenland	10	-----	10
	23 761	770	24 531

In der Zeit vom 1. Januar 1940 bis 9. 11. 1940 wurden somit insgesamt: 24 531 slowakische gewerbliche Arbeitskräfte verpflichtet und abbefördert.

Für die Land- und Forstwirtschaft wurden bis einschließlich 9. 11. 1940 insgesamt: 37 955 Arbeitskräfte[1] verpflichtet und abbefördert.

Industrie und Landwirtschaft insgesamt: 62 486 Arbeitskräfte.

Bei den in der Zeit vom 20. 10. 1940 bis 9. 11. 1940 abbeförderten slowakischen Arbeitskräften handelt es sich um die Erledigung bezw. Teilerledigung folgender Aufträge:

Auftr. No. 69	Semperit, Traiskirchen, Restgestellung	5 Arb. Kräfte
Auftr. No. 78	Lederfabrik Dr. Hötzl, Wien	19 Arb. Kräfte
Auftr. No. 128	Deutsche Erdöl AG, Lobau	100 Arb. Kräfte
Auftr. No. 103	Donau Chemie, Moosbierbaum, Restgst.	2 Arb. Kräfte
Auftr. No. 90	Braunkohlenwerke Salzdetfurth	5 Arb. Kräfte
Auftr. No. 92	Aluminiumwerke Bitterfeld	66 Arb. Kräfte
Auftr. No. 111	Deutsche Grube Petersrode[2]	5 Arb. Kräfte
Auftr. No. 122	Elektrowerke Zschornewitz	20 Arb. Kräfte
Auftr. No. 127	Leunawerke, Teilgestl.	80 Arb. Kräfte
Auftr. No. 60 a-e	Alpine Montan AG, „Hermann Göring Werke", Eisenerz	87 Arb. Kräfte
Auftr. No. 126	IG Farben, Heydebreck, Teilgest.	331 Arb. Kräfte
Auftr. No. 96	IG Farben, Griesheim, Restges.	19 Arb. Kräfte
Auftr. No. 125	Dr. Gaspary & Co., Markranstädt[3]	10 Arb. Kräfte
Auftr. No. 76	Wilhelm Munz GmbH, Beilstein[4]	4 Arb. Kräfte
Auftr. No. 117	Noelle & van Campe GmbH, Boffzen a. d. Weser[5]	6 Arb. Kräfte
Auftr. No.	Ostmärkische Stickstoffwerke, Linz-Donau, Restgestellung	11 Arb. Kräfte.

In der angegebenen Berichtszeit erhielten 91 Arbeiter, die sich in der Slowakei auf Urlaub befanden, und aus berechtigten Gründen zur Urlaubsüberschreitungen gezwungen waren, oder aber auch ohne Sichtvermerk aus dem Reichsgebiet zum Urlaubsantritt in die Slowakei eingereist sind, neue Sichtvermerke. Wegen unberechtigter Urlaubsüberschreitung mußten in der angegebenen Berichtszeit insgesamt 52 slowakische Arbeitskräfte abgewiesen werden.

Für den Auftrag No. 132, Alpine Montan AG „Hermann Göring Werke" Eisenerz, wurden von insgesamt 290 Urlaubern 98 Arbeitskräfte an ihren Arbeitsplatz zurückgeführt.[6] Für die Rückführung der übrigen genehmigten Urlauber sind die Vorarbeiten im Gange. Mit dem Abtransport dieser Kräfte kann auch in nächster Zeit gerechnet werden. Die zur Rückführung genehmigten Urlauber sind in der Statistik über verpflichtete und abbeförderte Arbeitskräfte nicht enthalten.

Der Auftrag Ostmärkische Stickstoffwerke AG, Linz-Donau, ist mir vom Reichsarbeitsministerium über das Landesarbeitsamt Wien-Niederdonau noch nicht bestätigt worden. Der hier weilende Vertreter des Reichsamtes für Wirtschaftsausbau, Herr Ling, teilte mir am 19. 9. 1940 mit, daß für diesen Betrieb aus dem dem Generalbevollmächtigten für chemische Erzeugung[7] zur Verfügung gestellten Kontingent mit Zustimmung des Reichsarbeitsministers 160 Facharbeiter in Marsch gesetzt werden dürfen. Infolge der Dringlichkeit wurden für diesen Betrieb am 4. 10. 1940 138 Arbeitskräfte, am 5. 10. 1940 3 Arbeitskräfte, am 25. 10. 1940 11 Arbeitskräfte, insgesamt 152 Facharbeiter und zwar: 50 Maurer, 61 Zimmerleute u. 41 Eisenbieger in Marsch gesetzt. Ich bitte um Bekanntgabe der Nummer des Auftrages für diesen Betrieb.

Befristung der Gültigkeitsdauer von Sichtvermerken für Urlauber:

Gemäß Erlaß des Herrn Reichsarbeitsministers vom 14. 11. 1939 – G. Z. Va 5703/7 – wird nach einem Erlaß des Reichsführers SS uns Chefs der Deutschen Polizei im Reichsministerium des Innern der Sichtvermerk zur Aus- und Wiedereinreise erteilt, wenn der Sichtvermerksbewerber vorlegt:

nach § c) „... eine amtlich beglaubigte Bescheinigung des Betriebsführers, daß die Reise zu Urlaubszwecken erfolgt."

Ich habe anfangs dieses Jahres festgestellt, daß einzelne Polizeibehörden, soweit dieselben mit der Durchführung der Verordnung über den Pass- und Sichtvermerkszwang befasst sind, über Wunsch einzelner Betriebsführer, welche gewerbliche slowakische Arbeiter beschäftigten, die Beurlaubung dieser Kräfte bis zu 3 Monaten durch entsprechende Gültigkeitsdauer der Sichtvermerke für die „Aus- und Wiedereinreise" ermöglicht haben. Mit dieser Maßnahme wollten die in Frage kommenden Betriebsführer erreichen, daß ihnen bewilligte ausländische Arbeitskräfte, die gewöhnlich im Herbst mit Beginn der Frostperiode zur Entlassung kommen, bei Beginn der Bautätigkeit im Frühjahr wieder zur Verfügung stehen. Ich habe weiterhin festgestellt, daß diese so beurlaubten Kräfte während ihres Aufenthalts in der Slowakei nicht nur in den Besitz der Bezüge aus der Schlechtwetterregelung gekommen sind, sondern auch durch die Betriebsführer die Möglichkeit zur Transferierung dieser Beträge erhalten haben. Da durch derartige Maßnahmen dem Deutschen Reich erhebliche Devisen verloren gehen, wofür keine Gegenleistung besteht, und außerdem die planmäßige Lenkung des Einsatzes ausländischer Arbeiter empfindlich gestört wird, bitte ich Schritte in die Wege zu leiten, die eine Wiederholung derartiger Fälle in Zukunft ausschließen.

gez. Rehfeld.

Durchschriftlich
der Deutschen Gesandtschaft,[8]
Pressburg,

Friedrich Schillerstrasse 1
mit der Bitte um Kenntnisnahme ergebenst übersandt.

Rehfeld [v. r.]

PA AA, Gesandtschaft Preßburg, Paket 208, W 2, Nr. S 1a, Band I. Kópia, strojopis, 4 strany.

---

1 Pozri dokument 69.
2 Poľsky Piotrków, dnes časť mestečka Niemcza v poľskom vojvodstve Dolné Sliezsko.
3 Mestečko v okrese Lipsko v Sasku.
4 Mestečko vo Württembergu, okres Heilbronn.
5 Obec v Dolnom Sasku, v okrese Holzminden.
6 Porovnaj dokument 68.
7 Carl Krauch.
8 Správa došla vyslanectvu 16. 11. 1940.

71

1940, 10. december. Bratislava. – Prípis okresnej úradovne DAF Ústrednému úradu práce pri MV, týkajúci sa organizačného zabezpečenia príchodu transportov so slovenskými robotníkmi z Nemecka, vracajúcimi sa na vianočné dovolenky.

Die Deutsche Arbeitsfront, Bezirksstelle Preßburg

Amt für Arbeitseinsatz   Preßburg, den 10. 12. 1940

An den
Leiter des Zentralarbeitsamtes
im slowakischen Innenministerium
Preßburg

Betrifft: Arbeitseinsatz slowakischer Arbeitskräfte im Reich –
          Urlaubertransporte zur Weihnachtszeit

Etwa ab 17. ds. Mts. sind eine Reihe von Urlaubertransportzügen zu erwarten. Abgesehen von der sowieso schon stattfindenden Reisebegleitung während des Transportes nach hier, bin ich der Meinung, daß die Arbeitskräfte in ausreichendem Maße betreut werden müssen.
    1. Bei ihrem Eintreffen am Verteilerbahnhof, später im Heimatort
    2. Während des Urlaubes selbst und
    3. Bei der Rückbeförderung ins Reich.
Zu 1.: In der Regel treffen die Urlauberzüge in Preßburg ein. Hier muß ein großer Teil der Arbeitskräfte auf die Anschlußzüge warten, teilweise sogar 12 Stunden und länger. Im Hinblick auf die kalte Witterung halte ich es für unerläßlich, diesen Arbeitskräften einen ausreichenden und geheizten Raum während ihres Aufenthaltes in Preßburg zur Verfügung zu stellen. Auch müsste den Arbeitskräften entweder kostenlos oder zu einem geringen Preis warme Suppe oder warme Getränke verabreicht werden.
Zu 2.: Da die Arbeitskräfte an eine ordentliche Betreuung durch die zuständigen Organisationen (Deutsche Arbeitsfront) im Reich gewöhnt sind, halte ich es für zweckmäßig, wenn die einzelnen Gruppen beim Eintreffen in ihrem Heimatort von einem Beauftragten der Hlinka-Garde begrüßt werden.

Mit dieser Begrüßung ist ein Appell an die Vertragstreue zu verbinden. Jeder einzelne muß in geeigneter Weise verpflichtet werden, den festgelegten Urlaub nicht zu überschreiten. Meines Erachtens müssten für diese Frage nicht nur die Leiter der örtlichen Arbeitsämter, sondern, da es sich um eine Angelegenheit der Menschenführung handelt, auch die zuständigen Persönlichkeiten der Hlinkagarde mit verantwortlich gemacht werden.[1]

Des weiteren halte ich es für geraten, während des Urlaubes in den einzelnen Heimatorten Sprechstunden einzurichten und dann den Arbeitskräften Gelegenheit zur Berichterstattung über ihre Erlebnisse zu geben. Sollte hierbei auf irgendwelche Mängel hingewiesen werden, bitte ich, mir diese unter Angabe konkreter Einzelheiten, wie Betrieb, Name des Beschäftigten usw. bekanntzugeben. Ich werde dann von hier aus die Angelegenheiten weiterverfolgen. Über den Ausgang erhalten Sie dann von mir Bericht.

<u>Zu 3.</u>: Aus der vorerwähnten Verantwortlichkeit der Beauftragten der Hlinkagarde ergibt sich, daß bei der Rückbeförderung der Urlauber ins Reich ebenfalls eine Mitwirkung erfolgt. Diese hat sich darauf zu erstrecken, daß alle Urlauber vollzählig wieder antreten und dann kurz verabschiedet werden.[2]

Im übrigen stehe ich für Anfragen gern zur Verfügung. Sobald mir die Termine bekanntwerden, werde ich Sie unterrichten, wie ich umgekehrt bitte, mich in Kenntnis zu setzen.

Heil Hitler!
Podpis nečitateľný

SNA, f. MV, š. 1273, 200902/1940. Originál, strojopis, 2 strany.

1 12. 12. 1940 vedúci úradovne DAF v Bratislave žiadal, aby robotníkov vo forme výzvy pozdravil minister vnútra a hlavný veliteľ HG A. Mach: *„Anknüpfend an mein Schreiben vom 10. ds. Mts. erlaube ich mir, noch anzuregen, Herrn Innenminister Sano Mach zu einem kurzen schriftlichen Begrüßungsappell zu veranlassen. Dieser Appell, in dem der Herr Innenminister zum Ausdruck bringen möchte, daß auf keinem Fall eine Überschreitung des festgesetzten Urlaubes eintreten darf, wäre in der Presse zu veröffentlichen.
Noch wirkungsvoller wäre es allerdings, diesen Appell in Form eines Flugblattes drucken zu lassen. Man könnte in einer Sonderbemerkung auf dieses Flugblatt die Abfahrtszeiten und den Sammelort des Rücktransportes bekanntgeben. Da es sich immerhin um über 10 000 Arbeitskräfte handelt, dürfte sich diese Maßnahme lohnen. Vorbeugende Maßnahmen sind meines Erachtens wesentlich einfacher als die spätere Notwendigkeit, Vertragsbrüchige wieder an ihre Arbeit zurückzuführen."* (SNA, f. MV, š. 1273, 200903/1940.)
2 Ministerstvo vnútra rozoslalo na základe tohto prípisu 16. 12. 1940 podriadeným zložkám nasledovný pokyn: *„Počnúc dňom 17. decembra budú dochádzať na Slovensko mimoriadne transporty slovenských robotníkov, ktorí z Nemecka prichádzajú na dovolenú. Pán minister vnútra nariadil, aby robotníci boli už na hraniciach kamarátsky privítaní a počas ich pobytu na Slovensku má sa im venovať patričná pozornosť.
Červený kríž sa postará, aby transporty boli na hraniciach v Devínskej Novej Vsi a v Čadci čakané a aby im bol poskytnutý teplý čaj a malé občerstvenie. K tomuto účelu obdrží Červený kríž od Úradu propagandy Ks 100 000, od zimnej pomoci HSĽS Ks 50 000 a potrebný zbytok zaplatí ministerstvo vnútra z vlastných prostriedkov.
Miestni predsedovia HSĽS, miestni velitelia HG a HM v Devínskej Novej Vsi a v Čadci sa postarajú o poriadkovú službu pri vítaní robotníkov.
Colné úrady sú povinné postarať sa o to, aby colné odbavovanie týchto robotníkov na hraniciach sa dialo rýchle a bezvadne.
Pohraničná strážna služba sa postará o rýchle a bezvadné odbavenie kontroly pasov.
Ani pri colnej ani pri pohraničnej kontrolnej službe nesmú sa vracajúcim robotníkom robiť zbytočné ťažkosti.
Slovenská národná banka sa postará o zriadenie potrebných zmenární v Dev. Novej Vsi a Čadci alebo v najbližšej väčšej stanici. O čom musí byť verejnosti daná zavčasu správa.
Uvítanie treba pripraviť i vtedy, keď prídu menšie skupiny robotníkov.
Hlavné veliteľstvo HG sa postará o postavenie mikrofónov na stanici v Devínskej Novej Vsi a v Čadci.
Počas pobytu transportov v staniciach, v staničných reštauráciách neslobodno čapovať liehové nápoje okrem piva.
HG sa má postarať o usporiadanie prednášok pre robotníkov počas ich pobytu doma. Prednášky majú obsahovať informácie o našom štáte, ďalej o povinnostiach robotníkov v Nemecku.*

Po uplynutí dovolenky nech sa s nimi na stanici rozlúčia poverené osobnosti a tieto musia dôrazne poukázať
na obvyklú pracovnú disciplínu v Ríši.
Najdôležitejšou úlohou je pôsobiť na pracovné sily tak, aby neprekročili ustálenú dovolenku.
Toto dávam na vedomie k bezodkladnému vydaniu príslušných pokynov podriadeným orgánom. " (SNA, f. MV,
š. 1273, 198971/1940.)

72

1940, 16. december. Berlín. – Záznam Hlavného úradu pre ríšsku bezpečnosť, týkajúci sa organizovania Zahraničnej Hlinkovej gardy z radov slovenských robotníkov pracujúcich v Nemecku.

Sl. 245   Berlin, den 16. Dezember 1940

<u>Betr.</u>: Gründung von Gruppen der Hlinka-Garde im Reichsgebiet.

Von verschiedenen Staatspolizeistellen wurde im Laufe des Jahres 1940 mitgeteilt, dass Mitglieder der Hlinka-Garde an die Behörden herangetreten seien, den Zusammenschluss zu einer Ortsgruppe und das Tragen von Uniformen der Hlinka-Garde zu genehmigen. Mit Rücksicht auf das aussenpolitische Verhältnis des Deutschen Reiches zur Slowakei ist den Staatspolizeistellen auf Anfrage mitgeteilt worden, dass gegen die Gründung von Ortsgruppen und das Tragen der Uniform Bedenken nicht zu erheben seien. Das Führen von Schuss- und Stichwaffen ist jedoch untersagt worden. Das Auswärtige Amt, dem von dieser Regelung Mitteilung gegeben worden war, teilte am 14. 5. 40 mit, dass mit dem slowakischen Gesandten in Berlin[1] Fühlung genommen worden sei und dieser seiner Regierung über die im Reich entstandenen Fragen Bericht geben und anregen wolle, die bisher nicht geklärte Stellung der Auslandsorganisation der Hlinka-Garde klarzustellen. Bis zu dieser Klärung durch die slowakische Regierung habe das Auswärtige Amt keine Bedenken, dass es bei der bisher von hier erfolgten Regelung verbleibe. Am 16. 11. 40 teilte mir das Auswärtige Amt mit, dass nach einem Bericht der Deutschen Gesandtschaft in Preßburg der slowakische Innenminister Mach kurz nach seinen Amtsantritt die Auslands-Hlinka-Garde wegen ihrer undisziplinierten Haltung aufgelöst habe.[2] Es werde jedoch beabsichtigt, nach der z. Z. stattfindenden Reorganisation der Inland-Hlinka-Garde die Auslands-Hlinka-Garde als 7. Gau aufzubauen. Das Auswärtige Amt bittet in seinem Schreiben, unter diesen Umständen in der Zwischenzeit eine abwartende Haltung einzunehmen.

Nach einer mir vorliegenden Meldung des Vertreters des deutschen Nachrichtenbüros in Preßburg vom 20. 11. 40 traf der Oberbefehlshaber der Hlinka-Garde, Innenminister Mach, Verfügungen über den Neuaufbau der vor kurzem aufgelösten Hlinka-Organisation der in Deutschland beschäftigten slowakischen Arbeiter. Nach dieser Meldung werden in Berlin und Wien 2 Zentralkommandos errichtet, die dem slowakischen Presseattaché in Berlin Striezenec bezw. dem Wiener Generalkonsul Vavra als Beauftragten des Oberbefehlshabers der Hlinka-Garde unterstehen. Darüber hinaus werden in den einzelnen Arbeitsgebieten Ortskommandaturen errichtet. Bei den Zentralen und bei den Ortskommandaturen werden sogenannte Sozialbeauftragte für die Wahrnehmung der Interessen der slowakischen Arbeiter tätig sein.

Die Staatspolizeistelle Halle berichtet, dass einem slowakischen Arbeiter von der Auslandsstelle in Berlin Aufnahmeformulare und Werbescheine der Auslandsstelle der Hlinka-Garde in Berlin zugesandt worden sind. Diesem Werbematerial ist der Auftrag beigefügt gewesen, bei den in den Leuna- und Buna-Werken beschäftigten slowakischen Arbeitern eine Mitgliederwerbung für die Hlinka-Garde durchzuführen. Der beauftragte Arbeiter Jan

Mitosinka beabsichtigt, die Hlinka-Garde mit einer einheitlichen Uniform auszurüsten. Bis zur Beschaffung von Uniformen ist das Tragen von Armbinden vorgesehen.

Auch der BdS in Prag[3] hat berichtet, dass nach Mitteilung der Oberlandräte und der Kreisleitung der NSDAP in Mährisch-Ostrau Slowaken in Mährisch-Ostrau Hlinka-Garden aufzustellen beabsichtigen. Der Reichsprotektor hat gegen die Aufstellung solcher Garden keine grundsätzliche Bedenken, ist aber an das Innenministerium und an das Auswärtige Amt mit der Frage herangetreten, ob im übrigen Reichsgebiet bereits Hlinka-Garden aufgestellt worden sind und wie die Betätigung dieser Garde gehandhabt wird bezw. welche grundsätzliche Haltung die deutschen Behörden dazu einnehmen. Der BdS in Prag selbst hat gegen die Errichtung solcher Garden keine Bedenken. Er weist jedoch darauf hin, dass zwischen Slowaken und Tschechen nach wie vor gewisse Beziehungen bestehen und daher Vorsorge getroffen werden müsste, dass sich nicht unter der Tarnung der Hlinka-Garde reichsfeindliche Elemente sammeln.

Ich ersuche um Mitteilung, welche Stellungnahme von dort zur Errichtung von Ortsgruppen der Hlinka-Garde insbesondere Tragen der Uniform im Altreichsgebiet und im Protektorat eingenommen wird.[4]

1) Wv. am 15. 1. 41
Oberstubaf. Nageler[5] zur Rücksprache
oder zum Bericht auffordern.

BArch Berlín, R 70 Slowakei/151, Bl. 11-12. Kópia, strojopis, 2 strany.

---

1 Matúš Černák.
2 Slovenské MZV charakterizovalo začiatkom roku 1940 zahraničnú HG ako *„ein rein privates Unternehmen des Herrn Mutňanský".* (PA AA, Gesandtschaft Preßburg, Paket 171, Pol 3 Nr. 7, Prípis MZV nemeckému vyslanectvu z 19. 2. 1940.)
3 Befehlshaber der Sicherheitspolizei. V tom čase funkciu vykonával Horst Böhme.
4 Pozri dokumenty 79 a 83.
5 Poradca pre HG.

73

1941, 4. január. Bratislava. – Prípis poverenca ríšskeho ministra práce slovenskému ministerstvu vnútra o nábore slovenských pracovných síl do Nemecka za rok 1940.

Der Beauftragte   Pressburg, den 4. Januar 1941
des Reichsarbeitsministeriums
Preßburg
G. Z. 5780.30

An das
Slowakische Innenministerium
Pressburg,
über die Deutsche Gesandtschaft in Pressburg.

Betrifft: Deutsch-slowakische Vereinbarung über die Anwerbung und Verpflichtung slowakischer Arbeitskräfte im Jahre 1940.

Auf Grund der zwischen Herrn Sektionschef Dr. Bezak und dem Unterzeichneten am 27. 9. 1940 stattgefundenen Unterredung[1] hat sich der Herr Reichsarbeitsminister auf meine Anregung bereit erklärt, die Vermittlungsgebühr für alle im Jahre 1940 angeworbenen

Arbeitskräfte ohne Einschränkung zu zahlen. In der Zeit vom 1. 1. 1940 bis 19. 10. 1940 sind insgesamt 55 715 slowakische Arbeiter im Reich zum Einsatz gekommen.[2] Nach der deutsch-slowakischen Vereinbarung über slowakische Arbeitskräfte vom 8. 12. 1939[3] sind für jeden slowakischen Arbeiter 25 Ks Vermittlungsgebühr an das Slowakische Innenministerium zu zahlen, mithin für 55 715 insgesamt 1 392 875 Ks.

Der Herr Reichsarbeitsminister hat mir mitgeteilt, daß er beim Herrn Reichswirtschaftsminister[4] die Genehmigung zum Transfer dieses Betrages an das Slowakische Innenministerium beantragt hat. Mit dem Eingang der Vermittlungsgebühr für die in der Zeit vom 1. I. bis 19. X. 1940 im Reich zum Einsatz gelangten Kräfte dürfte daher schon in nächster Zeit zu rechnen sein.

Rehfeld [v. r.]

PA AA, Gesandtschaft Preßburg, Paket 75, R 4, Nr. 2, Band I. Originál, strojopis, 1 strana.

---

1 Dokument sa nepodarilo nájsť.
2 Ide o údaj pre územie ríše bez Protektorátu. Porovnaj dokumenty 67 a 68.
3 Pozri dokument 18.
4 Walter Funk.

74

1941, 10. január. Bratislava. – Prípis nemeckého vyslanectva Zahraničnému úradu vo veci nasadenia slovenských pracovných síl v Nemecku v roku 1941.

Durchdruck	
Deutsche Gesandtschaft	Pressburg, den 10. Januar 1941
Aktenz.: R 4 Nr. 2 Nr. 102	
Inhalt: Einsatz slowakischer Arbeitskräfte	
im Reich im Jahre 1941	

2 Durchdrucke

Es erscheint notwendig, dass die Verhandlungen wegen des Einsatzes slowakischer Arbeitskräfte in den Arbeitsprozess im Jahre 1941, sowohl wegen der in Frage kommenden Anzahl, als auch wegen Bedingungen dieses Einsatzes baldigst beginnen.[1]

Es ist damit zu rechnen,

1./ dass die für eine Saisonarbeit in Frage kommenden Arbeitskräfte früher zum Einsatz kommen als im vergangenen Jahr[2] und

2./ dass im innerslowakischen Arbeitsprozess schon im Frühsommer ein Gutteil der freien Kräfte aufgenommen wird, so dass es mit fortschreitender Zeit immer schwieriger wird, die für den Einsatz im Reich erforderliche Anzahl von der Slowakischen Regierung zugebilligt zu erhalten.

Dasselbe gilt für den Einsatz slowakischer Arbeitskräfte im Protektorat.

Die Gesandtschaft hält eine gleichzeitige Behandlung dieser Frage für erwünscht.

gez. Ringelmann

An
das Auswärtige Amt
Berlin.

PA AA, Gesandtschaft Preßburg, Paket 208, W 2 Nr. 1 a, Band I. Kópia, strojopis, 1 strana.

---

1 Rokovania začali vo februári 1941. Pozri dokument 86.
2 Pozri dokumenty 24, 31 a 36.

75

1941, 21. január. Bratislava. – Prípis nemeckého vyslanectva Zahraničnému úradu, v ktorom žiada o urýchlené začatie rokovaní o nasadení slovenských pracovných síl v ríši.

Durchdruck
Deutsche Gesandtschaft   Pressburg, den 21. Januar 1941
Aktenz.: R 4 Nr. 2 – Nr. 420/41
Inhalt: Einsatz slowakischer Arbeitskräfte
       im Reich im Jahre 1941
Im Anschluss an den Bericht vom
10. 1. 1941 R 4 Nr. 2 – Nr. 102/41[1]

2 Durchdrucke

    Ich mache im Einvernehmen mit dem Vertreter des Reichsarbeitsministeriums in Pressburg[2] und dem Vertreter der Deutschen Arbeitsfront nocheinmal auf die besondere Dringlichkeit der Aufnahme der Verhandlungen wegen der Anzahl der im Reiche im Jahre 1941 zum Einsatz gelangenden slowakischen Arbeitskräfte aufmerksam; die zuständigen slowakischen Dienststellen, die noch vor wenigen Wochen eine Zahl von 80 000 als selbstverständlich ansahen, sprechen jetzt nur mehr – allerdings unverbindlich – von 50 000, zum Teil sogar nur von 30 000. Auch in den Arbeitskräften selbst schwindet in dem gleichen Mass, in welchem die Aussicht auf Beschäftigungsmöglichkeit in der Slowakei selbst wächst, die Geneigtheit, sich für Arbeiten im Reichsgebiet bezw. Protektorat verwenden zu lassen.[3]

                                              gez. Ludin

An
das Auswärtige Amt
Berlin.[4]

PA AA, Gesandtschaft Preßburg, Paket 75, R 4 Nr. 2, Band I. Kópia, strojopis, 1 strana.

---

1 Pozri dokument 74.
2 Rehfeld.
3 Hlavnými príčinami tohto javu bolo najmä zlá strava, meškanie transferu miezd na Slovensko, ale aj zlé zaobchádzanie na pracoviskách, nevhodné podmienky v ubytovacích táboroch a tiež nárast britských náletov na nemecké priemyselné komplexy.
4 Správa bola AA odoslaná 24. 1. 1941.

76
1941, 26. január. Bratislava. – Správa poverenca ríšskeho ministra práce o priebehu náboru slovenských priemyselných robotníkov do Nemecka.

Der Beauftragte   Pressburg, am 26. Januar 1941
des Reichsarbeitsministeriums
Preßburg
G. Z. 5780.30

An den
Herrn Reichsarbeitsminister
Berlin SW 11
Saarlandstrasse 96

Betrifft: Anwerbung in der Slowakei;
       hier: wöchentliche Berichterstattung.
Vorgang: Erlass des LAA Wien-Niederdonau v. 17. 5. 40 – G. Z. IIb 5770.30-

Auf Grund vorbezeichneten Erlasses berichte ich, dass in der Zeit vom 1. 1. 40 bis 9. 11. 40 und in den Wochen vom 10. 11. 40 bis 25. 1. 1941 für Aufträge aus dem Jahre 1940 folgende Anzahl slow. gewerbl. Arbeiter verpflichtet und abbefördert worden ist:

Für Landesarbeitsamt:	Bis 9. 11. 40 ausgereist:	Vom 10. 11. 40 bis 25. 1. 41 ausg.:	Summe:
Wien-Niederdonau	2 290	-----	2 290
Linz-Oberdonau	1 215	-----	1 215
Tirol-Salzburg	78	36	114
Graz-Steiermark	3 114	335	3 449
Brandenburg	2 512	-----	2 512
Mitteldeutschland	8 193	129	8 322
Schlesien	704	84	788
Sachsen	1 590	-----	1 590
Niedersachsen	1 370	10	1 380
Bayern/München	1 929	-----	1 929
Bayern/Nürnberg	174	-----	174
Südwestdeutschland	44	-----	44
Rheinland	584	-----	584
Hessen	203	5	208
Westfalen	350	-----	350
Nordmark	171	-----	171
Sudetenland	10	-----	10
	24 531	599	25 130

In der Zeit vom 1. 1. 1940 bis 25. 1. 1941 wurden somit insgesamt: 25 130 slowakische gewerbl. Arbeitskräfte verpflichtet und abbefördert.

Für die Land- u. Forstwirtschaft wurden bis einschl. 25. 1. 41 für Aufträge aus dem Kontingent 1940 einschl. dem Protektorat Böhmen und Mähren insgesamt: 38 954 Arbeitskräfte[1] verpflichtet und abbefördert.

Industrie und Landwirtschaft insgesamt: 64 084 Arbeitskräfte.

Bei den in der Zeit vom 10. 11. 1940 bis 25. 1. 1941 abbeförderten Arbeitskräften handelt es sich um die Erledigung folgender Aufträge:

Auftr. Nr. 60 a-e Alpine Montan AG „Hermann Göring Werke", Eisenerz 82 Arbeiter
Auftr. Nr. 99   Alpine Montan AG „Hermann Göring Werke", Eisenerz 53 Arbeiter
Auftr. Nr. 100 Alpine Montan AG „Hermann Göring Werke", Eisenerz 200 Arbeiter
Auftr. Nr. 124 Schleifmittel- u. Maschinenfabrik
         Naxos-Union, Frankfurt a/Main 5 Arbeiter
Auftr. Nr. 126 IG Farben, Heydebreck 79 Arbeiter
Auftr. Nr. 134 Deutsche Baryt-Industrie, Bad Lauterberg[2] 10 Arbeiter
Auftr. Nr. 133 Gewerkschaft Radhausberg, Böckstein[3] 36 Arbeiter
Auftr. Nr. 61 Glasfabrik Grimm & Co., Weiswasser 5 Arbeiter
Auftr. Nr. 127 Ammoniakwerke Merseburg 129 Arbeiter
                          599 Arbeiter.

Die vorbezeichneten Aufträge haben hiermit ihre Erledigung gefunden.

Urlauber:

Auf Grund des Erlasses vom 5. 11. 1940 – G. Z. Va 5760/7005/40 g – wurden am 25. 11. 1940 für:

Ammoniakwerke Merseburg 38 Arbeiter
Bunawerke Schkopau 70 Arbeiter

zurückgeführt.

Für den Auftrag Nr. 132 Alpine Montan „Herm. Göring", Eisenerz, sind am:

21. 11. 1940 27 Urlauber
27. 11. 1940 50 Urlauber u.
10. 1. 1941 54 Urlauber zurückgeführt worden. Der Betrieb hat somit insgesamt 229 Urlauber zurückgeführt erhalten. Da für 290 Arbeitskräfte die Genehmigung zur Rückführung lt. Auftrag Nr. 132 erteilt wurde, können weitere 61 Urlauber zurückgeführt werden. Ich bitte den Auftrag jedoch als erledigt zu betrachten, da die fehlenden 61 Urlauber im Monat Dezember 1940 und Januar 1941 freiwillig die Rückreise nach Eisenerz angetreten haben. Die Sichtvermerke für die Ausreise wurden von hier erteilt.

Weihnachtsurlauber:

Da der Weihnachtsurlauberverkehr im Jahre 1939 nicht nur in der technischen Durchführung, sondern auch in der Kontrolle über einen geregelten Einsatz ausl. Arbeiter in Deutschland große Mängel aufgewiesen hat, sind auf meine Anregung die in der Slowakei im Arbeitseinsatz verantwortlichen Stellen am 13. 12. 1940 zu einer Beratung zusammengetreten. Es wurde damit gerechnet, daß in der Zeit vom 18. 12. 1940 bis 15. 1. 1941 schätzungsweise 25 000 slowakische Arbeiter ihren Urlaub in der Heimat verbringen. Da nicht nur die ordnungsmäßige Aus- und Wiedereinreise dieser Arbeiter seitens der verantwortlichen Stellen kontrolliert werden mußte, sondern auch eine soziale Betreuung dieser Urlauber, die oft tagelange Reisen zurücklegen mußten, erforderlich war, wurde folgende Regelung getroffen:

Kontrolle über die Ein- und Ausreise.

Alle Urlauber, die mit Fahrkarten für die Hin- und Rückreise versehen waren, oder deren Pass den Sichtvermerk für die Aus- u. Wiedereinreise trug bezw. die sonst den Nachweis führen konnten, dass sie sich zu Urlaubszwecken in die Slowakei begeben, erhielten bei der Einreise und zwar beim Überschreiten der slowakischen Grenze im Pass den Stempeleindruck: W. U. 1940.

Durch diese Kennzeichnung der Pässe wurde erreicht, daß ein Verkauf der Fahrkarten an Arbeiter, die nicht ausreiseberechtigt gewesen sind, unterbunden wurde. Den in Frage kommenden Betriebsführern war weiterhin die Möglichkeit genommen, für ausfallende Arbeiter, mit denen gerechnet werden mußte, Ersatzkräfte ohne Wissen der Arbeitseinsatzbehörden mitzunehmen. Durch diese Maßnahme ist weiterhin dafür gesorgt worden, daß beurlaubte Kräfte, die ihre Rückreise nicht angetreten haben, von der Vermittlung im

Jahre 1941 ausgeschlossen werden können. Um vor allen Dingen die Volksdeutschen, die überwiegend in kriegswichtigen Betrieben beschäftigt sind, zur Vertragstreue anzuhalten, wurden ausländische Flugblätter beim Überschreiten der Grenze zur Verteilung gebracht.

Soziale Betreuung.

Das Slowakische Innenministerium hat für die Verabreichung warmer Getränke und kleinerer Speisen den Betrag von Ks 60 000 zur Verfügung gestellt. Der Herr Innenminister hat weiterhin angeordnet, daß die Arbeiter schon an den Grenzen kameradschaftlich begrüßt werden und ihnen auch über die Zeit ihres Aufenthaltes in der Slowakei durch die Partei die nötige Aufmerksamkeit gewidmet wird.[4] Alle diese Maßnahmen haben wesentlich dazu beigetragen, den Weihnachtsurlauberverkehr reibungslos abzuwickeln.[5]

Die Organisierung der Sonderzüge hat sich sehr schnell zum Nachteil der Deutschen Reichsbahn ausgewirkt. Die Fahrtteilnehmer der meisten Sdz.[6] waren mit Arbeiterrückfahrkarten ausgerüstet. Für die Rückreise zur Arbeitsstelle haben sich die Arbeiter nicht an die festgesetzten Rückreisetermine gehalten, sondern die Fahrplanzüge innerhalb der Gültigkeitsdauer der Arbeiterrückfahrkarte in Anspruch genommen. So geschah es, daß eine Anzahl Sonderzüge ganz ausfallen mußte und eine weitere Anzahl nur halb besetzt an der Ausgangsstation abgelassen wurde.

Nach oberflächlicher Schätzung konnten bisher 2 000 Kräfte, die ohne Sichtvermerk ihren Weihnachtsurlaub angetreten haben, nach Überprüfung durch die hiesige Dienststelle, zu ihren Arbeitsplätzen in Marsch gesetzt werden.

gez. Rehfeld.

Durchschriftlich
der Deutschen Gesandtschaft,[7]
Pressburg,
Friedrich Schillerstrasse 1,
mit der Bitte um Kenntnisnahme ergebenst übersandt.

Rehfeld [v. r.]

PA AA, Gesandtschaft Preßburg, Paket 208, W 2, Nr. S 1a, Band I. Kópia, strojopis, 4 strany.

---

1 Pozri dokument 77.
2 Mestečko v pohorí Harz v Dolnom Sasku, okres Osterode.
3 Dnes časť obce Bad Gastein v okrese St. Johann im Pongau, v rakúskej spolkovej krajine Salzburg.
4 Pozri dokument 77.
5 Pozri dokument 71.
6 Skratka Sonderzüge.
7 Správa došla vyslanectvu 4. 2. 1941.

77

1941, 29. január. Bratislava. – Správa poverenca ríšskeho ministra práce o priebehu náboru slovenských poľnohospodárskych robotníkov do Nemecka.

Der Beauftragte   Pressburg, am 29. 1. 1941
des Reichsarbeitsministeriums
Preßburg
G. Z. 5770.30

An den
Herrn Reichsarbeitsminister
Berlin SW 11
Saarlandstrasse 96

Betrifft: Anwerbung in der Slowakei;
    hier: wöchentliche Berichterstattung.
Vorgang: Erlass des LAA Wien-Niederdonau v. 17. 5. 1940 – G. Z. IIb 5770.30-

Auf Grund des vorbezeichneten Erlasses berichte ich, dass in der Zeit vom 1. 1. 1940 bis 9. 11. 1940 und in den Wochen vom 10. 11. 40 bis 25. 1. 41 für landw. Aufträge aus dem Jahre 1940 folgende Anzahl land- u. forstwirtschaftlicher Arbeiter in der Slowakei verpflichtet und abbefördert worden ist:

Für Landesarbeitsamt:	Bis 9. 11. 40 aus-gereist:	Vom 10. 11. 40 bis 25. 1. 41 ausg.:	Summe:
Ostmark	13 301	247	13 548
Mitteldeutschland	1 985	10	1 995
Brandenburg	1 096	-----	1 096
Hessen	1 225	-----	1 225
Sudetenland	8 689	-----	8 689
Schlesien	210	-----	210
Niedersachsen	770	-----	770
Nordmark	804	-----	804
Sachsen	681	-----	681
Pommern	308	-----	308
Rheinland	1 051	-----	1 051
Westfalen	104	-----	104
Bayern/München	396	-----	396
Bayern/Nürnberg	642	-----	642
Ostpreussen	15	-----	15
Südwestdeutschland	4	-----	4
Illegal ausgereist	897	-----	897
	32 178	257	32 435
Protekt. Böhm. u. Mähren	4 903 legal	742	5 645
Protekt. Böhm. u. Mähren	874 illegal	-----	874
	37 955	999	38 954

In der Zeit vom 1. 1. 1940 bis 25. 1. 1941 wurden somit insgesamt 38 954 land- u. forstwirtschaftl. Arbeiter verpflichtet und abbefördert.

Für die Industrie wurden bis 25. 1. 1941 aus dem Kontingent 1940 insgesamt 25 130[1] gewerbl. Arbeiter verpflichtet und abbefördert.

Industrie und Landwirtschaft zusammen: 64 084 Arbeitskräfte.

Landwirtschaftliche Verträge, die aus dem Kontingent 1940 zu erledigen wären, liegen hier nicht mehr vor.

gez. Rehfeld.

Durchschriftlich
der Deutschen Gesandtschaft,[2]
Pressburg,
Friedrich Schillerstrasse 1,
mit der Bitte um Kenntnisnahme ergebenst übersandt.

Rehfeld [v. r.]

PA AA, Gesandtschaft Preßburg, Paket 208, W 2, Nr. S 1a, Band I. Kópia, strojopis, 2 strany.

---

1 Pozri dokument 76.
2 Správa došla vyslanectvu 4. 2. 1941.

78

1941, 6. február. Bratislava. – Prípis poverenca ríšskeho ministra práce nemeckému vyslanectvu vo veci pracovného nasadenia slovenských štátnych príslušníkov, nachádzajúcich v okupovanom Francúzsku a Belgicku, v ríši.

Der Beauftragte   Pressburg, den 6. Februar 1941
des Reichsarbeitsministeriums
Preßburg
G. Z. 5780.30

An die
Deutsche Gesandtschaft
Pressburg,
Friedrich v. Schillerstr. 1

Betrifft: Einsatz bis jetzt in Frankreich beschäftigt gewesener
slowakischer Arbeitskräfte im Deutschen Reich.
Vorgang: Ihr Schreiben vom 4. 2. 1941, Aktenz. R 4 Nr. 2.[1]

Soviel ich im hiesigen slowakischen Zentralarbeitsamt in Erfahrung bringen konnte, handelt es sich bei den aus Frankreich und Belgien bis jetzt tatsächlich in die Slowakei zurückgekehrten Arbeitskräften um ungefähr 2 600. Die Freigabe dieser Kräfte für die Anwerbung nach Deutschland soll augenblicklich nicht erfolgen, da die slowakischen Stellen den Wunsch haben, die Arbeiter, die teilweise schon lange aus der Heimat fort waren und entfremdet sind, einige Zeit wieder zuhause zu halten, damit nicht die letzten Bindungen an die Heimat verloren gehen. In der in dem Artikel des „Südost-Echos" genannten Zahl von 19 000 dürften alle slowakischen Arbeiter, deren Abziehung aus Frankreich beabsichtigt ist, enthalten sein.

Meines Wissens wurde eine Anzahl slowakischer Arbeiter aus Frankreich und Belgien in Bergbaubetrieben des Reiches und in der Landwirtschaft angesetzt. Um wieviele Kräfte es sich hierbei gehandelt hat und warum der unmittelbare Einsatz dieser Arbeitskräfte im Reich nicht allgemein durchgeführt wurde, kann ich nicht angeben, habe jedoch den Herrn Reichsarbeitsminister um Aufschluß gebeten und werde Sie nach Erhalt einer Antwort in Kenntnis setzen. Ebenso werde ich den Herrn Reichsarbeitsminister bitten, mich über den weiterhin geplanten unmittelbaren Einsatz im Reich von aus Frankreich abzuziehenden slowakischen Arbeitern zu unterrichten[2] und werde Ihnen zu gegebener Zeit Mitteilung machen.[3]

Rehfeld [v. r.]

PA AA, Gesandtschaft Preßburg, Paket 75, R 4, Nr. 2, Band I. Originál, strojopis, 1 strana.

1 Išlo o dopyt vyslanectva v súvislosti s tlačovou správou časopisu *Südost-Echo* z 31. 1. 1941 o slovenských robotníkoch, nachádzajúcich sa na území Francúzska a Belgicka.
2 V apríli poskytol poverenec ríšskeho ministra práce vyslanectvu ďalšie informácie o slovenských robotníkoch vo Francúzsku: „*Der Herr Reichsarbeitsminister teilt mir mit seinem Erlaß vom 5. 3. 1941, Va 5780.30/81, mit, daß die aus Frankreich in das Reich hereingeholten slowakischen Arbeitskräfte bisher noch nicht erfasst sind. Es ist lediglich nur die Gesamtzahl der in Frankreich angeworbenen Arbeiter gezählt worden. Ich vermag deshalb ihre Zahl nicht anzugeben. Jedenfalls dürfte die Zahl von 19 000, die im Artikel des „Südostechos" genannt wurde, weitaus überhöht sein."* (PA AA, Gesandtschaft Preßburg, Paket 75,R 4, Nr. 2, Band I. Sagerov prípis nemeckému vyslanectvu z 21. 4. 1941.)
3 Text odpovede zaslal vyslanec Ludin Zahraničnému úradu, a to v správe z 10. 2. 1941.

79

1941, 14. február. Berlín. – Prípis Hlavného úradu pre ríšsku bezpečnosť mimoriadnemu splnomocnencovi ríšskeho vodcu SS a náčelníka nemeckej polície v Bratislave, týkajúci sa organizovania HG na území Nemeckej ríše.

Der Chef der Sicherheitspolizei
und des SD
III B 14   Bö/Gr. VA 448/40

Berlin SW 68, den 14. Feb. 1941

An den
Sonderbeauftragten des Reichsführes-SS und
Chef der deutschen Polizei
Preßburg.

Betr.: Ausländische Hlinka-Garde.
Vorg.: Dort. Schreiben vom 14. 1. 41, Br. Nr. 26/41

Zum dortigen Bericht vom 14. 1. 41,[1] wonach über Veranlassung von Šano Mach die Auslands-Hlinka-Garde wegen separatistischer Bestrebungen aufgelöst wurde, wird mitgeteilt, daß nach hier vorliegenden Meldungen aus Wien Gruppen der HG in Wien und in der Ostmark weiter bestehen. Diese umfassen besonders die auf Arbeitseinsatz in Deutschland befindlichen slowakischen Arbeiter. Verschiedentlich wird berichtet, daß die HG sich bei der Zusammenfassung dieser Arbeiter bewährt habe.

Da das Problem zur Zulassung einer Organisation für die slowakischen Arbeiter im Reich schon aus Gründen einer Trennung von den tschechischen und übrigen slawischen Arbeitskräften akut ist und nach vorliegenden Meldungen es der Hlinka-Garde gelungen ist, eine Zusammenfassung in diesem Sinne auch durchzuführen, wird ersucht festzustellen, inwieweit die HG sich mit einer Betreuung der slowakischen Arbeitskräfte im Reich in ihren zentralen Kommandostellen heute noch befaßt. Es ist hierbei auch auf die personelle Besetzung auf diesem Sektor näher einzugehen.[2]

Zur dortigen Unterrichtung wird noch mitgeteilt, daß das Amt IV[3] bereits vor längerer Zeit zur Frage der Zulassung der HG im Reiche aus den obenerwähnten Gründen im positiven Sinne Stellung genommen hat und lediglich vorschlug, ein Uniformverbot aus allgemeinen politischen Gründen zu erlassen.[4] Die Angelegenheit ist jedoch noch nicht abgeschlossen.

I. A.:
Podpis nečitateľný
SS-Obersturmbannführer.

BArch Berlín, R 70 Slowakei/151, Bl.18. Originál, strojopis, 1 strana.

---

1 Dokument sa nepodarilo nájsť.

2 K dopytu vyhotovil Heinz Lämmel nasledovný záznam: *„Auf die Frage, inwieweit sich die HG in ihren zentralen Führungsstellen mit einer Betreuung der slowakischen Arbeiter im Reich befasse, erklärte Wepner am 5. 3. 41 folgendes:*
Die Auslands-HG wurde von Šaňo Mach Ende des Jahres 1940 aufgelöst, da sie ein Instrument Mutnansky's war. Angeblich soll die Auslands-HG im Deutschen Reich direkt dem Preßburger Oberkommando unterstanden haben. Zur Betreuung der slowakischen Arbeiter im Reich wurde im Einvernehmen mit dem deutschen Berater für Sozialangelegenheiten, Kreisleiter SS-Sturmbannführer Smagon, ein Stab von, nach Wepners Meinung, 36 Hlinkagardisten ins Reich geschickt, die von der DAF bezahlt werden. Heute gehören die slowakischen Arbeiter im Reich als Gäste der DAF an, was u. a. auch von Mach vorgeschlagen worden war. Näheres über die ganze Angelegenheit müsse Smagon wissen." (BArch Berlín, R 70 Slowakei/151, Bl. 22.)

3 Gestapo.

4 Porovnaj dokument 72.

80

1941, 19. február. Bratislava. – Zápisnica z rokovania o hosťujúcom členstve slovenských robotníkov pracujúcich v ríši v Nemeckom pracovnom fronte.

Am 17. und 18. Februar 1941 fanden in Preßburg Verhandlungen über die Gastmitgliedschaft der in Deutschland tätigen slowakischen Arbeiter in der Deutschen Arbeitsfront statt.

An den Verhandlungen nahmen teil:
Von deutscher Seite:
1. Reichsamtsleiter Franz Mende
   Leiter des Amtes für Arbeitseinsatz der DAF
2. Reichsamtsleiter Halder
   Leiter des Etat- und Verwaltungsamtes der DAF
3. Kreisleiter Albert Smagon
   als Berater für soziale Fragen bei der Deutschen Gesandtschaft in Preßburg,

von slowakischer Seite:
1. Dr. Bezak, Rat der Politischen Verwaltung,
   als Beauftragter des Slowakischen Innenministeriums, Zentralarbeitsamt
2. Dr. Rusnák, Abteilungschef und Kommissär,
   als Beauftragter des Slowakischen Innenministeriums,
3. Schwarz, Legationsattaché,
   Slowakisches Ministerium des Auswärtigen.

Im einzelnen wurde vereinbart:

§ 1

Die Deutsche Arbeitsfront (im weiteren Text DAF) nimmt die im deutschen Reich tätigen slowakischen Arbeiter als Gastmitglieder auf.

Aus dieser Mitgliedschaft sind Zigeuner und Juden im Sinne der deutschen Gesetze[1] ausgeschlossen.

§ 2

Das Slowakische Innenministerium veranlaßt die slowakischen Arbeiter bei ihrer Anwerbung in Deutschland Mitglied der DAF zu werden.

Die angemeldete Person wird nur nach ausdrücklicher Annahme der Aufnahmeerklärung durch die Deutsche Arbeitsfront als ihr Gastmitglied betrachtet.

Die Aufnahmeformalitäten werden bei der Anwerbung durch Beauftragte der DAF erledigt. Das Slowakische Innenministerium erhält jeweils von dem aufgenommenen Personenkreis Kenntnis.

Das slowakische Gastmitglied genießt Schutz, soziale und kulturelle Betreuung in dem Ausmaße, wie dies dem deutschen Mitglied der DAF gewährt wird.

§ 3

Die Gastmitgliedschaft in der Deutschen Arbeitsfront erlischt durch Ableben oder bei endgültigem Verlassen des deutschen Reichsgebiets.

§ 4

Zur Unterstützung in der Betreuungsarbeit werden vom Slw. Innenministerium in der DAF eingesetzt:

1) ein Beauftragter, mit dem Sitz im Amt für Arbeitseinsatz im Zentralbüro der DAF,

2) je nach Bedarf in den Gebietsverwaltungen, Gemeinschaftsunterkünften und Betrieben haupt- oder nebenamtliche Vertrauensmänner.[2]

Die in Frage kommenden Beauftragten werden durch das Slowak. Innenministerium vorgeschlagen und im Einvernehmen mit der DAF eingesetzt.

Die Besoldung hauptamtlicher Beauftragter erfolgt durch die DAF nach den im Reich geltenden Richtlinien. Ebenso stellt die DAF den Beauftragten die notwendigen Arbeitsräume, Büromaterial und technische Hilfsmittel zur Verfügung.

§ 5

Die DAF enthebt den Beauftragten seines Amtes, falls der slowakische Vertragspartner seinen Antrag zurückzieht.

Die slowakischen Beauftragten sind bei der Durchführung ihrer Funktion verpflichtet, die Vorschriften und Richtlinien der DAF einzuhalten.

§ 6

Die DAF hat das Recht, die slowakischen Beauftragten auf ihre eigenen Kosten schulen zu lassen.

Den Lehrgang dieser Schulung bestimmt die DAF nach getroffener Vereinbarung mit dem slowakischen Vertragspartner.

§ 7

Die slowakischen Beauftragten sind bei der Durchführung ihrer Funktion berechtigt, aus dem Kreise der slowakischen Gastmitglieder Vertrauensmänner mit allgemeinen und besonderen Funktionen zu benennen, die von der DAF dann in ihr Amt eingesetzt werden.

Die Tätigkeit der Vertrauensmänner ist ehrenamtlich.

§ 8

Die kulturelle Betreuung umfaßt die gleichen Maßnahmen, wie sie für den deutschen Arbeiter durchgeführt werden. Dabei wird nach Möglichkeit dem slowakischen Volkstumscharakter Rechnung getragen. Insbesondere wird die DAF die Herausgabe einer slowakischen Zeitschrift[3] veranlassen, sowie die Errichtung geeigneter Büchereien. Bei der Gestaltung der slowakischen Zeitschrift werden slowakische Mitarbeiter herangezogen.

§ 9

Sollten bei der Durchführung dieser Vereinbarung Unklarheiten oder Schwierigkeiten auftreten, werden sie in gemeinsamer Beratung zwischen dem Leiter des Amtes für Arbeitseinsatz und dem slowakischen Beauftragten im Zentralbüro der DAF[4] geregelt.[5]

§ 10

Diese Vereinbarung in deutscher und slowakischer Urschrift tritt am Tage der Unterfertigung in Geltung. Diese Vereinbarung gilt bis zum 31. Dezember 1941 und verlängert sich stillschweigend jeweils um ein Jahr, wenn sie nicht spätestens am 1. Oktober für den Schluß des Kalenderjahres gekündigt wird.

Die beiden Texte dieser Vereinbarung sind authentisch.

Preßburg, den 19. Februar 1941

gez. Albert Smagon	gez. Mende	gez. Halder
gez. Schwarz	gez. Bezak	gez. Rusnák

BArch Berlín, R 59/48, Bl. 56-59. Cyklostyl, strojopis, 4 strany.[6]

---

1 Tzv. norimberské zákony zo septembra 1935.
2 Išlo o sociálnych pracovníkov. V roku 1940 sa v bývalom Rakúsku – Ostmark – nachádzali traja (rím. kat. duchovní), v roku 1941 už deviati. (SNA, f. MZV, š. 135, 12333/1942.) Podľa záznamu MV z 1. 6. 1941 bolo pri DAF zamestnaných 18 slovenských štátnych príslušníkov. (SNA, f. MZV, š. 135, 5069/1941.) V roku 1942 pôsobilo na území Nemeckej ríše minimálne 22 sociálnych pracovníkov. Pozri tiež dokument 85.
3 Išlo o časopis Slovenský týždeň, ktorý vychádzal od 13. 4. 1941 v náklade 100 000 ks. Bližšie pozri FEDOR, Michal (ed.). *Bibliografia periodík na Slovensku v rokoch 1939–1944.* Martin : Matica slovenská, 1969, s. 372.
4 Túto funkciu zastával Ernest Haluš.
5 Pozri dokument 92. Pracovnú náplň sociálnych pracovníkov upravoval *„Služobný poriadok pre zamestnancov určených na sociálnu ochranu slovenského robotníctva v Nemecku v rámci DAFu"* vypracovaný MV a schválený ministrom vnútra A. Machom 11. 7. 1941 (SNA, f. MZV, š, 135, bez čísla.)
6 Slovenský text sa nachádza v SNA, f. MZV, š. 135, fascikel *„Zoznam spisov ohľadom dohody s DAFom".* Súčasťou dohody bola tiež vykonávacia úprava pre výkon činnosti poverencov MV na území Nemeckej ríše a záznam, týkajúci sa ich platových podmienok.

81

Bez uvedenia dátumu [február 1941]. Berlín. – Dopyt Hlavného úradu pre ríšsku bezpečnosť vo veci slovenských pracovných síl v župe Horné Podunajsko, adresovaný mimoriadnemu splnomocnencovi ríšskeho vodcu SS a náčelníka nemeckej polície v Bratislave.

Reichssicherheitshauptamt   Berlin SW 68, den[1]
III B 14 Bö/PA. AZ. 1185/40
SA II 212 – S 1
E 23

An den
Sonderbeauftragten des Reichsführes-SS und
Chefs der deutschen Polizei
Preßburg.

Betr.: Einsatz slowakischer Arbeiter im Reich – Einsatzgebiet Oberdonau.
Vorg.: Ohne.

Der SD-Abschnitt Linz teilt in seinem Lagebericht vom 3. 2. 41 unter obigem Betreff Folgendes mit:

„Die Anwerbung der slowakischen Arbeiter wird von den einzelnen Bezirksarbeitsämtern der Slowakei durchgeführt. Anwesend ist ein Vertreter des Arbeitsministeriums in Pressburg,[2] weiter ein Beauftragter der deutschen Reichsstelle für Wirtschaftsaufbau,[3] der derzeit auf längere Zeit in Pressburg weilt.

Bei der Werbung der Arbeiter treten verschiedene Mängel auf. Den Arbeitern wird nicht gesagt, wohin sie kommen, die Lebensverhältnisse werden in den rosigsten Farben geschildert. So wurde z. B. bei der Werbung der slowakischen Arbeiter für die Stickstoffwerke Ostmark AG in Linz keine weitere Erklärung über die Art des Einsatzes gemacht. („Stickstoffwerk" erklärten sie sich mit „Sticken" und „Stoff" also Textilfabrik). Sie glaubten in einem fertigen Industriebetrieb beschäftigt zu werden, nahmen sich daher keine warme Arbeitskleidung, keine feste Schuhen und wenig Wäsche mit und waren dann sehr enttäuscht, als sie in Linz bei den Stickstoffwerken zu Bau- und Erdarbeiten herangezogen wurden. Infolge ihrer schlechten Kleidung waren sie bei Einbruch des kalten Wetters gesundheitsschädlichen Einflüssen ausgesetzt, weshalb seitens der Fa. für Wäsche, feste Schuhe usw. Vorsorge getroffen werden musste."[4]
Um die Stellungnahme wird ersucht.[5]

i. A.
Podpis nečitateľný
SS-Obersturmbannführer

NARA, T – 175, roll 517, 9 385 301 – 302. Originál, strojopis, 2 strany.

---

1 Dopyt dostal na spracovanie vedúci skrytej úradovne SD v Bratislave Wilhelm Urbantke 18. 3. 1941.
2 Rehfeld, od jari 1941 Gustav Sager.
3 Meno sa nám nepodarilo zistiť.
4 Porovnaj s Refeldovými správami o nábore priemyselných robotníkov za rok 1940.
5 Odpoveď úradovne mimoriadneho splnomocnenca ríšskeho vodcu SS a náčelníka nemeckej polície v Bratislave bola nasledovná: *„Eine Rücksprache mit dem deutschen Berater für Arbeits- und Sozialangelegenheiten* [Albert Smagon – editori] *ergab zu den im dortigen Schreiben mitgeteilten Klagen Folgendes: Bei der Werbung slowakischer Arbeiter für das Reich ist neben den zuständigen slowakischen Vertretern auch ein reichsdeutscher Beauftragter anwesend, der jedoch häufig die slowakische Sprache nicht beherrscht und*

somit nicht überprüfen kann, ob seine Angaben auch sinngemäß ins Slowakische übertragen und den zur An-
werbung bereiten Arbeitern weitergegeben werden. Deutscherseits wird die Art des Arbeitseinsatzes bekannt-
gegeben; es besteht jedoch die Möglichkeit, daß die anwesenden slowakischen Organe dies mißverstehen.
Daraus erklären sich dann Unzulänglichkeiten, wie sie im dortigen Schreiben geschildert wurden." (NARA,
T – 175, roll 517, 9 385 303. Lämmelova správa RSHA z 5. 8. 1941.)

82

1941, 21. marec. Berlín. – List predsedu nemeckého vládneho výboru Güntera Ber-
gemanna predsedovi slovenského vládneho výboru Štefanovi Polyákovi vo veci sta-
novenia kontingentu slovenských pracovných síl na rok 1941.

Abschrift
Der Vorsitzende des Deutschen
Regierungsausschusses   Berlin, den 21. März 1941
V Ld. (D) 11/108739/41

An
den Vorsitzenden des slowakischen
Regierungsausschusses
Herrn Minister Dr. Stephan Polyak
Pressburg
Ministerium für Auswärtige Angelegenheiten

Herr Vorsitzender!
Wie mir der Herr Reichsarbeitsminister mitteilt, ist zwischen ihm und den zuständigen
slowakischen Stellen vereinbart worden, daß im laufenden Jahr 1941 folgende Arbeits-
kräfte in der Slowakei für eine Beschäftigung im Deutschen Reich angeworben werden
können:
20 000 gewerbliche Arbeiter,
35 000 landwirtschaftliche Arbeiter einschließlich der Arbeitskräfte, die im Winter
1940/1941 in Deutschland verblieben waren (4 700 Mann). Innerhalb der Zahl der land-
wirtschaftlichen Arbeiter können auch Gesindekräfte angeworben werden, sofern sich
solche melden;
3 000 Forstarbeiter,
1 000 Hausangestellte.
Die Anwerbung von 6 000 slowakischen Landarbeitern und 1 000 Forstarbeitern, die
im Protektorat eingesetzt werden sollen ist bereits im Gange.[1]
Unter Bezugnahme auf die in Ziff. 13 des Regierungsausschußprotokolls vom 8. De-
zember 1939 für das Jahr 1940 getroffenen Vereinbarungen wäre ich Ihnen dankbar, wenn
Sie mir mitteilen, daß der Slowakische Regierungsausschuß auch die seitens der beider-
seits zuständigen Stellen für das Jahr 1941 getroffenen Abmachungen billigt. Meinerseits
sind Bedenken nicht zu erheben.
Genehmigen Sie, Herr Vorsitzender, den Ausdruck meiner ausgezeichnetsten Hoch-
achtung.

                                           gez. Bergemann

PA AA, Gesandtschaft Preßburg, Paket 75,R 4, Nr. 2, Band I. Kópia, strojopis, 1 strana.

---

1 Táto časť listu je súčasťou protokolu z 3. spoločného zasadnutia nemeckého a slovenského vládneho výboru,
ktoré sa v dňoch 28. 4. – 12. 5. 1941 uskutočnilo v Bratislave. V protokole z 3. zasadnutia sa uvádza hranica
počtu poľnohospodárskych robotníkov 37 000; samotný článok č. 17 protokolu obsahuje tiež ustanovenia

o čiastočných zmenách pravidiel prevodu miezd v súvislosti so zmenami sociálnych odvodov na Slovensku. Pozri PA AA, R 105 331.

83

1941, 8. apríl. Berlín. – Prípis náčelníka Bezpečnostnej polície a SD Reinharda Heydricha úradovniam štátnej polície, týkajúci sa organizovania HG na území Nemeckej ríše.

Abschrift.

Der Chef
der Sicherheitspolizei und des SD   Berlin, den 8. April 1941
IV D 1 b B. Nr. 1755/40

An
alle Staatspolizei-leit-stellen

Nachrichtlich:
den Höheren SS- und Polizeiführern
den Inspekteuren der Sicherheitspolizei und des SD
den Befehlshabern d. Sicherheitspolizei und des SD
den SD-Leitabschnitten
dem Reichssicherheitshauptamt – Verteiler B –

Betr.: Gründung von Gruppen der Hlinka-Garde im Reichsgebiet.

Aus Kreisen der in das Altreichsgebiet in Arbeit vermittelten slowakischen Arbeiter ist verschiedentlich der Antrag auf Genehmigung zur Gründung von Ortsgruppen der Auslands-Hlinka-Garde bei den Staatspolizei-leit-stellen gestellt worden.

Im Rahmen der Auslands-Hlinka-Garde bestehen bereits einige Ortsgruppen im Reichsgebiet, denen eine Betätigung nicht untersagt wurde. Von der slowakischen Regierung wurde im November 1940 Auslands-Hlinka-Garde aufgelöst. Es ist beabsichtigt, die Organisation der Hlinka-Garden in Deutschland neu aufzubauen. Dieser Aufbau befindet sich gegenwärtig noch im Stadium der Vorbereitung. Da jedoch zu erwarten steht, dass mit einem baldigen Abschluss des Aufbaues der Organisation der Auslands-Hlinka-Garde nicht zu rechnen ist, jedoch die mir vorliegenden Berichte verschiedener Staatspolizeistellen über die geplante Aufstellung von Organisationen der Hlinka-Garde in grossen Werken eine staatspolizeiliche Regelung erforderlich erscheinen lassen, ordne ich bezüglich der Gründung von Ortsgruppen der Auslands-Hlinka-Garde im Reichsgebiet folgendes an:

Gegen die Gründung von Ortsgruppen der Hlinka-Garden ist nicht einzuschreiten. Das Tragen von Waffen ist in jedem Fall zu untersagen. Das Tragen von Uniform oder Uniformstücken ausserhalb dienstlicher Veranstaltungen ist zu unterbinden. Auf die Einhaltung dieses Verbots ist ganz besonders zu achten, da die slowakischen Arbeiter dazu neigen, auch ausserhalb ihres Dienstes die Hlinka-Garde Uniform zu tragen und im Hinblick auf die grosse Anzahl slowakischer Arbeitskräfte in einzelnen Werken die Erlaubniserteilung zum Tragen der Uniform ausserhalb der dienstlichen Veranstaltungen nicht geboten erscheint. Die Ortsgruppen der Hlinka-Garde sind gehalten, ihre Führer und die Stärke der Mitglieder den zuständigen Staatspolizeistellen zu melden. Der Tätigkeit der Auslands-Hlinka-Garde im Reichsgebiet ist die erforderliche Aufmerksamkeit zuzuwenden.[1] Über besondere Vorfälle ist Bericht zu erstatten.

gez. Heydrich

Stempel.

Beglaubigt:
gez. Winter
Kanzleiangestellte.

F.d.R.d.A.[2]
Will

BArch Berlín, R 70 Slowakei/151, Bl. 24. Kópia, strojopis, 1 strana.

1 Pozri tiež dokumenty 72 a 79.
2 Skratka – für die Richtigkeit der Abschrift – za správnosť odpisu.

84

1941, 17. apríl. Bratislava. – Verbálna nóta nemeckého vyslanectva MZV, týkajúca sa uvoľnenia slovenských pracovných síl vo veku 28 – 38 rokov, nasadených v ríši, pre slovenskú armádu v prípade mobilizácie.

Konzept.[1]

Durchdruck
Deutsche Gesandtschaft   Herrn Oberstleutnant Becker[2]
Aktenz.: R 4 Nr. 2 Nr. 2053   zur Gegenzeichnung

1 Durchdruck

Verbalnote.

Die Deutsche Gesandtschaft beehrt sich im Einvernehmen mit dem Reichsarbeitsminister die Erklärung abzugeben, dass alle jene Arbeiter im Alter zwischen 28 und 38 Jahren, die derzeit in das Reich zu Arbeitsleistungen vermittelt werden, von ihren Dienststellungen sofort freigegeben werden und die Rückreise nach der Slowakei antreten können, wenn die Einberufung dieser Arbeiter vom slowakischen Standpunkt aus im Zusammenhang mit etwaigen slowakischen Mobilisierungsmassnahmen erforderlich werden sollte.[3]

Pressburg, den 17. April 1941

An
das Ministerium des Äusseren der
Slowakischen Republik
Pressburg

PA AA, Gesandtschaft Preßburg, Paket 75, R 4 Nr. 2, Band I. Kópia, strojopis, 1 strana.

1 Verbálna nóta bola odovzdaná prednostovi politického odboru MZV Jozefovi Mračnovi 18. 4. 1941.
2 Heinrich Becker – vojenský atašé pri nemeckom vyslanectve.
3 Pozri dokument 87.

85

1941, 17. máj. Bratislava. – Správa úradovne mimoriadneho splnomocnenca ríšskeho vodcu SS a náčelníka nemeckej polície Hlavného úradu pre ríšsku bezpečnosť vo veci sociálnej starostlivosti slovenských pracovných síl v ríši.

17. Mai 1941

581/41

SA 4711/41

An das
Reichssicherheitshauptamt
– III B 14 –
Berlin SW 68,
Wilhelmstraße 102

Betr.: Soziale Betreuung der slowakischen Arbeiter im Reich.
Vorg.: Ohne.

Zu Beginn dieses Jahres wurden zwischen der DAF und dem slowakischen Innenministerium Verhandlungen über eine soziale Betreuung der slowakischen Arbeiter im Reich geführt, die im Februar zur Unterzeichnung eines entsprechenden Vertrages führten.[1]

Danach hat die DAF die soziale Betreuung der slowakischen Arbeiter im Reich übernommen. Die Arbeiter werden automatisch für die Zeit ihres Aufenthalts im Reich Gastmitglieder der DAF. Da die DAF bei ihrem gegenwärtigen Personalstand diese zusätzliche Arbeit nicht bewältigen kann, wurde vereinbart, daß die Slowakei aus den Reihen der Hlinka-Garde, der Hlinka-Partei und der slowakischen Gewerkschaft Kräfte abstellt, die in einem Kurs im Reich für ihre Aufgaben geschult und dann als hauptamtliche Kräfte den Dienststellen der DAF beigegeben werden sollen. Im Zentralbüro der DAF wird eine slowakische Zentralstelle, bei den DAF Gau- und Kreiswaltungen werden slowakische Gau- und Kreisstellen eingerichtet. Die slowakische Zentralstelle hält gleichzeitig die Verbindung zur slowakischen Gesandtschaft. Verantwortlich für den Einsatz der slowakischen Sozialbeauftragten ist der Sozialattaché der slowakischen Gesandtschaft in Berlin Dr. Schwarz, dem sie in personeller Hinsicht unterstehen. In sachlicher Hinsicht unterstehen sie den Dienststellen der DAF.

Als ständiger Vertreter von Dr. Schwarz sitzt im Zentralbüro der DAF Berlin ein gewisser Haluš, ein Angehöriger der Hlinka-Garde. Nach Angaben des Beraters für Sozialwesen bei der slowakischen Regierung SS-Stubaf. Smagon ist Haluš kein Mann von Format, sondern ziemlich weich und leicht lenkbar. Gerade deshalb sei aber bei den unvermeidlich auftretenden Anfangsschwierigkeiten sein Verbleiben im deutschen Interesse gelegen, da er sich den Anweisungen der DAF widerspruchslos füge und seine Berichte an die slowakische Gesandtschaft bezw. Regierung nur nach vorheriger Durchsicht durch die DAF abgehen lasse.

Sowohl die Hlinka-Garde als auch die Hlinka-Partei bemühen sich eine möglichst große Zahl an Sozialbeauftragten aus ihren Reihen zu stellen um über diese ihren Einfluß auf die Arbeiterschaft nach Möglichkeiten zu erweitern. Bis vor kurzem waren etwa 36 Beauftragte nach dem Reich geschickt worden, die nahezu alle aus der Hlinka-Garde stammten. Als Tiso hievon Kenntnis erhielt, ordnete er sofort die Entsendung von Angehörigen der Hlinka-Partei an und beurlaubte eigens für diesen Zweck sechs slowakische Lehrer.

I. A.

Lämmel [v. r.] 17/5
SS-Hauptsturmführer

NARA, T – 175, roll 517, 9 385 301 – 302. Originál, strojopis, 2 strany.

1 Pozri dokument 80.

86

1941, 19. jún. Berlín. – Dohoda medzi Nemeckou ríšou a Slovenskou republikou o nábore slovenských pracovných síl do Nemecka a Protektorátu Čecha a Morava.

Niederschrift

Im Februar und März 1941 fanden in Berlin zwischen Vertretern der Deutschen und der Slowakischen Regierung Verhandlungen über den Einsatz slowakischer Arbeitskräfte in Deutschland statt.[1] An diesen Verhandlungen nahmen teil:
auf deutscher Seite:
Hetzell, Ministerialrat im Reichsarbeitsministerium,
Schmilinsky, Oberregierungsrat im Reichsarbeitsministerium,
Coßmann, Oberregierungsrat im Reichsarbeitsministerium,
Dr. Kaestner, Oberregierungsrat im Reichsarbeitsministerium,
Dr. Schelp, Regierungsrat im Reichsarbeitsministerium,
Rödiger, Vortragender Legationsrat im Auswärtigen Amt,
Dr. Bendler, Regierungsrat im Reichsministerium für Ernährung und Landwirtschaft,
Dr. Schütt, Regierungs-Assessor im Reichswirtschaftsministerium,
Dr. Rieber, Oberregierungsrat beim Reichsprotektor in Böhmen und Mähren,
Schoch, Hauptabteilungsleiter bei der Deutschen Arbeitsfront, Amt für Arbeitseinsatz,
auf slowakischer Seite:
Schwarz, Legationsattaché der Slowakischen Gesandtschaft in Berlin.

I.

Die Verhandlungen führten vorbehaltlich der Zustimmung der beiderseitigen Regierungen zu einer Verständigung über die anliegende „Deutsch-slowakische Vereinbarung über slowakische Arbeitskräfte". Diese Vereinbarung tritt an die Stelle der Vereinbarung vom 8. Dezember 1939.[2] Beide Teile sind darüber einig, dass die Vereinbarung in der Praxis alsbald angewendet werden soll.

II.

1. Es besteht Einverständnis darüber, dass slowakische Arbeiter im Rahmen der Vereinbarung für die Arbeit in Deutschland nur insoweit angeworben werden können, als der Transfer der Lohnersparnisse für sie ermöglicht werden kann.
In diesem Rahmen können im Jahre 1941 angeworben werden:
Gewerbliche Arbeiter, soweit die slowakische Regierung solche Arbeiter bereitstellen kann.
Landwirtschaftliche Arbeiter 35 000 einschl. der Arbeitskräfte, die im Winter 1940/41 in Deutschland überwintert haben. Innerhalb der Zahl der landwirtschaftlichen Arbeiter können Dauerarbeitskräfte (Gesindekräfte) angeworben werden, soweit sich solche hierzu melden.
Forstarbeiter (Waldarbeiter) 3 000.
Hausangestellte 1 000.

2. Die slowakische Seite legt Wert darauf, daß die landwirtschaftlichen Dauerarbeitskräfte (Gesindekräfte) möglichst in der Ostmark oder in Mitteldeutschland eingesetzt werden sollen. Deutscherseits wird hierzu erklärt, dass diesem Wunsche nach Möglichkeit Rechnung getragen werde.

3. Die slowakischen zuständigen Stellen werden überwacht, daß die ärztliche Untersuchung der Arbeiter nach den vereinbarten Richtlinien sorgfältig durchgeführt wird.

4. Die slowakische Seite äussert den Wunsch, zur Betreuung ihrer auf Grund der Vereinbarung beschäftigten Arbeiter in notwendiger Zahl Beauftragte und Geistliche zu entsenden. Die deutsche Seite erklärt sich hiermit unter der Voraussetzung einverstanden, daß die Betreuung im engsten Einvernehmen mit den zuständigen deutschen Stellen erfolgt.

5. Die slowakische Seite ist damit einverstanden, daß die slowakischen gewerblichen Arbeiter Mitglied der Deutschen Arbeitsfront sind.[3] Auf eine Anfrage der slowakischen Seite wird deutscherseits erklärt, dass die landwirtschaftlichen Wanderarbeiter und Dauerarbeitskräfte (Gesindekräfte) zu Beiträgen zum Reichsnährstand nicht herangezogen werden.

6. Die slowakische Seite erklärt sich damit einverstanden, daß die für die Erlangung von Steuervergünstigungen notwendigen Bescheinigungen nach anliegenden Mustern von ihren amtlichen Stellen ausgestellt werden. Für die Lohnsteuerpflicht der slowakischen Arbeitskräfte gelten die jeweils angewandten zwischenstaatlichen Verträge zur Vermeidung der Doppelbesteuerung.

7. Falls es für die Überweisung der Lohnersparnisse erforderlich ist, werden die zuständigen slowakischen Stellen jedem Arbeiter, der von ihnen zur Anwerbung bereitgestellt wird, einen möglichst mit Maschinenschrift ausgestellten Personalzettel nach anliegenden Muster aushändigen.

8. Es wird festgestellt, dass ein Arbeiter, der sechs Monate in Deutschland ununterbrochen gearbeitet und der einen Vertrag auf unbestimmte Zeit hat, das Arbeitsverhältnis unter Einhaltung der vorgeschriebenen Kündigungsfrist kündigen kann. Von deutscher Seite wird erklärt, daß das Arbeitsamt in diesem Falle einem gewerblichen Arbeiter die Zustimmung zur Kündigung geben wird, sofern die beabsichtigte Kündigung drei Monate vor ihrem Wirksamwerden dem letzten Betriebsführer angekündigt worden ist. Den landwirtschaftlichen Arbeitern, die in diesem Jahre in Deutschland überwintern, wird in diesem Falle vom Arbeitsamt die Zustimmung zur Kündigung gegeben werden, wenn die Kündigung nicht vor dem 31. Oktober 1941 wirksam wird.

9. Auf eine Anfrage wird von der deutschen Seite erklärt, daß den slowakischen Arbeitskräften, die innerhalb des Gebiets des Großdeutschen Reichs mit Genehmigung der Arbeitseinsatzbehörden beschäftigt sind und einen Personenschaden erleiden, nach dem Runderlass des Reichsministers des Innern vom 28. Februar 1941 – I Ra 5476/41-240 – Fürsorge und Versorgung nach der Personenschäden-Verordnung vom 10. November 1940 (Reichsgesetzblatt I S. 1482) gewährt werden kann.

10. Wegen der Durchführung der Vereinbarung können die zuständigen deutschen und slowakischen Stellen unmittelbar in Verbindung treten.

Diese Niederschrift mit Anlagen wird in doppelter Urschrift in deutscher Sprache ausgefertigt, die Ausfertigung in slowakischer Sprache bleibt vorbehalten.

Berlin, den 19. Juni 1941

gez. Hetzell
Ministerialrat im Reichsarbeitsministerium

gez. Unterschrift
Slow. Gesandter

[Príloha]
Deutsch-slowakische Vereinbarung über slowakische Arbeitskräfte.

I.

Die Slowakische Regierung erklärt sich damit einverstanden, dass slowakische Arbeitskräfte in der Slowakei angeworben und zur Beschäftigung in landwirtschaftliche und gewerbliche Betriebe und in Haushalte in Deutschland vermittelt werden.

II.

Die Verpflichtung der Arbeiter (mit Ausnahme der Hausgehilfinnen) erfolgt nach Maßgabe der beiliegenden Verträge für landwirtschaftliche Wanderarbeiter, für landwirtschaftliche Dauerarbeitskräfte (Gesindekräfte) und für nichtlandwirtschaftliche Arbeitskräfte.[4] Alle Änderungen dieser Arbeitsverträge werden der Slowakischen Regierung mitgeteilt werden. Vor wichtigen Änderungen zu Ungunsten der Arbeiter wird der Slowakischen Regierung rechtzeitig Gelegenheit gegeben werden, Stellung zu nehmen. Der Reichsarbeitsminister ist bereit, Anregungen der Slowakischen Regierung für Änderungen des Arbeitsvertrages entgegenzunehmen.

Arbeiter, die vertragsbrüchig geworden sind, sollen nicht zur Arbeit in Deutschland vermittelt werden. Vertragsbrüchig gewordene Arbeiter werden demgemäß dem Zentralarbeitsamt in Preßburg von den deutschen Arbeitsämtern oder Reichstreuhändern der Arbeit gemeldet. Wird eine vertragsbrüchig gewordener Arbeiter in Deutschland in Haft genommen, so meldet dies das deutsche Arbeitsamt oder der Reichstreuhänder der Arbeit umgehend der Slowakischen Gesandtschaft in Berlin, für die Ostmark dem Slowakischen Konsulat in Wien.

III.

Bei der Anwerbung und Verpflichtung der Arbeitskräfte sind auf deutscher Seite die Beauftragten des Reichsarbeitsministeriums, auf slowakischer Seite die slowakischen Arbeitsämter tätig.

IV.

Die Bedarfsanmeldungen der einzelnen Betriebsführer werden von den zuständigen deutschen Stellen dem slowakischen Zentralarbeitsamt mitgeteilt. Die von dem Betriebsführer oder in seiner Vollmacht von der deutschen amtlichen Stelle unterzeichneten Arbeitsverträge werden dem genannten Zentralarbeitsamt in 5facher Ausfertigung vorgelegt. Sind die Verträge vom Betriebsführer unterzeichnet, werden sie von der zuständigen deutschen Stelle mit Amtssiegel und Unterschrift versehen.

Das slowakische Zentralarbeitsamt weist die Verträge mit größter Beschleunigung den Arbeitsämtern zu. Diese stellen die Arbeiter bereit, die deutschen Beauftragten nehmen aus der Zahl der bereitgestellten Arbeiter die Verpflichtungen vor. Vor- und Zuname sowie Heimatort des Arbeiters sind in den Arbeitsvertrag aufzunehmen. Die Arbeiter sind über den Inhalt des Arbeitsvertrages genau aufzuklären und haben den Arbeitsvertrag eigenhändig zu unterschreiben. Der Abschluß des Vertrages wird von dem zuständigen slowakischen Arbeitsamt durch Unterschrift und Amtssiegel auf dem Vertrag bestätigt.

Von den vollständig ausgefertigten Arbeitsverträgen erhalten je 1 Stück die deutsche amtliche Stelle, die zuständige slowakische Stelle, der Betriebsführer, der Arbeiter und die Slowakische Gesandtschaft in Berlin bzw. für die Ostmark das Slowakische Konsulat in Wien.

V.

Es soll von beiden Seiten Vorsorge getroffen werden, daß die Anwerbung, Vermittlung und Verpflichtung der slowakischen Arbeitskräfte nur im Rahmen dieser Vereinbarung erfolgt.

VI.

Die auf Grund dieser Vereinbarung verpflichteten Arbeiter werden von den slowakischen Behörden mit Einzelpässen ausgestattet. Die slowakische Seite wird darauf hinwirken, daß die Kosten (Gebühren, Abgaben) für die Ausstellung dieser Pässe tunlichst gering gehalten werden.

VII.

Die zuständigen slowakischen Stellen werden die Arbeiter durch beamtete Ärzte vor ihrer Abreise vom Heimatort ärztlich untersuchen und gegebenenfalls impfen lassen. Bei der Untersuchung soll nach den anliegenden Richtlinien[5] verfahren werden.

VIII.

Die slowakische Seite wird es sich angelegen sein lassen, daß die Arbeiter beim Antritt der Arbeit in Deutschland mit für die Arbeit geeigneter Kleidung und festem Schuhwerk versehen sind.

IX.

Die slowakischen Behörden sorgen für die rechtzeitige Abreise der verpflichteten Arbeiter und melden den Zeitpunkt der Abreise der zuständigen deutschen Stelle. Die zuständige deutsche Stelle übernimmt die Arbeiter an der slowakischen Grenze.

X.

Die zuständige deutsche Stelle entrichtet als Verwaltungsgebühr (einschliesslich der Gebühr für die ärztliche Untersuchung) für jeden nach dem 31. Dezember 1940 neu verpflichteten Arbeiter Ks 70 an das zuständige slowakische Amt. Von diesem Betrag verbleiben Ks 30 bei der slowakischen Stelle in Deutschland für die Betreuung der slowakischen Arbeiter. Für die slowakischen Arbeiter, die im Anfang des Kalenderjahres bereits in Deutschland verblieben sind und noch mindestens sechs Monate in Deutschland verblieben sind, entrichtet die deutsche zuständige Stelle Ks 40. Dieser Betrag verbleibt bei der slowakischen Stelle in Deutschland für die Betreuung der slowakischen Arbeiter.

Innerhalb eines Kalenderjahres wird die Verwaltungsgebühr für jeden Arbeiter nur einmal gezahlt.

Die Gebühr darf nicht zu Lasten des Arbeiters gehen.

Die Überweisung der Verwaltungsgebühr nach der Slowakei kann nur erfolgen, soweit entsprechende Transfermöglichkeiten geschaffen werden können.

XI.

Die slowakischen Arbeitskräfte sind im Deutschen Reich hinsichtlich der Arbeitsbedingungen einschließlich der Arbeitsgerichtsbarkeit, des Arbeitsschutzes, der Sozialversicherung und der öffentlichen Fürsorge den vergleichbaren deutschen Arbeitern grundsätzlich gleichgestellt.

XII.

Die deutsche Seite wird ihren Einfluß dahin geltend machen, daß die Unterbringung der slowakischen Arbeitskräfte in sittlicher und gesundheitlicher Beziehung einwandfrei und möglichst in der Nähe der Arbeitsstelle ist.

XIII.

Den slowakischen Arbeitskräften werden nur die gesetzlich vorgeschriebene Lohnabzüge und Abzüge für etwaige Mitgliedsbeiträge zur Deutschen Arbeitsfront gemacht.

XIV.

Jede Umvermittlung slowakischer Arbeitskräfte wird dem Zentralarbeitsamt in Preßburg von dem deutschen Arbeitsamt gemeldet. Die Arbeitsämter werden sich bemühen, die Arbeiter im Falle vorzeitiger Auflösung ihres Vertrages, die nicht auf Verschulden des Arbeiters beruht, bei einem anderen Unternehmer, soweit irgend möglich zu den gleichen Bedingungen und mindestens für die Dauer des bisherigen Vertrages, unterzubringen.

XV.

Für die Krankenversicherung der Familienangehörigen der Arbeiter, soweit diese Familienangehörigen auf dem Gebiete des slowakischen Staates bleiben, gilt das Abkommen zwischen der slowakischen Zentralsozialversicherungsanstalt in Preßburg und dem Reichsverband der deutschen Krankenversicherung. Für die Invaliden- und Unfallversicherung der slowakischen Arbeiter wird bis zum Abschluß eines besonderen Abkommens der deutsch-tschechoslowakische Vertrag über Sozialversicherung vom 21. März 1931 sinngemäß angewandt.[6]

XVI.

Der Transfer der Lohnersparnisse der slowakischen Arbeiter und die Fragen, die sich in der Arbeitslosenversicherung aus der Beschäftigung slowakischer Arbeiter in Deutschland ergeben, werden besonders geregelt.

XVII.

Die Slowakische Regierung verpflichtet sich, mit allen ihr zu Gebote stehenden Mitteln und unter Einsatz berufener Organisationen auf die Arbeitskräfte slowakischer Staatsangehörigkeit dahingehend einzuwirken, dass diese die im Reich gültigen Gesetze sowie Anordnungen zur Sicherstellung des Arbeitsfriedens achten. Desgleichen wird sie dafür Sorge tragen, dass die slowakischen Arbeitskräfte bestmöglichste Arbeitsdisziplin zeigen und zur Einhaltung des Arbeitsvertrages veranlaßt werden.

XVIII.

Die Vereinbarung findet auf die slowakischen Arbeitskräfte, die in den von Deutschland besetzten westlichen Gebiete[n] angeworben werden,[7] sinngemäße Anwendung.

XIX.

Diese Vereinbarung gilt bis zum 31. Dezember 1941 und verlängert sich stillschweigend jeweils um ein Jahr, wenn sie nicht spätestens am 1. Oktober für den Schluß des Kalenderjahres gekündigt wird.

Berlin, den 19. Juni 1941

gez. Hetzell
Ministerialrat im Reichsarbeitsministerium

gez. Unterschrift
Slow. Gesandter

BArch Berlín, R 2/18844. Kópia, strojopis, 7 strán.

1 Záznamy z rokovaní sme nemali k dispozícii.
2 Pozri dokument 18.
3 Pozri dokument 80.
4 Z priestorových dôvodov ich nepublikujeme.
5 Smernice nepublikujeme.
6 Pozri Sbírka zákonů a nařízení státu Československého č. 209/1933 – úmluva mezi republikou Československou a říší Německou o sociálním pojištění z 21. 3. 1931.
7 Ide o slovenských štátnych príslušníkov v obsadenej časti Francúzska a v Belgicku. Pozri dokumenty 40, 78 a 106.

87

1941, 28. jún. Berlín. – Telegram Zahraničného úradu nemeckému vyslanectvu v Bratislave. Inštruuje vyslanectvo, aby intervenovalo u predstaviteľov slovenskej vlády vo veci ponechania slovenských robotníkov v ríši napriek mobilizácii slovenskej armády.

Telegramm

Berlin, den 28. 6. 41   0 Uhr 10
Preßburg, den 28. 6. 41   0 Uhr 15

Deutsche Gesandtschaft
Preßburg

Nr. 667
G-Schreiber[1]

Zahlreiche im Reich eingesetzte slowakische Arbeiter erhielten Gestellungsbefehl slowakischer Militärbehörden. Verbleiben der zurzeit im Reich bei vordringlichen Aufgaben eingesetzten slowakischen Arbeitskräfte unbedingt notwendig. Bitte deshalb sofort bei slowakischer Regierung beantragen, daß

1) die zurzeit im Reichsgebiet eingesetzten slowakischen Arbeitskräfte von Einberufung zur slowakischen Wehrmacht ausgenommen werden,[2]

2) daß slowakische Arbeiter im Reichsgebiet, die bereits Gestellungsbefehle erhielten, von Befolgung befreit und veranlaßt werden, Gestellungsbefehle slowakischer Gesandtschaft in Berlin zurückzugeben.[3] Drahtbericht.[4]

Roediger

PA AA, Gesandtschaft Preßburg, Paket 75, R 4 Nr. 2, Band I. Kópia, strojopis, 1 strana.

---

1 Tajný ďalekopisný prístroj.
2 Porovnaj dokument 84.
3 Nemecké vyslanectvo intervenovalo u MZV ešte v ten istý deň prostredníctvom verbálnych nót č. 3381 a 3386.
4 Vyslanec Ludin odpovedal Zahraničnému úradu telegramom 30. 6. 1941 s nasledovným znením: *„Habe weisungsgemäss Vorstellungen erhoben. Sichergestellt, dass slowakische Staatsbürger, die im Reichsgebiet beschäftigt sind, zum Militärdienst nicht herangezogen werden und diejenigen, die Gestellungsbefehle erhalten haben oder noch erhalten werden, berechtigt sind, diese an slowakische Vertretungen im Reich zurückzusenden.“*
Slovenské MZV potvrdilo toto rozhodnutie slovenskej vlády verbálnou nótou z 2. 7. 1941: *„In Beantwortung der dortamtlichen Verbalnote vom 28. Juni 1941 [...] beehrt sich das Ministerium des Äussern der Deutschen Gesandtschaft zur Kenntnis zu bringen, dass es seitens des Ministeriums für Landesverteidigung veranlasst wurde, dass Angehörige des Beurlaubtenstandes (Reservisten) die im Deutschen Reich oder in [sic!] Protektorat Böhmen und Mähren beschäftigt sind, zum Militärdienst in der slowakischen Wehrmacht nicht eingezogen werden und diejenigen, welche Gestellungsbefehle erhalten haben, oder vielleicht irrtümlich noch erhalten werden, brauchen denselben nicht Folge leisten.*
Ausserdem gestattet sich das Ministerium des Äussern der Deutschen Gesandtschaft mitzuteilen, dass auch diejenigen slowakischen Arbeiter, die zufällig sich auf einem kürzeren Urlaub in der Slowakei befanden haben nach Beweisung, dass sie im Deutschen Reich oder im Protektorat Böhmen und Mähren beschäftigt sind, freie Rückreise aus der Slowakei [antreten können].“ (PA AA, Gesandtschaft Preßburg, Paket 75, R 4 Nr. 2, Band I.) Pozri tiež BAKA, Igor – Tulkisová Jana. Vstup Slovenskej republiky do vojny proti ZSSR v dokumentoch nemeckej proveniencie. In *Historický časopis* 58, č. 3, 2010, dokument 11, s. 556.

88

1941, 2. júl. Bez uvedenia miesta [Viedeň]. – Prípis slovenského konzulátu ministerstvu vnútra vo veci naverbovaných pomocníčok do domácností vo Viedni. Sťažnosti na výkon ich práce a upozorňovanie na riziko ich mravného úpadku.

2. VII. 1941

12509/1941

Služobné v domácnosti – najímanie do Nemecka.

Ministerstvu vnútra (Ústredný úrad práce)
v Bratislave.

Zo služobných najatých do domácností do Nemecka, vo Viedni neosvedčili sa všetky v plnej miere.

Služobné boli pridelené len tým rodinám, kde je väčší počet detí, alebo z iného dôvodu potrebujú pracovnú silu k zdolaniu veľkej práce.

Mladšie dievčatá vo veku 19 – 24 rokov všetky neovládnu im uložené práce vykonávať. Taktiež mnoho z týchto dievčat sa neosvedčili. Voľný čas si svojvoľne predlžujú, ostávajú von aj cez noc. Klamú zamestnávateľov, že v nedeľu chodia do kostola a ony sa túlajú v Prátri[1] (Správa tun. slov. duchovného).[2]

Z vyšeuvedených dôvodov nie je žiadané, aby sem boli posielané služobné dievčatá niže 24 ročné a ktoré neboli zamestnané dlhšiu dobu ako služobné a preto nie sú dostatočne vytvrdnuté pre ťažšie práce a mladšie dievčatá sa na jednej strane domáhajú väčšieho platu aký dostávajú mnohé pomocnice v domácnosti včetne mimoriadnej odmeny za to[,] že pracujú viac ako to tarifný poriadok predpisuje. Na túto prácu ale nie sú fyzicky schopné.

Taktiež mladšie dievčatá podliehajú tu vo Viedni ľahko morálnej skaze vzhľadom na tú okolnosť, že tu prišlo medzi nimi niekoľko ľahkomyseľných dievčat.

Účelné by bolo pre postrach niektoré pomocnice v domácnosti, ktoré sa neosvedčili a hanbu robia poslať domov, ale to je podmienené tým, že doterajší zamestnávatelia dostanú za tieto náhradu.

Na stráž!
Konzul:

SNA, f. MZV, š. 975, 12509/1941. Kópia, strojopis, 2 strany.

---

1 Zábavný park neďaleko centra Viedne.
2 Dokument nepublikujeme.

89

1941, 4. júl. Berlín. – Záznam referátu „Partei" Zahraničného úradu, týkajúci sa zabezpečenia sociálnej starostlivosti pre zahraničné pracovné sily, nasadené na územi Nemeckej ríše. Snaha o ich propagandistické a politické ovplyvňovanie.

<u>Betrifft</u>: Betreuung fremdvölkischer Arbeiter im Reich.

Nach Angabe der Deutschen Arbeitsfront sind im Reich zur Zeit etwa 1,2 Millionen ausländische Arbeiter tätig; davon
300 000 Italiener,
140 000 Belgier,
130 000 Holländer,
100 000 Slowaken,
50 000 Franzosen,
100 000 Tschechen,
200 000 Polen,[1]
der Rest Dänen, Norweger, Bulgaren, Ungarn und ehemalige Jugoslawen. Verantwortlich für die Betreuung dieser Arbeiter ist die DAF, Amt Arbeitseinsatz, Amtsleiter Pg. Mende.

Es unterliegt keinem Zweifel, dass die Anwesenheit einer derartigen Masse von Ausländern im Reich eine besonders gute Gelegenheit der direkten Beeinflussung bietet.

I. Bisherige Maßnahmen.

Sozialbetreuung: Unterkunft, Verpflegung, Entlöhnung unter verantwortlicher Regie der DAF.

Politische Betreuung: Arbeiterzeitungen für 1. Italiener, 2. Franzosen und Belgier, 3. Flamen, 4. Holländer, 5. Slowaken und 6. Dänen. Geplante Zeitungen für Bulgaren, Kroaten und Ukrainer.

Sogenannte Vertrauensleute der einzelnen Nationen sind dem Amt Arbeitseinsatz zugeteilt, um zwischen der DAF und ihren Landsleuten zu vermitteln, bei auftretenden Schwierigkeiten einzugreifen und Anregungen für die politische und kulturelle Betreuung zu geben.[2]

II. Erforderliche Maßnahmen.

Einflussnahme des Auswärtigen Amtes auf die gesamte Betreuungsarbeit. Es fehlt bisher jegliche Richtlinie sowohl bei der Anwerbung als bei der Betreuung der ausländischen Arbeiter in politischer Hinsicht. Das Auswärtige Amt ist bisher verantwortlich lediglich bei der Redaktion der französischen Arbeiter-Zeitung „Le Pont"[3] eingeschaltet. Die übrigen Zeitungen werden von der DAF im Zusammenwirken mit dem Promi[4] herausgebracht. Es muss meines Erachtens das Auswärtige Amt in Zukunft verantwortlich an der Redaktion sämtlicher Zeitungen für ausländische Arbeiter beteiligt sein. Ferner muss Gelegenheit sein, propagandistisch (Film, Rundfunk usw.) auf die einzelnen Arbeitergruppen einwirken.

Dazu ist notwendig, dass ein Referent des Auswärtigen Amtes verantwortlich für die gesamte Betreuungsarbeit der ausländischen Arbeiter zeichnet.

Es darf nicht unberücksichtigt bleiben, dass die Möglichkeiten der kulturellen und propagandistischen Beeinflussung so lange gering sein werden, so lange die zweifelsohne bestehenden sozialen Mißstände (schlechte Unterkunft, unzureichende Verpflegung, Zusammenleben mit Gefangenen usw.) nicht restlos beseitigt sind.

Hiermit Herrn Gesandten Luther vorgelegt.[5]

Berlin, den 4. Juli 1941   Pusch [v. r.]

PA AA, R 99 022. Originál, strojopis, 2 strany.

1 Porovnaj dokumenty 90 a 91.
2 V prípade Slovákov pozri dokumenty 80 a 85.
3 Most.
4 Propagandaministerium – ministerstvo propagandy.
5 Pozri dokument 91.

90

1941, 5. august. Bratislava. – Správa poverenca ríšskeho ministra práce o priebehu náboru slovenských pracovných do Nemecka za 1. polrok 1941.

Abschrift.

Arbeitseinsatzdienststelle
des Reichsarbeitsministeriums
für die Slowakei
Pressburg

G. Z. 5770/5207/5780.30   Pressburg, den 5. August 1941

Ergebnis der Vermittlung slowakischer Arbeitskräfte für den Einsatz bei Arbeitsstellen
im deutschen Reichsgebiet in der Zeit vom 1. Januar 1941 bis 31. Juli 1941.

Vertraulich!

A.) Vermittlung von Land- und Forstarbeitern.
Auf Grund der zwischen der deutschen und slowakischen Regierung abgeschlosse-
nen zwischenstaatlichen Vereinbarungen[1] war die Vermittlung von 43 000 slowakischen
Arbeitern (ohne die Anzahl von ca. 4 000 Überwinterern) für den Einsatz bei land- und
forstwirtschaftlichen Arbeiten des deutschen Reichsgebietes (einschliesslich Protektorat
Böhmen und Mähren) vorgesehen.
Die Anwerbung dieser Arbeitskräfte, die gegen Ende Februar 1941 einsetzte und
bereits gegen Mitte Mai 1941 im wesentlichen durchgeführt war, hat mit Ende Juli für
das Jahr 1941 ihren endgültigen Abschluss gefunden. Bis dahin sind für den land- und
forstwirtschaftlichen Einsatz im deutschen Reichsgebiet insgesamt 42 670 slowakische
Arbeiter und Arbeiterinnen bereitgestellt worden,[2] die im nachstehenden Verhältnis auf
folgende Einsatzgebiete verteilt worden sind:

Landesarbeitsamtsbezirk Wien-Niederdonau, Wien	28,5 %
Landesarbeitsamtsbezirk Sudetenland, Reichenberg	22,3 %
Protektorat Böhmen und Mähren	16,5 %
Landesarbeitsamtsbezirk Mitteldeutschland, Erfurt	6,1 %
Landesarbeitsamtsbezirk Oberdonau, Linz-Donau	4,5 %
Landesarbeitsamtsbezirk Hessen, Frankfurt a. M.	3,4 %
Landesarbeitsamtsbezirk Brandenburg, Berlin	2,8 %
Landesarbeitsamtsbezirk Niedersachsen, Hannover	2,5 %
Landesarbeitsamtsbezirk Nordmark, Hamburg	2,5 %
Landesarbeitsamtsbezirk Westfalen, Dortmund	1,9 %
Landesarbeitsamtsbezirk Sachsen, Dresden	1,8 %

Landesarbeitsamtsbezirk Bayern, Nürnberg	1,6 %
Landesarbeitsamtsbezirk Schlesien, Breslau	1,3 %
Landesarbeitsamtsbezirk Pommern, Stettin	1,2 %
Landesarbeitsamtsbezirk Rheinland, Köln	0,9 %
Landesarbeitsamtsbezirk Bayern, München	0,8 %
Landesarbeitsamtsbezirk Alpenland, Innsbruck	0,6 %
Landesarbeitsamtsbezirk Westmark, Saarbrücken	0,4 %

Die reichsdeutschen Werber, welche hierfür bei den slowakischen Arbeitsämtern eingesetzt waren, sind nach Abschluss der ihnen zugeteilten Aufgaben an ihre Heimatdienststellen zurückgekehrt.

Zwar hätte nach den Vertragsabmachungen die praktische Vermittlung möglichst durch die slowakischen Arbeitsämter erfolgen sollen; diese Dienststellen verfügen aber über so wenig ausreichendes und erfahrenes Personal und technische Hilfsmittel, dass ohne den Einsatz reichsdeutscher Werber, auf deren Erfahrung und Initiative die sehr beachtlichen Erfolge im wesentlichen beruhen, bis zum Ablauf dieses Jahres die Bereitstellung der Kräfte aller Voraussicht nach nicht hätte erreicht werden können.

Dagegen sind von den slowakischen Dienststellen wiederholt Schwierigkeiten und Störungen in die Arbeit getragen worden, die den rechtzeitigen Einsatz der landwirtschaftlichen Arbeitskräfte für die Frühjahrsarbeiten ernstlich gefährdeten.[3] So z. B. fehlten bald nach den ersten Vermittlungen die zur Fortsetzung der Anwerbung notwendigen Drucksorten, wie Reisepässe und Transferpapiere. Während der Hauptwerbetätigkeit erteilte das slowakische Innenministerium seinen nachgeordneten Dienststellen die Weisung, nur noch Arbeitskräfte für das deutsche Reichsgebiet zuzulassen, die bereits im Vorjahre dort gearbeitet hatten. Zu einem anderen Zeitpunkt wurde von der gleichen Stelle bestimmt, dass nur Volksdeutsche, hingegen keine slowakischen Arbeitskräfte auf Gesindeverträge zu vermitteln seien. Ferner wurde zeitweilig die Anwerbung von 10 Assentjahren und mit Wirkung vom 5. Mai 1941 die Ausstellung von Reisepässen und Sichtvermerken untersagt; eine Massnahme, welche sich nur auf Privatreisenden erstrecken sollte, aber von den nachgeordneten slowakischen Instanzen missverständlicherweise auch auf die für das Reich geworbenen Arbeiter ausgedehnt wurde. Hierdurch entstanden so grosse Ausfälle, dass sich die Weiterleitung der bereitgestellten Sonderzüge kaum lohnte, wohingegen spätere Eisenbahngarnituren, die inzwischen zur Ausreise zugelassen, aber für eine Mitbeförderung nicht vorgesehenen Arbeiter kaum fassen konnten.

Die Schwierigkeiten sind durch mein Einschreiten zwar jeweils behoben worden. Dadurch aber, dass mir über diese Massnahmen erst gelegentlich ihrer praktischen Anwendung und nicht bereits vor ihrer Wirksamkeit von den slowakischen Dienststellen Kenntnis gegeben wurde, hat der Erfolg der geleisteten Werbetätigkeit wiederholt eine wesentliche Beeinträchtigung erfahren. Allerdings konnte eine völlige Einstellung der Anwerbung, wie sie im Vorjahre seitens des slowakischen Innenministeriums für einen längeren Zeitraum veranlasst worden war,[4] in diesem Jahre vermieden werden.

In diesem Zusammenhange komme ich auf Grund meiner Beobachtungen zu der Feststellung, dass der Vorstand des Zentralarbeitsamtes, Herr Dvorák, für eine deutsch-slowakische Zusammenarbeit wenig Verständnis gezeigt und den Eindruck erweckt hat, ihr bewusst ablehnend gegenüber zu stehen.

Ich habe die Vorgänge bei der diesjährigen Anwerbung slowakischer Land- und Forstarbeiter sowie auch das Verhalten des Herrn Dvorák zum Anlass einer ausführlicher Verhandlung mit dem slowakischen Innenministerium genommen, wobei Präsident Dr. Kassovič[5] bereitwilligst zugesagt hat, sich für weitgehende Ausräumung derartiger Störungen und Schwierigkeiten bei der zukünftigen Anwerbung persönlich einsetzen zu wollen.

B.) Vermittlung von gewerblichen Arbeitskräften.

Ausser der Vermittlung land- und forstwirtschaftlicher Arbeiter sehen die zwischenstaatlichen Vereinbarungen die Bereitstellung slowakischer gewerblicher Arbeiter ohne feste Zahlenangaben in einem Umfange vor, wie es die arbeitspolitischen Verhältnisse in der Slowakei selbst gestatten.

Bis zum 31. Juli 1941 sind für diesen Sektor 9 397 Arbeiter in das Deutsche Reich vermittelt worden[6], die ausschliesslich bei kriegswichtigen Aufgaben im wesentlichen in den Bezirken der Landesarbeitsämter Mitteldeutschland, Wien-Niederdonau, Oberdonau, Pommern und Niedersachsen Aufnahme gefunden haben. In dieser Zahl ist die Vermittlung von 1 050 slowakischen Hausgehilfinnen gleichzeitig enthalten. Von Beginn des Jahres 1941 bis zum 31. Juli 1941 sind also insgesamt (42 670 landwirtschaftliche + 9 397 gewerbliche=) 52 067 Arbeiter in das Deutsche Reich ausgereist.

Unternehmer und selbst Behördendienststellen des Reiches haben fortgesetzt versucht, sich unter Umgehung der Arbeitseinsatzvorschriften Arbeitskräfte eigenmächtig zu beschaffen. Sie haben sich entweder mit slowakischen Arbeitern persönlich oder schriftlich in Verbindung gesetzt oder in die Heimat beurlaubte Slowaken veranlasst, Arbeitskameraden bei ihrer Rückkehr ins Reich nachzuziehen. Um den Grenzübertritt der illegal Angeworbenen zu ermöglichen, haben sich die Bedarfsträger deren Reisepässe zusenden und das deutsche Einreisevisum durch deutsche Paßstellen erteilen lassen.

Bestimmungsgemäss müssen sich aber die Bedarfsträger bei der Anforderung von Arbeitskräften auch dann an ihr zuständiges Arbeitsamt wenden, wenn der Einsatz von Ausländern angestrebt wird. Auf Grund näherer Weisungen des Reichsarbeitsministeriums ist von den Arbeitsämtern in jedem Falle die Dringlichkeit der Einsatzstellen zu prüfen und durch Zurückstellung oder Einschränkung weniger wichtiger Arbeiten eine weitgehende Förderung der Kriegswirtschaft sicherzustellen. In gleicher Weise soll mit Rücksicht auf den Mangel an Hauspersonal die Einstellung von Hausgehilfinnen gesteuert werden. Die Entscheidung über solche Anträge hat sich der Herr Reichsarbeitsminister im Interesse einer zentralen Lenkung ausländischer Arbeitskräfte vorbehalten.

Wollte man die illegale Anwerbung auf sich beruhen lassen, so würde – wie das oft geschehen ist – der Fall eintreten, dass Bedarfsträger mit weniger wichtigen oder gar unbedeutenden Aufgaben zum Nachteil kriegswichtiger Betriebe die Lücken wieder schliessen, welche durch einen anderweitig erfolgten Einsatz der bei ihnen beschäftigt gewesenen Arbeiter gewollt entstanden sind. Auch Familien im Reich sind um die selbstständige Beschaffung weiblichen Hauspersonals ständig bemüht gewesen; meist deswegen, weil sie in Erkenntnis des unter den gegenwärtigen Verhältnissen nicht unerkennbaren Personalbedarfs von einem formellen Antrag Abstand nehmen wollen oder ihn erfolglos gestellt hatten.

Abgesehen von den arbeitspolitischen Auswirkungen haben sich hieraus in der Regel für die Arbeiter selbst eine Reihe Nachteile ergeben. Die Arbeiter hatten infolge unrechtmässiger Anwerbung keine Gelegenheit zum Transfer ersparter Lohngelder, worauf sie zum Unterhalt zurückgebliebener Familienangehörigen bekanntlich meist angewiesen sind. Mitunter sind ihnen bei Arbeitsaufnahme die überhöhten Löhne nicht gezahlt worden, mit denen sie angelockt worden waren. Andere wiederum konnten wegen körperlicher oder beruflicher Ungeeignetheit an dem in Aussicht gestellten Arbeitsplatz nicht verwendet werden. Schliesslich aber sahen sich die Arbeitsämter bei strenger Einhaltung der Arbeitseinsatzvorschriften veranlasst, die für ausländische Arbeiter erforderliche Beschäftigungsgenehmigung und Arbeitserlaubnis zu versagen. Aus solchen Gründen sind illegal angeworbene Arbeiter nicht selten unter Aufwendung ihrer letzten Barschaft oder gar verschuldet, stark enttäuscht in die Heimat zurückgekehrt.

Die unrechtsmässige Anwerbung ist auch den slowakischen Dienststellen nicht unbekannt geblieben und von ihnen als unbefugter Eingriff in die zwischenstaatlichen Vereinbarungen gewertet und als disziplinloses Verhalten gegenüber reichsdeutschen Bestimmungen ausgelegt worden. So muss leider festgestellt werden, dass die Verantwortlichen hierdurch gleichzeitig das deutsche Ansehen in der Slowakei geschädigt haben.

Um die planmässige Arbeitseinsatzpolitik der Arbeitseinsatzdienststellen im Reich zu fördern und die sonst unerwünschten Folgen auszuschalten, habe ich es als eine wichtige Aufgabe angesehen, die illegale Anwerbung möglichst zu unterbinden. In anerkennenswerter Weise habe ich hierbei durch die Dienststellen der Deutschen Gesandtschaft und insbesondere durch Herrn Polizeiattaché Golz[7] weitgehende Unterstützung gefunden. Auf meine Anregung hin hat der Herr Reichsarbeitsminister die Einreisemöglichkeit für Bedarfsträger in die Slowakei zur Vertretung arbeitseinsatzmässiger Interessen auf unumgänglich notwendige Fälle eingeschränkt. Durch die gemeinsamen Bemühungen ist es im Laufe des ersten Halbjahres 1941 gelungen, die unerlaubte Anwerbung fast völlig zu unterbinden. Die Sicherung des in dieser Beziehung erreichten Erfolges wird allerdings weitgehend davon abhängig sein, dass die Erteilung des deutschen Visums zur Ausreise ins Reich anlässlich der Arbeitsaufnahme ausschliesslich von der Arbeitseinsatzdienststelle des Reichsarbeitsministeriums erfolgt.

Andererseits sind Aufträge auf Vermittlung slowakischer Arbeiter von Bedarfsträgern in grosser Anzahl unmittelbar an mich herangebracht worden. Das trifft nicht zuletzt auf weibliches Hauspersonal zu, dessen Beschaffung für eigene und verwandtschaftliche Haushalte sich reichsdeutsche Kurgäste mit Vorliebe als nützliche Aufgabe ihrer Anwesenheit in der Slowakei gestellt hatten. Die Anträge habe ich schon deswegen zurückweisen müssen, weil von hier aus allein wegen der räumlichen Entfernung über die Dringlichkeit der Arbeitsstellen nicht geurteilt werden konnte. Selbst in besonders gelagerten Einzelfällen waren Ausnahmen zur Vermeidung von Berufungen und auch deswegen nicht angebracht, weil die unentbehrliche nachträgliche Prüfung des Arbeitsamtes doch zu einer nachteiligen Entscheidung für den Bedarfsträger hätte führen können. So musste z. B. der an das Arbeitsamt zur Nachprüfung verwiesene Antrag auf Vermittlung einer Hausgehilfin für einen mittleren Haushalt, der aus den Ehegatten und 2 erwachsenen Töchtern bestand, die sich weder beruflich betätigten, noch für eine ehrendienstliche nationale Aufgabe zur Verfügung gestellt hatten, selbstverständlich abgelehnt werden.

Überhaupt ist die namentliche Anforderung von Arbeitskräften, die auf die Aufnahme unmittelbarer Beziehungen zu Arbeitsuchenden in der Slowakei zurückgeht, im höchsten Masse unerwünscht. Hat sich doch gezeigt, dass derartige Vorschläge in der Regel nicht zu dem gewünschten Ergebnis führen. Entweder hatten die Arbeitskräfte bei Eingang des formellen Auftrages ihr früheres Arbeitsangebot zurückgezogen oder bereits bei anderen Arbeitsstellen eingesetzt werden müssen. Wo es aber zu einer Überweisung kam, sind später vielfach Klagen über die mangelhafte körperliche oder berufliche Eignung der selbst ausgewählten Kräfte laut geworden. Kürzlich wurde sogar der Fall festgestellt, dass eine reichsdeutsche Familie eine jüdische Hausgehilfin angefordert hatte.

Mit Rücksicht auf die verhältnismässig umfangreichen Einberufungen zum slowakischen Heeresdienst[8] habe ich, abgesehen von laufenden Einzelfällen, während der Haupterntezeit die Anwerbung slowakischer Arbeiter für das Deutsche Reich vorübergehend eingestellt. Ich habe diese Massnahme in der vorsorglichen Erwägung veranlasst, für etwaige Störungen bei der Bergung der Ernte nicht gleichzeitig verantwortlich gemacht zu werden. Die Werbung soll nach Abschluss der Haupterntearbeiten, also etwa in der zweiten Hälfte des Monates August wieder aufgenommen werden.

Allgemein muss noch gesagt werden, dass slowakischerseits die soziale Betreuung der angeworbenen Arbeiter bei der Abfertigung zur Ausreise ins Deutsche Reich erheblich vernachlässigt worden ist. Arbeiter und Arbeiterinnen sind auf dem Weg zum vorgesehenen Eisenbahnknotenpunkt manchmal tagelang unterwegs gewesen und waren sich auch hier bis zum Abgang des Zuges völlig selbst überlassen. Es ist mehrfach beobachtet worden, dass die Arbeitskräfte an der Abgangsstation bis zur Abfahrt des Zuges Tag und Nacht verbringen mussten. Da sie in der Regel mittellos waren und für Unterkunft und Verpflegung von keiner Seite gesorgt wurde, haben sie auf den Bahnsteigen oder sonst irgendwo kampieren müssen, weil ihnen selbst die Gelegenheit zum nächtlichen Aufenthalt in den Bahnhofswarteräumen versagt wurde. Es gab hier wirklich erbarmungswürdige Zustände, die sich im besonderen bei landwirtschaftlichen Gesindekräften zeigten, die nämlich gewohnt sind, gleichzeitig ihre Kinder mitzunehmen. So waren die Familien nach stunden- oder tagelangen Fussmärschen erschöpft am Abgangsbahnhof angekommen, wo sie dann unter Umständen für einen weiteren Tag und Nacht allen Witterungsunbilden des Winters und Frühjahrs ausgesetzt waren. Zwar bemühen sich die slowakischen Dienststellen um die Betreuung ihrer Arbeiter an den Arbeitsstellen im Reich; es scheint mir aber richtiger zu sein, zunächst einmal eine weitgehende soziale Fürsorge der für die Abfertigung vorgesehenen Arbeiter innerhalb der Slowakei selbst auszuüben. Die jetzigen Zustände lassen sich mit den Begriffen der im Reich gewohnten nationalsozialistischen Fürsorgepflicht in keiner Weise vereinbaren. Hierauf habe ich die slowakischen Behörden immer wieder hingewiesen.

Um den Arbeitskräften die Aufnahme einer Beschäftigung im Reich nicht zu verleiden, werde ich für die nächstjährige Anwerbung auf die Behebung dieser widrigen Verhältnisse meine besondere Aufmerksamkeit lenken.

Desgleichen gab die ärztliche Untersuchung, der sich die Arbeitskräfte ausnahmslos zu unterziehen haben, zu Klagen Anlass. Es war fast an der Regel, dass die Arbeiter stundenlang, oft sogar vollen[d]s vergeblich, warten mussten, weil die Ärzte nicht zu dem vorgesehenen Termin oder überhaupt nicht erschienen. Auch die Untersuchung selbst wurde nicht immer mit der notwendigen Sorgfalt durchgeführt. Die Ärzte haben ihr Verhalten damit begründet, dass sie der slowakische Staat auf die Bezahlung der Gebührenrechnungen jahrelang warten liesse. Aus diesem Grunde waren einige Ärzte dazu übergangen, die Untersuchung von der vorherigen Entrichtung der Gebühr durch die Arbeiter selbst abhängig zu machen. Ich werde trachten, auch diese Missstände, über die ich ebenfalls die slowakische Regierung unterrichtet habe, für die spätere Anwerbung zu beseitigen.

gez. Sager

PA AA, Gesandtschaft Preßburg, Paket 75, R 4 Nr. 2, Band I. Kópia, strojopis, 12 strán.

1 Pozri dokumenty 18, 82 a 86.
2 Pozri dokument 82. V správe pre Zahraničný úrad zo 7. 8. 1941 uvádzal vyslanec Ludin 42 675 sezónnych pracovných síl. Pozri PA AA, Gesandtschaft Preßburg, Paket 75, R 4 Nr. 2, Band I.
3 Porovnaj Refehldove správy.
4 Pozri dokumenty 23, 24, 31 a 36.
5 Správne Kaššovic.
6 Pozri tiež Ludinovu správu Zahraničnému úradu zo 7. 8. 1941. PA AA, Gesandtschaft Preßburg, Paket 75, R 4 Nr. 2, Band I.
7 Správne Goltz.
8 Pozri dokument 87.

91

1941, 14. august. Berlín. – Záznam vedúceho referátu Partei Zahraničného úradu Martina Luthera určený ministrovi Joachimovi von Ribbentroppovi, týkajúci sa zabezpečenia sociálnej starostlivosti pre zahraničné pracovné sily nasadené na území Nemeckej ríše. Ide o rozpracovanie Puschových návrhov zo 4. 7. 1941.

<u>Vortragsnotiz.</u>

Der Einsatz ausländischer Arbeiter im Reich ist ständig gestiegen und steigt weiter. Heute sind an zivilen Arbeitern, einschließlich der im Gau Wartheland vorhandenen Polen, rund 2 ½ Millionen Ausländer im Reich tätig. Es sind sämtliche Nationen Europas vertreten:

900 000 aus dem ehemaligen Polen (außer Wartheland), über
200 000 aus Italien
150 000 dem Protektorat Böhmen und Mähren[1]
100 000 Belgien (Flamen und Wallonen)
90 000 aus den Niederlanden
70 000 der Slowakei[2]
50 000 dem ehemaligen Jugoslawien (z. Zt. laufen Anwerbungen auf je rund 75 000 Kroaten und Serben)
30 000 Dänemark
30 000 Frankreich
20 000 Ungarn
17 000 der Schweiz
10 000 Rußland (zum großen Teil Ukrainer)
10 000 Bulgarien (Anwerbungen laufen bis 25 000)
4 000 Rumänien
1 000 Norwegen
1 200 Schweden
1 000 Spanien (z. Zt. laufen Verhandlungen über die Hereinnahme von 100 000 Spaniern)
500 Griechenland
200 Finnland
100 Portugal.

Der Einsatz dieser Nationen hat ein sehr starkes außenpolitisches Interesse. Die ausländischen Regierungen und ihre Vertretungen im Reich zeigen immer deutlicher das Bestreben, sich direkt in die Betreuung ihrer Landsleute einzuschalten:

Die italienische Regierung hat einen Kommissar für Binnenwanderung und Kolonisation ernannt, der dem Duce direkt untersteht. Dieser, Dr. Lombrassa, hat bei seinem Deutschlandbesuch in diesen Tagen in Verhandlungen mit der Deutschen Arbeitsfront eine intensive Zusammenfassung und Betreuung der italienischen Arbeiter im Reich angebahnt.

Der Botschafter Abetz[3] in Paris hat durch Telegramm vom 8. August[4] die Absicht der französischen Regierung mitgeteilt, in Deutschland ein französisches Büro zur Betreuung der französischen Arbeiter einzurichten.

Der slowakische Gesandte[5] bemüht sich schon seit längerer Zeit in der gleichen Richtung.[6]

Von der kroatischen Regierung liegt ein ähnlicher Antrag vor.

Diese Fälle geben Veranlassung, die Verhältnisse bei der Betreuung der ausländischen Arbeiter zu überprüfen. Dabei hat sich Folgendes herausgestellt:

Um die Betreuung (Unterbringung, Verpflegung, Beschäftigung in der Freizeit usw.) kümmern sich heute außer den einzelnen Reichsressorts und der Deutschen Arbeitsfront die zwischenstaatlichen Gesellschaften, der VDA, die ausländischen Vertretungen, Gesandtschaften und Konsulate.

Die Deutsche Arbeitsfront hat nur auf einen Teil der in Lagern untergebrachten ausländischen Arbeiter einen bestimmenden Einfluß. Von ihr werden etwa 1 000 Gemeinschaftslager selbst geführt. Daneben bestehen über 3 000 Gemeinschaftslager, auf die sie nur einen indirekten Einfluß nehmen und mangels erforderlicher Vollmachten Mißstände nur durch den Versuch gütlicher Einwirkung abstellen kann. Es fehlt eine führende Stelle, die einheitliche Richtlinien verbindlich aufstellt und ihre Durchführung überwacht. Daraus ergeben sich sehr unerfreuliche außenpolitische Auswirkungen. Die Briefprüfstelle des OKW[7] hat verschiedentlich gemeldet, daß negative Berichte ausländischer Arbeiter in ihre Heimat in erheblicher Anzahl abgehen.[8]

Es ist ein unmöglicher Zustand, daß z. B. ausländische Vertretungen sich in ein- und derselben Frage einmal an die Deutsche Arbeitsfront, dann an den Reichsnährstand, an den Generalbauinspektor, an den Generalinspekteur für das deutsche Straßenwesen oder an das Reichsverkehrsministerium, um nur einige der vielen heute nebeneinander laufenden Stellen zu nennen, wenden müssen.

Es muß daher eine verantwortliche federführende Stelle geschaffen werden. Wegen der engen Verknüpfung mit den gleichen Fragen für den deutschen auswärts eingesetzten und in Lagern untergebrachten Arbeiter müssen auch diese hier mit erfaßt werden. Es sei hier nur auf eine der wichtigsten Probleme hingewiesen:

Die bevölkerungspolitischen Auswirkungen, die sich allein aus dem Vorhandensein einer so großen Zahl ausländischer Arbeiter im Reiche ergeben. So ist z. B. in keiner Weise zu verantworten, daß ausländische Arbeiter bei Soldatenfrauen Wohnung nehmen, deren Ehemann an der Front steht.

Ich schlage daher vor, einen „Reichskommissar für den Einsatz und die Betreuung auswärtiger Arbeiter" zu berufen. Seine Aufgabe wäre die Zusammenfassung und Lenkung aller Maßnahmen, die zur Betreuung der ausländischen Arbeiter in Deutschland notwendig sind, gleichzeitig würde ihm die Betreuung der deutschen, außerhalb ihres Wohnsitzes eingesetzten Arbeiter übertragen werden. Seine Maßnahmen ergehen unter Beteiligung der im einzelnen in Frage kommenden innerdeutschen Reichsbehörden, soweit es sich um die Betreuung der ausländischen Arbeiter handelt, nach den politischen Richtlinien des Auswärtigen Amtes.

Die geeignetste Persönlichkeit für diese Aufgaben wäre meines Erachtens der Reichsorganisationsleiter und Leiter der Deutschen Arbeitsfront, Reichsleiter Dr. Robert Ley.

Den Entwurf eines Führererlasses[9] füge ich in der Anlage bei.

Berlin, den 14. August 1941   Luther [v. r.]

Zur Vorlage
bei dem
Herrn Reichsaußenminister[10]

PA AA, R 99 023. Originál, strojopis, 4 strany.

---

1 K problematike náboru v Protektoráte pozri KOKOŠKOVÁ, Zdeňka – PAŽOUT, Jaroslav – SEDLÁKOVÁ, Monika (eds.). *Pracovali pro Třetí říši. Nucené pracovné nasazení českého obyvatelstva Protektorátu Čechy a Morava pro válečné hospodářství Třetí říše (1939-1945).* Praha : Scriptorum, 2011.

2 Ide o príliš nadhodnotený údaj. Porovnaj dokument 90.

3 Otto Abetz (1903 – 1958), od augusta 1940 do júna 1944 nemecký veľvyslanec vo Francúzsku. Po vojne ho parížsky vojenský tribunál za podiel na deportáciách francúzskych Židov a násilnom nábore Francúzov na práce do ríše odsúdil na 20 rokov nútených prác. V apríli 1954 ho však francúzske úrady prepustili na slobodu.

2 Dokument nepublikujeme.

3 Matúš Černák.

4 Pozri dokumenty 80 a 85.

5 Oberkommando der Wehrmacht.

6 Pozri dokumenty 108 a 116.

7 Návrh vodcovho výnosu mal nasledovné znenie: *„Der Einsatz ausländischer Arbeiter im Bereich des Groß-deutschen Reiches hat einen so großen Umfang angenommen, daß die mit der Betreuung dieser ausländischen Arbeiter zusammenhängenden Fragen einer Zusammenfassung und einer einheitlichen Lenkung bedürfen. Die gleiche Notwendigkeit liegt bei der Betreuung der deutschen außerhalb ihres Wohnortes eingesetzten und in Gemeinschaftslagern untergebrachten Arbeiter vor.*
Zu diesem Zweck berufe ich „einen Reichskommissar für den Einsatz und die Betreuung auswärtiger Arbei-ter", der mir direkt untersteht. Diesem obliegt die Zusammenfassung und Lenkung aller Maßnahmen, die zur Betreuung der deutschen auswärts eingesetzten Arbeiter und der ausländischen Arbeiter notwendig sind.
Der Reichskommissar ist gehalten, hinsichtlich der Betreuung der ausländischen Arbeiter das Einvernehmen mit dem Reichsaußenminister herzustellen und im übrigen die in Frage kommenden innerdeutschen Reichs-behörden zu beteiligen.
Der Reichskommissar hat die Stellung einer Obersten Reichsbehörde.
Zum Reichskommissar ernenne ich den Leiter der Deutschen Arbeitsfront, Reichleiter Dr. Ley."

8 Ríšsky minister zahraničných vecí J. von Ribbentrop nariadil, aby sa Zahraničný úrad nastolenou otázkou ďalej nezaoberal. Čakal, že sa na AA v tejto veci obráti samotný šéf DAF Robert Ley. (PA AA, R 99 023. Büttnerova rukopisná poznámka z 12. 9. 1841 na Puschovom zázname z 11. 9. 1941.)

92
1941, 2. september. Bratislava. – Vykonávacie smernice k dohode o hosťujúcom člen-stve slovenských pracovných síl nasadených v ríši v Nemeckom pracovnom fronte. Týkajú sa vymedzenia úloh slovenského splnomocnenca pri ústrednej kancelárii DAF.

Zwischen dem Slowakischen Gesandten in Berlin und dem Leiter des Amtes für Ar-beitseinsatz im Zentralbüro der Deutschen Arbeitsfront wurde gemäss § 9 nachstehend bezeichneten Vereinbarung[1] heute folgendes festgestellt:

1. Regelung
zur Vereinbarung vom 19. 2. 1941

Zu § 4, Punkt 1:
Das Slowakische Innenministerium in Pressburg sowie alle anderen slowakischen Ämter werden bei der Deutschen Arbeitsfront durch die Slowakische Gesandtschaft in Berlin vertreten. Der Slowakische Gesandte bestimmt seinen Beauftragten bei dem Zen-tralbüro der Deutschen Arbeitsfront.
Aufgabe dieses Beauftragten ist es, Richtlinien für die Durchführung der sozialen Be-treuung slowakischer Arbeiter im Reichsgebiet im engsten Einvernehmen mit der DAF den slowakischen Mitarbeitern zu geben, ihre genaue Durchführung zu überwachen und die staatsbürgerliche Erziehung der slowakischen Arbeiter in Deutschland zu lenken.
Der Beauftragte ist dem Slowakischen Gesandten in Berlin verantwortlich, der ihm nach Vereinbarung mit dem Slowakischen Innenministerium Anweisungen erteilt.
Die Tätigkeit des Beauftragten des Gesandten ist ehrenamtlich. Zur Durchführung sei-ner Aufgaben stellt er der DAF folgende Mitarbeiter zur Verfügung:
a)   einen ständigen hauptamtlichen Vertreter mit dem Sitz im Zentralbüro der DAF,
b)   einen zugeteilten Referenten,

c) einen Kanzleiangestellten,
d) eine Schreibkraft,
e) einen Bediensteten, der gleichzeitig als Kraftfahrer tätig ist,
f) für eine nötige Zahl hauptamtlich angestellter Kräfte für die Betreuung in den Gauen und Kreisen und in grossen Einsatzstellen, nach einem besonderen Stellenplan (s. Anlage 1).[2] Der Stellenplan wird im Einvernehmen mit dem Amt für Arbeitseinsatz aufgestellt und nach Bedarf ergänzt oder gekürzt.

Zu § 4, letzter Absatz:
Die hauptamtlichen slowakischen Mitarbeiter werden vom Slowakischen Innenministerium oder in dessen Vollmacht durch den Beauftragten des Slowakischen Gesandten in Berlin der DAF, Amt für Arbeitseinsatz, vorgeschlagen. Nach Übereinstimmung der beiden Stellen erfolgt der Einsatz des slowakischen Mitarbeiters. Von beiden Seiten wird Sorge getragen, dass der Einsatz schnellstens erfolgt und eine Stockung in der Betreuungsarbeit vermieden wird.

Die Dienstbezüge für die einzelnen im Zentralbüro und in den Gauen eingesetzten Mitarbeiter werden der Slowakischen Gesandtschaft in Berlin nach einer besonderen Skala, die als Anlage Nr. 2[3] beigefügt ist, erstattet.

Die in Ausübung des Dienstes entstehenden Reiseunkosten werden den slowakischen Mitarbeitern nach der DAF-Reisekostenordnung erstattet. Die Vergütung erfolgt nur dann, wenn die Fahrten im Zentralbüro vom Leiter des Amtes für Arbeitseinsatz, in den Gauen vom Leiter der Hauptabteilung Arbeitseinsatz genehmigt und der entsprechende schriftliche Antrag rechtzeitig ausgefertigt wurde.

Die erforderlichen Diensträume, ebenso alle anfallenden Bürounkosten für Schreibmaterial, Telephongebühren, Beleuchtungsunkosten stellt die Deutsche Arbeitsfront, im Zentralbüro das Amt für Arbeitseinsatz, in den einzelnen Gauen die Hauptabteilung Arbeitseinsatz, den slowakischen Mitarbeitern zur Verfügung.

Die hauptamtlichen slowakischen Mitarbeiter können abberufen werden, wenn:
a) der Arbeitsanfall durch die Rückkehr einer grösseren Anzahl slowakischer Arbeiter in die Heimat zurückgeht,
b) der betreffende Mitarbeiter sich für die ihm gestellten Aufgaben als unfähig erwiesen hat,
c) der betreffende Mitarbeiter gegen die in der DAF bestehende Disziplin verstossen hat.

Von einer Massregelung ist in allen Fällen die Übereinstimmung zwischen dem Beauftragten des Slowakischen Gesandten und dem Amt für Arbeitseinsatz herbeizuführen. Die entscheidende Massregelung bei disziplinären Verstössen wird ausschliesslich von dem Beauftragten des Slowakischen Gesandten in Berlin veranlasst.

Die Überwachung der hauptamtlichen slowakischen Mitarbeiter in disziplinärer Hinsicht (Diensteifer, Dienstpünktlichkeit, korrektes Auftreten) obliegt der jeweiligen DAF-Dienststelle.

Bei Verstössen, die eine Massregelung erfordern, benachrichtigt die DAF-Dienststelle den Beauftragten des Gesandten. Dem Zentralbüro der Deutschen Arbeitsfront, Amt für Arbeitseinsatz, wird über jeden Fall, der zu einer disziplinären Massregelung geführt hat, ein Bericht vom Beauftragten des Gesandten übergeben.

Die Auswahl der ehrenamtlichen Verbindungsmänner oder Stubenältesten in einem Gemeinschaftslager oder im Betrieb bleibt ausschliesslich der Verantwortlichkeit des jeweiligen slowakischen Gauverbindungsmannes der DAF unterworfen. Die benannten ehrenamtlichen Mitarbeiter werden zur Bestätigung der zuständigen Kreiswaltung der DAF gemeldet.

Für die ehrenamtlichen slowakischen Verbindungsmänner in den Gemeinschafts-
lagern und Betrieben werden Personalunterlagen beschafft, damit über die slowakische
Gesandtschaft in Berlin die politische Zuverlässigkeit überprüft werden kann. Dem Amt
für Arbeitseinsatz im Zentralbüro der DAF steht es frei, sich über die ehrenamtlichen
Vertrauensmänner der einzelnen Lager und Betriebe ebenfalls Personalunterlagen und Or-
ganisationspläne von den slowakischen Mitarbeitern einzufordern.

Bei Ausübung ihres Dienstes können die slowakischen Mitarbeiter die Uniform der
Hlinka-Garde tragen.[4]

Die Diensträume der slowakischen Beauftragten im Zentralbüro der Deutschen Ar-
beitsfront und in den Gauleitungen sind durch folgende Bezeichnung kenntlich zu ma-
chen:

VERBINDUNGSSTELLE IN DER DEUTSCHEN ARBEITSFRONT
BETREUUNG SLOWAKISCHER ARBEITER
Ochrana robotnikow zo Slovenska pri Nemeckom pracownom fronte.
Die Bezeichnung der Dienststelle erfolgt in deutscher und in slowakischer Sprache.
Die einzelnen slowakischen Mitarbeiter führen folgende Titel:
Im Zentralbüro der DAF: Verbindungsmann für Slowaken beim Amt für Arbeitseinsatz
In den Gauwaltungen: Gauverbindungsmann der Slowaken
In den Kreiswaltungen: Kreisverbindungsmann der Slowaken
In den Betrieben: Betriebsverbindungsmann der Slowaken
In den Lagern: Lagerverbindungsmann der Slowaken.

In den Diensträumen der slowakischen Verbindungsstellen dürfen die Hoheitszeichen
der slowakischen [sic!] Republik und die Bilder führender Persönlichkeiten der Slowakei
angebracht werden.

Angelegenheiten von grundsätzlicher Bedeutung aus dem Vertrag über die Gastmit-
gliedschaft vom 19. 2. 1941,[5] die einer weiteren Klärung oder Ergänzung bedürfen, wer-
den zwischen dem Amt für Arbeitseinsatz und dem Beauftragten des Slowakischen Ge-
sandten in Berlin nach vorheriger Beratung geregelt.

Berlin, den 2. 9. 1941

gez. Martin Cernak[6]   gez. Mende
Der Slowakische Gesandte   Reichsamtsleiter

BArch Berlín, R 59/48, Bl. 56-59. Cyklostyl, 5 strán.

---

1 Pozri dokument 80.
2 Prílohu nepublikujeme.
3 Ani túto prílohu nepublikujeme.
4 Porovnaj dokument 85.
5 Pozri dokument 80.
6 Správne Matúš Černák. Minister zahraničných vecí V. Tuka splnomocnil M. Černáka, aby *„ste Ministerstvo
   vnútra a všetky slovenské úrady voči Deutsche Arbeitsfront v Berlíne zastupovali.*
   *Súčasne Vás zmocňujem, aby ste menom Ministerstva vnútra prijímali potrebný počet plne zamestnaných síl,
   určených pre výkon ochrany robotníctva v Nemecku v rámci DAFu a aby ste príslušné dekréty podpisovali."*
   (SNA, f. MZV, š. 135, bez čísla. Prípis MV – Ústredný úrad práce – M. Černákovi z 24. 7. 1941.) Slovenská
   strana sa usilovala dosiahnuť udelenie diplomatického statusu pre sociálnych pracovníkov. Zahraničný úrad
   síce tento návrh odmietol, no súhlasil, aby boli vedení ako zamestnanci jednotlivých konzulátov. (SNA, f.
   MZV, š. 135, 13130/1942; tiež š. 975, 12122/1941.)

93

**1941, 30. september. Bratislava. – Prípis vojenského ataše Heinricha Beckera legač-
nému radcovi Maxovi Ringelmanovi týkajúci sa predĺženia lehoty zotrvania sloven-
ských pracovných síl, podliehajúcich brannej povinnosti, v Nemecku o ďalší rok.**

Militärattaché
Nr. 326/41   Pressburg, den 30. 9. 1941

Herrn
Dr. Ringelmann

Betr.: Einberufungen slowakischer Arbeiter aus Deutschland.
1 Anlage

    In der Anlage übersende ich Abschrift meines in der Angelegenheit der slowakischen
Rüstungsarbeiter in Deutschland an das Landesverteidigungsministerium gerichteten
Schreibens.[1] Dieses Schreiben hat dem Herrn Gesandten[2] vorgelegen.
    Zur weiteren Unterrichtung teile ich mit, dass mir bei der gestrigen Besprechung
mit General Čatloš dieser die Zurückstellung aller Rüstungsarbeiter in Deutschland auf
ein weiteres Jahr zugesagt hat.[3] Dagegen hat er gebeten, dass alle diejenigen Rekruten
(Jahrgang 1917-21), die nicht in wehrwirtschaftlichen bzw. nicht wichtigen Betrieben in
Deutschland arbeiten, jetzt einrücken.
    Ich habe mit Ob. Reg. Rat Sager darüber gesprochen. S. will sofort feststellen lassen,
welche Betriebe die Arbeiter freigeben können.
    Darüber hinaus hat aber General Čatloš betont, dass er im kommenden Jahre auf das
Einrücken der Rekruten Wert legen müsse, und dass seitens des Ob. Reg. Rats Sager ent-
sprechende Vorkehrungen für eine rechtzeitige Ablösung dieser Arbeiter getroffen werden
sollen.
    Auch hierüber ist Ob. Reg. Rat Sager verständigt.

                                       gez. Becker [v. r.]

PA AA, Gesandtschaft Preßburg, Paket 75, R 4 Nr. 2, Band I. Originál, strojopis, 1 strana.

---

1 List z 26. 9. 1941 mal nasledovné znenie: „*Obwohl kürzlich Herr Landesverteidigungsminister sein Ein-
verständnis gegeben hatte, dass alle derzeit im Reich arbeitenden slowakischen Wehrdienstpflichtigen bis
auf weiteres von einer Rückberufung aus Deutschland zwecks Ableistung des Wehrdienstes in der Slowakei
zurückgestellt bleiben sollten, haben neuerdings doch Einberufungen in erheblicher Zahl stattgefunden.
Das Gleich trifft zu auf einen Teil der in Wehrwirtschaftsbetrieben innerhalb der Slowakei beschäftigten slo-
wakischen Arbeiter.
Diese Einberufungen haben in Deutschland zu einer erneuten Unruhe beigetragen.
Auf Grund eines mir vom Reichsmarschall Göring als Beauftragten für den Vierjahresplan zugegangenen
Telegramms wäre ich dankbar, wenn die Ergänzungsbezirkskommandos in der Slowakei nochmals auf rei-
bungslose Durchführung der Rückstellungen zunächst auf mindestens 1 Jahr für alle in Frage kommenden
Arbeiter hingewiesen würden.*"
2 Hanns Elard Ludin.
3 MNO potvrdilo Čatlošov prísľub odpoveďou z 3. 10. 1941 na Beckerov list z 26. 9. 1941: „*Na verbálnu nótu
z 24/9 1941 č. R 4, Nr. 2, Nr. 5129 a na prípis voj. ataše z 26/9 1941 Ministerstvo národnej obrany dovoľuje
si oznámiť, že Slovenské vyslanectvo v Berlíne a Generálny konzulát vo Viedni dostali dňa 30/9 1941 vo veci
povolania slovenských robotníkov do prezenčnej služby túto telefonickú úpravu:
„Nepostrádateľným robotníkom v Nemecku ráčte povoliť odklad prezenčnej služby do r. 1942. Tí, čo sa chcú
vrátiť a budú uvoľnení, musia nastúpiť 10/10 1941 prezenčnú službu. Sezónni robotníci, ktorí by sa vrátili
v novembri t. r., nemajú zaručené, že budú ešte tohto roku povolaní do prezenčnej služby, ale až k 1/10 1942.*"

Ďalej si MNO dovoľuje upozorniť, že v prípise č. 60 131 dôv.III/15-1941 z 29/6 1941 išlo vtedy o <u>záložníkov</u> (Reservisten, Angehörige des Beurlaubtenstandes), teraz však ide o <u>osoby povinné prezenčnou službou</u> (dienstpflichtige).
Ministerstvo národnej obrany navrhuje, aby zmocnenec Ríšskeho ministerstva práce resp. Ríšske ministerstvo práce zavčasu každoročne oznámili Slovenskému vyslanectvu v Berlíne a Generálnemu konzulátu vo Viedni tých slovenských robotníkov, povinných prezenčnou službou, ktorí ako nepostrádateľní musia ostať v zbrojných a brannohospodárskych podnikoch v Nemecku, aby im vyslanectvo alebo konzulát povolili odklad prezenčnej služby a aby ich tunajšie doplňovacie úrady nepovolali do prezenčnej služby."

94

1941, 30. september. Graz. – Správa sociálneho dôverníka v ríšskej župe Štajersko o pomeroch slovenských priemyselných robotníkov v tamojších podnikoch a ubytovniach.

Slovenská delegácia
pri Nemeckej pracovnej fronte – DAF
Graz, Mariengasse 8   Graz, 30. sept. 1941

Č. 354/41
Vec: Správa za mesiac september 1941

Slovenská delegácia – Ústredie
pri DAF-Zentralbüro
v Berlíne

Podávam správu o činnosti v mesiaci sept. 1941.
1. Bežná pošta vybavená za celý mesiac.
2. Prevedené bolo 84 intervencií za slovenských robotníkov.
3. Návštevy robotníkov v lágroch a na pracovných miestach:
8. IX. RAB-Lager v Kapfenbergu: Láger a kuchyňa sú čisté a vyhovujú. Pracovný výkon dobrý, nálada dobrá, politický smer súhlasí s nar. soc. smernicami. Tlač obstaráva sa z Gracu. Slov. týždeň nechodí, knihy nedostávajú sa zo Slovenska a objednávajú si české z Prahy. Peniaze a pošta riadne dochádzajú. Prádlo ložné čisté, prezliekajú sa prikrývky a posteľ. Obleky robotníkov sú dostatočné, pri murároch nedostatok. Dovolenky sa ťažko udeľujú, keďže práca je nutná. Zdravotný stav dobrý.
Navštívil som toho istého dňa aj DAF Kreiswaltung v Bruck/Mur a informoval som sa z ich strany o našich. Sú spokojní, lenže poniektorí z našich sa nevracajú z dovoleniek. Ako toto zamedziť a tomu odpomôcť? Jednal som o prepustení robotníka M. Kotrusa, bol zatvorený a po 6 dňoch prepustený. Motív trestu: nevôľa pracovať. Vec urovnaná.
Bruck/Mur – Lager Winkel – firmy Weis & Freytag a Böhlerstahlwerke. Nálada, kuchyňa, politika, výkon práce v poriadku. Tlač ako v RAB-lágri. Peniaze a pošta v poriadku. Spoločenské zábavy hudba, kino. Karty zakapali. Prádlo v poriadku, šaty – nedostatok Bezugscheinov[1] – intervencia prevedená. Dovolenky firmy zarazili. Zdravotný stav dobrý. Prevody treba urýchliť.
9. 9. Kapfenberg fa. Böhler, Werk VI. Predstavení sú s našimi ľuďmi spokojní. Láger, kuchyňa, práca, nálada, politika sú v poriadku. Tlač ako u predošlých. Obleky chýbajú, nedostatok Bezugscheinov. Dovolenky obmedzené. Zdrav. stav dobrý.
Toho dňa som navštívil aj Kreiswaltung Murzuschlag. Úrady sú spokojné. V tomto okrese máme niekoľko roztrúsených našich robotníkov, neprevyšuje počet 50 a sú po jednotlivých zamestnávateľoch. Propagačný materiál riadne dostávajú.

Kreiswaltung Loeben sa sťažuje, že robotníci stále chcú dovolenky. Žiada sa pracovník – kultúrny referent pre Eisenerz, ktorý by bol platený Vami.

Navštívil som robotníkov v lágri Münzenberg pri Seegraben b. Loeben. Robotníci si sťažovali na Trennungzulag,[2] že ho nemajú vyplácaný, hoci tá istá fa. Alpinemontan v Eisenerzi ho robotníkom vypláca. Trennungzulag ale podľa názoru našich pánov na Gauwaltungu je ten, že dostanú ho len niektorí robotníci, kde to firmy dobrovoľne chcú vyplatiť. Zákonitého podkladu pre to neni. Láger je slabší, čistota neni práve najlepšia. Staršia budova a sú tam naši pomiešaní s Juhoslovanmi. Nálada je dobrá. Tlač iba od nás. Ináč pomery ako u predošlých. Peniaze, pošta a prádlo v poriadku. Bezugscheiny na šaty, nedostatok. Dovolenky sú obmedzené a zdravotný stav je dobrý.

10. 9. Eisenerz, Láger 62, 65, 64, všetko je v poriadku až na Slov. týždeň, ten nechodí. Majú časopisy zo Slovenska. Pre šaty nemajú bezugscheinov. Veľmi nutne sa potrebuje kultúrny spolupracovník platený vami. Sídliť by mal v Eisenerzi. A musí byť celkom nezávislý od firiem. Sem chodia akýsi zástupcovia tlačeného slova z Viedne a predávajú robotníkom slovenské knihy a nevedno, že kto ich na to splnomocnil. Knihy veľmi draho predávajú. Vec som Vám hlásil v osobitnej správe.

11. 9. Láger Radmer. Robotníci si sťažovali na kuchyňu. Však ale toto nebolo opodstatnené. Kuchyňa aj láger vyhovujú. Nálada a práca je v poriadku. Tlač chýba ako u predošlých. Nedostatok prádla a šiat. Najmä stavební robotníci sú roztrhaní. Dovolenky nemajú. Zdravotný stav dobrý.

Láger v Hieflau u Alpine AG. Celkom dobrý až na nedostatok šiat a tlače. Tam zamestnaní regrúti chceli narukovať k 1. X., ale neboli firmou prepustení.[3]

DAF-Láger v Hieflau. Poriadok celkove až na tlačené slovenské slovo. Láger sa rozchádza, keďže okolo 20. sept. už mali stavebné práce zakončiť.

Dňa 12. 9. stavil som sa na DAF-Kreiswaltungu v Judenburgu. Sťažovali si na neposlušnosť niektorých robotníkov. Veci vznikli tým, že neboli mnohí pre nutnosť práce prepustení na dovolenku domov. Sťažujú sa na zlé kamarátstvo. To vzniklo tým, že podelili sa výkonnejšie a slabšie partie. Práca je väčšinou akordová a tým pri zárobkoch vznikla nerovnosť a závisť.

Murdorf b. Judenburg fa. Böss, Láger-DAF. Mužstvo si sťažovalo najmä na kuchyňu. Sťažnosť bola opravená a zákrok prevedený. Práca výkonná, nálada a politika v poriadku. Tlač nechodí, iba od nás z Grazu. Naši robotníci majú až 150 % výkon. Na šaty nedostávajú dostatočné množstvo Bezugscheinov. Dovolenky v poriadku a robotníci sa vracajú do práce.

Fohnsdorf, Alpine AG – Kohlengrube. Robotníci sa sťažovali na slabú mzdu, ale podľa zmluvy je vše v poriadku. Nič sa na veci nemôže zmeniť. Tlač a odev ako u predošlých.

Zeltweg, Fa. Tschernitscheg. Ubytovanie ako u murárov – provizórne. Čistota lágru slabá a nevyhovuje. Pomery ako bol som uviedol predtým. Výplaty si robotníci žiadali po týždňoch a nie po dvoch týždňoch. Firma po tejto stránke nemôže vyhovieť, keďže má účtovanie dvojtýždenné, umožnila však robotníkom, aby dostali foršusy. Dovolenky sa nedávajú, keďže robotníci ich predlžovali alebo sa aj nevracali späť. Do účtovania som sa pozrel a oznámil som DAF-u, aby sa postarali do istého času o správny výsledok.

Zeltweg Alpine AG. Byty v poriadku. Kuchyňa slabá, ale na patričné Bezugscheiny dostanú koľko je vymerané. Naši sa s vecami uspokojili. Tlač ako u predošlých. Práca a výkon dobrý. Dovolenky obmedzené. Obleky a obuv chýbajú.

25. 9. Firmy Alpine AG a Negrelli, Láger Likawetz-Baracke. Robotníci sa sťažovali na zlé zaobchádzanie zo strany Lagerführera[4] a na kuchyňu. Sťažnosti boli opravené a zákrok bol prevedený. Chlapi majú nedostatok mydla, keďže pracujú v železiarňach. Tiež tresty neoprávnene dostali, o nápravu som sa postaral. Výkon, politika v poriadku. Nálada vzhľadom na zaobchádzanie – slabšia. Tlač a ostatné ako u predošlých.

27. 9. Oberndorf – Voitsberg Glasfabrik. Robotníci sa majú najlepšie snáď v Nemecku. Tam vše je v poriadku i ľudia pravda sú inteligentnejší. Kamarátstvo v poriadku. Zárobky skvelé a peniaze sa posielajú domov. S Loebenom som dohodol úradné dni na Kreiswaltungu pre stránky. Zavedené je to od 1. X. každé dva týždne po dvoch dňoch pre stránky. Ďalej návštevy po okrese. Tým by bola vec s Loebenom vyriešená. To však je administratívna vec.

Ráčte sa postarať o riad zasielanie Slov. týždňa ako som Vám bol v osobitnej správe spomenul.[5] Ďalej konečne treba vyriešiť odberanie tlače zo Slovenska a organizáciu HG. Pasové informácie alebo novely k predpisom oznamujte nám. Čakám Vaše správy.

Na stráž! N.

SNA, f. 604-57-3/50-53. Kópia, strojopis, 4 strany.

1 Odberné poukazy.
2 Správne Trennungszulage – odlučné.
3 Pozri dokument 93.
4 Vedúci tábora.
5 Správu sa nepodarilo nájsť.

95

1941, 16. november. Bratislava. – Prípis ministerstva financií Ústrednému úradu práce vo veci transferu miezd slovenských pracovných síl zamestnaných v Nemeckej ríši.

Odpis

Ministerstvo financií.
Číslo: 26.352/41-VI/17   V Bratislave dňa 16. novembra 1941

Robotnícky transfer – úprava

Ministerstvo vnútra
– do rúk p. odb. radcu Dr. Bezáka –
v Bratislave.

Podľa údajov, ktoré má Ministerstvo financií pri ruke, pracuje t. č.
a/ v Nemeckej ríši okrúhle 90 000 a
b/ v Protektoráte okrúhle 30 000 slovenských robotníkov.
Títo robotníci podľa dnešného stavu úpravy tzv. robotníckeho transferu mohli by poukázať na Slovensko behom jedného roku okrúhle 833 miliónov Ks. V skutočnosti poukazuje sa však behom jedného roku asi 2/3 časť tejto sumy, t. j. cca 550 miliónov Ks. Ministerstvo financií nemá dosiaľ vierohodne zistené z akých príčin sa vyčerpávajú len 2/3 poskytnutých možností. Podľa dopočutia časť robotníctva celý svoj zárobok utráca v Nemecku.
Na každý pád zostáva faktom, že Ministerstvo financií je prinútené starať sa o hladké financovanie čiastky Ks 550 miliónov ročne. Dnes, keď problém peňazí a problém tvorby hodnotnej, ustálenej meny je znevažovaný, Ministerstvo financií cíti povinnosť zdôrazniť obrovskosť tejto čiastky, znamenajúcej viac ako 1/4 všetkých štátnych príjmov.
Napriek tomu prichodí Ministerstvo vnútra s návrhom, aby sa transferové kvóty zvýšili. Podľa navrhovaného zvýšenia Ministerstva vnútra uvedení robotníci mohli by behom jedného roka poukázať 1037 miliónov Ks (viac ako polovicu všetkých štátnych príjmov),

počíta sa však pri tom s tým, že robotníci vyčerpajú túto možnosť opäť iba do 2/3 a že bude behom jedného roku poukázané Ks 691 miliónov. Nakoľko by i týmto spôsobom bola štátna pokladnica vystavená značnému nebezpečiu z možného citeľného zvýšenia predfinancovania, pripustilo Ministerstvo vnútra zmenu výplatného kurzu na 10 Ks. Žiadalo však, aby o sumu vyplývajúcu z kurzovej diferencie bola ročná kvóta robotníckeho transferu zvýšená. To znamená, že Ministerstvo financií i pri zníženom kurze muselo by toľko slovenských korún na okamžité predfinancovanie produkovať, ako keď by kurz zostal na 11 Ks. (Keď totiž kurzový rozdiel pripadol Ministerstvu vnútra na ciele sociálne, Ministerstvo financií malo to uľahčenie, že slovenské koruny malo čas produkovať dodatočne a až potom, keď už ríšske marky sfruktifikovalo a keď ich protihodnotu v slovenských korunách si vyinkasovalo. Okrem toho dnes kurzový rozdiel zostal by viaznuť v RM).

Preto zástupca Ministerstva financií nemohol súhlasiť s ďalším zaťažením slovenskej štátnej pokladnice.

Ministerstvo financií podáva k úprave robotníckeho transferu tento svoj návrh:

1/ Predovšetkým v súlade so Slovenskou národnou bankou žiada Ministerstvo financií, aby výplatný kurz bol bez ďalších kombinácií ustálený na Ks 9. Formálne by bolo treba pri tom postupovať tak, aby clearingový kurz 11,62 Ks zostal v zásade zachovaný, ale vyplatené čiastky aby sa podrobovali zrážke z titulu manipulačných výloh, sociálnej dávky a úniku daňového zdroja vo výške 2,62 Ks pri 1 RM.

2/ Dnešnú konštrukciu výplatného systému bolo by potrebné podrobiť rozboru. Ak by pri dnešnom systéme všetci robotníci využili transferových možností, vyplynulo by z toho pre štátnu pokladnicu neúnosné bremeno. Dnešný systém z hľadiska pokladničného skrýva pre slovenskú štátnu pokladnicu latentné nebezpečie neobyčajného významu. Vôbec dnešný stav je len preto možný, že iba 2/3 robotníckych zárobkov tvoria úspory a transferové potreby, kým 1/3 spotrebuje sa v Nemeckej ríši. Bolo by treba uvážiť, či nespôsobí tento fakt v nemeckých pomeroch škodlive. Naproti tomu pri šablónovitom vymedzení transferových čiastok šetrný slovenský robotník nie je v stave svoje úspory plne transferovať. Okrem toho nie každý je na okamžitú výplatu transferovaných čiastok odkázaný.

Podľa názoru Ministerstva financií bolo by potrebné dnešný systém kombinovať so systémom nútenej sporivosti.

Štát by pri tomto systéme nemusel celú čiastku ihneď vyplatiť, ale len časť, kým zbytok uznal by ako vklad (bezúročne, s nižším úrokom) Poštovej sporiteľne vypovedateľný za určitý čas a v určitých termínoch. (Možno to riešiť i formou bonu.) Meřítkom pri tom by mala byť objektívna domáca potreba podľa domácich zárobkových možností a možnosť štátnej pokladnice. Tak napríklad slobodný robotník, ktorý nevydržuje rodičov, by dostal svoje peniaze, ak by založil domácnosť, začal živnosť atď. Manželka robotníka by mala dostať len toľko, koľko potrebuje na nevyhnutné živobytie, aj so zreteľom na iné svoje príjmové zdroje. Nakoľko Ministerstvo vnútra má už následkom registračnej povinnosti úplný materiál a i skúsenosti, bude možné vytvoriť primeranú kategorizáciu. Na každý pád bude potrebné vec usporiadať jednak so zreteľom na záujmy a možnosti štátnej pokladnice a jednak so zreteľom na to, aby sa nerobili diferenciácie v zárobkových možnostiach tuzemských a zahraničných. To má podstatný vplyv na vytváranie sa domáceho pracovného trhu.

3/ Ministerstvo financií doporučuje, aby sa uvažovalo okrem toho aj o tom, že robotníci pracujúci v Protektoráte Čechy a Morava produkujú protektorátne koruny, ktoré posielajú ako úspory cez nemecký clearing, z ktorého sú vyplácané v slovenských korunách v relácii k RM. Robotník, ktorý pošle usporené K dostane ich vyplatené v Ks a nie v pomere 1 K = 1 Ks, ale 1 K = 1,10 Ks.

4/ Malo by sa uvažovať, aby tzv. Grenzgängeri[1] z Nemeckej ríše inkl. Protektorátu pracujúci v Slovenskej republike povinne posielali časť svojich zárobkov (napr. 2/3) cez Arbeiterlohnersparnisskonto, a to bez ohľadu na to, či ide o robotníkov alebo úradníkov.[2]

Ministerstvo financií žiada Ministerstvo vnútra, aby sa s uvedenými jeho námetmi láskave zapodievať ráčilo.

Na stráž !
Minister:
Dr. Mikuláš Pružinský v. r.

SNA, f. ÚPV, š. 95, 3166/1944. Kópia, strojopis, 4 strany.

---

1 Osoby pendlujúce do zamestnania cez hranice každý deň, resp. raz za týždeň.

2 Prípis s podobnou dikciou zaslalo MF 17. 11. 1941 aj ríšskemu ministerstvu hospodárstva: *„Podľa údajov, ktoré má Ministerstvo financií k dispozícii, pracuje dnes*
a/ v Nemeckej ríši okrúhle 90 000 a
b/ v Protektoráte Čechy a Morava okrúhle 30 000 slovenských robotníkov.
Úspory týchto robotníkov prichádzajú cez Arbeiterlohnersparnissekonto. Prostriedky na výplaty týchto úspor dáva k dispozícii Ministerstvo financií Slovenskej republiky, ročne asi 550 miliónov Ks. Táto suma reprezentuje značnú časť štátnych príjmov, ktorá sa odčerpáva zo štátnej pokladnice.
Ministerstvo financií snaží sa odčerpať svoje pohľadávky na Arbeiterlohnersparnissekonte, aby malo prostriedky na ďalšie financovanie transferu úspor. Odčerpávanie deje sa tým spôsobom, že prepláca nákupy štátnych úradov, ústavov a podnikov v Nemeckej ríši zo svojich pohľadávok na Arbeiterlohnersparnissekonte a tým sfruktifikuje RM na tomto konte.
Štátne úrady, ústavy a podniky z rôznych dôvodov robia objednávky aj u firiem v Protektoráte Čechy a Morava. Uhradenie kúpnej ceny z týchto nákupov naráža však na ťažkosti pre kurzovú diferenciu, lebo fy v Protektoráte dostanú 16 % kurzový rozdiel len pri výplate z Warenkonta.
Ministerstvo financií sa domnieva, že len z prehliadnutia došlo k tomu stavu, lebo má byť daná možnosť pre využitie pohľadávok štátu, vzniklých z financovania transferu úspor na tom území, na ktorom boli vytvorené.
Z čísiel zhora uvedených, t. j. z počtu robotníctva 90 000 a 30 000 vyplýva, že pomer robotníkov pracujúcich v Protektoráte k počtu robotníkov pracujúcich v Nemeckej ríši je 1:3, v dôsledku toho je oprávnená požiadavka, aby aj pohľadávky na zmenenom konte boli v tomto pomere použiteľné v Protektoráte. Toto by malo byť zásadne riešené vládnymi výbormi, a to čo najrýchlejšie. Zatiaľ, kým sa to stane je potrebné pre splatné už nákupy v Protektoráte urobiť provizórne opatrenie. Preto – ako provizórne opatrenie – dovoľujem si navrhnúť, - aby z Arbeiterlohnersparnisskonta bola prevedená suma 10 000 000 RM na Warenkonto. Táto suma nebude vyplatená Slovenskou národnou bankou Ministerstvu financií v Ks, ale bude použitá pre platby do Protektorátu na úhradu nákupov štátnych úradov, ústavov a podnikov.
Dovoľujem si požiadať o urýchlené prevedenie navrhnutého opatrenia v záujme promptného vyplatenia pohľadávok firiem. " (SNA, f. MF 1939 – 1945, inv. č. 26, š. 122.) Odpoveď nemeckej strany sa nám nepodarilo nájsť.

96

1941, 3. a 5. december. Berlín. – Záznam úradovne ríšskeho vedúceho propagandy NSDAP vo veci vytvorenia „Pracovného kruhu pre otázky bezpečnosti vo veci nasadenia cudzincov" v pracovnom procese na území Nemeckej ríše. Na zasadnutí sa diskutovalo o modalitách prístupu k jednotlivým skupinám cudzincov z pohľadu ich „rasovej vhodnosti". Prevažná časť debaty sa týkala opatrení voči nútene nasadeným osobám z okupovaných území ZSSR.

Niederschrift.

Betrifft: Einsatz fremdvölkischer[1] Arbeiter im Reich

Obergruppenführer Heydrich hatte zu einer in grösserem Rahmen stattfindenden Sitzung gebeten, um einmal zusammenfassend von sich aus einen Überblick über die aus dem Masseneinsatz fremdvölkischer Arbeiter sich ergebenden Schwierigkeiten zu geben und vor allem die Forderungen aufzuzeigen, die vom sicherheitspolizeilichen Standpunkt sowie zum Schutze von Volkstum und Rasse zu erheben und unbedingt zu erfüllen sind.

Nachstehend ein Überblick über seine Ausführungen, die sich vollauf mit unseren Anschauungen decken und offensichtlich auch durch unsere wiederholten Schreiben und Rücksprachen stark beeinflusst waren.[2]

Für die eigentliche Einsatzfrage ist der Reichsarbeitsminister federführend. Er ist in steter Verbindung mit dem Reichsführer SS und dessen Dienststellen, um dessen Belange insbesondere auch als Reichskommissar für die Festigung deutschen Volkstums zu berücksichtigen.[3]

Für den SD stehen drei Gesichtspunkte im Vordergrund:

1. die Reichssicherung
2. Schutz und Sicherung der produktiven Leistung der fremdvölkischen Arbeiter
3. Schutz des deutschen Volkstums und der deutschen Rasse, Verhinderung der Unterwanderung und Vermischung.

Der letzte Gesichtspunkt ist besonders wichtig. Es ist falsch, heute den Blick nur auf die Arbeitserfolge und Produktion zu lenken und vor den Forderungen rassen- und volkstumspolitischer Art die Augen zu verschliessen. Werden diese heute nicht von Anbeginn an berücksichtigt, so können die heute entstandenen Schäden nie mehr beseitigt werden.

Dabei sind verschieden zu regeln

a) Polen (hier sind die erforderlichen Entscheidungen schon gefallen und entsprechende Massnahmen im Gange),[4]

b) Tschechen (hier ist die Lage erheblich schwieriger, da nach Schätzung von Obergruppenführer Heydrich 40 bis 60 % der Tschechen eindeutschbar sind, die eindeutschbaren und nicht eindeutschbaren naturgemäss verschieden behandelt werden müssen, die Feststellungen, wer im einzelnen eindeutschbar ist, aber noch nicht vorliegen.[5] Im Einsatz wird man die Eindeutschbaren und nicht Eindeutschbaren trennen müssen, in das Reichsgebiet entweder nur die Eindeutschbaren oder aber die andere Gruppe nehmen. Beide Lösungen haben etwas für sich),

c) stammesgleiche Fremdvölkische = Angehörige der vorwiegend nordisch bestimmten Völker,

d) Stammesfremde, Zugehörige befreundeter Nationen,

e) sonstige Stammesfremde.

Grundsätzlich muss man erstreben, dass durch eine entsprechende Auswahl und Lenkung des Arbeitseinsatzes bereits volkspolitische Notwendigkeiten erfüllt werden. So wird die grosse Linie darin bestehen müssen, diejenigen Zugehörigen fremden Volkstums und fremden Stammes mit der Zeit zu entfernen, deren Einsatz rassenpolitisch besondere Gefahren mit sich bringt, im Arbeitserfolg wegen schlechter Arbeitsleistungen gering anzusetzen ist und politisch besonderen Schwierigkeiten unterliegt. Sie werden in zunehmendem Masse ersetzt werden müssen durch Angehörige der Nationen, bei denen wir von politischen Hemmungen frei sind und die wir schärfer anfassen können, vor allem Polen und Russen. Diese Entwicklung ist auch sicherheitspolizeilich erwünscht.

Aus politischen Gründen soll das Eindringen fremden Blutes in den deutschen Volkskörper zunächst ohne ein grundsätzliches gesetzliches Verkehrsverbot verhindert werden. Um aber überhaupt an den fremdvölkischen Arbeiter heranzukommen, ist an ein staatspolizeiliches Verbot gedacht, das auf einen Appell an die Fremdvölkischen gestützt ist, zu berücksichtigen, dass die deutschen Männer im Felde stehen und die Fremdvölkischen sich daher zurückhaltend zu benehmen haben. Die Fremdvölkischen bekommen ein Merkblatt dieses Inhalts in die Hand. Im Zusammenhang hiermit steht auch eine mit dem italienischen Polizeichef[6] getroffene Vereinbarung, nach der die Italiener abgeschoben werden, die sich im Sinne unserer Bestimmungen schlecht benehmen. Daneben kommt bei Minderleistung, Arbeitsverweigerung usw. Verbringung in ein Arbeitserziehungslager in Frage (vergl. hierzu Schreiben des Obergruppenführers vom 20. 10. 1941 an den Reichsleiter und Antwort vom 14. 11. 1941[7]).

Das Ergebnis der einleitenden grundsätzlichen Bemerkungen des Obergruppenführers Heydrich bestand in der Anregung, in wöchentlichen Abständen eine Arbeitsgemeinschaft der Sachbearbeiter der hauptbeteiligten Dienststellen zusammentreten zu lassen, in der alle laufend auftauchenden Fragen geklärt und unter massgeblicher Berücksichtigung der sicherheitspolizeilichen, politischen und volkspolitischen Gesichtspunkten entschieden werden sollen. Der Vorschlag fand allseitige Zustimmung. Der Arbeitskreis soll in Kürze erstmalig zusammentreten.

Anschliessend wurden eine Reihe von Einzelfragen besprochen, die vornehmlich mit dem auf Führerweisung erfolgenden Masseneinsatz von Russen im Reichsgebiet[8] zusammenhängen.

1. Der Einsatz der Russen wird, wie sich heute bereits abzeichnet, zu einer erheblichen Erhöhung der Gewaltverbrechen durch entsprungene Russen führen. Der Arbeitskreis wird für Massnahmen zu sorgen haben, dass in diesen Fällen schnell und wirksam eingegriffen wird. Er wird zugleich geeignete Massnahmen treffen müssen, dass die deutsche Bevölkerung zur richtigen Haltung gegenüber den Russen erzogen wird, insbesondere Regungen des Mitleids unterdrückt werden. In diesem Zusammenhang erwähnte er Fälle, in denen Klöster und Geistliche vagabundierende Russen bei sich aufnehmen. Die Gefahr von Mitleidsregungen erwies Obergruppenführer Heydrich an dem Beispiel der Judenkennzeichnung, die viele Volksgenossen veranlasst hat, den Juden besonders Mitgefühl zuzuwenden.

2. Wegen Russeneinsatzes allgemein wurde auf die Sitzung im Reichsarbeitsministerium vom 28. 11. 1941 verwiesen.

3. Die Erfahrungen mit der freiwilligen Anwerbung von Russen in Kriwoi Rog[9] sind schlecht. Der Grund ist darin zu sehen, dass die Barlöhne in Kriwoi Rog verhältnismässig hoch waren und die bolschewistischen Arbeiter für die hier allgemein gewährten besseren Lebensverhältnisse keinen Sinn haben. Voraussichtlich wird man in Zukunft dazu übergehen müssen, die Arbeitskräfte dort eher zusammenzufangen als werben. Die Gesamtschwierigkeiten mit dem Russeneinsatz nötigen dazu, in den einzelnen Betrieben vor Eintreffen der ersten Transporte alle mit dem Einsatz zusammenhängende Fragen, auch der Unterbringung usw. vorweg zu klären, da erhebliche Gefahren und grosse Durcheinander zu befürchten wären, wenn man jeweils durch die ersten Transporte die Voraussetzungen für den Arbeitsbeginn der späteren schaffen lassen wollte.

4. Ideal wäre, im Betrieb deutsche Führer und russische Arbeiter zu haben. Es wird schwer durchzuführen sein. Sichergestellt muss aber werden, dass nicht deutsche und russische Arbeiter die gleiche Arbeit nebeneinander verrichten.

Mongolen sollen nach bestehenden höheren Weisungen nicht eingesetzt werden. Würden sie eingesetzt, so wäre bei ihnen die Trennung vom deutschen Arbeiter schon aus äusseren Gründen leichter durchzuführen. Bei dem Einsatz der rassisch von den deutschen Arbeitern nicht so stark unterschiedenen übrigen Russen besteht Gefahr, dass sich eine Solidarität der deutschen und russischen Arbeitergruppen bildet. Dem muss man von vornherein entgegengewirkt werden. Das arteigene und volkseigene Bewusstsein muss daher stets beim deutschen Arbeiter besonders unterstützt und gewahrt werden.

Besondere Verhältnisse bestehen bei den Turkvölkern. Sie sind antibolschewistisch und sauberer. Obergruppenführer Heydrich bezeichnete es als erwünscht, sie in stärkerem Ausmasse einzusetzen. Er will hierüber nochmals mit dem Reichsmarschall[10] Fühlung aufnehmen.

5. Besonders nötig ist es, bei der deutschen Frau das Gefühl für die Fremdheit des Russen wachzuhalten und dafür zu sorgen, dass sie sich stets als deutsche Frau fühlt.

6. Erwünscht ist eine zusammenfassende Kennzeichnung aller aus dem Osten kommenden Arbeiter, etwa mit einem Abzeichen „Ost".[11] Die völkischen Unterschiede im Osten dürfen nicht berücksichtigt werden, da jeder Anschein vermieden werden muss, dass deutscherseits Politik zu Gunsten irgendeines Ostvolkes getrieben wird. Dies gilt auch von den Ostukrainern, die politisch wie jeder andere Angehörige des ehemaligen bolschewistischen Staates zu behandeln sind.

Bei dieser Gelegenheit wendet sich Obergruppenführer Heydrich gegen einen Erlass des Ostministers[12] vom 22. 11., der, ohne Ost- und Westukrainer zu scheiden, von ukrainischer Kultur und von der Hebung der Ukraine spricht. Der Erlass behauptet, unter den Ukrainern befänden sich erhebliche germanische Bestandteile. Es entspann sich eine Debatte mit dem Vertreter des Ostministeriums und dem Vertreter der DAF.

Das Ergebnis ist folgendes:

Politisch wird zwischen Ost- und Westukrainern unterschieden. Die Ostukrainer werden wie die übrigen Bolschewisten behandelt, da nach Auffassung von Obergruppenführer Heydrich die völkische Eigenart der Ostukrainer völlig vernichtet ist. Die Westukrainer aus dem erweiterten Generalgouvernement[13] werden besonders behandelt, politisch, indem sie weder mit „P" noch mit „Ost" gekennzeichnet werden, lohnpolitisch, indem auch hier die Ostukrainer den Russenbestimmungen unterliegen, die Westukrainer dagegen, soweit sie im Generalgouvernement eingesetzt sind, den dortigen Bestimmungen unterliegen, soweit sie aber im Reich tätig sind, bessergestellt werden. Bisher waren die im Reich Beschäftigten von der Ausgleichsabgabe völlig freigestellt. Für die Zukunft schlägt Obergruppenführer Heydrich, um sie den Deutschen nicht völlig gleich zu behandeln, vor, auch von ihnen eine wenn auch etwas geringere Ausgleichabgabe zu erheben.

Die Angehörigen der Völker, an deren innerer politischer Einstellung zu uns wir Interesse haben, sollen gegebenenfalls noch zusätzlich mit einem besonderen Buchstaben gekennzeichnet werden, um sie auch nach aussen hin von den übrigen Altbolschewisten zu unterscheiden.

Über diese Fragen muss mit dem Reichsmarschall nochmals gesprochen werden, der im Grunde eine gleiche Bezeichnung aller Ostvölker ohne völkische Rücksichten haben will.

7. Die Arbeiter aus dem Osten erhalten zunächst Kennnummern. Die Ausstellung von Papieren ist dann für später vorgesehen.

8. Sie sind grundsätzlich in Lagern unterzubringen. Der DAF wurde auf ihre Bitte Unterstützung bei der Beschaffung von Baracken zugesagt, um die Russen endlich aus den Privatwohnungen herauszubringen, in denen sie zum Teil noch untergebracht sind.

9. Auf den Gesundheitszustand ist besonders zu achten. Es ist vorgekommen, dass Transporte mit 50 % Ausfall an Toten angekommen sind. Im KZ Oranienburg sind kürzlich bei einer Flecktyphusepidemie 500 Mann gestorben, daneben 11 Mann Bewachungspersonal. Die Überwachung des Gesundheitszustandes und der Sauberkeit darf sich nicht auf die Aufnahme ins Reich und auf die Unterkunft beschränken, sondern muss auch in den Betrieben durchgeführt werden. Hier müssen die deutschen Werkmeister mit eingesetzt werden, die zum Teil hilfspolizeiliche Funktionen erhalten werden.

10. Die Bewachung ist bis zur Ankunft in den Betrieben Angelegenheit der Polizei. Die Bewachung in den Betrieben muss noch geklärt werden. Sie wird vor allem dann schwierig, wenn, wie es häufig der Fall sein muss, Kriegsgefangene und Zivilrussen gemeinsam eingesetzt sind. Hierzu sind Vereinbarungen zwischen OKW und Polizei, aber auch eine eindeutige Klärung der Aufgaben der deutschen Werkmeister erforderlich.

11. Im übrigen verwies Obergruppenführer Heydrich auf die mit dem Reichsleiter[14] vor dem Abschluss stehende Vereinbarung, dass Kräfte der Partei zur Überwachung, vor allem ausserhalb der Lager, mit eingesetzt werden sollen. Er bat darum, die Polizeikräfte weisungsgemäss nicht dem Hoheitsträger, sondern zur Vermeidung eines Instanzenzuges unmittelbar der Polizei zu unterstellen. Hierüber steht ein abschliessendes Schreiben des Chefs der Sicherheitspolizei und des SD in Aussicht.

Die Sitzung wurde ohne weitere Aussprache mit dem Hinweis geschlossen, dass in allernächster Zeit die praktische Arbeit der Arbeitsgemeinschaft beginnen werde. Im Vordergrund ihrer Arbeit wird die Sicherung aller der Massnahmen stehen müssen, die zum Schutze des deutschen Volkstums und der deutschen Rasse erforderlich sind.

Berlin, den 3. Dezember 1941
III A – Rei/Ra.

Anschliessend wurde mit dem Sachbearbeiter des Reichssicherheitshauptamtes, Sturmbannführer Baatz,[15] näheres über die Ausgestaltung der Arbeitsgemeinschaft besprochen. Noch vor Weihnachten wird eine erste begründete Sitzung unter dem Vorsitz von Gruppenführer Müller sein, in der der Arbeitsplan aufgestellt wird. Um uferlose Debatten über Einzelfragen zu vermeiden und eine straffe Arbeit des Arbeitskreises zu gewährleisten, wird dann jede weitere Besprechung von vornherein unter einem bestimmten Thema stehen. Grundgedanke wird immer die sicherheitspolizeiliche Aufgabe der Sicherung des Reiches sowie die politische Aufgabe des Schutzes von Volkstum und Rasse sein. Unter diesen Gesichtpunkten sollen dann in den verschiedenen Sitzungen besprochen werden

a) Fragen der Einsatzsteuerung,
b) Fragen des erziehungsmässigen und propagandistischen Einwirkens auf die Fremdvölkischen (Merkblatt),
c) das Verkehrsverbot,
d) Fragen der Unterbringung (in Lagern Trennung von Deutschen) usw.

Die Sitzungen werden zunächst 14-tagig in Aussicht genommen. Es ergehen Einzeleinladungen an den jeweils besonders interessierten Personenkreis unter Angabe des bei der Besprechung vorgesehenen Hauptproblems. Dabei ist sichergestellt, dass wir aus politischen Gesichtspunkten an jeder Sitzung teilnehmen.

Berlin, den 3. Dezember 1941
III A – Rei/Ra.

BArch Berlín, NS 18/1245. Kópia, strojopis, 9 strán.

1 Ide o slovo typické pre slovník SS. Hoci sa termín »fremdvölkisch« objavil už v polovici 20. rokov minulého storočia v diskusii o postavení národnostných menšín v Nemeckej ríši, svoj obskúrny význam nadobudol až v druhej polovici 30. rokov v kontexte »Volkstumspolitik« Himmlerových SS. Týmto slovom sa označovali osoby „nenemeckej krvi".

2 SS a stranícke miesta sa vyjadrovali proti hromadnému zamestnávaniu cudzincov na území Nemeckej ríše. Videli v ňom hrozbu pre udržanie „rasovej čistoty" nemeckého národa.

3 H. Himmler bol menovaný do tejto funkcie 7. 10. 1939. Z tohto titulu rozhodoval nielen o presídľovaní etnických Nemcov do ríše, ale aj o *„elimination škodlivého vplyvu tých etnicky cudzorodých častí obyvateľstva, ktoré znamenajú nebezpečenstvo pre ríšu a nemeckú národnú pospolitosť".* Pozri LENIGER, M. *Nationalsozialistische „Volkstumsarbeit"...*, s. 62. ALY, Götz: *„Konečné řešení". Přesun národů a vyhlazení evropských Židů.* Praha : Argo, 2006, s. 36. LONGERICH, Peter: Heinrich Himmler. Biographie. Mníchov : Pantheon Verlag, 2010, s. 449-450.

4 Ide o vyhlášky RSHA z 8. 3. 1940. Podrobnejšie pozri HERBERT, U. *Fremdarbeiter...*, s. 85-94.

5 K rasovým previerkam v Protektoráte pozri HEINEMAN, I. »Rasse, Siedlung, deutsches Blut«..., s. 151-157. KÜPPER, René. *Karl Hermann Frank (1898–1946). Politische Biographie eines sudetendeutschen Nationalsozialisten.* Mníchov : Oldenbourg, 2010, s. 168-170, 242-252.

6 Carmine Senise.

7 Dokumenty nepublikujeme.

8 Ide o Hitlerov rozkaz z 31. 10. a Göringov vykonávacie nariadenie zo 7. 11. 1941.

9 Krivoj Rog (Kryvyj Rih), priemyselné mesto v južnej časti Ukrajiny.

10 Hermann Göring.

11 Ustanovenie o tom obsahoval „Ostarbeitererlass" z 20. 2. 1942.

12 Presne Reichsminister für die besetzten Ostgebiete. Ministrom bol oficiálne od 17. 7. 1941 Alfred Rosenberg. Verejnosť sa o existencii ministerstva dozvedela až o štyri mesiace neskôr na Rosenbergovej tlačovej konferencii 19. 11. 1941.

13 Východná Halič bola po útoku na ZSSR pripojená ku Generálnemu gouvernementu ako „Distrikt Galizien".

14 Joseph Goebbels.

15 Bol referentom v Úrade IV RSHA (Gestapo) pre Poľsko, okupovanú západnú Európu a nútene nasadené pracovné sily. K jeho osobe pozri WILD, Michael. *Generation des Unbedingten. Das Führungskorps des Reichssicherheitshauptamtes.* Hamburg : Hamburger Edition, 2008, s. 355-357.

97

1942, 5. január. Berlín. – Úryvok z článku ministerského radcu Maxa Timma v periodiku Reichsarbeitsblatt č. 1/1942 o nábore a nasadení slovenských pracovných síl v Nemecku.

Der Einsatz ausländischer Arbeitskräfte in Deutschland
Von Dr. Timm,[1] Ministerialrat im Reichsarbeitsministerium.

[...]

D. *Slowakei.*
1. Organisation.

Die Vermittlung slowakischer Arbeiter ins Reich nahm bereits Ende 1938 größeren Umfang an. Sie wurde durch die frühere Zweigstelle der Reichsarbeitsministers für die Ostmark auf der Grundlage des damaligen deutsch-tschechoslowakischen Staatsvertrages durchgeführt und erstreckte sich im wesentlichen auf gewerbliche Arbeiter.[2] Die damals aufgenommenen Arbeitseinsatzbeziehungen wurden nach Gründung des slowakischen Staates im März 1939 ausgebaut. Mit Rücksicht auf den wachsenden Umfang der Anwerbungen wurde zu Beginn des Jahres 1941 die ›Arbeitseinsatzdienststelle des Reichsarbeitsministeriums für die Slowakei‹ mit dem Sitz in Preßburg errichtet.[3] Diese sorgt in enger Zusammenarbeit mit den slowakischen Dienststellen für die rechtzeitige und vollzählige Bereitstellung der durch deutsch-slowakische Vereinbarungen für den Einsatz im Deutschen Reich festgelegten Anzahl slowakischer Arbeiter.[4]

Die Arbeitsvermittlung gehört in der Slowakei zu den Aufgaben des Innenministeriums, dem als besondere Sektion das Zentralarbeitsamt angegliedert ist. Diesem unterstehen 60 Arbeitsämter, die sich außer mit Arbeitsvermittlung auch mit Lohnpolitik, Arbeitsrecht und Arbeitsschutz befassen.

Auf Grund der deutsch-slowakischen Vereinbarungen werden jährlich rd. 55 000 bis 60 000 Arbeitskräfte ins Reich vermittelt, davon etwa 70 v. H. für landwirtschaftliche Arbeiten. Die landwirtschaftlichen Arbeitskräfte werden, damit sie schon bei den ersten landwirtschaftlichen Frühjahrsarbeiten eingesetzt werden können, bereits in den ersten Monaten des Jahres angeworben und überwiesen. Die Landarbeiter kehren im allgemeinen nach Beendigung der Erntearbeiten in ihre Heimat zurück.

Den slowakischen Arbeitsämtern werden während der Werbesaison reichsdeutsche Arbeitsvermittler beigegeben, die im Zusammenwirken mit den slowakischen Arbeitsämtern die Anwerbung durchführen.

2. Umfang der Arbeitslosigkeit.

Die Zahl der Arbeitslosen wird in der Slowakei nicht ermittelt. Die Zahl der Arbeitssuchenden betrug:

Juli 1940	7 624,	davon Hilfsarbeiter 3 375
Dezember 1940	26 672,	davon Hilfsarbeiter 13 435
März 1941	63 054,	davon Hilfsarbeiter 33 247
Juli 1941	4 553,	davon Hilfsarbeiter 2 350

Die Slowakei als verhältnismäßig dicht besiedeltes Agrarland mit ausgesprochen kleinbäuerlichem Grundbesitz und wenig Industrie kann nicht allen ihren Bewohnern regelmäßige Beschäftigung bieten. Für die Slowaken lagen die Verhältnisse zur Zeit des tschechoslowakischen Staates insofern ungünstig, als die inzwischen ausgesiedelten tschechischen Volkstumsangehörigen mit den Angehörigen slowakischen Volkstums bei der Besetzung begehrter Arbeitsstellen in scharfer Konkurrenz standen. Die begrenzten Arbeitsmöglichkeiten führten dazu, daß zahlreiche Bewohner der slowakischen Gebietsteile Saisonarbeit in den arbeitsintensiven Grenzgebieten der Tschechei (vornehmlich jetziges Sudetenland) und Österreichs, ferner aber auch in Frankreich und Belgien annahmen. Bei der den Slowaken eigenen bescheidenen Lebensweise transferierten sie durchweg einen recht hohen Anteil ihres Verdienstes in die Heimat.

In der Slowakei dürften noch Arbeitskraftreserven für den Einsatz außer Landes verfügbar sein. Bei der Beurteilung des Umfangs dieser Reserven ist in Betracht zu ziehen, daß zahlreiche Arbeitskräfte in der Spitzenarbeitszeit der Landwirtschaft zur Versorgung des landwirtschaftlichen Eigenbesitzes benötigt werden und daher für einen anderweitigen Dauereinsatz ausfallen. Hierbei ist zu berücksichtigen, daß rd. 55 v. H. der slowakischen Gebietsfläche ackerbaufähig ist, von deren Erträgnissen weit mehr als die Hälfte der Bevölkerung wirtschaftlich abhängig ist. Arbeitseinsatzmäßig sind die Bestrebungen des slowakischen Staates, die landwirtschaftliche Erzeugung zu steigern, insofern beachtlich, als sie einen verstärkten Kräfteeinsatz bedingen und damit die Möglichkeit zur Abgabe von Arbeitskräften beschränken.

Die im Juni 1941 erfolgte Mobilmachung und die hiermit verbundenen umfangreichen Einberufungen zum Heeresdienst haben zu einem Mangel an Arbeitskräften in der heimischen Landwirtschaft geführt, so daß zur Sicherung der Ernte die Anwerbung von Arbeitern für das Deutsche Reich vorübergehend eingestellt werden mußte.[5]

3. Zahlenmäßige Entwicklung.

Auf Grund der deutsch-slowakischen Vereinbarung vom 8. Dezember 1939 wurden für das Jahr 1940 angeworben und nach Deutschland überwiesen:

	38 000 Land- und Forstarbeiter
	25 000 gewerbliche Arbeitskräfte
insgesamt	63 000 Arbeitskräfte.

Im Jahre 1941 sind bis 30. Juni 1941 für das deutsche Reichsgebiet zur Verfügung gestellt worden:

	42 600 Land- und Forstarbeiter
	9 000 Industriearbeiter
insgesamt	51 600 slowakische Arbeitskräfte.

Das Ergebnis im gleichen Zeitraum des Vorjahres:

	30 300 Land- und Forstarbeiter
	15 000 Industriearbeiter
insgesamt	45 300 Arbeitskräfte.

Somit wurden im Jahre 1941 6 300 Arbeitskräfte mehr als im Vergleichszeitraum des Vorjahres für das deutsche Reichsgebiet zur Verfügung gestellt. Die im Jahre 1940 angeworbenen gewerblichen Arbeitskräfte sind überwiegend erst in der zweiten Jahreshälfte ins Reichsgebiet ausgereist und im Gegensatz zu den land- und forstwirtschaftlichen Arbeitern gegen Ende des Jahres nicht in die Heimat zurückgekehrt, sondern an ihren Arbeitsstellen verblieben. Deshalb blieb im Jahre 1941 die Vermittlung gewerblicher Arbeiter zahlenmäßig hinter dem Ergebnis des Jahres 1940 zurück.

Die zum Teil ungünstigen Verkehrsverhältnisse in den ländlichen Gebieten der Slowakei wirken sich nachteilig auf den Fortgang der Anwerbung aus. Die Arbeitskräfte aus solchen Bezirken müssen in Ermangelung ausreichender Fahrgelegenheiten weite Fußmärsche zu den Anwerbestellen zurücklegen. Dies bedeutet eine Erschwerung, besonders insoweit, als die Anwerbepläne auf längere Sicht vorbereitet werden müssen, zumal die Anwerbetermine in der Regel nur an Sonntagen gelegentlich des Kirchgangs durch Austrommeln und Aushängen von Plakaten bekanntgegeben werden können. Das gleiche gilt sinngemäß für die Abbeförderung der angeworbenen Arbeiter. Mit Rücksicht auf die starke Inanspruchnahme des Eisenbahnnetzes muß bereits zu Beginn des Jahres durch Verhandlungen mit der Reichsbahn ein für die gesamte Anwerbezeit geltender Fahrplan aufgestellt werden. Die Notwendigkeit, den Fahrplan unbedingt einzuhalten, erfordert, daß der Fortgang der Anwerbung weitgehend mit den Beförderungsmöglichkeiten in Übereinstimmung gebracht wird.

4. Voraussichtliche Entwicklung.

Die slowakische Regierung ist bestrebt, die sozialen Probleme nach und nach zu lösen und den Bewohnern des slowakischen Staatsgebietes in möglichst weitgehendem Maße eine bodenständige Beschäftigung zu sichern.

Diese Bestrebungen finden ihren Niederschlag in der Aufstellung großzügiger Bauprogramme, die u. a. den Ausbau und die Verbesserung des slowakischen Straßennetzes vorsehen. Die Ausführung der Pläne wird allerdings durch den Mangel an geeigneten Facharbeitern stark gehemmt. Die slowakischen Stellen sind daher bemüht, die für die Lösung der arbeitspolitischen Probleme notwendigen Facharbeiter zu gewinnen. Sie lassen den hierauf gerichteten Maßnahmen, so der Berufsnachwuchslenkung, den Berufs- und Fortbildungsschulen, der planmäßigen Lehrlingsausbildung und der Ausbildung slowakischer Jugendlicher und Arbeitskräfte in deutschen Betrieben, besondere Förderung angedeihen. Indessen werden Erfolge dieser Maßnahmen erst nach Jahren voll wirksam werden, so daß der verhältnismäßig bedeutsame Überschuß an Arbeitskräften jedenfalls zu einem erheblichen Teil noch auf Jahre hinaus darauf angewiesen sein wird, seinen und den Unterhalt seiner Angehörigen außer Landes zu suchen.

[…]

PA AA, R 123 560. Reichsarbeitsblatt Nr. 1 (1942), 2 strany.

1 Max Timm (1898 - ?). V rokoch 1937 – 1938 vedúci oddelenia II (pracovné nasadenie a profesijné poradenstvo), od roku 1939 oddelenia Va (pracovné nasadenie a usmerňovanie profesijného dorastu) v ríšskom ministerstve práce. Od roku 1942 vedúci hlavného oddelenia VI (európsky úrad pre pracovné nasadenie) v úradovni Mimoriadneho splnomocnenca pre pracovné nasadenie (GBA).
2 Pozri dokument 3.
3 Predmetný výnos sa nám nepodarilo nájsť.
4 Pozri dokumenty 18 a 86.
5 Porovnaj dokumenty 87 a 93.

98

1942, 9. január. Bratislava. – Správa vyslanca H. E. Ludina Zahraničnému úradu vo veci periodika „Slovenský týždeň", určeného pre slovenské pracovné sily v Nemecku. Čiastočná kritika formy a obsahu týždenníka.

Aktz.: D F 1 o Nr.: 7103
Betrifft: „Slovenský Týždeň"
Auf Erlass P 22764 vom 19. XII. 1941
2 Durchdrucke

9. Jänner 1942
Pressebericht[1]

Da der Ausfuhr slowakischer Zeitungen ins Reich grundsätzliche Hindernisse im Wege stehen, muss die Herausgabe eines Blattes in slowakischer Sprache für die im Reich tätigen Arbeiter aus der Slowakei durch die zuständigen Reichsstellen begrüsst werden. Die Tatsache, dass sich die Leserschaft dieses Blattes so gut wie ausschliesslich aus Land- und Industriearbeitern, zu einem geringen Teil aus Facharbeitern zusammensetzt, schreibt der inneren Ausgestaltung des Blattes von vornherein die Einhaltung ganz bestimmter Richtlinien und die Rücksichtnahme auf gewisse Sonderbedürfnisse vor.

Nach eingehender Überprüfung mehrerer Nummern[2] muss zur inhaltlichen Ausgestaltung festgestellt werden:

1./ Die Aufmachung und drucktechnische Gestaltung der Titelseite ist zu schwer, zu kompakt und verlangt nach einer Auflockerung. Die Belastung der ersten Seite fast ausschliesslich mit grundsätzlichen Artikeln und Kundgebungen führender slowakischer Staatsmänner muss auf die Dauer ermüdend wirken.

2./ Ausser den rein politischen Meldungen aus der Heimat, die zweifellos dem grössten Interesse der Leser begegnen, müsste das Blatt ab und zu auch noch lebendige Schilderungen über die Lebensverhältnisse in Pressburg und in der Provinz bringen; der äusseren Form nach als lockere Reportagen aufgemacht, die bei dem slowakischen Leser sehr beliebt sind.

3./ Es fällt auf, dass in dem Blatt Schilderungen aus dem Leben der slowakischen Arbeiter im Reich vollkommen fehlen. Es ist anzunehmen, dass sich der Arbeiter, der an der Förderung des Eisenerzes in der Steiermark tätig ist, für die Lebensverhältnisse und für die Arbeit seiner Landsleute in den landwirtschaftlichen Sektoren oder in den industriellen Bezirken Mitteldeutschlands interessiert. Derartige lebendig abgefasste Berichte müssten vor allem dann in das Blatt aufgenommen werden, wenn das Blatt die in Aussicht genommene Ausfuhr von etwa 50 000 Exemplaren nach der Slowakei verwirklichen will.

4./ Ausserordentlich ansprechend wirkt das im „Slovenský Týždeň" wiedergegebene Bildmaterial. Die Reproduktionen von Bildern im „Slovenský Týždeň" sind besser als die in allen Zeitungen, die auf dem Boden des Slowakischen Staates erscheinen.

5./ Das Blatt ist haltungsmässig einwandfrei, vor allem die Bearbeitung aller aussenpolitischen Themen kann als durchaus zufriedenstellend bezeichnet werden. Die starke Berücksichtigung feuilletonistischer Elemente ist im Hinblick auf die zu betreuenden Leser durchaus zu begrüssen.

gez. Ludin

An
das Auswärtige Amt
Berlin.[3]

PA AA, Gesandtschaft Preßburg, Paket 75, R 4 Nr. 2, Band II. Kópia, strojopis, 2 strany.

1 Autorom správy je tlačový atašé nemeckého vyslanectva Wolfgang Mühlberger.
2 Noviny začali vychádzať v polovici apríla 1941. Pozri dokument 80. Bližšie k periodiku pozri FEDOR, M. *Bibliografia 1938-1944*, s, 372-373.
3 Správa bola AA odoslaná 14. 1. 1942.

99

1942, 15. január. Bratislava. – Správa nemeckého vyslanectva Zahraničnému úradu o nábore slovenských pracovných síl do ríše za rok 1941.

Konzept.

Durchdruck
Deutsche Gesandtschaft   Pressburg, den 15. Jänner 1942[1]
Aktenz.: W 2 Nr. 1a Nr. 258
Inhalt: Anwerbung slowakischer Arbeitskräfte
        für das deutsche Reichsgebiet.
Auf Drahterlass vom 3. 1. 1942, Multex Nr. 10[2]

2 Durchdrucke

Auf Grund der deutsch-slowakischen Vereinbarungen[3] sollten im Jahre 1941 für das deutsche Reichsgebiet
41 000 Landarbeiter (davon 6 000 für das Protektorat Böhmen und Mähren),
3 000 Forstarbeiter und
1 000 Hausgehilfinnen der Slowakei zur Verfügung gestellt werden.
Tatsächlich sind im Jahre 1941
39 070 Landarbeiter (davon 5 935 für das Protektorat Böhmen und Mähren) und
3 667 Forstarbeiter (davon 1 031 für das Protektorat Böhmen und Mähren),
1 152 Hausgehilfinnen für den Einsatz im Reich angeworben worden.
Die deutsch-slowakischen Vereinbarungen des Jahres 1941 haben inzwischen auch für das Jahr 1942 Gültigkeit erlangt,[4] jedoch ist die Anzahl der im letzten Jahr im Reichsgebiet verbliebenen Kräfte auf das Kontingent 1942 anzurechnen. Die hierfür in Frage kommende Zahl steht z. Zt. noch nicht fest; die Ermittlungen sind im Gange. Nach den bisherigen Erfahrungen kann aber damit gerechnet werden, dass die im vergangenen Jahr überwiesenen Land- und Forstarbeiter wegen Beendigung der Arbeiten bzw. Zeitablaufs ihres Vertrages überwiegend in die Heimat zurückgekehrt sind.

Das nach den zwischenstaatlichen Vereinbarungen vorgesehene Kontingent land- und forstwirtschaftlicher Arbeiter wird durch den Reichsarbeitsminister Berlin und in Bezug auf das Protektorat Böhmen und Mähren durch die Behörde des Reichsprotektors in Prag auf die einzelnen Landesarbeitsämter (im Protektorat auf die Oberlandratsbezirke) und von diesen auf die Arbeitsamtsbezirke, je nach ihrer Wirtschaftsstruktur und Arbeitslage zur Deckung des vordringlichen Kräftebedarfs verteilt.

Die zwischenstaatlichen Vereinbarungen sehen ferner vor, dass neben den landwirtschaftlichen, forstwirtschaftlichen und hauswirtschaftlichen Arbeitskräften noch gewerbliche Arbeiter (Bauarbeiter, Industriearbeiter usw.) in einem Umfange für das Reichsgebiet vermittelt werden können, wie es die Arbeitslage der Slowakei jeweils gestattet.

Die Form der Anwerbung und Überweisung der für das Reichsgebiet vorgesehenen Arbeitskräfte wird ebenfalls durch die deutsch-slowakischen Abmachungen bestimmt. Um von vornherein die Rechte und Pflichten des Arbeiters und das Verhältnis zwischen ihm und dem Arbeitgeber klarzustellen, wird mit den Angeworbenen auf hierfür eigens vorgesehenen Vordrucken jeweils ein Arbeitsvertrag abgeschlossen, der gleichzeitig die genauen arbeits- und sozialpolitischen Bedingungen der Arbeitsstelle enthält.

Die Anwerbung wird durch die Arbeitseinsatzdienststelle des Reichsarbeitsministeriums für die Slowakei in Pressburg im Einvernehmen mit dem slowakischen Innenministerium, als dem z. Zt. für diesen Aufgaben zuständigen Ressort und den slowakischen Arbeitsämtern durchgeführt. Sie erstreckt sich auf diejenigen Arbeitskräfte, die für den Wirtschaftsaufbau der Slowakei nicht benötigt werden und für die vorgesehenen Arbeiten im Reich die notwendige berufliche und körperliche Eignung haben. Die Feststellung der beruflichen Eignung erfolgt auf Grund der bei den Arbeitsämtern hierüber gegebenenfalls vorliegenden Aufzeichnungen und der Arbeitspapiere der Arbeiter, die sich zur Feststellung ihrer körperlichen Eignung einer ärztlichen Untersuchung durch die zur Anwerbung zugezogenen Vertrauensärzte zu unterziehen haben. Die den Arbeitsverträgen zugrundeliegenden Arbeitsbedingungen werden Arbeitskräften bekanntgegeben, die sich durch unterschriftliche Vollziehung des Arbeitsvertrages an die Abmachung zu binden haben, wenn die zur Annahme des Arbeitsangebotes bereit sind.

Gleichzeitig bei der Anwerbung wird der Zeitpunkt für den Abtransport der Arbeitskräfte festgesetzt, der in der Regel mit Sonderzügen in das Reichsgebiet erfolgt. Um Fehlleitungen zu vermeiden und die Betreuung der Arbeiter auf der Anreise zur Arbeitsstelle sicherzustellen, werden rechtzeitig, bereits bei Festsetzung des Abgangstermines [sic!], von den zuständigen Aufnahmebezirken erfahrene Transportbegleiter angefordert, welche die Verantwortung für die ordnungsmässige Weiterleitung der Arbeitskräfte von der Abgangsstelle bis zur Bestimmungsstation zu übernehmen haben. Gleichzeitig werden dem Reichsführer SS und Chef der Deutschen Polizei die Namen und Personalien der überwiesenen Arbeiter mitgeteilt, um eine sicherheitspolizeiliche Überprüfung zu ermöglichen.

Gemäss den deutsch-slowakischen Vereinbarungen und den Weisungen des Reichsarbeitsministers Berlin, ist anderen Stellen oder Personen, die Anwerbung bzw. die Teilnahme an der Anwerbung slowakischer Arbeitskräfte nicht gestattet. Sonst könnte auch die Arbeitseinsatzdienststelle des Reichsarbeitsministeriums für die Slowakei in Pressburg, die ihr vom Herrn Reichsarbeitsminister und Reichswirtschaftsminister übertragene Verantwortung für die Bewirtschaftung der für den Transfer ersparter Lohngelder in begrenztem Masse zur Verfügung gestellten Devisen nicht tragen. Ausserdem wäre die Überwachung und Einhaltung des nach den deutsch-slowakischen Abmachungen vereinbarten Kontingents nicht sichergestellt. Aber arbeits-politisch gesehen, würden sich sonst in erster Linie solche Betriebe mit slowakischen Arbeitskräften einzudecken versuchen, die nicht kriegs- oder lebenswichtige Aufgaben durchführen und deren Kräfteanforderungen bei den Arbeitseinsatzdienststellen im Reich unberücksichtigt bleiben, bzw. abgelehnt werden mussten. Ja, es würde sogar – wie es im Wege der illegalen Anwerbung angestrebt wurde – der Fall eintreten, dass sich Betriebe durch eigenmächtiges Vorgehen wiederum die Kräfte im Ausland zu beschaffen versuchen, welche wegen der unbedeutenden Produktionsaufgaben von den Arbeitseinsatzdienststellen im Reich im Interesse der Bedarfsdeckung bei kriegs- und lebenswichtigen Unternehmen abgezogen worden waren. Es entspricht deswegen den Belangen einer übergeordneten Arbeitseinsatzpolitik, dass sich der Reichsarbeitsminister gleichzeitig aus solchen Gründen, die Verteilung der ausländischen Arbeitskräfte vorbehalten hat und bei der Anwerbung slowakischer Kräfte nur solche Anforderungen aus dem Reich berücksichtigt werden können, die dem Leiter der Arbeitseinsatzdienststelle des Reichsarbeitsministeriums für die Slowakei in Pressburg von dieser Stelle aus zugehen. Auf diese Weise nur kann sichergestellt werden, dass die Ergebnisse der deutsch-slowakischen Vereinbarungen den vorgesehenen arbeitspolitischen Zwecken zum Nutzen dienen.

Abgesehen davon, habe der Leiter der Arbeitseinsatzdienststelle[5] auch aus anderen Gründen gegen die in der Vergangenheit häufig beobachtete illegale Anwerbung einzuschreiten Anlass gehabt. Die sogenannten wilden Werber versuchten, ohne Rücksicht auf die körperliche und fachliche Eignung Kräfte aufzunehmen, als sie zur Deckung ihres zahlenmässigen Bedarfs benötigten. Dabei wurden Arbeiter engagiert, die bei der amtlichen Werbung aus besonderen, z. T. wichtigen Gründen von einem Einsatz im Reich ausgeschlossen werden mussten oder von ihren Arbeitsstellen im Reich eigenmächtig abgewandert, also vertragsbrüchig geworden waren oder sogar aus einem wichtigen Anlass in die Heimat hatten abgeschoben werden müssen. Leider ist bei solchen Gelegenheiten der arbeitspolitisch höchst unerwünschten Landflucht Vorschub geleistet worden. Es liegt nämlich auf der Hand und steht unter fortgesetztem Beweis, dass landwirtschaftliche Arbeiter, denen einmal Gelegenheit zum Überwechsel in eine gewerbliche Arbeit gegeben worden ist, nicht wieder in ihre Berufsarbeit zurückkehren wollen und dafür auch meist verdorben worden sind. Im übrigen aber kommt bei der illegalen Anwerbung regelmässig unterlassenen Feststellung des Gesundheitszustandes insofern eine erhöhte Bedeutung zu, als die Arbeiter in der Regel in Gemeinschaftslagern untergebracht werden und dadurch die Gesundheit der übrigen Lagerinsassen bei ansteckenden Krankheiten (wie z. B. TBC, Geschlechtskrankheiten usw.) gefährdet werden könnte.

Dabei liegt die illegale Anwerbung selten im Interesse der Arbeitskräfte. Es ist vielfach vorgekommen, dass die hohen Lohnversprechungen, mit denen die Arbeiter angelockt worden waren, nicht eingehalten wurden oder nicht eingehalten werden konnten, weil sie den vom Reichstreuhänder[6] festgesetzten Lohnsätzen widersprochen hätten oder dass keine Unterkünfte vorhanden bzw. in ausreichender Weise gesichert waren. Solche Umstände haben dann den Arbeitern Anlass gegeben, wieder nach kurzer Zeit von ihrer Arbeitsstelle abzuwandern, um unter Aufbietung ihrer letzten Ersparnisse in die Heimat zurückzukehren, wenn sie nicht infolge Mittellosigkeit der öffentlichen Fürsorge im Reich zur Last fielen und schliesslich von der Polizei abgeschoben werden mussten.

Schliesslich aber sah der Leiter der Dienststelle sich veranlasst, die eigenmächtige Anwerbung auch im Interesse der Wahrung des deutschen Ansehens im Ausland zu verhindern. Die slowakischen Stellen haben die Verstösse gegen die deutsch-slowakischen Vereinbarungen als disziplinloses Verhalten gegenüber den reichsdeutschen Arbeitseinsatzbestimmungen und als Eingriffe in ihre Rechte beurteilt.

Es ist schliesslich der Arbeitseinsatzdienststelle gleichzeitig durch Unterstützung der Deutschen Gesandtschaft möglich geworden, die illegale Anwerbung fast völlig zu unterbinden. In den wenigen hier und da noch auftretenden Fällen scheitern die Versuche in der Regel daran, dass die für die Ausreise erforderlichen Passformalitäten nicht erfüllt werden können und die Arbeitskräfte gegebenenfalls an der Grenze angehalten und zur Rückkehr an ihren Heimatort genötigt werden.

Neben den land- und forstwirtschaftlichen Arbeitskräften sind im Jahre 1941 insgesamt 12 493 (einschliesslich der auf Seite 1 erwähnten 1 152 Hausgehilfinnen) gewerbliche Arbeitskräfte in das Reichsgebiet vermittelt worden.

Es ist voraussichtlich nicht damit zu rechnen, dass im Jahre 1942 gewerbliche Arbeitskräfte für das Reichsgebiet wiederum in nennenswertem Umfang zur Verfügung gestellt werden können, weil

1./ die in den vergangenen Jahren zur Entlastung der Arbeitslage im Reich zur Verfügung gestellten gewerblichen Kräfte im Gegensatz zu den land- und forstwirtschaftlichen Arbeitern nicht alljährlich in die Heimat zurückkehren, sondern auf mehrere Jahre an ihren Arbeitsstellen zu verbleiben gewohnt sind; das Reservoir an Arbeitskräften dieser Art hat sich infolgedessen ziemlich erschöpft;

2./ bereits im letzten Jahre umfangreiche Einziehungen zum Heeresdienst erfolgt sind[7] und auch in diesem Jahre die Einberufungen voraussichtlich in verstärktem Masse fortgesetzt werden;

3./ die Slowakei für den eigenen Wirtschaftsaufbau und die Durchführung der deutscherseits anempfohlenen Aufgaben in zunehmendem Masse Arbeitskräfte benötigt. In verschiedenen Wirtschaftszweigen ist bereits jetzt ein spürbarer Mangel an geeigneten Arbeitskräften festzustellen, sodass die Inangriffnahme bestimmter Aufgaben oder ihre terminmässige Durchführung ernstlich in Frage gestellt ist. Im besonderen aber leidet die Slowakei am Mangel an Fachkräften für gewerblichen Einsatz.[8]

gez. Ludin

An
das Auswärtige Amt
Berlin.

PA AA, Gesandtschaft Preßburg, Paket 208, W 2, Nr. S 1a, Band I. Kópia, strojopis, 7 strán.

---

1 Správa bola Zahraničnému úradu odoslaná 17. 1. 1942.

2 Telegram mal nasledovné znenie: „*Bitte fortlaufend – erstmalig 15. Januar 1942 über die Aktion Anwerbung ausländischer Arbeiter durch Dienststellen des Reichsarbeitsministeriums und DAF oder durch Sonderbeauftragte und private Firmen, besonders über dabei angewandte Methoden, Zusammenarbeit zwischen DAF und Reichsarbeitsministerium und etwa auftauchende Schwierigkeiten zu berichten. Sogenannte „wilde Werbung" durch private Firmen verhindern, sofern diese nicht ausdrücklich im Auftrag des Reichsarbeitsministeriums, der Deutschen Arbeitsfront, Organisation Todt oder als Sonderbevollmächtigte Reichsmarschalls Göring (Vierjahresplan) werben. In Zweifelsfällen Rückfrage Berlin erforderlich.*"

3 Pozri dokumenty 18 a 82.

4 Pozri dokument 86.

5 Gustav Sager.

6 Ríšski komisári práce. Išlo o inštanciu, vytvorenú na základe zákona z 19. 5. 1933, ktorá plnila funkciu mediátora pri prípadných rozporoch v podnikoch medzi vedením firmy a robotníctvom. Celkove bolo v Nemecku 22 komisárov a podliehali priamo ríšskemu ministerstvu práce.

7 Pozri dokumenty 87 a 93.

8 Správa bola zostavená na základe elaborátu vedúceho Úradovne pre pracovné nasadenie ríšskeho ministerstva práce pre Slovensko G. Sagera.

100

1942, 11. február. Bratislava. – Správa nemeckého vyslanectva Zahraničnému úradu o nábore slovenských pracovných síl do ríše za mesiac január.

Konzept.

Durchdruck
Deutsche Gesandtschaft   Pressburg, den 11. Februar 1942[1]
Aktenz.: W 2 Nr. 1a Nr. 909
Inhalt: Anwerbung slowakischer Arbeitskräfte.
Zum Bericht vom 15. 1. 1942, W 2 Nr. 1a Nr. 258[2]

2 Durchdrucke

Im Monat Januar 1942 wurden in der Slowakei für das Reichsgebiet angeworben:
a/ gewerbliche Arbeitskräfte:

für Bergbau	80
für die Verkehrswirtschaft	2
für das Handwerk	1
sonstige	1
weibliche Arbeitskräfte	85
	169
b/ landwirtschaftliche Wanderarbeiter	234
insgesamt	403

Wie alle Jahre, so auch in diesem, war die Arbeitseinsatzdienststelle des Reichsarbeitsministeriums durch regen Parteienverkehr rückkehrender Weihnachtsurlauber im Monat Januar stark beansprucht. Es ist bei den slowakischen Arbeitern leider so, dass sie die für sie bestimmten Urlauberzüge zum Teil nicht benutzten und erst verspätet an die Rückkehr zu ihrer Arbeitsstellen denken.[3]

gez. Ludin

An
das Auswärtige Amt
Berlin.

PA AA, Gesandtschaft Preßburg, Paket 208, W 2, Nr. S 1a, Band I. Kópia, strojopis, 1 strana.

---

1 Správa bola Zahraničnému úradu odoslaná 14. 2. 1942.
2 Pozri dokument 99.
3 Pozri tiež dokumenty 76 a 77.

101

1942, 12. marec. Bratislava. – Správa nemeckého vyslanectva Zahraničnému úradu o nábore slovenských pracovných síl do ríše za mesiac február.

Konzept.

Durchdruck
Deutsche Gesandtschaft   12. März 1942[1]
Aktenz.: W 2 Nr. 1a Nr. 1564
Inhalt: Anwerbung slowakischer Arbeitskräfte.
Zum Bericht vom 11. 2. 1942, W 2 Nr. 1a Nr. 258[2]

2 Durchdrucke

Im Monat Februar 1942 wurden folgende Arbeitskräfte für das Reichsgebiet angeworben und abbefördert:

A/ Gewerbliche Arbeitskräfte:

Für das Handwerk	31
Hilfsarbeiter	2
Weibliche Arbeitskräfte und Hausgehilfinnen	85
	47
B/ Landwirtschaftliche Wanderarbeiter:	97
insgesamt	144

Zur Zeit ist die Werbung und Abbeförderung von 43 000 landwirtschaftlichen Arbeitskräften im Gange.

gez. Ludin

An
das Auswärtige Amt
Berlin.

PA AA, Gesandtschaft Preßburg, Paket 208, W 2, Nr. S 1a, Band I. Kópia, strojopis, 1 strana.

---

1 Správa bola Zahraničnému úradu odoslaná 13. 3. 1942.
2 Pozri dokument 100.

102

1942, 19. marec. Bratislava. – Prípis poverenca ríšskeho ministra práce vyslancovi H. E. Ludinovi o pláne verbovania slovenských pracovných síl do Nemecka na rok 1942.

Arbeitseinsatzdienststelle
des Reichsarbeitsministeriums
für die Slowakei
Pressburg

G. Z. 5770.30   Pressburg, den 19. März 1942
ORR. Gustav SAGER

An den
Herrn Gesandten Hanns Ludin,

Preßburg.

Sehr verehrter Herr Gesandte!

Ich beehre mich, Ihnen als Anlage[1] einen Organisationsplan über die Anwerbung und Abbeförderung der nach den deutsch-slowakischen Vereinbarungen für das Reichsgebiet bereitzustellenden Arbeitskräfte zu übermitteln.

Bekanntlich sehen die deutsch-slowakischen Vereinbarungen die Vermittlung von insgesamt 43 000 Landarbeitern – davon 6 000 für das Protektorat Böhmen und Mähren – vor. Die Anwerbung hat am 2. d. M. begonnen. Seit dieser Zeit sind bis heute bereits rund 10 000 Landarbeiter für die vom Herrn Reichsarbeitsminister Berlin, bestimmten Aufnahmegebiete zur Verfügung gestellt worden.[2]

Die Werbearbeit wird unter Beteiligung der slowakischen Arbeitsämter von 7 Kräften aus Dienststellen der Arbeitsverwaltung des Reichsgebietes durchgeführt, die gebietsmäßig auf die Bezirke Nitra, Preßburg, Prešov, Trenčin, Žilina und Zvolen verteilt worden sind. Den an der Anwerbung am stärksten beteiligten Gebieten Nitra, Žilina, Zvolen und Preßburg steht je 1 Dienstkraftwagen aus dem Reichsgebiet zur Verfügung. Für den in nächster Linie bedeutsamen Bezirk Trenčin hat das Slowakische Innenministerium/Zentralarbeitsamt – für die Dauer der Anwerbung einen Kraftwagen bereitgestellt.

Mit Rücksicht auf die in absehbarer Zukunft zu erwartende starke Inanspruchnahme des Eisenbahnnetzes nach dem Osten hin habe ich Vorsorge getroffen, daß zunächst die für die entlegeneren Teile des Reichsgebietes bestimmten slowakischen Landarbeiter angeworben und abbefördert werden, wohingegen die Bereitstellung der Kräfte für die schneller erreichbaren und teils angrenzenden Bezirke, wie Sudetenland, Protektorat und Wien-Niederdonau bzw. Oberdonau in zweiter Linie erfolgen wird.

Für die Anwerbung hat sich inzwischen der Umstand als erschwerend erwiesen, daß nach einer auf Veranlassung des MNO getroffenen Entscheidung des Slowakischen Innenministeriums vom 3. d. M. alle militärpflichtigen Personen der Jahrgänge 1912 – 1918 und außerdem solche Kräfte von der Anwerbung auszuschliessen sind, die während ihrer Militärzeit bei Spezialtruppen gedient haben.

Ich hoffe, zu Ende April die Anwerbung der erwähnten Anzahl Landarbeiter abgeschlossen zu haben[3] und beabsichtige, anschliessend mit der Vermittlung von Forstarbeitern für das Reich zu beginnen.

Mit dem Ausdruck vorzüglicher Hochachtung.

Heil Hitler!
Ihr sehr ergebener
Sager [v. r.]

PA AA, Gesandtschaft Preßburg, Paket 75, R 4 Nr. 2, Band II. Originál, strojopis, 2 strany.

1 Príloha sa pri dokumente nenachádza. Podľa rukopisnej poznámky vyslanectva bola vrátená Sagerovej úradovni 13. 4. 1942.
2 Pravdepodobne išlo o tie isté regióny ako v predošlých rokoch. Pozri Huchove a Rehfeldove správy z rokov 1939 – 1941.
3 Pozri dokument 105.

103

1942, 11. apríl. Bratislava. – Správa nemeckého vyslanectva Zahraničnému úradu o nábore slovenských pracovných síl do ríše za mesiac marec.

Konzept.

Durchdruck
Deutsche Gesandtschaft   Pressburg, den 12. April 1942[1]
Aktenz.: W 2 Nr. 1a Nr. 2153
Inhalt: Anwerbung slowakischer Arbeitskräfte.
Zum Bericht vom 12. 3. 1942, W 2 Nr. 1a Nr. 1564[2]

2 Durchdrucke

Im Monat März 1942 wurden folgende Arbeitskräfte in der Slowakei für das Reichsgebiet angeworben und abbefördert:
a/ landwirtschaftliche Arbeitskräfte   21 570
(davon 1 291 für das Protektorat Böhmen und Mähren)
b/ gewerbliche Arbeitskräfte   _____360_
insgesamt   _____21 930_

gez. Ludin

An
das Auswärtige Amt
Berlin.

PA AA, Gesandtschaft Preßburg, Paket 208, W 2, Nr. S 1a, Band I. Kópia, strojopis, 1 strana.

1 Správa bola Zahraničnému úradu odoslaná 15. 4. 1942.
2 Pozri dokument 101.

104

1942, 12. máj. Bratislava. – Správa nemeckého vyslanectva Zahraničnému úradu o nábore slovenských pracovných síl do ríše za mesiac apríl.

Konzept.

Durchdruck
Deutsche Gesandtschaft   Pressburg, den 12. Mai 1942[1]
Aktenz.: W 2 Nr. 1a Nr. 2828
Inhalt: Anwerbung slowakischer Arbeitskräfte.
Zum Bericht vom 12. 3. 1942, W 2 Nr. 1a Nr. 1564[2]

2 Durchdrucke

Im Monat April 1942 wurden folgende Arbeitskräfte für das Reichsgebiet angeworben und abbefördert:

a/ Gewerbliche Arbeitskräfte   141
(davon 115 Hausgehilfinnen)
b/ Landwirtschaftliche Arbeitskräfte   _____17 199_

insgesamt   17 340
Die Anwerbung landwirtschaftlicher Arbeitskräfte ist bis auf einige hundert Restgestellungen abgeschlossen. Im Monat Mai erfolgt die Anwerbung von 1 000 Forstarbeitern.

                                                    gez. Ludin
An
das Auswärtige Amt
Berlin.

PA AA, Gesandtschaft Preßburg, Paket 208, W 2, Nr. S 1a, Band I. Kópia, strojopis, 1 strana.
_____
1 Správa bola Zahraničnému úradu odoslaná 15. 5. 1942.
2 Pozri dokument 103.

105
1942, 12. máj. Bratislava. – Správa poverenca ríšskeho ministra práce vyslancovi H. E. Ludinovi o nábore slovenských pracovných síl do Nemecka za prvé štyri mesiace roka 1942.

Arbeitseinsatzdienststelle
des Reichsarbeitsministeriums
für die Slowakei
Pressburg

G. Z. 5770.30   Pressburg, den 12. Mai 1942
ORR. Gustav SAGER

An den
Herrn Gesandten Hanns Ludin,
Preßburg.

Sehr verehrter Herr Gesandte!

Im Nachgang zu meinem Bericht vom 19. 3. 1942 – 5770.30 –[1] gestatte ich mir, Ihnen davon Kenntnis zu geben, daß mit Beginn dieses Monates die am 2. 3. 1942 aufgenommene Anwerbung von 43 000 slowakischen Landarbeitern für das Reichsgebiet (einschliesslich Protektorat) abgeschlossen worden ist. Der letzte Sonderzug ist am 2. d. M. ausgelaufen. Seit diesem Zeitpunkt sind noch vereinzelte Gruppen ausgereist, die aus verschiedensten Gründen die Ausreise mit den Sonderzügen nicht antreten konnten.
Die Zahl der in der Zeit vom 2. 3. 1942 bis zum heutigen Tage einschliesslich ausgereisten slowakischen Landarbeiter beträgt einschliesslich Überwinterer:
42 703,[2] die auf folgende Aufnahmegebiete im Reich verteilt worden sind:

Bayern – München	440
Bayern – Nürnberg	767
Brandenburg	1480
Hessen	1471
Mitteldeutschland	2796
Niedersachsen	1308
Nordmark	995

Oberdonau	1467
Pommern	614
Protektorat	5983
Rheinland	485
Sachsen	790
Niederschlesien	459
Oberschlesien	399
Sudetenland	9601
Westfalen	900
Westmark	412
Wien-Niederdonau	12336
	42703

Die am Gesamtkontingent von 43 000 noch fehlenden Kräfte werden in Kürze erfasst und geschlossen dem vorgesehenen Einsatzort im Reichsgebiet zugeführt.

Die Aufgabe konnte reibungslos und ohne nennenswerte Störungen abgewickelt werden. Zum Teil haben sich allerdings bei der Abbeförderung der Arbeitskräfte insofern Schwierigkeiten ergeben, als der Beförderungsraum in den von den Bahnen bereitgestellten Sonderzügen nicht ausreichte, zumal die slowakischen Landarbeiter gewohnt sind, mit umfangreichen Gepäck (Hausgerät, Kleinvieh usw.) und vielfach auch mit ihren Kindern auszureisen. Obgleich den Bahnen die jeweilige Transportstärke vor Bereitstellung der Sonderzüge rechtzeitig bekannt war, liessen sich diese Schwierigkeiten trotz meiner wiederholten Interventionen wegen des bekannten Eisenbahnwagenmangels[3] nicht ganz beheben.

Noch im Laufe dieses Monates wird die Anwerbung und Überweisung von zunächst 1000 slowakischen Arbeitern für die Forstwirtschaft des Reichsgebietes erfolgen. Wegen der Bereitstellung weiterer Kräfte dieser Art, stehe ich zur Zeit mit dem Slowakischen Innenministerium in Verhandlung. Über den Fortgang bzw. Ausgang dieser Angelegenheit werde ich zur gegebenen Zeit weiteren Bericht folgen lassen.

Mit dem Ausdruck vorzüglicher Hochachtung und

Heil Hitler!
Ihr sehr ergebener
Sager [v. r.]

PA AA, Gesandtschaft Preßburg, Paket 75, R 4 Nr. 2, Band II. Originál, strojopis, 3 strany.

---

1 Pozri dokument 102.
2 Porovnaj dokument 104.
3 Nedostatok vozňov súvisel s nemeckou letnou ofenzívou na južnom krídle východného frontu.

106

1942, jún 1. Berlín. – Weizsäckerov záznam z rozhovoru s M. Černákom vo veci úsilia Slovenska nadviazať diplomatické styky s vichystickým Francúzskom. M. Černák sa počas rozhovoru odvolával na slovenských štátnych príslušníkov vo Francúzku a možnosť ich pracovného nasadenia v Nemecku.

St. S. Nr. 368   Berlin, den 1. Juni 1942

Der Slowakische Gesandte kam im Auftrage seiner Regierung heute noch einmal darauf zurück, daß die Slowakei durch Frankreich vor kurzem anerkannt worden sei und daß die Frage eines Austausches diplomatischer oder konsularischer Vertreter bekanntlich auch mit der Reichsregierung erörtert worden sei.

Ich habe Herrn Cernak hierzu gesagt, daß ich ihm eine Änderung unseres Standpunktes, wonach ein diplomatischer oder konsularischer Vertreter-Austausch zurückzustellen wäre, nicht in Aussicht stellen könne.[1]

Herr Cernak meinte dann, der praktische Anlaß für eine slowakische Vertretung in Frankreich wäre die Existenz von etwa 20 000 noch in Frankreich befindlichen Slowaken,[2] die entweder in ihre Heimat zurückzubringen oder in den deutschen Arbeitsprozess einzugliedern wären. Deutschland erwarte bekanntlich von der Slowakei noch weitere Arbeitskräfte, die jedoch dort kaum locker zu machen wären. Gerade zur Ausfüllung dieses Loches wären die zur Zeit sich in Frankreich noch herrenlos herumtreibenden slowakischen Arbeiter am besten geeignet. Zu deren Betreuung und schrittweisen Rückführung eine ad hoc-Organisation zu schaffen, welche gar nicht den Charakter eines wirklichen Konsulats zu haben brauche, sei ein tatsächliches praktisches Bedürfnis.

Ich habe Cernak nicht in Aussicht gestellt, daß eine derartige Organisation zugelassen werden könne, jedoch habe ich eine Prüfung der Frage unter diesem neuen Gesichtspunkt zugesagt.

Weizsäcker [e. h.]

PA AA, R 29 836. Originál, strojopis, 1 strana.

---

1 M. Černák intervenoval v tejto záležitosti u E. von Weizsäckera opäť 28. 7. 1942. Ani tentoraz nedosiahol súhlas nemeckej strany. Štátny tajomník pri tejto príležitosti zaznamenal: *„Ich habe Herrn Černák gesagt, da er im Auftrag des Ministerpräsidenten Tuka komme, wolle ich die Sache noch einmal prüfen und dem Herrn Reichsaußenminister zur Entscheidung unterbreiten. Ich könne ihm jedoch kaum Hoffnung auf eine Änderung unserer bisherigen Stellungnahme machen.*
Um angesichts der hartnäckigen Wiederholung des slowakischen Wunsches dessen Motive zu erkennen, habe ich das Thema noch einmal nach allen Richtungen mit dem Slowakischen Gesandten erörtert. Mein Schlußurteil ist, daß die Slowaken in der Sache nicht als von Berlin aus gegängelt erscheinen wollen und die Anerkennung der Slowakei durch Frankreich aus Prestigegründen durchsetzen möchten." (PA AA, R 29 837.)
2 Ide o nadsadené číslo. Vo Weizsäckerovom zázname z 3. 8. 1942 je reč o 6 000 Slovákoch. Pozri tiež dokumenty 40 a 78.

107

1942, 9. jún. Bratislava. – Správa nemeckého vyslanectva Zahraničnému úradu o nábore slovenských pracovných síl do ríše za mesiac máj.

Konzept.

Durchdruck
Deutsche Gesandtschaft   Pressburg, den 9. Juni 1942[1]
Aktenz.: W 2 Nr. 1a Nr. 3466
Inhalt: Anwerbung slowakischer Arbeitskräfte.
Zum Bericht vom 12. 5. 1942, W 2 Nr. 1a Nr. 2828[2]

2 Durchdrucke

Im Monat Mai 1942 wurden folgende Arbeitskräfte für das Reichsgebiet angeworben und abbefördert:

a/ landwirtschaftliche Arbeitskräfte	630
b/ gewerbliche Arbeitskräfte	14
insgesamt	644

Von den in den Monaten März und April als ausgereist gemeldeten landwirtschaftlichen Arbeitskräften mussten 30 Kräfte wegen Arbeitsunfähigkeit und Arbeitsunwilligkeit wieder in die Slowakei zurückbefördert werden.

gez. Ludin

An
das Auswärtige Amt
Berlin.

PA AA, Gesandtschaft Preßburg, Paket 208, W 2, Nr. S 1a, Band I. Kópia, strojopis, 1 strana.

1 Správa bola Zahraničnému úradu odoslaná 11. 6. 1942.
2 Pozri dokument 105.

108

1942, 4. júl. Viedeň. – Správa Auslandsbriefprüfstelle o náladách medzi slovenskými pracovnými silami, vypracovaná na základe analýzy ich korešpondencie.

Geheim!

Auslandsbriefprüfstelle[1] Wien   Wien, 4. Juli 1942
Br. Nr. 5857/42g

A. Z.:   6 d VIII – Ach/D
Bez.:   Abw. III Nr. N3763/40g (N)
Betr.:   Ausländische Arbeiter im Reich
             Der Bericht besteht aus 22 Seiten

An die
Zentralauswertungsstelle für den
Auslandsbrief- u. Telegrammverkehr
z. H. v. H. Major Dr. Huth, o. V. i. A.,
3-fach

Berlin W 62
Budapesterstrasse 37

STIMMUNGSBERICHT
über
ausländische Arbeiter im Reich

entnommen aus 1474 Briefen, die in der Zeit vom 1. Juni bis 30. Juni 1942 hier durchgelaufen sind und aus dem in den Arbeitstaschen gesammelten Material belegt werden können.

In der Stimmung der ausländischen Arbeiter in der laufenden Berichtsperiode ist eine wesentliche Änderung nicht zu verzeichnen. Von den Klagen treten jene über unzureichende Verpflegung immer stärker in den Vordergrund. Wenngleich zahlreiche diesbezügliche Beschwerden den Stempel der Übertreibung tragen, so ist doch aus vielen anderen zu entnehmen, dass die Arbeiter unter den unzulänglichen Ernährungsverhältnissen sehr leiden. Viele von ihnen, die an sich gerne im Reich weilen und gerne länger hier bleiben möchten, haben sich wegen dieser Verhältnisse entschlossen, ihren Arbeitsplatz zu verlassen oder doch ihren Aufenthalt, so bald dies nur möglich ist, abzubrechen.

Was die landwirtschaftlichen Arbeiter anbelangt, so liegen allerdings noch sehr zahlreiche äusserst günstige Mitteilungen über die Verpflegung vor, es mehren sich aber auch aus dem Kreis dieser Arbeiterkategorie die Klagen über Hunger. Zahlreiche solche Arbeiter berichten, dass zur Zeit ihres Arbeitsantrittes die Verpflegung wohl gut war, diese sich aber seither bedeutend verschlechtert hat.

Die mangelhafte Verköstigung, insbesonders der Mangel an Brot, hat zur Folge, dass die Arbeiter trachten, sich Lebensmittel und auch da wieder vor allem Brot, im Schleichhandel zu beschaffen. Hiebei gilt für Brot der Preis von RM 10 bis 12 pro kg schon als normal. Die einen zahlen diese Schleichhandelspreise von ihrem Lohn, was zu Folge hat, dass sie keine Ersparnisse machen können, die anderen lassen sich aus der Heimat Rauchwaren oder Seife kommen und treiben mit diesem beliebten Artikel ihrerseits Tausch- und Schleichhandel.

Die in dem letzten Bericht gemachte Andeutung, dass viele günstige Mitteilungen von Arbeitern nicht ihrer wahren Stimmung entsprechen, sondern über Anweisung erfolgen, findet in zahlreichen Briefen ihre Bestätigung. (Anmerkung 1).[2]

Slowakische Arbeiter (ausgewertet wurden 801 Briefe)
Unter der Briefpost der slowakischen Arbeiter herrschen die Briefe der Landarbeiter vor.
Diese Landarbeiter führen ausserordentlich viel Klagen über geringe Entlohnung, sei es ob sie um Stundenlohn oder aber im Akkord arbeiten. (Anmerkung 2)[3]

Über die den Landarbeitern zugestandenen Naturaldeputate herrscht zum Teil Zufriedenheit, doch wird in vielen Fällen darüber Beschwerde geführt, dass diese Deputate nicht vertragsmässig ausgefolgt werden.

Anlangend die Verpflegung der Landarbeiter liegen die widersprechendsten Angaben vor. Während einige ihre Verköstigung nicht genug loben können und darüber Wunderdinge erzählen (Anmerkung 3), sind andere Briefe voll der beweglichsten Klagen. (Anmerkung 4).

Auch gewerbliche Arbeiter führen Beschwerde über die Verköstigung. Allgemein wird über die Qualität des Brotes, insbesonders über dessen bitteren Geschmack und die schwere Verdaulichkeit, geklagt. Urlauber und Heimkehrer nehmen Brot nachhause mit, um die Richtigkeit ihrer diesbezüglichen Angaben zu beweisen.

Doch äussern auch einige gewerbliche Arbeiter ihre Zufriedenheit mit der Verköstigung. (Anmerkung 5).

Die Klagen über schlechte Verköstigung haben wieder zur Folge, dass die Arbeiter von ihren Angehörigen aufgefordert werden ihre Arbeit im Reich im Stich zu lassen und heimzukehren.

Von Landarbeitern werden zahlreiche Klagen gegen die Partieführer erhoben, denen Unredlichkeit auf allen Gebieten und rohe Behandlung der Arbeiter vorgeworfen wird. (Anmerkung 6).[4]

Gegen diese Partieführer herrscht überhaupt eine besonders gereizte Stimmung, weil die Arbeiter behaupten, die Partieführer hätten sie unter falschen Versprechungen nach Deutschland gelockt.

Dagegen führen wieder die Partieführer über ihre Arbeiter Klage und erklären wie immer man es auch mache, nie könne man die Arbeiter zufrieden stellen. Ein besonders abfälliges Urteil wird über die slowakischen Arbeiter aus Liptakow[5] gefällt.

Sowohl von landwirtschaftlichen als auch von gewerblichen Arbeitern werden viele Beschwerden über schwere Arbeit, fortwährendes Antreiben zur Arbeit und über schlechte Behandlung erhoben. (Anmerkung 7).[6]

Charakteristisch für die Briefe der Slowaken ist die Übertreibung und die Gerüchtemacherei. (Anmerkung 8).[7]

Durch Hagelschläge in einigen Gegenden Niederdonaus (z. B. in Wullersdorf) wurde die Ernte derart vernichtet, dass die slowakischen Landarbeiter stellenlos und gezwungen wurden anderweitig Arbeit zu suchen.

[…]

BArch Berlín, R 3901/20266, Bl. 190-201. Originál, strojopis, 22 strán.

1 Išlo o cenzúrne úradovne, podriadené OKW. Spravidla boli zriaďované v nemeckých veľkomestách a v významných mestách okupovanej Európy.

2 Poznámky, až na niektoré výnimky, z priestorových dôvodov nepublikujeme.

3 V poznámke 2 sa uvádza: *„Landwirtschaftliche Arbeiter auf Hof Ujez, Post Obrustny* [správne Obřiství]*, Kreis Melnik, Protektorat, erhalten einen Stundenlohn von 13 Pfennig und sind deshalb in Streik getreten.*
›*Wie wir hierhergekommen sind haben wir wöchentlich RM 3.50 bekommen und jetzt müssen wir noch Milch und Brot davon bezahlen.*‹ *Podersam bei Saaz.*
›*Von 5 Uhr bis 12 Uhr ohne Frühstück und von 13 Uhr bis 21 Uhr 30 ohne Jause. Dabei die Hetzjagd und der Lohn beträgt RM 19 in der Woche. Es ist nicht zum aushalten.*‹ *Falkenberg.*
›*Trotzdem ich mehr arbeiten muss, verdiene ich weniger als vergangenes Jahr.*‹ *Ladendorf, Post Mistelbach, N. D.*
›*Heute war Auszahlung, da war genug Geschrei und Gejammer. Bei dieser lächerlichen Bezahlung kann man kein Geld nachhause schicken.*‹ *Gutsverwaltung Siegendorf bei Eisenstadt.*
›*Wir arbeiten auch am Sonntag und verdienen nichts. Der Wirtschaftsführer hat uns Bezahlung versprochen, wir bekommen aber nichts.*‹ *Thurntal, Post Fels am Wagram.*
›*Trotz Akkordarbeit und Arbeit am Sonntag kommen wir in der Woche höchstens auf RM 19 bis 20.*‹
Sehr viele Klagen werden wegen Nichtauszahlung des fälligen Lohnes erhoben."

4 V poznámke 6 sa uvádza: *„*›*Wir sollen statt ein kg Brot ein Viertelkilo Fleisch bekommen, aber der Wirtschafter gibt's uns nur Sonntag Fleisch, das Geld behält er sich und für die Fleischkarten kauft er Fleisch für sich.*‹ *Vratna bei Melnik.*
›*Der Schaffer ist ein Teufel und die Schafferin kocht schlecht. Die Familien des Schaffers isst sich auf Kosten der Arbeiter an.*‹ *Ronsberg, Kreis Bischofteinitz.*
›*Den Zucker zum Kaffee nimmt uns der Gazda weg.*‹ *Harbke, Helmstedt."*

5 Pravdepodobne Liptov.

6 V poznámke 7 sa uvádza: *„Der Passus* ›*man behandelt uns wie Gefangene*‹ *kehrt in den Briefen immer wieder.*
›*Wir sind das, was vor Zeiten die Polen waren und es wird nicht lange dauern, so wird hier kein slowakischer Arbeiter mehr gehen.*‹ *Achau, Lager I. Kraiburg a. I.*
Ein Arbeiter, dem man zur Entbindung seiner Frau keinen Urlaub gab, schreibt: ›*Sie haben kein Gefühl auch keine Liebe zum Menschen.*‹ *Bad Dürenberg.*
›*Ich bin hier auf einem schlechten Hof. Bin so überarbeitet, dass ich nicht schlafen kann.*‹ *Tuttenhof bei Korneuburg, N. D.*

›Die Bauern schlagen die Arbeiter, die Bauern erlauben sich überhaupt sehr viel, das sind grosse Herren und mit den Slowaken machen sie, was sie wollen.‹ Oberlangendorf.
›Der Herr geht sehr schlecht mit uns um, er will mich immer schlagen und schimpft slowakische Sau.‹ Hagelstadt, Kreis Regensburg.
Während sich die Arbeiter, die schon längere Zeit in Deutschland weilen anscheinend mit der Arbeit am Sonntag abgefunden haben, erblicken viele der neuangekommenen Arbeiter darin einen Verstoß gegen die religiösen Vorschriften und ergehen sich in Bemerkungen über die in Deutschland herrschende Gottlosigkeit."
7 V poznámke 8 sa uvádza: „So berichtet eine Slowakin über umfangreiche Requisitionen zu militärischen Zwecken, sowie darüber, dass französische Kriegsgefangene, die zu flüchten versuchten, öffentlich gehenkt wurden u. dgl. Auch werden Nachrichten über eine bevorstehende Geldabwertung in der Slowakei verbreitet, was zur Folge hat, dass die Arbeiter um ihr in die Heimat überwiesenes Geld bangen. "

109

1942, 13. júl. Bratislava. – Správa nemeckého vyslanectva Zahraničnému úradu o nábore slovenských pracovných síl do ríše za mesiac jún.

Konzept.

Durchdruck
Deutsche Gesandtschaft   Pressburg, den 13. Juli 1942[1]
Aktenz.: W 2 Nr. 1a Nr. 4218
Inhalt: Anwerbung slowakischer Arbeitskräfte.
Zum Bericht vom 9. 6. 1942, W 2 Nr. 1a Nr. 3466[2]

2 Durchdrucke

Im Monat Juni 1942 wurden folgende Arbeitskräfte für das Reichsgebiet angeworben und abbefördert:

a/ landwirtschaftliche Arbeitskräfte	58
(Rest- und Ersatzstellungen)	
b/ Forstarbeiter	817
c/ gewerbliche Arbeitskräfte einschliesslich Hausgehilfinnen	228
insgesamt	1103.

gez. Ludin

An
das Auswärtige Amt
Berlin.

PA AA, Gesandtschaft Preßburg, Paket 208, W 2, Nr. S 1a, Band I. Kópia, strojopis, 1 strana.

1 Správa bola Zahraničnému úradu odoslaná 17. 7. 1942.
2 Pozri dokument 107.

110

1942, 5. august. Bratislava. – Správa nemeckého vyslanectva Zahraničnému úradu o nábore slovenských pracovných síl do ríše za mesiac júl.

Konzept.

Durchdruck
Deutsche Gesandtschaft   Pressburg, den 5. August 1942[1]
Aktenz.: W 2 Nr. 1a Nr. 4724
Inhalt: Anwerbung slowakischer Arbeitskräfte.
Bezug: Bericht vom 13. 7. 42, Nr. 4218[2]

2 Durchdrucke

Im Monat Juli 1942 wurden folgende Arbeitskräfte für das Reichsgebiet angeworben und abbefördert:
a) landwirtschaftliche Arbeitskräfte (Rest- und Ersatzstellungen)   77
b/ gewerbliche Arbeitskräfte (überwiegend Hausgehilfinnen)   14
insgesamt   142
Nach Beendigung der Erntearbeiten ist eine nochmalige Anwerbung von Forstarbeitern beabsichtigt.

gez. Ludin

An
das Auswärtige Amt
Berlin.

PA AA, Gesandtschaft Preßburg, Paket 208, W 2, Nr. S 1a, Band I. Kópia, strojopis, 1 strana.

1 Správa bola Zahraničnému úradu odoslaná 8. 8. 1942.
2 Pozri dokument 109.

111

1942, 25. september. Bratislava. – Prípis Ústredného úradu práce (MV) slovenskému vyslanectvu v Berlíne vo veci pastoračnej činnosti duchovných v robotníckych enklávach v Nemecku.
Ministerstvo vnútra – Ústredný úrad práce.

Číslo: 64-2912-8/1942   V Bratislave dňa 25. IX. 1942

Predmet: Duchovná starostlivosť o slov. robotníkov v Nemecku – úprava.

Vyslanectvu Slovenskej republiky
v Berlíne W 35
Rauch Str. 9

Ministerstvo vnútra – Ústredný úrad práce vyslalo do Nemecka duchovných, aby títo prevádzali pastoračnú činnosť medzi tamojšími našimi robotníkmi.[1]
K výkonu duchovnej služby medzi slovenskými robotníkmi v Nemecku vydávam tieto smernice:

1/ Pridelenie. Duchovní, počas ich služby v Nemecku pridelení sú Vyslanectvu Slovenskej republiky v Berlíne, od ktorého obržia potrebné úpravy pre výkon ich duchovnej činnosti. Vyslanectvo určí miesto pôsobnosti toho ktorého duchovného.

Aby duchovná starostlivosť o našich robotníkov v Nemecku bola systematicky prevádzaná, ustanovujem týmto duchovného so sídlom v Berlíne za vedúceho duchovnej starostlivosti o slovenské robotníctvo v Nemecku. Tento vedúci je zároveň referentom vyslanectva vo veciach duchovnej starostlivosti o naše robotníctvo. Vyslanectvo zariadi ďalšie potrebné.

V prípade, že by bolo viac duchovných so sídlom v Berlíne, vedúceho určí vyslanectvo.

Duchovní o svojej činnosti podávajú vyslanectvu mesačne písomnú správu.

2/ Pôsobnosť. Duchovní majú na starosti výlučne len duchovnú starostlivosť o slovenských robotníkov pracujúcich v Nemecku.

Vo veciach sociálnych nepodávajú sami robotníkom rady a vysvetlenia, ale odkážu robotníctvo, ktoré sa v takých veciach na nich obracia na príslušnú ORS,[2] alebo si prípady sami zaznačia a postupujú ich na priame vybavenie príslušným ORS.

SNA, f. MZV, š. 135, 17857/1942. Kópia, strojopis, 2 strany.

1 Pozri dokument 22.
2 Ochrana robotníkov Slovenska.

112
1942, 1. október. Bratislava. – Správa referenta Hlavného veliteľstva HG Jána Klocháňa o organizovaní HG medzi slovenskými pracovnými silami v Nemecku.

Hlásenie.
Poznatky Klocháňa z Nemecka.

V prílohách tohto hlásenia[1] sú dôkazy, že HG v Nemecku za môjho pôsobenia bola veľmi činná a bolo urobené všetko, čo sa za daných podmienok urobiť dalo a čo bolo pre organizovanie HG potrebné. Len nepriateľ našej veci môže tvrdiť opak.

Toľko úvodom k môjmu hláseniu o terajšom stave HG v Nemecku, poť. o stave pri mojom odchode z Nemecka (31. júla 1942).[2]

Organizovanie HG.[3]
Po prípravných prácach boli na HVHG v Berlíne
1./ prihlášky spracované a prekontrolované,
2./ vyhotovené zoznamy gardistov podľa stredísk,
3./ vyhotovené kmeňové listy,
4./ utvorená z nich kartotéka,
5./ vyhotovené a rozoslané legitimácie HG a
6./ riadne vybavovaná ostatná bežná agenda s tým súvisiaca.

Po technicko-administratívnej stránke som Hlinkovu gardu v Nemecku zanechal po necelom 1/2 ročnom účinkovaní približne v takom stave, ako bola aj na Slovensku.

Do tejto práce zapriahol som aj manželku, čo údajne mi bolo zazlievané, ako by som bol do Nemecka išiel sa obohatiť!

Početný stav.
Pred odchodom bol početný stav gardistov v Nemecku 1 200 a dnes by mal byť blízo 2 000.

Organizácia HG.

Nateraz je:

1./ hlavný veliteľ HG,

2./ 3 župní inšpektori,

3./ 12 okresných veliteľov,

4./ miestni velitelia vo všetkých strediskách a

5./ HVHG v Berlíne, o ktorom podávam pripojený návrh.

K funkciám župných inšpektorov dovoľujem si len to podotknúť, že boli zavedené na rozkaz p. vyslanca[4] a podľa môjho názoru môžu zostať len pod tou podmienkou, ak ich výkon bude spravidla v spojení s funkciou, ktorú župný inšpektor zastáva vo svojom zamestnaní. Inými slovami nech sú župní inšpektori HG vysielaní do stredísk alebo na porady vo výnimočných prípadoch na ťarchu HG konta, len vtedy, keď veci nemožno inak riešiť.

Ak bude prijatý môj návrh na personálne obsadenie HVHG v Berlíne, docielime úplnú personálnu úniu HG a ORS[5] až na župných inšpektorov.

Takéto riešenie je jediné, ktoré nateraz prichádza v úvahu. Inak by sa musela HG v Nemecku osamostatniť, čo by narazilo na neprekonateľné prekážky a bolo by to hrobom HG. Nemala by miestnosti, kanc. zariadenia a potom by prišli skutočné ťažkosti finančné s platením osobnej a vecnej réžie.

Finančná otázka.

Riešenie, ako ste ráčili dať predsedovi Ústredného úradu práce,[6] narazí na prekážky, lebo Najvyšší kontrolný dvor sotva schváli hradenie výdavkov HG z peňazí Ministerstva vnútra. Bolo by treba k tomu súhlasu Ministerstva financií. Avšak, ako v návrhu uvádzam, nie je to ani potrebné. Výhovorky na nedostatok financií ráčte odmietnuť s tým, aby každý dokázal čosi v mieste účinkovania a podľa výsledkov jeho práce bude potom poverený docieliť podobný výsledok aj v iných strediskách. Návštevy robotníkov sú dnes už nie tak potrebné, keď je postarané o ich ochranu a župný správca ORS strediská pravidelne navštevuje, hádam len príležitostne a[j] vyšších činiteľov. Úpravy pre gardistov alebo robotníkov vie dostatočne vysvetliť príslušný okresný veliteľ HG, čiže župný správca ORS.

Výcvik HG.

Iba výcvik HG vyžaduje osobného styku s gardistami. Aj tu však treba najprv usporiadať kurzy veliteľov, ktorí potom môžu branný výcvik uviesť vo svojich strediskách.

Uniformovanie.

Táto akútna otázka je, chvalabohu, dnes vlastne vyriešená. Za 160 RM[7] môže každý gardista dostať kompletnú rovnošatu HG. Dnes čakáme len objednávku z Nemecka a do 2 – 3 mesiacov môže byť prvých 1 000 gardistov v Nemecku už uniformovaných.[8]

Strava.

Túto sťažnosť – ako ju v mesačnom hlásení IV 1942 uvádzam – sa nepodarí tak ľahko odstrániť. Predovšetkým strava robotníkov je hlavnou príčinou, prečo sa niektorí z dovoleniek nechcú do Nemecka vrátiť. Malý prídel potravín a úprava jedál „po nemecky" premôžu i mocnú túhu slovenského robotníka finančne pomôcť sebe i svojej rodine.[9] Ešte horší je však dôsledok tohto faktu, lebo nevedno, či takýto robotník bude potom stúpencom a hlásateľom národného socializmu, ako ho mal možnosť poznať v Nemecku, keď aj pri obdive bezchybnej organizácie, ktorú mal možnosť všade v Nemecku vidieť, ostáva v jeho duševnom obzore fakt, že pocítil niekedy aj hlad. Bude dosť inteligentný, aby pochopil, že to nie je výslednica národno-socialistického systému, ale len sprievodný zjav vojnových pomerov? Bude to aj tak ostatným kamarátom na Slovensku vysvetľovať? – Výchovu gardistu a slovenského robotníka v Nemecku po tejto stránke mal by propagačný referent HG či OSR [mať] ako svoju prvú a najhlavnejšiu úlohu. Toto pokladám za dôležitejšie, ako všetko ostatné z hľadiska budúcnosti slovenského národa, aby sa slovenskí robotníci nestali po návrate z Nemecka šíriteľmi iných myšlienok.

O nič lepšie nie sú na tom ani sociálni pracovníci v Nemecku, ktorí majú práve taký istý prídel potravín, ba nemajú ani prídavku ťažko pracujúcich robotníkov. Hoci sú dekrétmi preradení už od 15. apríla t. r. do stavu zamestnancov Ministerstva zahraničia, nepodarilo sa ešte vymôcť pre nich zvýšené prídely, aspoň pred týždňom ich ešte nemali, hoci bude už čoskoro 1/2 roka od ich preradenia. Pociťujúc na vlastnej koži dôsledky tohto prídelu som sa raz v rozhorčení v jednom hlásení na HVHG opytoval, či zriadenec čínskeho vyslanectva (asi 4-násobný prídel potravín) koná záslužnejšiu prácu pre svoj národ ako sociálny pracovník pre národ slovenský. Preto veľmi prosím, ráčte v tejto veci celou váhou zakročiť, aby bol aj v skutočnosti daný všetkým sociálnym pracovníkom v Nemecku tento základný predpoklad úspešnej práce.

To by boli v hlavných rysoch moje poznatky z Nemecka. Rád by som bol všetko a ešte podrobnejšie ústne referoval, no viem, že neráčite mať toľko voľného času.[10]

Na stráž!
Klocháň [v. r.]

V Bratislave dňa 1. októbra 1942

SNA, f. 604-57-3/65-67. Originál, strojopis, 3 strany.

---

1 Ide o mesačné hlásenia od februára do júla 1942.
2 Ján Kocháň pôsobil ako „*sociálny pracovník s poverením vykonávať veci Hlinkovej gardy v Nemecku*" od 1. 2. do 31. 7. 1942. K 1. 8. 1942 bol odvelený späť k Hlavnému veliteľstvu HG. (SNA, f. MZV, š. 135, 11223/1942.)
3 K povoleniu zo strany nemeckých úradov organizovať HG pozri dokumenty 72, 79 a 83.
4 Matúš Černák.
5 Ochrana robotníkov zo Slovenska.
6 Ján Kaššovic.
7 Reichsmark – ríšska marka.
8 Porovnaj dokument 83.
9 V hláseniach žandárskej stanice v Hornej Štubni z leta a jesene 1942 figurujú ako hlavné argumenty neochoty vrátiť sa na pracovné miesta v Nemecku obhospodarovanie vlastného poľnohospodárskeho majetku, starostlivosť o dlhodobo chorých rodinných príslušníkov či zotavovanie sa z vlastných zdravotných problémov. (ŠA Banská Bystrica, f. Žandárska stanica Horná Štubňa 1942 – 1944, š. 1.) Skutočnými dôvodmi však boli podľa nášho názoru neustále sa zhoršujúce podmienky ubytovania, znižovanie prídelov potravín, nízke sadzby povolené na prevod úspor pre rodinných príslušníkov a tiež čoraz väčšia intenzita spojeneckých náletov na nemecké územie.
10 Hlásenie bolo pravdepodobne adresované hlavnému veliteľovi HG a ministrovi vnútra A. Machovi. Jeho reakciu, resp. odpoveď na publikované hlásenie nepoznáme.

113

1942, 16. október. Bratislava. – Dodatočný protokol k dohode z 19. júna 1941 o nábore slovenských pracovných síl do Nemecka na rok 1942, týkajúci sa sprostredkovania pracovných miest na území Protektorátu Čechy a Morava.

<u>Zusätzliche Niederschrift</u>

Zwischen Vertretern der Deutschen und der Slowakischen Regierung haben in der Zeit vom 14. bis 16. Oktober 1942 in Preßburg Verhandlungen stattgefunden, um einige Bestimmungen der deutsch-slowakischen Vereinbarung vom 19. Juni 1941[1] über den Einsatz von slowakischen land- und forstwirtschaftlichen Arbeitern im Protektorat Böhmen und Mähren und der ihr vorangestellten Niederschrift vom gleichen Tage einer Nachprüfung zu unterziehen.

An den Verhandlungen nahmen teil
auf deutscher Seite:
Herbert Diel, Generalkonsul im Auswärtigen Amt,
Oberregierungsrat Gustav Sager als Sachverständiger
auf slowakischer Seite:
Dr. Kassovič,[2] Vorsitzender des slowakischen Zentralarbeitsamtes,
Dr. Josef Schwarz, Legationssekretär im Ministerium des Äußeren der Slowakischen Republik.

Bei diesen Verhandlungen wurde Einverständnis über diejenigen Feststellungen, Ergänzungen und Änderungen bezüglich der Vereinbarung vom 19. Juni 1941 und ihrer Niederschrift erzielt, die in der gegenwärtigen zusätzlichen Niederschrift niedergelegt sind und die, vorbehaltlich der Zustimmung der beiden Regierungen, Bestandteil der erwähnten Vereinbarung werden und solange wie diese selbst in Kraft bleiben. Alle übrigen Bestimmungen der Niederschrift und der Vereinbarung vom 19. Juni 1941 werden in ihrer unveränderten Weitergeltung ausdrücklich bestätigt.

Insbesondere hält die slowakische Seite an der in Artikel I der vorerwähnten Vereinbarung niedergelegten Erklärung ihres Einverständnisses mit dem ungehinderten Fortgang der Anwerbungen für das Protektorat Böhmen und Mähren die deutsche Seite an der von ihr in Artikel II der Vereinbarung gegebenen Zusicherung fest, daß Änderungen der für die angeworbenen Arbeiter geltenden Arbeitsverträge der Slowakischen Regierung jeweils bekanntgegeben und gegebenenfalls zur Stellungnahme rechtzeitig mitgeteilt werden. Die Verpflichtung für den jahreszeitlichen Arbeitsabschnitt wird nicht als Schlechterstellung der Arbeiter in Bezug auf die Vertragsdauer betrachtet.

I.

Der in Artikel II der Niederschrift zu der Vereinbarung vom 19. Juni 1941 aufgestellte zahlenmäßige Rahmen für die Anwerbungen, der durch stillschweigendes Einverständnis beider Seiten für das Jahr 1942 beibehalten worden ist, gilt durch die tatsächlich vorgenommenen Anwerbungen als erfüllt.

Die slowakische Seite erklärt sich bereit, wegen der Neufestsetzung des Rahmens für das Jahr 1943 auf Einladung der deutschen Seite unverzüglich an diesbezüglichen Besprechungen teilzunehmen.[3] Sie erklärt sich ferner damit einverstanden, daß für die Dauer des Bestehens der Vereinbarung vom 19. Juni 1941 die Festsetzung des Rahmens, innerhalb dessen die Anwerbungen für das Protektorat Böhmen und Mähren erfolgen können, jeweils rechtzeitig, d. h. im Herbst jeden Jahres, für das folgende Jahr im Wege von Besprechungen mit der deutschen Seite neugeregelt wird.

II.

In Artikel IX der Vereinbarung vom 19. Juni 1941 ist vorgesehen, daß die nach dem Protektorat Böhmen und Mähren vermittelten Arbeiter an der Grenze zwischen der Slowakei und dem Protektorat übernommen werden. Die bisherigen Erfahrungen haben gezeigt, daß es zweckmäßig ist, wenn die zusammengestellten Transporte von den Beauftragten des Protektorats bereits an den Ausgangspunkten dieser Transporte innerhalb der Slowakei übernommen werden. Demgemäß wurde die bereits eingeführte Neuregelung gebilligt und die Übernahme der Transporte auf den folgenden slowakischen Stationen vorgesehen:

Zbehy, Leopoldau,[4] Trentschin, Trentschin-Teplitz, Puchov, Sillein,[5] Oberstuben,[6] Kremnitz.[7]

Diese Auswahl kann nach eintretendem Bedürfnis im Wege unmittelbaren Benehmens zwischen den Übernahmestellen des Protektorats Böhmen und Mähren und den zuständigen slowakischen Behörden ergänzt oder abgeändert werden.

III.

Im Einverständnis von beiden Seiten wurde festgestellt, daß die in Artikel II Ziffer 5 der Niederschrift zu der Vereinbarung vom 19. Juni 1941 von dem Reichsprotektor übernommene Verpflichtung, auf die Steuerbefreiung der in das Protektorat vermittelten slowakischen land- und forstwirtschaftlichen Arbeiter innerhalb des Protektorats hinzuwirken, durch den am 21. Juni 1941 abgeschlossenen deutsch-slowakischen Vertrag zur Ausgleichung der in- und ausländischen Besteuerung, insbesondere zur Vermeidung der Doppelbesteuerung auf dem Gebiete der direkten Steuern überholt ist und somit in Wegfall kommt.

IV.

Die in der Einleitung zu dieser zusätzlichen Niederschrift vorbehaltene Zustimmung der beiden beteiligten Regierungen soll im Wege eines Notenaustausches erfolgen, der in Berlin stattfinden wird.

Angefertigt in doppelter Urschrift
in Preßburg, am 16. Oktober 1942.

.

Für das Deutsche Reich: Für die Slowakische Republik:

PA AA, Gesandtschaft Preßburg, Paket 208, W 2, Nr. S 1a, Band II. Kópia, strojopis, 3 strany.

1 Pozri dokument 86.
2 Správne Kaššovic.
3 Pozri dokument 117.
4 Leopoldov.
5 Žilina.
6 Horná Štubňa.
7 Kremnica.

114
1943, 18. marec. Bratislava. – Správa nemeckého vyslanectva Zahraničnému úradu o nábore slovenských pracovných síl do ríše za neúplný 1. kvartál roku 1943.

Durchdruck
Deutsche Gesandtschaft   Pressburg, den 18. März 1943[1]
Aktenz.: W 2 Nr. 1a Nr. 1642
Inhalt: Anwerbung slowakischer Arbeitskräfte.
Zum Bericht vom 13. 1. 1943, W 2 Nr. 1a Nr. 7613[2]

2 Durchdrucke
1 Anlage

In der Anlage[3] wird eine nach Aufnahmegebieten gegliederte Übersicht über die in der Zeit vom 1. Januar bis 15. März 1943 angeworbenen und abbeförderten slowakischen Landarbeiter vorgelegt.
Insgesamt sind vom 1. 1. – 15. 3. 1943 ausgereist:
a/ landwirtschaftliche Arbeitskräfte
männlich   3456
weiblich   <u>7262</u>   10 718
b/ gewerbliche Arbeitskräfte
männlich   396
weiblich   <u>40</u>   <u>436</u>
zusammen: 11 154
Ausserdem wurden im Monat Februar 400 Arbeitsdienstmänner nach dem General-gouvernement und 600 Arbeitsdienstmänner nach dem Elsass, sowie 11 volksdeutsche Lehrlinge zu den Witkowitzer Eisenwerken in das Protektorat Böhmen und Mähren über-stellt.

gez. Ludin

An
das Auswärtige Amt
<u>Berlin.</u>

PA AA, Gesandtschaft Preßburg, Paket 208, W 2, Nr. S 1a, Band II. Kópia, strojopis, 1 strana.

---

1 Správa bola Zahraničnému úradu odoslaná 23. 3. 1943.
2 Správu s nám nepodarilo nájsť.
3 Príloha sa pri správe nenachádza.

115

1943, 17. apríl. Bratislava. – Verbálna nóta nemeckého vyslanectva MZV, týkajúca sa zvýšenia sadzieb pre transfer miezd slovenských pracovných síl v Nemecku.

Konzept.[1]

Durchdruck
Deutsche Gesandtschaft
Aktenz.: W 2 Nr. 1a Nr. 2336

1 Durchdruck

Verbalnote.

Die Deutsche Gesandtschaft beehrt sich dem Ministerium des Äusseren der Slowakischen Republik folgendes mitzuteilen:

Der Beauftragte für den Vierjahresplan – Der Generalbevollmächtigte für den Arbeitseinsatz[2] – hat gebeten, die Lohnüberweisungssätze wie folgt zu erhöhen:[3]

Gewerbliche Arbeiter um RM 10;

d. h. bei unverheirateten Arbeitern von 60 auf 70 RM, bei verheirateten Arbeitern von 70 auf 80 RM.

Landwirtschaftliche Arbeiter:

bei unverheirateten Arbeitern um 10 RM, d. h. von 40 auf 50 RM; bei verheirateten Arbeitern um 20 RM, d. h. von 55 auf 75 RM.

Zur Zeit sind etwa 70 000 slowakische Arbeiter im Reich beschäftigt. Der Generalbevollmächtigte für den Arbeitseinsatz hat wiederholt darauf hingewiesen, dass die Werbung neuer Kräfte für diesen kriegsentscheidend wichtigen Einsatz nur bei erhöhten Transfersätzen möglich sei.

Die beantragte Lohnerhöhung würde unter Zugrundelegung von 70 000 slowakischen Arbeitern einen Betrag von 750 000 bis 1 Mill. RM im Monat ausmachen. Erfahrungsgemäss machen aber nur etwa die Hälfte der im Reich beschäftigten slowakischen Arbeiter von der Möglichkeit einer Lohnüberweisung Gebrauch, so dass mit einem entsprechend geringen Betrag zu rechnen sein wird.

In Würdigung der vom Generalbevollmächtigten für den Arbeitseinsatz vorgebrachten Argumente unter Zurückstellung schwerwiegender Bedenken, die vor allem in der sich aus der Erhöhung der Transfersätze ergebenden weiteren Belastung des deutsch-slowakischen Zahlungsverkehrs begründet sind, würde man sich deutscherseits mit der beantragten Erhöhung der Transfersätze[4] einverstanden erklären.[5]

Die Deutsche Gesandtschaft bittet, den slowakischen zuständigen Stellen diese obige Stellungnahme mitzuteilen und die Zustimmung zu derselben herbeizuführen.

Pressburg, den 17. April 1943

An
das Ministerium des Äusseren der
Slowakischen Republik
Pressburg

PA AA, Gesandtschaft Preßburg, Paket 208, W 2, Nr. S 1a, Band II. Kópia, strojopis, 2 strany.

---

1 Verbálna nóta bola odovzdaná politickému odboru MZV 19. 4. 1943.
2 Fritz Sauckel. A. Hitler ho menoval do tejto funkcie 21. 3. 1942 (IMT, Band XXVII, dokument 1666-PS). Nábor pracovných síl bol tak vyčlenený spod kompetencie ríšskeho ministerstva práce. K jeho osobe pozri

RASSLOFF, Steffen. *Fritz Sauckel. Hitlers „Muster-Gauleiter" und „Sklavenhalter"*. Erfurt : Landeszentrale für politische Bildung Thüringen, 2008.
3 Vyslanectvo dostalo túto informáciu prípisom obchodno-politického oddelenia Zahraničného úradu z 12. 4. 1943. Prípis došiel 15. 4. 1943.
4 Slovenská strana požiadala o zvýšenie sadzieb vo februári 1943. Argumentovala pritom problémami pri nábore pracovných síl, ak by k zvýšeniu sadzieb nedošlo. Pozri Smagonov záznam z rozhovoru s J. Kaššovicom zo 4. 2. 1943. PA AA, Gesandtschaft Preßburg, Paket 208, W 2 Nr S 1a, Band II.
5 Na 6. spoločnom zasadnutí nemeckého a slovenského vládneho výboru 4. – 21. 5. 1943 v Bratislave došlo k čiastočnej úprave v nóte uvedených sadzieb: slobodným poľnohospodárskym robotníkom sa sadzba zvýšila zo 40 na 45 RM, ženatým z 55 na 70 RM; slobodným priemyselným robotníkom zo 60 na 65 RM. (PA AA, Gesandtschaft Preßburg, Paket 210, W 2, Nr. 1a. Protokol zo 6. spoločného zasadnutia nemeckého a slovenského vládneho výboru 4. – 21. 5. 1943.) Pozri tiež dokument 118.

116

1943, 25. august. Viedeň. – Správa Auslandsbriefprüfstelle o náladách medzi zahraničnými pracovnými silami, vypracovaná na základe analýzy ich korešpondencie.

Geheim!

Auslandsbriefprüfstelle Wien   Wien, 25. August 1943
Br. Nr. 5211/43g

A. Z.:   6 d VIII – Ach/D
Bez.:   Abw. III Nr. N3763/40g (N)
Betr.:   Ausländische Arbeiter im Reich
            Der Bericht besteht aus 6 Seiten

> Dieser Bericht enthält keine tatsächlichen Feststellungen, sondern gibt ohne eigene Stellungnahme nur den wesentlichen Inhalt hier durchgelaufener Post.

STIMMUNGSBERICHT
über
ausländische Arbeiter im Reich

entnommen aus 396 Briefen, die in der Zeit vom 11. Juni bis 23. August 1943 hier durchgelaufen sind und aus dem in den Arbeitstaschen gesammelten Material belegt werden können.

Allgemeines

Die Berichtsperiode ist charakterisiert durch eine Verschärfung der Klagen der ausländischen Arbeiter über die Ernährung (Anmerkung 1)[1] und die Furcht vor Fliegerangriffen (Anmerkung 2).[2] Das Hauptbestreben der Auslandsarbeiter geht nach einer möglichst baldigen Entlassung in die Heimat.

Viele glauben sich berechtigt aus der gegenwärtigen militärischen Lage den Schluss auf ein baldiges Kriegsende ziehen zu dürfen. Dieser Umstand scheint ihnen auch den Mut nicht nur zu einer schärferen Kritik, sondern auch zu gehässigen und feindseligen Ausfällen gegen Großdeutschland zu geben.

Die Unzufriedenheit der Arbeiter äussert sich auch weiter in ihren vielfachen Versuchen durch Schwindelbetätigungen Urlaub, oder die vorzeitige Lösung des Arbeitsverhältnisses zu erreichen. Vom Urlaub kehren aber zahlreiche Arbeiter nicht mehr an ihren

Arbeitsplatz zurück, was wieder die Verweigerung von Urlauben an gleichnationale Arbeitskameraden zur Folge hat (Anmerkung 3).[3]

Im Zunehmen sind neuerdings wieder die Klagen über Lohntransfer, wobei von den ungarischen, rumänischen, bulgarischen und griechischen Arbeitern die Schuld an der Verzögerung der Auszahlung der Geldüberweisungen den einheimischen Bankinstituten zugeschrieben wird.

Die Beschwerden über die den Auslandsarbeitern angeblich zuteilwerdende zurücksetzende Behandlung dauern weiter an. Dabei sieht eine Nation auf die andere mit Verachtung herab und nimmt für sich eine bevorzugte Stellung in Anspruch.

Eine immer mehr umsichgreifende Erscheinung ist der Schleich- und Schwarzhandel der ausländischen Arbeiter (Anmerkung 4).[4]

Auch macht sich bei den Arbeitern das Bestreben geltend, ihre Ersparnisse in irgendwelche Waren, an denen in der Heimat Mangel herrscht, anzulegen und diese Waren bei der Heimreise mitzunehmen, weil sie auf deren Wertbeständigkeit mehr Vertrauen setzen als auf die deutsche und heimische Währung (Anmerkung 5).[5]

Eine Zeit lang überschwemmten die Auslandsarbeiter die Post mit Kettenbriefen (Anmerkung 6).[6]

<u>Slowaken</u> (ausgewertet wurden 103 Briefe)

Unter den Briefen der slowakischen Arbeiter sind die der slowakischen Erntearbeiter in der weit überwiegenden Mehrzahl. Verglichen mit den Äusserungen im Vorjahr hat sich die Stimmung dieser Arbeiter bedeutend verschlechtert.[7] Die Gründe hiefür sind: Schlechtere Ernährungsverhältnisse, Kürzung des Deputates und Forderung höherer Arbeitsleistungen. (Die früher von mehr Arbeitern versehene Arbeit muss jetzt von wenigen geleistet werden, zu Männerarbeiten werden jetzt vielfach Frauen herangezogen.) Ganz besonders sind aber im Vergleich zum Vorjahr die Klagen über die Partieführer (Schaffer) angewachsen, welchen Benachteiligung der von ihnen angeführten Arbeiter nach allen Richtungen, sowie auch rohe Behandlung vorgeworfen wird. Immer wieder ist die Drohung zu hören, aus diesem Grund überhaupt nicht mehr oder wenigstens nicht mehr unter dem gleichen Schaffer in Großdeutschland Arbeit zu nehmen. Die gegenständigen Beschwerden tragen anscheinend den Stempel der Wahrheit.

Grobe Behandlung durch den Arbeitsgeber und übermässige Antreiben zur Arbeit ist gleichfalls häufig Gegenstand von Klagen.

Die slowakischen Erntearbeiter sind darüber entrüstet, dass sie auch an Sonntagen – manchmal an mehreren Sonntagen hintereinander – arbeiten müssten. Ihre Weigerung dies zu tun erforderte vielfach polizeiliches Einschreiten.

Mit der Neuregelung des Lohntransfers ist man soweit es sich um Ehepaare handelt, absolut nicht zufrieden[8] (Anmerkung 7).[9]

<u>Ungarn</u> (ausgewertet wurden 59 Briefe)

Die Briefe der ungarischen Arbeiter enthalten verhältnismässig sehr viel Klagen über zurücksetzende Behandlung.

Die ungarischen Erntearbeiter sind mit den im Reich gezahlten Löhnen sehr unzufrieden. Es wird auch behauptet, dass ein Erntearbeiter in Ungarn mehr verdiene als im Reich.

<u>Kroaten</u> (ausgewertet wurden 90 Briefe)

Die Stimmung unter den kroatischen Arbeitern und deren Arbeitsfreudigkeit soll nach Äusserungen aus ihren eigenen Reihen darunter leiden, dass viele von ihnen zwangsweise ins Reich gebracht werden. Unter ihnen befinden sich viele gefangengenommene Partisanen. Diese Leute haben häufig nicht einmal die notwendige Bekleidung und Beschuhung, erhalten hier aber auch keine und bilden so einen Anblick über den sie sich selbst schämen. Andererseits empfinden es die auf normalem Weg angeworbenen kroatischen

Arbeiter als absonderlich, dass sie mit Partisanen zusammen ins Reich transportiert und mit ihnen zur Arbeit eingesetzt werden.

Bei den kroatischen Arbeitern spielt die Urlaubsfrage die größte Rolle. Infolge der Verlängerung der Arbeitsverträge und überhaupt, weil der kroatische Arbeiter nicht an eine regelmässige andauernde Arbeit gewohnt ist, macht sich bei ihnen das Bestreben in die Heimat zurückzukehren elementar geltend. Die Pravoslawen unter den Kroaten erhalten anscheinend noch immer keinen Urlaub. Daher die vielen Fluchtversuche unter den Kroaten. Beurlaubte kehren vom Urlaub sehr häufig nicht zurück. Einige Unternehmungen sind daher dazu übergegangen die Beurlaubung davon abhängig zu machen, dass bereits beurlaubte kroatische Arbeitskameraden an ihre Arbeitsstätte zurückkehren, andere Unternehmungen machen die Beurlaubung von dem Erlag einer hohen Kaution abhängig (Anmerkung 8).[10]

Zwischen kroatischen und serbischen Arbeitern bestehen starke nationalen Spannungen, die beim Zusammenarbeiten dieser beiden Kategorien häufig zur Entladung kommen.

Franzosen (ausgewertet wurden 24 Briefe)

Die hier durchlaufenden Briefe französischer Arbeiter sind der Zahl nach gering und lassen deshalb vielleicht keinen verlässlichen Einblick in die Stimmung dieser Arbeiter zu. Es muss aber doch hervorgehoben werden, dass neben den üblichen Klagebriefen so manche Schreiben von Franzosen vorliegen, in welchen diese nicht nur ihrer Zufriedenheit über die angetroffenen Lebens- und Arbeitsbedingungen Ausdruck geben, sondern sich auch in sehr einsichtsvoller Weise über das Verhältnis Frankreichs zu Großdeutschland äussern. In einigen dieser Briefe wird die Andeutung gemacht, dass zahlreiche Franzosen, die ins Reich auf Arbeit kommen, schon in ihrer Heimat als minderwertige Elemente bekannt waren.

Mehrfach wird beklagt, dass französische Fachleute im Reich als Hilfsarbeiter verwendet werden.

OT[11]-Arbeiter (ausgewertet wurden 21 Briefe)

Auffallend viel Klagen wegen Lohntransfer, die Familien der Arbeiter verfallen wegen Nichtausbezahlung der Geldüberweisungen dem Elend, was sich naturgemäss auf die Stimmung der Arbeiter nachteilig auswirkt.

In der letzten Zeit sind von OT-Arbeitern zahlreiche Klagen über Verschlechterung der Verköstigung zu hören.

Die politische Einstellung der OT-Arbeiter lässt vielfach zu wünschen übrig. Dies gilt namentlich von den tschechischen Arbeitern.

Ostarbeiter (ausgewertet wurden 16 Briefe)

Diese zählen wohl zu den allerunzufriedensten.[12] Sie klagen über Zurücksetzung nicht nur gegenüber den deutschen, sondern auch den Arbeitern anderer Nationen. Dies wird sowohl bezüglich der Behandlung, namentlich bezüglich der Art der Unterbringung in Lagern hinter Stacheldraht, als auch bezüglich der Verköstigung behauptet. Vielfach wird über körperliche Mißhandlungen berichtet. In den Briefen der Ostarbeiter tritt neben zahlreichen zersetzenden Bemerkungen häufig ein abgründiger Hass gegen das Reich zu Tage. Unter den Ostarbeitern zirkulieren auch fortwährend Gerüchte, die sie auf das äusserste beunruhigen und ihre Stimmung weiter verschlechtern (Anmerkung 9).[13]

Die Briefe der Serben (ausgewertet [wurden] 27 Briefe), Bulgaren (ausgewertet wurden 17 Briefe), Griechen (ausgewertet wurden 21 Briefe), Rumänen (ausgewertet wurden 12 Briefe) und der Polen (ausgewertet wurden 6 Briefe) geben zu besonderen Bemerkungen keinen Anlass und erscheinen im allgemeinen Teil berücksichtigt.

Groß [v. r.]
Major

i. V. des Dienststellenlt.

BArch Berlín, R 3901/20268, Bl. 245-247. Originál, strojopis, 6 strán.

1 „*Anmerkung 1): Fast allgemein wird eine weitere fühlbare Verschlechterung der Verköstigung, teilweise sogar eine Herabsetzung der Lebensmittelrationen, namentlich an Brot, behauptet."*

2 „*Anmerkung 2): Nach den vorliegenden Meldungen fiel eine nennenswerte Anzahl ausländischer Arbeiter den Fliegenangriffen zum Opfer. Viele Arbeiter kamen durch diese Angriffe um ihr Hab und Gut. Zahlreiche Arbeiter mussten infolge der Angriffe anderweitig eingesetzt werden, zum Teil unter ungünstigeren Lohn- und Arbeitsbedingungen. Besonders beeindruckt zeigen sich die ausländischen Arbeiter in Berlin darüber, dass die Stadt evakuiert wird, während sie weiter dort bleiben müssen und den Angriffen ausgesetzt sind."*

3 „*Anmerkung 3): So wird aus Altenburg berichtet, dass ein Fabrikdirektor den kroatischen Arbeitern den Urlaub verweigerte, da von 378 beurlaubten Kroaten nur 72 an ihren Arbeitsplatz zurückgekehrt seien."*

4 „*Anmerkung 4): Hiebei sind zwei Kategorien zu unterscheiden. Die eine besteht aus Arbeitern, die erklären gezwungen zu sein, infolge der ungenügenden Ernährung, Lebensmittel, insbesonders Brot, und infolge der ungenügenden Bekleidung, Bekleidungsgegenstände im Schleich- und Schwarzhandel zu kaufen. Diese Arbeiter werden durch die abnorm hohen Preise, die sie für die genannten Waren zahlen müssen, in ihrer finanziellen Leistungskraft schwer getroffen, können keine Ersparungen machen und sehen sich daher in ihren diesbezüglichen Hoffnungen getäuscht. Die andere Kategorie besteht aus jenen Arbeitern, die aus dem Schleichhandel einen lukrativen Nebenerwerb machen. Es gibt kaum einen Gegenstand, der ihrer Spekulationsgier entgeht."*

5 „*Anmerkung 5): Auch hier wird alles wahllos zusammengekauft. So legt ein Schreiber seine Ersparnisse in Bleistiften an."*

6 „*Anmerkung 6): In diesen Kettenbriefen, die zumeist von kroatischen und polnischen Arbeitern stammten, war von übernatürlichen Erscheinungen und Wundern die Rede."*

7 Pozri dokument 108.

8 Pozri dokumenty 118 a 119.

9 „*Anmerkung 7): Die Betroffenen begründen dies damit, dass wenn ein Ehepaar ins Reich auf Arbeit gehe, es nicht in der Lage sei zuhause verschiedene Feldfrüchte anzubauen und bei ihrer Rückkehr diese teuer kaufen müsse."*

10 „*Anmerkung 8): Nach einer Mitteilung werden die Fluchtversuche der kroatischen Arbeiter im Amtsbereiche des kroatischen Konsulates in Wien gewissermassen dadurch unterstützt, dass dieses Konsulat bei Erstattung einer Anzeige über den Verlust des Reisepasses ohne weiteres neue Reisedokumente ausstellt. Der Briefschreiber äussert die Überzeugung, dass diese Verlustanzeigen durchwegs fingiert sind und die betreffenden Leute nach ihrer Heimreise schliesslich bei den Partisanen landen."*

11 Organisation Todt.

12 Z pohľadu nacionálno-socialistického režimu boli v hierarchii zahraničných robotníkov zaraďovaní na poslednú miesto. Pozri dokument 90. K postaveniu tzv. Ostarbeiter pozri podrobnejšie HERBERT, Ulrich. *Fremdarbeiter...*, s. 154-168.

13 „*Anmerkung 9): So wird in jüngster Zeit unter den Ostarbeitern das Gerücht verbreitet, dass sie nach Kriegsende im Reich verbleiben und dort weiterarbeiten müssen."*

117

1943, 31. august. Berlín. – Dohoda medzi Nemeckou ríšou a Slovenskou republikou o nábore slovenských pracovných síl do Nemecka a Protektorátu Čechy a Morava.

Auswärtiges Amt   Berlin, den 31. August 1943[1]
R 59891/1943

Betrifft: Einsatz slowakischer Arbeitskräfte
1 Anlage (doppelt)

Auf Grund von Verhandlungen, die in Berlin zwischen Vertretern der Deutschen Regierung und der Slowakischen Republik über Fragen des Einsatzes slowakischer gewerblicher Arbeitskräfte im deutschen Reichsgebiet und ihre Betreuung daselbst stattgefunden haben, ist am 19. d. Mts. ein Vertrag abgeschlossen.

2 Exemplare dieses Vertrags und seiner Anlagen werden beiliegend zur gefälligen Kenntnis übersandt.[2]

Im Auftrag
Rödiger

[Príloha]
Vertrag
zwischen dem Großdeutschen Reich und der Slowakischen Republik
über den Einsatz und die Betreuung slowakischer
Arbeitskräfte im deutschen Reichsgebiet.

Das Großdeutsche Reich und die Slowakische Republik sind übereinkommen, den Einsatz und die Betreuung slowakischer Arbeitskräfte im deutschen Reichsgebiet durch einen neuen Vertrag zu regeln und haben zu diesem Zweck zu ihren Bevollmächtigten ernannt:
der Führer des Großdeutschen Reichs
den Gesandten I. Klasse und Ministerialdirigenten im Auswärtigen Amt Dr. Erich Ahlbrecht und den Vortragenden Legationsrat Gustav Rödiger;
der Präsident der Slowakischen Republik
den Außerordentlichen Gesandten und Bevollmächtigten Minister Matúš Černák,
die, nachdem sie ihre Vollmachten geprüft und in guter und gehöriger Form befunden haben, über folgende Bestimmungen übereingekommen sind.

Erster Abschnitt
Arbeitseinsatz
Artikel 1
Die slowakischen Arbeitskräfte (im folgenden Arbeiter genannt) können deutscherseits in der Slowakei angeworben und zur Beschäftigung in landwirtschaftliche und gewerbliche Betriebe und im Haushalte im deutschen Reichsgebiet verpflichtet werden.
Die Anwerbung, Vermittlung und Verpflichtung der Arbeiter erfolgt nur im Rahmen dieses Vertrages.
Artikel 2
Bei der Anwerbung und Verpflichtung der Arbeiter sind auf deutscher Seite die Beauftragten des Generalbevollmächtigten für den Arbeitseinsatz, auf slowakischer Seite die slowakischen Arbeitsämter tätig.
Artikel 3
Die aufgrund dieses Vertrages verpflichteten Arbeiter werden von den slowakischen Behörden mit Einzelpässen ausgestattet.
Artikel 4
Die zuständigen slowakischen Stellen werden die Arbeiter durch beamtete Ärzte vor ihrer Abreise vom Heimatort ärztlich untersuchen und gegebenenfalls impfen lassen.

Artikel 5
Die slowakischen Arbeiter sind im Deutschen Reich hinsichtlich der Arbeitsbedingungen einschließlich der Arbeitsgerichtsbarkeit, der Sozialversicherung und der öffentlichen Fürsorge den vergleichbaren deutschen Arbeitern grundsätzlich gleichgestellt.

Artikel 6
Die Slowakische Republik wird mit allen ihr zu Gebote stehenden Mitteln und unter Einsatz berufener Organisationen auf die Arbeiter slowakischer Staatsangehörigkeit dahin

einwirken, daß diese die im deutschen Reichsgebiet gültigen Gesetze sowie die Anordnungen zur Sicherstellung des Arbeitsfriedens achten. Desgleichen wird sie dafür Sorge tragen, daß die Arbeiter bestmögliche Arbeitsdisziplin zeigen und zur Einhaltung des Arbeitsvertrages veranlaßt werden.

Artikel 7
Wegen der Durchführung der vorstehenden Bestimmungen können die zuständigen deutschen und slowakischen Stellen unmittelbar in Verbindung treten.

Zweiter Abschnitt
Betreuung
Artikel 8
Für die zentrale Bearbeitung aller Aufgaben, die mit der Betreuung der im Reichsgebiet tätigen nichtlandwirtschaftlichen slowakischen Arbeiter verbunden sind, wird beim Zentralbüro der Deutschen Arbeitsfront, Amt für Arbeitseinsatz, eine slowakische Verbindungsstelle errichtet, deren Leiter von der slowakischen Seite bestimmt wird.

Der Leiter der Verbindungsstelle wird für den Verkehr mit den deutschen Stellen die Dienstbezeichnung „Slowakischer Reichsverbindungsmann beim Amt für Arbeitseinsatz der Deutschen Arbeitsfront" führen.[3]

Artikel 9
Zu den Aufgaben des Reichsverbindungsmannes gehören insbesondere:

1. die Zusammenarbeit mit dem Amt für Arbeitseinsatz der Deutschen Arbeitsfront bei der Bearbeitung der grundsätzlichen Fragen auf dem Gebiet der arbeitsrechtlichen Betreuung, der Unterbringung und Verpflegung, der Sozialversicherung, des Reise- und Urlaubsverkehrs sowie des Lohntransfers der slowakischen Arbeiter, soweit sie zur Zuständigkeit der Deutschen Arbeitsfront gehören;

2. die Zusammenarbeit bei der Aufstellung von Grundsätzen für die allgemeine Behandlung der slowakischen Arbeiter durch die deutschen Dienststellen und Betriebe;

3. die Zusammenarbeit bei der geistig-kulturellen Betreuung und Freizeitgestaltung der slowakischen Arbeiter.

4. die Einsetzung und Abberufung sowie die dauernde Überwachung und Ausrichtung der slowakischen Gauverbindungsmänner.[4]

Artikel 10
Die Deutsche Arbeitsfront wird auf dem Gebiet der geistig-kulturellen Betreuung und der Freizeitgestaltung der slowakischen Arbeiter mit den von der Deutschen Regierung zugelassenen slowakischen Organisationen zusammenarbeiten. Über die Art dieser Zusammenarbeit werden sich die beiderseitigen Organisationen verständigen.

Artikel 11
Die Ernennung und Abberufung des Reichsverbindungsmannes und seiner Mitarbeiter (Sachbearbeiter und Schreibkräfte) erfolgt durch die zuständige slowakische Stelle. Vor der Ernennung des Reichsverbindungsmannes und der Sachbearbeiter ist das schriftliche Einverständnis des Amtes für Arbeitseinsatz einzuholen; wenn die Deutsche Arbeitsfront erklärt, daß eine weitere vertrauensvolle Zusammenarbeit nicht möglich ist, wird ihre Abberufung slowakischerseits erfolgen.

Soweit der Reichsverbindungsmann und seine Mitarbeiter etwa Angehörige der Slowakischen Gesandtschaft oder einer slowakischen konsularischen Vertretung sind, werden sie von den aus dieser Eigenschaft ihnen zustehenden weitergehenden Rechten bei der Durchführung der Betreuung im Rahmen der Deutschen Arbeitsfront keinen Gebrauch machen.

Die Mitarbeiter des Reichsverbindungsmannes haben sich, unbeschadet ihres Dienstverhältnisses zu den slowakischen Stellen, den für die allgemeine Ordnung des Dienstes von der Deutschen Arbeitsfront erlassenen Bestimmungen anzupassen.

Artikel 12

Zur Unterstützung der Deutschen Arbeitsfront bei der Durchführung der Betreuung der slowakischen Arbeiter in den einzelnen Betrieben werden slowakische Gauverbindungsmänner eingesetzt und den Gauwaltungen der Deutschen Arbeitsfront zugeteilt.

Für die Aufgaben und Betätigung der Gauverbindungsmänner sind die Richtlinien für die Tätigkeit der ausländischen Betreuer bei den Gauwaltungen der Deutschen Arbeitsfront vom 1. 9. 1942 verbindlich.

Artikel 13

Die Ernennung und Abberufung der Gauverbindungsmänner und ihrer Mitarbeiter (Sachbearbeiter und Schreibkräfte) erfolgt durch den slowakischen Reichsverbindungsmann. Die Bestimmungen des Artikels 11, Absatz 1, Satz 2 gelten entsprechend.

Zur Versetzung der Gauverbindungsmänner in einen anderen Gau ist das vorherige Einvernehmen zwischen dem Reichsverbindungsmann und der Deutschen Arbeitsfront, Amt für Arbeitseinsatz, erforderlich.

Angehörige der Slowakischen Gesandtschaft können nicht zu Gauverbindungsmännern oder deren Mitarbeiter bestellt werden.

Artikel 14

Sämtliche im Gebiete des Großdeutschen Reiches tätigen, nichtlandwirtschaftlichen Arbeiter slowakischer Staatsangehörigkeit sind verpflichtet, an die Deutsche Arbeitsfront Betreuungsbeträge in der gleichen Höhe wie vergleichbare deutsche Mitglieder der Deutschen Arbeitsfront zu entrichten.

Artikel 15

Die Betreuung der landwirtschaftlichen slowakischen Arbeiter richtet sich nach der Vereinbarung zwischen dem Reichsnährstand und dem Ustredny urad prace über die Betreuung der im Reich in der Landwirtschaft angesetzten Arbeitskräfte aus der Slowakei vom 27. Mai 1942.[5]

Artikel 16

Der Vertrag gilt bis zum 31. Dezember 1943 und verlängert sich stillschweigend jeweils um ein Jahr, wenn er nicht spätestens am 1. Oktober für den Schluß des Kalenderjahres gekündigt wird.

Ausgefertigt in doppelter Urschrift in deutscher und slowakischer Sprache.

Berlin, den 19. August 1943
        gez. Dr. Albrecht   gez. Matúš Černák
        gez. G. Rödiger

Zusatzprotokoll

Bei der heutigen Unterzeichnung des Vertrages zwischen dem Großdeutschen Reich und der Slowakischen Republik über den Einsatz und die Betreuung slowakischer Arbeitskräfte im deutschen Reichsgebiet ist zwischen den vertragschließenden Teilen über folgende Punkte Einverständnis erzielt worden, die einen wesentlichen Bestandteil des Vertrags bilden.

A. Arbeitseinsatz

I

Kontingent

(Zu Artikel 1)

Slowakische Arbeitskräfte (im folgenden Arbeiter genannt) können im Rahmen des Vertrages für die Arbeit in Deutschland nur insoweit angeworben werden, als der Transfer der Lohnersparnisse für sie ermöglicht werden kann.

Die Anzahl der anzuwerbenden Arbeiter wird jeweils zwischen den deutschen und slowakischen Stellen besonders festgelegt.

Im Jahre 1943 können angeworben werden:

gewerbliche Arbeiter: soweit slowakischerseits solche Arbeiter bereitgestellt werden können;

landwirtschaftliche Arbeiter: 37 000 (einschließlich der Arbeiter, die im Winter 1942/43 in Deutschland überwintert haben). Innerhalb der Zahl der landwirtschaftlichen Arbeiter können Dauerarbeitskräfte (Gesindekräfte) angeworben werden, soweit sich solche hierzu melden;

Forstarbeiter (Waldarbeiter): 3 000 (einschließlich der bereits im Reich befindlichen);

Hausangestellte: es können im Jahre 1943 keine neuen Kräfte angeworben werden. Für nach der Slowakei zurückkehrende Hausangestellte wird jedoch slowakischerseits nach Möglichkeit Ersatz gestellt.

II

Anwerbung und Verpflichtung

(Zu Artikel 1)

a) Die Bedarfsanmeldungen der einzelnen Betriebsführer werden von den zuständigen deutschen Stellen dem slowakischen Zentralarbeitsamt mitgeteilt.

b) Die Verpflichtung der Arbeiter (mit Ausnahme der Hausangestellten) erfolgt nach Maßgabe der beiliegenden Arbeitsvertragsmuster für landwirtschaftliche Wanderarbeiter, für landwirtschaftliche Dauerarbeitskräfte (Gesindekräfte) und für nichtlandwirtschaftliche Arbeiter.[6]

c) Die von dem Betriebsführer oder in seiner Vollmacht von der deutschen amtlichen Stelle unterzeichneten Arbeitsverträge werden dem Zentralarbeitsamt in fünffacher Ausfertigung vorgelegt. Sind die Verträge vom Betriebsführer unterzeichnet, werden sie von der zuständigen deutschen Stelle mit Amtssiegel und Unterschrift versehen.

Das Zentralarbeitsamt weist die Verträge mit größter Beschleunigung den Arbeitsämtern über. Diese stellen die Arbeiter bereit, die deutschen Beauftragten nehmen aus der Zahl der bereitgestellten Arbeiter die Verpflichtungen vor. Die Arbeiter sind über den Inhalt des Arbeitsvertrages genau aufzuklären und haben den Arbeitsvertrag eigenhändig zu unterschreiben. Der Abschluß des Vertrages wird von dem zuständigen slowakischen Arbeitsamt durch Unterschrift und Amtssiegel auf dem Arbeitsvertrag bestätigt.

Von den vollständig ausgefertigten Arbeitsverträgen erhalten 2 Stück die zuständigen deutschen Stellen und je 1 Stück die zuständige slowakische Stelle, der Betriebsführer und der Arbeiter.

d) Die landwirtschaftlichen Dauerarbeitskräfte (Gesindekräfte) werden möglichst in den Donau- und Alpen-Reichsgauen oder in Mitteldeutschland eingesetzt werden.

III

Pässe

(Zu Artikel 3)

Die Kosten (Gebühren, Abgaben) für die Ausstellung der Pässe werden von slowakischer Seite tunlichst gering gehalten werden.

IV

Ärztliche Untersuchung

(Zu Artikel 4)

Bei der ärztlichen Untersuchung der Arbeiter ist nach den anliegenden Richtlinien[7] zu verfahren. Für gewerbliche Arbeiter und landwirtschaftliche Dauerarbeitskräfte (Gesindekräfte) ist der den Richtlinien beigegebene Vordruck für das ärztliche Gutachten auszufüllen. Die slowakischen zuständigen Stellen werden überwachen, daß die Untersuchung nach diesen Richtlinien sorgfältig durchgeführt wird.

V

Arbeitsbedingungen

(Zu Artikel 5)

a) Das Arbeitsverhältnis des verpflichteten Arbeiters beginnt mit dem Tage nach dem Eintreffen auf der Arbeitsstelle und dauert bei gewerblichen Arbeitern und landwirtschaftlichen Dauerarbeitskräften (Gesindekräften) grundsätzlich ein Jahr. Es kann von den Beteiligten schriftlich jeweils für eine bestimmte Zeit verlängert werden. Wird das Arbeitsverhältnis nach Ablauf ohne eine solche schriftliche Vereinbarung fortgesetzt, so gilt es jeweils für weitere drei Monate.

b) Ein Arbeiter, der ein Jahr in Deutschland ununterbrochen gearbeitet und einen Vertrag auf unbestimmte Zeit hat, kann das Arbeitsverhältnis unter Einhaltung der vorgeschriebenen Kündigungsfrist kündigen. Das Arbeitsamt gibt in diesem Falle einem gewerblichen Arbeiter die Zustimmung zur Kündigung, wenn die beabsichtigte Kündigung zwei Monate vor ihrem Wirksamwerden dem letzten Betriebsführer angekündigt worden ist. Den landwirtschaftlichen Arbeitern, die in Deutschland überwintern, gibt in diesem Falle das Arbeitsamt die Zustimmung zur Kündigung, wenn die Kündigung nicht vor dem 31. Oktober des Jahres wirksam wird.

c) Die Arbeiter erhalten Trennungsgeld wie vergleichbare deutsche Arbeiter.

Soweit für die Gewährung von Trennungsgeld die Vorlage einer besonderen Bescheinigung erforderlich ist, wird deren Inhalt zwischen den zuständigen deutschen und slowakischen Stellen festgelegt.

d) Die deutsche Seite wird ihren Einfluß dahin geltend machen, daß die Unterbringung der Arbeiter in sittlicher und gesundheitlicher Beziehung einwandfrei und möglichst in der Nähe der Arbeitsstelle ist.

VI

Verpflegung

(Zu Artikel 5)

Die Arbeiter erhalten im allgemeinen die gleichen Verpflegungssätze wie die vergleichbaren deutschen Arbeiter. Das gilt auch für Zucker und Marmelade. Die an die deutschen Normalverbraucher abgegebenen Mangelwaren werden den slowakischen Arbeitern soweit wie möglich zugeteilt werden. Allgemeine zusätzliche Zuteilungen (z. B. zu Weihnachten), die deutsche Arbeiter erhalten, können ausländischen, also auch slowakischen Arbeitern, nur im Rahmen des Möglichen gewährt werden.

VII

Vertragsbruch

(Zu Artikel 6)

Arbeiter, die vertragsbrüchig geworden sind, sollen nicht zur Arbeit in Deutschland vermittelt werden. Vertragsbrüchig gewordene Arbeiter werden demgemäß von den deutschen Arbeitsämtern oder Reichstreuhändern der Arbeit den zuständigen slowakischen Betreuern gemeldet.

Wird ein Arbeiter vertragsbrüchig und deswegen festgenommen, unterrichtet die festnehmende Dienststelle sofort den zuständigen slowakischen Betreuer, wenn damit zu rechnen ist, daß der Arbeiter eine Woche oder länger festgehalten wird.

VIII
Bekleidung und Schuhwerk

Die slowakische Seite wird es sich anlegen sein lassen, daß die Arbeiter beim Antritt der Arbeit in Deutschland mit für die Arbeit geeigneter Kleidung und festem Schuhwerk versehen sind.

Die deutsche Seite wird dafür sorgen, daß die Arbeiter ihre verbrauchte Kleidung und das verbrauchte Schuhwerk nach Möglichkeit ersetzen können. Um die Versorgung der Arbeiter mit dem für die Erhaltung der Arbeitseinsatzfähigkeit notwendigen Schuhwerk zu gewährleisten, soll bei landwirtschaftlichen Arbeitern, die in der abgelaufenen Saison ihren Arbeitsvertrag in Deutschland erfüllt haben und für die darauffolgende Saison termingemäß die Arbeit in Deutschland wiederaufnehmen, deutscherseits in Rechnung gestellt werden, daß sie im vergangenen Jahr bereits in Deutschland gearbeitet haben.

IX
Transportfragen

a) Die slowakischen Stellen sorgen für die rechtzeitige Abreise der verpflichteten Arbeiter und melden den Zeitpunkt der Abreise der zuständigen deutschen Stelle. Die zuständige deutsche Stelle übernimmt die Arbeiter an den Sammelstellen.

b) Als Abgeltung für die von den landwirtschaftlichen Arbeitern für die Reise zur Arbeitsaufnahme mitzunehmende Reiseverpflegung erhalten diese nach Eintreffen am Reiseziel aus Mitteln des Reichsstocks bei langen Reisen (nach den Bezirken der Landesarbeitsämter Pommern, Nordmark, Schleswig-Holstein, Niedersachsen, Westfalen, Rheinland, Moselland, Westmark und Hessen) den Betrag von RM 2, bei kurzen Reisen (nach den Bezirken aller übrigen Landesarbeitsämtern) den Betrag von RM 1.

X
Köchinnen und Hilfskräfte bei
landwirtschaftlichen Wanderarbeitergruppen.

Der Reichsnährstand wird auf die Betriebsführer dahin einwirken, daß, soweit nicht die zuständige Tarifordnung etwas Günstigeres bestimmt, der mit dem Kochen und dem Reinigen der Unterkunftsräume beauftragten Person, falls sie zur Wanderarbeitergruppe gehört, folgende Zeit zur Verfügung gestellt wird:
bei Gruppen unter 5 Personen 2 Stunden täglich,
bei Gruppen von 5 bis 9 Personen 4 Stunden täglich,
bei Gruppen von 10 bis 14 Personen 7 Stunden täglich.
Bei Gruppen über 15 Personen soll eine Köchin ausschließlich zur Verfügung stehen. Bei jeder weiteren Person ist für die Köchin oder eine Hilfskraft 1/2 Stunde Arbeitszeit anzusetzen.

Die Köchin und die Hilfskraft erhalten für Arbeiten an Sonn- und Feiertagen den Lohnzuschlag für Sonn- und Feiertagsarbeit. Der Reichsnährstand und die Arbeitsämter werden die Betriebsführer entsprechend unterrichten.

XI
Umvermittlung

Jede Umvermittlung der Arbeiter wird von dem deutschen Arbeitsamt über die Dienststelle des Bevollmächtigten für den Arbeitseinsatz in der Slowakei dem Zentralarbeitsamt in Preßburg gemeldet. Die deutschen Arbeitsämter werden sich bemühen, die Arbeiter im Falle vorzeitiger Auflösung ihres Vertrages, die nicht auf Verschulden des Arbeiters beruht, bei einem anderen Unternehmer, soweit irgend möglich, zu den gleichen Bedingungen und mindestens für die Dauer des bisherigen Vertrages unterzubringen.

XII
Lohntransfer; Arbeitslosenunterstützung
Der Transfer der Lohnersparnisse der Arbeiter und die Fragen, die sich in der Arbeitslosenversicherung aus der Beschäftigung slowakischer Arbeiter im deutschen Reichsgebiet ergeben, werden besonders geregelt.

XIII
Sozialversicherung
Für die Krankenversicherung der Familienangehörigen der Arbeiter, soweit diese Familienangehörigen auf dem Gebiete des slowakischen Staates bleiben, gilt das Abkommen zwischen der slowakischen Zentralsozialversicherungsanstalt in Preßburg und dem Reichsverband der deutschen Krankenversicherung. Für die Invaliden- und Unfallversicherung der slowakischen Arbeiter wird bis zum Abschluß eines besonderen Abkommens der deutsch-tschechoslowakische Vertrag über die Sozialversicherung vom 21. März 1931[8] sinngemäß angewandt.

XIV
Lohnsteuer
Für die Lohnsteuerpflicht der Arbeiter gelten die jeweils angewandten zwischenstaatlichen Verträge zur Vermeidung der Doppelbesteuerung. Die für die Erlangung von Steuervergünstigungen notwendige Bescheinigung nach anliegendem Muster wird von den slowakischen amtlichen Stellen ausgestellt werden.

XV
Betreuung durch Geistliche
Zur Betreuung der aufgrund des Vertrages beschäftigten Arbeiter werden slowakischerseits auch Geistliche entsandt werden. Die Betreuung durch die Geistlichen wird im engsten Einvernehmen mit den zuständigen deutschen Stellen erfolgen.

XVI
Arbeiter aus den Westgebieten
Der Vertrag findet auf die slowakischen Arbeiter, die in den von Deutschland besetzten westlichen Gebieten angeworben werden, sinngemäß Anwendung.[9]

XVII
Verwaltungsgebühr
Als Verwaltungsgebühr (einschließlich der Gebühr für die ärztliche Untersuchung) werden deutscherseits für jeden seit dem 1. Januar 1943 aufgrund der deutsch-slowakischen Vereinbarungen in der Slowakei neu verpflichteten Arbeiter RM 9 an das Slowakische Innenministerium (Zentralarbeitsamt) gezahlt. Von diesem Zeitpunkt ab entfallen die deutschen Zahlungen gemäß Ziffer X der deutsch-slowakischen Vereinbarung über slowakische Arbeitskräfte vom 19. Juni 1941.[10]
Die Zahlung erfolgt aufgrund der berechtigten Transportlisten.
Innerhalb eines Kalenderjahres wird die Verwaltungsgebühr für jeden Arbeiter nur einmal gezahlt.

Die Überweisung der Verwaltungsgebühr nach der Slowakei kann nur erfolgen, soweit entsprechende Transfermöglichkeiten geschaffen werden können.

B. Betreuung
I
(Zu Artikel 10)

Für die geistig-kulturelle Betreuung und die Freizeitgestaltung der slowakischen Arbeiter wird innerhalb der Reichsverbindungsstelle ein besonderer Sachbearbeiter bestimmt werden.

II
(Zu Artikel 11)

Die slowakische Seite wird in den slowakischen Verbindungsstellen reichsdeutsche Arbeitskräfte nicht anstellen. Soweit solche zurzeit angestellt sind, werden sie auf Vorschlag der slowakischen Seite in das Angestelltenverhältnis zur Deutschen Arbeitsfront übernommen und zur Dienstleistung in den slowakischen Verbindungsstellen zu deren Lasten zur Verfügung gestellt.

III
(Zu Artikel 12)

Ein Gauverbindungsmann kann nach Bedarf für das Gebiet mehrerer Gauawaltungen der Deutschen Arbeitsfront bestellt werden; in diesem Falle wird er der Gauwaltung zugeteilt, in deren Bereich er seinen ständigen Aufenthalt nimmt. Dagegen ist die Aufteilung des Gebietes einer Gauverwaltung auf mehrere Gauverbindungsmänner zu vermeiden.

IV
(Zu Artikel 13)

1. Zwischen dem Reichsverbindungsmann und dem Amt für Arbeitseinsatz wird zu Beginn eines jeden Kalenderhalbjahres ein Stellenplan vereinbart, der die Zahl der Mitarbeiter des Reichsverbindungsmannes, der Gauverbindungsmänner und ihrer Mitarbeiter festlegt. Die Gehaltszahlung an die vorgenannten Personen erfolgt durch die zuständige slowakische Stelle aus den Mitteln, die ihr von der Deutschen Arbeitsfront hierfür zur Verfügung gestellt werden.

2. Die Deutsche Arbeitsfront stellt die erforderlichen Diensträume, ihre Einrichtung, Schreibmaterial, Fernsprecheinrichtungen, Beleuchtung und Heizung zur Verfügung.

3. In den Räumen der slowakischen Verbindungsstellen können die Hoheitszeichen des slowakischen Staates und die Bilder der führenden Persönlichkeiten des Staates angebracht werden. Die slowakischen Betreuer können bei der Ausübung ihres Dienstes slowakische Dienstkleidung tragen.

4. Die Planung und Durchführung von Tagungen zur fachlichen Ausrichtung der hauptamtlichen oder ehrenamtlichen slowakischen Betreuer erfolgt durch die Deutsche Arbeitsfront im Einvernehmen mit dem Reichsverbindungsmann.

5. Die Deutsche Arbeitsfront stellt zur Bestreitung der durch die gemeinschaftlich durchzuführenden Betreuungsarbeiten anfallenden Kosten einen monatlichen Pauschalbetrag zur Verfügung.

6. Der Pauschalbetrag beträgt etwa 50% des Gesamtaufkommens der von den slowakischen Arbeitern an die Deutsche Arbeitsfront entrichteten Betreuungsbeiträge. Als Grundlage für die Berechnung wird ein mittlerer Monatsbeitrag festgesetzt, jedoch höchstens 50% des Durchschnittsbeitrages reichsdeutscher Mitglieder.

7. Als Grundlage für die Anzahl der im Reichsgebiet tätigen slowakischen nichtlandwirtschaftlichen Arbeiter gelten die vom Arbeitswissenschaftlichen Institut der Deutschen

Arbeitsfront festgestellten Zahlen über den Einsatz ausländischer Arbeiter in Deutschland abzüglich eines Erfahrungssatzes von 10%, der durch Arbeitsausfälle infolge Krankheit und Erfassungsschwierigkeiten bedingt ist.

Die Festsetzung des Pauschalbetrages erfolgt auf dieser Grundlage halbjährig aufgrund der Durchschnittszahl der während dieser Zeit im Deutschen Reich tätigen slowakischen nichtlandwirtschaftlichen Arbeiter.

Begründete Einwendungen der slowakischen Seite gegen die aufgrund der vorstehenden Bestimmungen errechnete Zahl der im Reich eingesetzten slowakischen Arbeiter werden von der Deutschen Arbeitsfront entgegengenommen.

8. Die Verwaltung des Pauschalbetrages erfolgt durch das Amt für Arbeitseinsatz der Deutschen Arbeitsfront aufgrund der nachstehenden Bestimmungen.

9. Das Amt für Arbeitseinsatz überweist von dem vorgenannten Betrag monatlich eine Pauschale zur Bestreitung der Personalausgaben an die zuständige slowakische Stelle.

Diese Pauschale wird, ohne daß diese Sätze für die Festsetzung der Gehälter im einzelnen maßgebend sind, folgendermaßen errechnet:

a) für den Reichsverbindungsmann RM 1 000
b) für jeden Gauverbindungsmann und Reichsfachangestellten RM 800
c) für jeden Gaufachangestellten RM 600
d) für jede Schreibkraft RM 500.

Die Zahlungen erfolgen nur, soweit die betreffenden Stellen im Stellenplan (Ziffer 1) vorgesehen und tatsächlich besetzt sind.

10. Durch die festgesetzten Beträge sind sämtliche Verpflichtungen der Deutschen Arbeitsfront hinsichtlich der Gehaltszahlungen einschließlich Abordnungszulagen usw. (d. h. also alle personellen Aufwendungen) abgegolten.

11. Die nachstehend aufgeführten Kosten werden von der Deutschen Arbeitsfront gezahlt; es werden hierfür vom Gesamtbetrag monatlich 25% in Abzug gebracht:

a) Reisekosten (Dienstreisen sind im Einvernehmen mit dem zuständigen Hauptabteilungsleiter der Deutschen Arbeitsfront durchzuführen);
b) Miete für Büroräume;
c) allgemeine Bürokosten usw.
d) Telefongebühren (Blitzgespräche bedürfen der Zustimmung des zuständigen Amtsleiters bezw. Gauobmannes der Deutschen Arbeitsfront).

12. Etwa anfallende weitere Kosten, wie z. B. für Zeitungen, Zeitschriften usw., sind aus dem verbleibenden Restbetrag der Pauschale (Ziffer 13) zu bestreiten. Die Übernahme weiterer Kosten durch die Deutsche Arbeitsfront über die Pauschale hinaus ist ausgeschlossen.

13. Der verbleibende Restbetrag steht zur Bestreitung weiterer Betreuungsaufgaben, insbesondere auf dem Gebiete der Freizeitgestaltung und allgemeinen kulturellen Betreuung, der Schulung und Propaganda zur Verfügung und kann von dem slowakischen Reichsverbindungsmann im Einvernehmen mit dem Amt für Arbeitseinsatz verwendet werden.

Ausgefertigt in doppelter Urschrift in deutscher und slowakischer Sprache.[11]

Berlin, den 19. August 1943

gez. Dr. Albrecht   gez. Matúš Černák
gez. G. Rödiger
gez. Hetzell
gez. Mende

BArch Berlin, R 2/18844. Kópia, strojopis, 16 strán.

1 Ríšskemu ministerstvu financií došiel prípis 30. 9. 1943.
2 Prípis bol zaslaný straníckej kancelárii NSDAP, poverencovi pre štvorročný plán (H. Göring), generálnemu splnomocnencovi pre pracovné nasadenie, ríšskemu ministrovi vnútra, ríšskemu vodcovi SS a náčelníkovi nemeckej polície, ríšskemu ministrovi financií, ríšskemu ministrovi hospodárstva, ríšskemu ministrovi výživy a poľnohospodárstva, Nemeckému pracovnému frontu – úrad pre pracovné nasadenie.
3 Porovnaj dokumenty 80 a 92.
4 Ku kompetenciám slovenského splnomocnenca pri DAF pozri tiež dokument 92.
5 Dokument sme nemali k dispozícii.
6 Prílohy z priestorových dôvodov nepublikujeme.
7 Smernice nepublikujeme.
8 Pozri Sbírka zákonů a nařízení státu Československého č. 209/1933 – úmluva mezi republikou Československou a říší Nemeckou o sociálním pojištění z 21. 3. 1931.
9 Pozri tiež dokument 86.
10 Pozri dokument 86.
11 Generálny splnomocnenec pre pracovné nasadenie v prípise prezidentom župných, resp. krajinských úradov práce zo 6. 10. 1943 upozorňoval ich úradovne najmä na nasledovné články dodatkového protokolu: čl. V; čl. VII, ods. 1; čl. IX b; čl. X, ods. 2; čl. XI; čl. XI a čl. XVII. Hlásenia o zmene pracoviska mali úrady práce zasielať poverencovi GBA v Bratislave. (BArch Berlín, R 3901/20469, Bl. 111.)

118
1943, 6. september. Bratislava. – Verbálna nóta nemeckého vyslanectva MZV, týkajúca sa sadzieb pre transfer miezd slovenských pracovných síl v Nemecku.

Konzept.[1]

Durchdruck
Deutsche Gesandtschaft
Aktenz.: W 2 Nr. 1a Nr. 5365

1 Durchdruck

Verbalnote.

Die Deutsche Gesandtschaft beehrt sich dem Ministerium des Äusseren der Slowakischen Republik folgendes mitzuteilen:

In Punkt 23 des 6. Vertraulichen Protokolls wurden die Überweisungssätze für ledige landwirtschaftliche Arbeiter von 40 auf 45 RM erhöht.[2] Der Beauftragte für den Vierjahresplan, Generalbevollmächtigter für den Arbeitseinsatz, hält diese Erhöhung für nicht ausreichend und beantragt eine Erhöhung auf 50 RM. Ferner ist in dem genannten Protokollpunkt vorgesehen, dass in Deutschland beschäftigten Ehegatten zu beiden Teilen nach den für unverheiratete Arbeiter geltenden Sätzen ihre Lohnersparnisse überweisen dürfen. Der Beauftragte für den Vierjahresplan, Generalbevollmächtigter für den Arbeitseinsatz, bittet, dass wenigstens ein Ehegatte die für verheiratete Arbeiter festgesetzten monatlichen Höchstbeträge in Anspruch nehmen darf. Von deutscher Seite wird diese Angelegenheit auf die Tagesordnung bei den bevorstehenden Verhandlungen der Regierungsausschüsse gesetzt werden.[3]

Pressburg, den 6. September 1943

An
das Ministerium des Äusseren der
Slowakischen Republik
Pressburg

PA AA, Gesandtschaft Preßburg, Paket 208, W 2, Nr. S 1a, Band II. Kópia, strojopis, 1 strana.

1 Verbálna nóta bola odovzdaná politickému odboru MZV 7. 9. 1943.
2 Pozri dokument 115.
3 Táto požiadavka bola napokon zakomponovaná do protokolu zo 7. spoločného zasadnutia nemeckého a slovenského vládneho výboru 20. 9. – 28. 10. 1943. Na zasadnutí bola tiež dohodnutá možnosť prevodu odškodného za vojnové škody pre robotníkov do výšky 200 RM. Pozri PA AA, Gesandtschaft Preßburg, Paket 210, W 2, Nr. 1a.

119

1943, 24. november. Bratislava. – Prípis úradovne Generálneho splnomocnenca pre pracovné nasadenie nemeckému vyslanectvu vo veci prevodu miezd slovenských pracovných síl, zamestnaných v Nemecku. Kritika neskorého vyplácania prevodov pre ich rodinných príslušníkov.

Der Beauftragte für den Vierjahresplan
Der Generalbevollmächtigte für den Arbeitseinsatz
Dienststelle Slowakei

G. Z. 5757 - A   Pressburg, den 24. 11. 1943

An die
Deutsche Gesandtschaft
Pressburg.   Vertraulich!

Betrifft: Lohnüberweisung der im Reich beschäftigten slowakischen Arbeiter.

Die im Reich beschäftigten slowakischen Arbeiter können nach den zur Zeit geltenden Vorschriften folgende Lohnersparnisse in die Heimat überweisen:
    1.) gewerbliche Arbeiter und Forstarbeiter
    a) Verheiratete   bis zu 80 RM im Monat
    b) Unverheiratete   bis zu 65 RM im Monat
    2.) landwirtschaftliche Arbeiter
    a) Verheiratete   bis zu 70 RM im Monat
    b) Unverheiratete   bis zu 45 RM im Monat.[1]
Für Eheleute, die beide im Reich tätig sind, gelten nur die Überweisungssätze für unverheiratete Arbeiter.
    Bereits bei der diesjährigen Anwerbung von Land- und Forstarbeitern für das Reichsgebiet haben sich erhebliche Ausfälle ergeben, die wesentlich mit darauf zurückzuführen sind, dass diese Transfersätze infolge der bedeutend angestiegenen Lebenshaltungskosten in der Slowakei zum Unterhalt der Angehörigen in der Heimat nicht mehr ausreichen und ausserdem bei den zur Zeit im Reich gegebenen Verhältnissen keine hinreichende Gelegenheit besteht, die angesammelten Ersparnisse in Sachwerte umzusetzen.
    Auf meine Anregung hin sind zwar schon seit langer Zeit Verhandlungen zwischen den beteiligten deutschen und slowakischen Stellen mit dem Ziel einer teilweisen Erhöhung der Transfersätze eingeleitet, aber bisher noch nicht abgeschlossen worden.
    Unter diesen Umständen sind die Angehörigen der im Reich beschäftigten slowakischen Arbeiter (es dürfte sich schätzungsweise um etwa 25 000 Industriearbeiter und 40 000 Landarbeiter,[2] die wegen Beendigung der Saison zur Zeit in die Heimat zurückkehren, handeln) begreiflicherweise im besonderen auf einen möglichst pünktlichen Eingang der

Arbeiterlohnersparnisse angewiesen. Bei dem für die Überweisung der Lohnersparnisse üblichen Verfahren werden vom Zeitpunkt der Anweisung des Geldes an im Reich bis zur Auszahlung in der Slowakei im allgemeinen 4 – 6 Wochen benötigt. Dadurch ergeben sich für zahlreiche Familien soziale Härten und Schwierigkeiten, die von ihnen bisher aus der langjährigen Praxis als unabwendbar anerkannt und auch hingenommen worden sind.

Demgegenüber aber mehren sich besonders in letzter Zeit die Beschwerden seitens der Arbeiter im Reich und ihrer hiesigen Familienangehörigen darüber, dass sie die Lohnersparnisse selbst nach Ablauf dieser Zeit noch nicht erhalten und sich die Auszahlungen oft um weitere Wochen und sogar Monate verzögern, sodass sie in untragbare Geldschwierigkeiten geraten.

Ich habe mich dieserhalb mit der Postsparkasse in Pressburg in Verbindung gesetzt und festgestellt, dass die Überweisung der Lohnersparnisse an die Geldempfänger in der Heimat nach wie vor in mustergültigerweise durchführt, sofern ihr die notwendigen Mittel rechtzeitig und in dem erforderlichen Ausmass vom Finanzministerium in Pressburg jeweils zur Verfügung gestellt werden. Das ist jedoch nicht immer der Fall. Nach vertraulicher Mitteilung der Postsparkasse liegen bei ihr zur Zeit z. B. Anweisungen in Höhe von 39 Mill. Ks Lohnersparnisse vor, die von der Postsparkasse an die Empfänger nicht ausgezahlt werden können, weil das Finanzministerium die Mittel hierfür wegen angeblicher Geldknappheit noch nicht zur Verfügung gestellt hat. Da sich gegen Jahresende für die slowakische Staatskasse wahrscheinlich grössere Zahlungsverpflichtungen ergeben werden, ist zu befürchten, dass die Auszahlung der zur Zeit vorliegenden und in den Monaten November und Dezember noch eingehenden Lohnersparnisse weiterhin in Rückstand gerät.

Das muss aber unter allen Umständen vermieden werden, weil sonst eine ernstliche Beunruhigung unter der Arbeiterschaft zu befürchten ist. Die Familien würden sonst hierdurch gerade während der Festtage in grosse soziale Notlage geraten und die Verantwortung hierfür hauptsächlich dem Reich zuzuschieben geneigt sein. Die nachteiligen Folgen der unregelmässigen Geldauszahlung beginnen sich im Reich bereits abzuzeichnen. Nach mir vorliegenden Zuschriften von Arbeitseinsatzdienststellen aus dem Reich ist die Arbeitsfreudigkeit der betroffenen Arbeiterschaft erheblich beeinträchtigt worden. In der Sorgepflicht um die Angehörigen in der Heimat haben slowakische Arbeiter bereits vielfach erklärt, für das nächste Jahr keinen Vertrag mehr für den Einsatz im Reichsgebiet abschliessen zu wollen.[3]

Vom Standpunkt des Reichsgebiets besteht also grösstes Interesse an einer möglichst baldigen Behebung dieses unerwünschten Zustandes. Ich wäre daher dankbar, wenn Sie durch den Herrn Handelsattaché[4] Ihren Einfluss auf das slowakische Finanzministerium dahingehend ausüben würden, dass die notwendigen Mittel für die Auszahlung der Lohnüberweisungen jeweils rechtzeitig zur Verfügung gestellt werden.[5] Die Voraussetzungen hierfür wie auch für eine sofortige Abdeckung des Zahlungsrückstandes dürften nach meiner Unterrichtung gegeben sein. Wie mir die Postsparkasse ebenfalls vertraulich mitteilt, hat sie dem slowakischen Finanzministerium einen Kredit in der benötigten Höhe angeboten. Das Finanzministerium hat dieses Anerbieten jedoch – offenbar zur Vermeidung einer Zinsenbelastung durch die Postsparkasse – ausgeschlagen. Zu Ihrer Information bemerke ich, dass ich auch bei anderen gleichgelagerten Anlässen den Eindruck gewonnen habe, dass das Finanzministerium seine Entscheidungen ausschliesslich nach fiskalischen Gesichtspunkten und ohne Rücksicht auf soziale Belange oder gar anderweitige Folgen auszurichten bemüht ist.

Um die freundschaftliche Zusammenarbeit mit der Postsparkasse nicht zu beeinträchtigen, bitte ich, deren Auskunft über die Höhe des gegenwärtigen Zahlungsrückstandes und das Kreditangebot an das Finanzministerium möglichst vertraulich zu behandeln.

Sager [v. r.]

PA AA, Gesandtschaft Preßburg, Paket 208, W 2, Nr. S 1a, Band II. Originál, strojopis, 4 strany.

---

1 Porovnaj dokumenty 115 a 118.
2 K náboru za rok 1943 pozri dokument 122.
3 Porovnaj dokument 112.
4 Helmut von Schulmann.
5 Obchodný ataše H. von Schulmann v tejto veci zaslal G. Sagerovi 27. 11. 1943 nasledovný záznam: *„Ich besuchte heute den Vorstand der Postsparkasse, Herrn Dr. Masak, welcher mir mitteilte, dass die Auszahlungen der Lohnüberweisungen aus dem Reich bisher fristgerecht, d. h. in 4 – 6 Wochen erfolgt sind. Die in der Presse regelmässig veröffentlichten Auszahlungstermine stimmen mit der Wirklichkeit überein. Verzögerungen kamen in Einzelfällen vor und sind durch den langen Postweg durch ungenaue Adressen usw. bedingt. Herr Masak teilte mir vertraulich mit, dass das Finanzministerium in der letzten Zeit in der Zuweisung von Mitteln für diese Auszahlungen zurückhaltend geworden sei, da angeblich nicht genügend Gelder vorhanden seien. Für den November hätte er 70 Mill. Ks angefordert und bis zum heutigen Tage nur 45 Mill. erhalten. In der nächsten Zeit seien also Schwierigkeiten vorauszusehen. Die Postsparkasse sei ermächtigt, dem Finanzministerium einen Kredit bis zu 200 Mill. Ks zu gewähren, doch würde diese Möglichkeit vom Ministerium anscheinend für andere Zwecke ausgenützt. Herr Masak erklärte noch, dass die slowakischen Arbeiter in Deutschland die Möglichkeit hätten, über die Monatsquoten hinaus Überweisungen durchzuführen und zwar mit jedesmaliger Genehmigung des Innenministeriums. Dadurch trete eine Sonderbelastung ein.*
Herr Masak bat mich seine Äusserungen betreffend das Finanzministerium vertraulich zu behandeln, was ich ihm auch zusagte.
Ich beabsichtige mit einer Verbalnote an die Slowakische Regierung heranzutreten, in welcher darauf hingewiesen wird, dass laut Nachrichten von den Arbeitseinsatzstellen aus dem Reich die Unzufriedenheit der slowakischen Arbeiter infolge von Verzögerungen bei der Auszahlung ihrer Lohnersparnisse im Steigen begriffen sei. Die Angelegenheit würde ich aber gerne vorher mit Ihnen mündlich besprechen.
Die Frage der Erhöhung der Überweisungssätze für die Lohnersparnisse ist während der Regierungsausschussverhandlungen besprochen worden. Der Slowakische Regierungsausschuss hat eine beschleunigte Prüfung des deutschen Vorschlages zugesagt. Auch in dieser Angelegenheit will ich mich nach Rücksprache mit Ihnen an die Slowakische Regierung wenden.“ (PA AA, Gesandtschaft Preßburg, Paket 208, W 2 Nr. S 1a, Band II.)

120
1943, 16. december. Berlín. – Záznam kultúrno-politického oddelenia Zahraničného úradu, týkajúci sa pracovného nasadenia robotníkov z juhovýchodnej Európy vo forme kompaktných pracovných skupín zostavených na základe ich národnostnej príslušnosti.

Doppel für Kult Pol Soz. u. Wi.

Kult Pol L V   Berlin, den 16. Dezember 1943
Dr. Böhm

<u>Betr.</u>: Einsatz der Südostarbeiter in national-geschlossenen Gruppen.

Bei der Sitzung der „Sozialen Arbeitsgemeinschaft für den Südosten" am 15. 12. ist von den Vertretern der DAF, Reichsamtleiter Tittböhl[1] und Herrn Mall, die Frage des Einsatzes der Südostarbeiter in größeren nationalen Gruppen zur Sprache gebracht worden. Die Vertreter der DAF erklärten, daß die jetzige Zersplitterung des Einsatzes, die regellose Verteilung verhältnismäßig zahlenschwacher Arbeitergruppen aus dem Südosten über das ganze Reich und in eine Unzahl von Lagern die Betreuungsarbeit ganz außerordentlich erschwere, ja zum Teil völlig unmöglich mache. Die Erfassung der Südostarbeiter durch die Betreuung ist undenkbar, solange sie zu einem sehr großen Teil in Gruppen von 3 – 10 Lagern, wo noch eine Anzahl anderer Nationen vertreten sind, untergebracht bleiben. Reichsamtsleiter Tittböhl hat gebeten, die Bemühungen der DAF beim GBA, eine Änderung dieser Praxis zu erreichen und die Südostarbeiter grundsätzlich nur in größeren nationalgeschlossenen Gruppen einzusetzen, durch ein Schreiben des AA an den GBA zu unterstützen. Ein inhaltlich gleichgerichtetes Schreiben hat er vom Vertreter des Promi[2] erbeten. In dem Schreiben sollen auf Anregung der DAF etwa folgende Gesichtspunkte hervorgehoben werden:

1) Einsatz der Südostarbeiter in Splittergruppen macht geregelte Betreuung unmöglich;

2) die Erfahrung hat gezeigt, daß gute Betreuung die Arbeitsleistung beträchtlich steigert, Mangel an Betreuung aber die Arbeitsleistung drückt und ein Hauptgrund für das illegale Verlassen des Arbeitsplatzes und Deutschlands ist. Es besteht daher vom Standpunkt des Arbeitseinsatzes aus Interesse an geschlossener Unterbringung der Südostarbeiter;

3) das geschlossene Unterbringen erleichtert die politische und sicherheitsmäßige Überwachung;

4) es ist durch die Erfahrung festgestellt, daß die Fluchtziffern aus nationalgeschlossenen Lagern wesentlich geringer sind als bei national stark gemischten mit Splittergruppen;

5) die Erhaltung guter Stimmung und geregelter Betreuung, die nur unter der Voraussetzung nationalgeschlossener Unterbringung möglich sind, liegt im deutschen außenpolitischen Interesse, weil der gut betreute und in einer Gemeinschaft gleichnationaler Arbeitskameraden lebende Südostarbeiter in seiner Heimat ein guter Propagandist für Deutschland ist, während der schlecht betreute und national vereinsamte Arbeiter nach seiner Rückkehr oder gar nach einer eventuellen Flucht durch seine Berichte die größten Propagandaanstrengungen zunichte macht.

Es darf gebeten werden, die Anregung der DAF, die hier außerordentlich zweckmäßig erscheint, aufzunehmen und ein entsprechendes Schreiben an den GBA zu richten.[3] Für Kenntnisgabe nach Abgang wäre das Referat Kult Pol L V dankbar.

Hiermit Herrn ORR Seiberlich Inl. Ic ergebenst vorgelegt.

(gez.) Böhm

PA AA, R 123 560. Kópia, strojopis, 2 strany.

1 Správne Tietböhl. Max Tietböhl (1902-?), v 30. rokoch pôsobil ako okrskový vedúci DAF v okrsku Pomoransko.

2 Propagandaministerium – ministerstvo propagandy.

3 Dokument sme nemali k dispozícii. O tejto otázke sa diskutovalo na 13. zasadnutí „der Sozialen Arbeitsgemeinschaft für den Südosten" 26. 1. 1944 za účasti zástupcov Zahraničného úradu, DAF a ríšskeho ministerstva propagandy. Kým predstavitelia AA a DAF sa zasadzovali za horeuvedený návrh, zástupkyňa Promi G. Reschat s ním nesúhlasila predovšetkým z rasovo-politických pohnútok. V zázname zo zasadnutia sa uvádza: *„Fräulein Doktor Reschat warnt davor, eine solche Werbung um Verständnis für die ausländischen Arbeitskräfte zu weit zu treiben. Das wäre dann der Fall, wenn sie zu einer Art von Verbrüderung und damit auch zu unerwünschten Verbindungen zwischen Gastarbeitern und deutschen Volksgenossen führte. Der Abstand zwischen Deutschen und Ausländer müsse aus volksethischen und volksbiologischen Gründen sauber eingehalten werden. Die Gesamtverhältnisse und Lebensbedingungen der Gastarbeiter in Deutschland dürfen sich auch nicht so gestalten, daß das deutsche Volk den Eindruck einer ungerechten Bevorzugung der Gastarbeiter bekomme. Bei der Beurteilung von Fällen schlechter Behandlung müsse man auch in Rechnung setzen, dass sich viele Gastarbeiter, besonders auch Jugendliche, schlecht und mitunter herausfordernd benehmen. Auch dürfe man die von den Gastarbeitern verübten Sabotageakte und sonstigen Straftaten nicht vergessen."* (PA AA, R 123 560.)

121

1944, 13. január. Bratislava. – Sagerova správa Generálnemu splnomocnencovi pre pracovné nasadenie, týkajúca sa transferu miezd slovenských pracovných síl zamestnaných v ríši. Bilancia roku 1943, predpoklady na rok 1944.

Der Beauftragte für den Vierjahresplan
Der Generalbevollmächtigte für den Arbeitseinsatz
Dienststelle Slowakei

G. Z. 5760 - A   Preßburg, den 13. 1. 1944
                       Abschrift

An den
Beauftragten für den Vierjahresplan,
Generalbevollmächtigten für den Arbeitseinsatz
Berlin SW 11
Saarlandstrasse 96

Betrifft: Anwerbung slowakischer Arbeitskräfte für das
           Reichsgebiet; hier: Lohntransfer.

In den deutsch-slowakischen Regierungsverhandlungen ist im Rahmen des für die Belastung des Clearingkontos vereinbarten Etats von 3,3 Milliarden Ks ein Betrag von 400 Millionen Ks für die Überweisung von Lohnersparnissen der im Reich beschäftigten slowakischen Arbeiter vorgesehen worden.[1] Zur Festsetzung dieses Betrages ist meine Dienststelle gutachtlich nicht gehört worden. Ob hierfür die Stellungnahme bezw. die Entscheidung des GBA[2] Berlin eingeholt worden ist, kann hier nicht beurteilt werden. Es hat aber den Anschein, dass die Vereinbarung ohne Anhörung des deutschen Fachressorts auf Vorschlag der slowakischen Verhandlungspartner zustande gekommen ist.[3] Vom fachlichen Standpunkt steht nämlich die Ausrichtung dieser Frage nach finanzpolitischen Gesichtspunkten mit den deutschen Arbeitsinteressen nicht im Einklang. Seitdem wird nämlich slowakischerseits die Entscheidung über die Bereitstellung weiterer Arbeitskräfte für das Reichsgebiet in erster Linie nach der Frage der finanziellen Auswirkung beurteilt.
Die laufenden Verhandlungen mit dem Slowakischen Innenministerium – Zentralarbeitsamt wegen Freigabe weiterer slowakischer Arbeiter sind besonders im letzten Viertel des vergangenen Jahres ergebnislos verlaufen, weil der Betrag von 400 Millionen Ks durch die Überweisung von Lohnersparnissen der im Reich angesetzten slowakischen Arbeiter bereits voll in Anspruch genommen sein sollte. Diese Feststellung, die hier nicht belegt war, hat Anlass zu einer Wahrscheinlichkeitsberechnung (authentische Unterlagen über die Inanspruchnahme der Mittel stehen meiner Dienststelle nicht zur Verfügung) gegeben. Hiernach dürften im Jahre 1943 386 Millionen Ks für die Überweisung von Lohnersparnissen der im Reich beschäftigten slowakischen Arbeiter aufgewendet worden sein, sodass die Feststellung der slowakischen Seite zuzutreffen scheint. Hinzu kommt, dass die Berechnung in Bezug auf den Einsatz slowakischer Arbeiter im Protektorat keinen Anspruch auf absolute Vollständigkeit hat. Z. B. ist beim Einsatz von Grenzgängern eine Zahl von 550 Arbeitern zu Grunde gelegt worden, die nach den Erhebungen des Ministeriums f. Wirtschaft u. Arbeit in Prag von Mai 1942 im Protektorat laufend beschäftigt sein sollen. Die Richtigkeit dieser Anzahl ist bereits damals von mir in Abrede gestellt worden, weil sie nach meinen Beobachtungen tatsächlich um ein Vielfaches höher sein dürfte. Ferner steht fest, dass im Protektorat eine grössere Anzahl (sie wird vom Innenministerium – Zentralarbeitsamt auf ca. 15 000 geschätzt) gewerblicher Arbeiter beschäftigt

ist. Diese Arbeiter sind auf illegale Weise dorthin gekommen, weil in den letzten 3 Jahren auf ordnungsmässige Weise gewerbliche Arbeitskräfte in das Protektorat nicht überwiesen worden sind. Durch sie wird von der Überweisung ersparter Lohngelder in die Heimat in einer für mich unkontrollierbaren Weise laufend Gebrauch gemacht.

Im Jahre 1944 werden sich gegenüber dem Jahre 1943 bei der Überweisung von Lohngeldern wahrscheinlich grössere Einsparungen ergeben, weil man den bisherigen Erfahrungen mit der weiteren Abwanderung von mindestens 5 000 gewerblichen Arbeitern und damit gerechnet werden kann, dass in diesem Jahre mindestens 2 000 Landarbeiter weniger als im vorigen Jahre für einen Einsatz im Reich gewonnen werden können.

Diese Einsparungen sollten zu der bereits seit Jahren vorgesehenen und nunmehr dringend erforderlichen Aufbesserung der Lohntransfersätze verwendet werden. Im besonderen ist der für die ledigen Landarbeiter zugelassene Transfersatz von monatlich 45 RM durchaus unzureichend. Wenn dieser Betrag nicht in angemessener Weise erhöht werden kann, ist zu befürchten, dass besonders unter den ledigen Landarbeitern, die bekanntlich in der Regel beste Arbeitsleistung zeigen, der Anreiz zur Aufnahme einer Beschäftigung im Reich zu gering ist und deswegen unter ihnen die grössten Ausfälle entstehen werden. Die Einsparungen lassen für sie eine Erhöhung des Transfersatzes von 45 auf 60 RM zu.[4]

Ferner sollte gleichzeitig der unhaltbare Zustand beseitigt werden, dass Ehepartner, die gemeinschaftlich im Reich beschäftigt sind, die Lohnbeträge von nur ledigen Arbeitskräften überweisen dürfen.[5] Wie die Ledigen selbst, werden sonst auch Eheleute mit Rücksicht auf die erheblich aufgebesserten Löhne in allen Erwerbszweigen, also auch in der Landwirtschaft der Slowakei eine Beschäftigung im Reich für unrentabel halten und demzufolge Arbeitsstellen in der Heimat den Vorzug geben.

Unter Berücksichtigung des Ausfalls an Landarbeitern bei der diesjährigen Werbung und des weiteren Abgangs von Industriearbeitern aus dem Reich, ist in der als Anlage 2)[6] beigefügten Aufstellung eine Wahrscheinlichkeitsberechnung angestellt worden, welche zeigt, dass bei einer Erhöhung des Transfersatzes für Ledige von 45 auf 60 RM und der Gleichstellung von Eheleuten mit den Transfersätzen für verheiratete Arbeiter, die vom deutsch-slowakischen Regierungsausschuss vorgesehenen Mittel von 400 Millionen Ks für den Lohntransfer ausreichen. Selbst wenn im Durchschnitt dieses Jahres 500 Forstarbeiter mehr als im vergangenen Jahr beschäftigt werden (womit voraussichtlich gerechnet werden kann), werden sich die Aufwendungen für die Überweisung von Lohnersparnissen im Jahre 1944 auf 401 328 180 Millionen Ks belaufen. Voraussetzung hierfür ist aber, dass die vom Ministerium f. Wirtschaft u. Arbeit in Prag ermittelten Grenzgänger tatsächlich die Zahl von 550 nicht übersteigen und ausserdem ein Lohntransfer für die im Protektorat auf illegale Weise beschäftigten slowakischen Arbeitskräfte nicht in Anspruch genommen wird.

Eine weitere Gelegenheit zur Einsparung der für den Lohntransfer bereitgestellten Mittel könnte m. E. dadurch herbeigeführt werden, dass bei den Grenzgängern die zur Zeit zulässige Überweisung von 80 v. H. der Lohngelder an eine Höchstgrenze gebunden wird. Die zur Zeit zulässige Überweisung von 80 v. H. des Verdienstes steht bei den zum Teil sehr hohen Gehältern und Stundenlöhnen vielfach in einem ungerechtfertigten Verhältnis zu den Überweisungssätzen der übrigen im Reichsgebiet beschäftigten Arbeiter. Falls von dieser Anregung Gebrauch gemacht werden soll, schlage ich vor, die Höchstgrenze der Lohnüberweisung nach Angestellten, Facharbeitern und Hilfsarbeitern zu staffeln.

gez. Unterschrift!

PA AA, Gesandtschaft Preßburg, Paket 208, W 2, Nr. S 1a, Band II. Kópia, strojopis, 4 strany.

1 Pozri PA AA, Gesandtschaft Preßburg, Paket 210, W 2, Nr. 1a. Protokol zo 7. spoločného zasadnutia nemeckého a slovenského vládneho výboru 20. 9. – 28. 10. 1943, s. 12, čl. III, bod 19, I d).
2 Der Generalbevollmächtigte für den Arbeitseinsatz.
3 Porovnaj dokumenty 115 a 118.
4 Na 7. spoločnom zasadnutí nemeckého a slovenského vládneho výboru sa obe strany dohodli na zvýšení sadzby zo 45 na 50 RM. K zvýšeniu však malo dôjsť až od 1. 2. 1944 Pozri PA AA, Gesandtschaft Preßburg, Paket 210, W 2, Nr. 1a. Zápisnica z rokovaní výborov 25. 1. – 2. 2. 1944.
5 Porovnaj dokument 118.
6 Prílohy nepublikujeme.

122

1944, 14. január. Bratislava. – Sagerova správa Generálnemu splnomocnencovi pre pracovné nasadenie o činnosti jeho úradovne za rok 1943.

Der Beauftragte für den Vierjahresplan
Der Generalbevollmächtigte für den Arbeitseinsatz
Dienststelle Slowakei in Preßburg

G. Z. 5769 - A   Preßburg, den 14. Januar 1944

Abschrift.

An den
Beauftragten für den Vierjahresplan,
Generalbevollmächtigten für den Arbeitseinsatz
Berlin SW 11
Saarlandstrasse 96

Betrifft: Bericht über die Tätigkeit der Dienststelle des
GBA in Preßburg im Jahre 1943.

Die Tätigkeit der Dienststelle des GBA in Preßburg erstreckte sich im Jahre 1943 im wesentlichen auf folgende Aufgaben:
    1.) Die Anwerbung von
       a.) Landarbeitern,
       b.) Forstarbeitern,
       c.) Industriearbeitern,
       d.) Hausgehilfinnen,
       e.) Fach- und Hilfsarbeitern für den späteren Einsatz bei der Slowakischen Flugzeugbau AG[1] und
       f.) Angehörigen des tschechischen Volkstums in der Slowakei;
    2.) die Überweisung von Grenzgängern für die Grenzgebiete
       a.) Niederdonau,
       b.) Oberschlesien und
       c.) Protektorat.
    3.) Die Bearbeitung von Anträgen auf Erteilung des deutschen Einreisesichtvermerks zu den Reisepässen slowakischer Arbeiter, die in die Heimat beurlaubt, aber nicht rechtzeitig an ihre Arbeitsstellen im Reich zurückgekehrt waren.
    4.) Die Bearbeitung von Abwanderungsanzeigen.
    5.) Die Nachprüfung von Fahrkostenrechnungen.

Zu 1.) Im Jahre 1943 sind für das Reichsgebiet insgesamt 38 864 slowakische Arbeits-kräfte (einschliesslich 2 069 landwirtschaftl. und 563 forstwirtschaftl. Überwinterer) zur Verfügung gestellt worden.[2] Davon waren

a) 35 161 Landarbeiter (einschl. 4 634 für das Protektorat),
b) 850 Forstarbeiter,
c) 813 Industriearbeiter
d) 125 Hausgehilfinnen,
e) 1 915 Fach- und Hilfsarbeiter für die Slowakische Flugzeugbau AG.

Zu a) Über die vorjährige Landarbeiterwerbung hatte ich mit meinem Schreiben vom 26. V. 1943[3] – 5770/5207.30 B – ausführlich berichtet, sodass in diesem Zusammenhang auf die weitgehende Arbeitsbelastung, die durch die vielseitigen und unvorhergesehenen Schwierigkeiten bedingt war, nicht erneut eingegangen werden braucht.

Zu b) Gleichzeitig waren in diesem Bericht die Besonderheiten der Forstarbeiterwer-bung und die Ursachen für das unzulängliche Ergebnis einer mit ausreichender Vorsorge und weitgehender Initiative durchgeführten Aufgabe ausführlich behandelt worden. Nach Abschluß der im Frühjahr erfolgten Werbung hatte ich mit dem Slowakischen Innenmini-sterium – Zentralarbeitsamt dauernd in Verhandlungen gestanden, um die Zulassung einer weiteren Forstarbeiterwerbung zu einem späteren Zeitpunkt des vergangenen Jahres zu erwirken. Erst im Dezember v. J. hat sich das Innenministerium – Zentralarbeitsamt mit der Bereitstellung von weiteren 120 Forstarbeitern einverstanden erklärt. Die Kräfte sind noch im gleichen Monat angeworben worden, die, soweit inzwischen noch nicht gesche-hen, in diesem Monat in die vorgesehenen Aufnahmebezirke Sudetenland, Niederdonau und Oberdonau ausreisen sollen.

Zu c) Die Anwerbung der 813 gewerblichen Arbeitskräfte ist insofern mit einer bedeu-tenden Belastung des Geschäftsbetriebes verbunden gewesen, als es sich hierbei überwie-gend um die Einzelüberweisung von Arbeitern handelte, deren vertragmässige Anwerbung jeweils eine schriftliche oder persönliche Verhandlung mit dem Innenministerium – Zen-tralarbeitsamt zur Voraussetzung hatte. Zur Abgabe einer grösseren Anzahl Arbeitskräfte hat sich diese Stelle nicht bereit finden können, obgleich die hiesige Arbeitslage m. E. eine Möglichkeit hierfür praktisch zugelassen hätte. Gelegentlich der deutsch-slowakischen Regierungsverhandlungen im Oktober v. Jhrs.[4] hat sich aber eindeutig gezeigt, daß sich die ablehnende Haltung der slowakischen Regierung weniger aus arbeitspolitischen als vielmehr aus finanzpolitischen Bedenken erklärt. Bei den Regierungsverhandlungen wur-de für die Überweisung von Lohnersparnissen der im Reich beschäftigten slowakischen Arbeiter ein Betrag von 400 Millionen Ks festgesetzt, wobei gleichzeitig eine Einsparung von 50 Millionen Ks im Laufe ds. Jhrs. durch Abwanderung slowakischer Arbeiter aus dem Reich und durch Ausfälle bei der Anwerbung von Landarbeitern nach Ansicht des Regierungsausschusses voraussichtlich eintreten wird. Die Festsetzung dieses Betrages ist ohne meine Mitwirkung zustande gekommen. Wegen der Inanspruchnahme der Mittel beziehe ich mich auf meinen gestrigen Bericht betreffend „Anwerbung slowakischer Ar-beiter für das Reichsgebiet; hier: Lohntransfer 5760-A."[5]

Zu d) Auch die Anwerbung der 125 Hausgehilfinnen hat eine umständliche und zeit-raubende Verwaltungsarbeit verursacht. Der inzwischen ebenfalls in der Slowakei ein-getretene Mangel an geeignetem Haushaltspersonal und die bemerkenswerte Abneigung dieser Kräfte gegen einen Einsatz im Reich haben es schwer gemacht, überhaupt soviel Hausgehilfinnen zu gewinnen. Ehe es zur Besetzung einer Haushaltsstelle kam, mussten in der Regel 3 oder 4 Kräfte angeworben werden.

Zu e) Bei den für die Flugzeugbau AG in Trenč. Biskupice angeworbenen 1 915 Ar-beitern handelt es sich um z. T. aus dem slowakischen Heeresdienst freigegebene Kräfte, die in einem etwa ½-jährigen Lehrgang in einer Reihe von Betrieben des Reichs für die späteren Produktionsaufgaben umgeschult werden sollten. Obwohl der spätere Einsatz der Kräfte den slowakischen Wirtschaftsinteressen dient, habe ich diese Maßnahme mit allen Kräften unterstützt, weil die Bereitstellung der Arbeitskräfte während der Umschulungsdauer praktisch eine Unterstützung der Arbeitseinsatzinteressen im Reich bedeutete und der spätere Einsatz der Kräfte in der Slowakei auf die Förderung der deutschen Kriegswirtschaft hinausgeht.

Zu f) Die Aussiedlung von Angehörigen tschechischen Volkstums hat im Jahre 1943 zu keinem praktischen Ergebnis führen können. Diese Aufgabe ist im Stadium weit vorgeschrittener Vorbereitungsarbeiten stecken geblieben, weil die gegenseitigen Regierungsverhandlungen die Auslösung der Vorbereitungsarbeiten zunächst nicht gestattete und nach deren Abschluss die slowakische Regierung eine vorläufige Zurückstellung dieser Maßnahme aus mir unbekannten Gründen für angezeigt hielt.

Zu 2) Für den Bezirk Niederdonau war ein Kontingent von insgesamt 3 100, für Bezirk Oberschlesien ein Kontingent von 340 slowakischen Grenzgängern für das Jahr 1943 bewilligt worden. Diese Kontingente sind von beiden Bezirken voll ausgenützt worden. Um dies zu erreichen, hat sich meine Dienststelle in die Anwerbung und Überweisung der Arbeitskräfte durch eine selbständige Anwerbung von Grenzgängern und eine ständige Fühlungnahme mit den slowakischen Grenzarbeitsämtern weitgehendst eingeschaltet. Die rege Fluktuation, die bekanntlich im Grenzgängereinsatz vorherrscht, hat eine ständige Neuanwerbung von Arbeitskräften während des ganzen Jahres im Interesse der fortlaufenden Beibehaltung dieser Zahlen notwendig gemacht. Auch habe ich mit den am Geldtransfer beteiligten slowakischen Stellen, dem Innenministerium – Zentralarbeitsamt, dem Finanzministerium, der Postsparkasse und der Deutschen Handels- und Kreditbank[6] zur Sicherstellung der rechtzeitigen Lohnauszahlung laufend in Verbindung treten müssen. Im Oktober v. J. hatte aus diesem Anlaß eine grosse Anzahl slowakischer Grenzgänger bei den Zuckerbetrieben im Bezirk Niederdonau die Arbeit bereits niedergelegt. Es ist durch meine Bemühungen möglich geworden, die Schwierigkeiten schliesslich zu beheben und den sofortigen und vollzähligen Wiedereinsatz der Arbeitskräfte zu erreichen, sodass Betriebsstörungen vermieden werden konnten. Das Protektorat Böhmen und Mähren, das ebenfalls am weiteren Einsatz slowakischer Grenzgänger im Laufe des vergangenen Jahres interessiert war, hat bei der Abgabe von Grenzgängern nicht berücksichtigt werden können, weil die Devisenlage eine weitere Belastung des Clearingzahlungsverkehrs nicht zuliess. Diesem Umstand ist es auch zuzuschreiben, daß slowakischerseits die Bereitstellung weiterer Grenzgänger für das Reichsgebiet im allgemeinen nunmehr unterbunden wird. Der nach den deutsch-slowakischen Regierungsverhandlungen für den Arbeitseinsatz vorgesehene Etat ist für diese Zwecke völlig in Anspruch genommen worden.

Zu 3.) Im Laufe des vergangenen Jahres haben in meiner Dienststelle rund 5 000 slowakische Arbeitskräfte, die ihren Heimaturlaub überzogen hatten, wegen Erteilung des deutschen Einreisevermerkes zur Fortsetzung der Arbeit im Reich vorgesprochen. Nach Prüfung der Eingaben, die im Interesse des Arbeitseinsatzes im Reich großzügig erfolgte, ist den Arbeitern, von wenigen Ausnahmen abgesehen, Gelegenheit zur Fortsetzung ihrer Beschäftigung im Reich gegeben worden. Im gleichen Interesse wurden einer grossen Anzahl Arbeiter, deren Rückfahrkarten infolge Ausdehnung des Urlaubs verfallen waren, neue Fahrscheine verschafft und die Kosten hierfür aus Mitteln des Reichsstocks vorgestreckt. In diesen Fällen sind die Aufnahmearbeitsämtern von mir zum Wiedereinzug der Fahrtkosten unter gleichzeitiger Beifügung einer schriftlichen Erklärung der Arbeiter, die sich zur Erstattung der verauslagten Kosten jeweils verpflichten mussten, veranlasst worden.

Zu 4.) Von den Aufnahmedienststellen und Betrieben im Reich sind mir im vergangenen Jahr 6 000 schriftliche Anzeigen über die eigenmächtige Abwanderung slowakischer Arbeitskräfte von ihren Arbeitsstellen im Reich zugegangen. Ich habe mich sowohl in jedem Einzelfall schriftlich als auch in wiederholten persönlichen Besprechungen mit dem Innenministerium – Zentralarbeitsamt wegen Rückführung der Arbeitskräfte in Verbindung gesetzt. Die Abwanderungsanzeigen sind auch jeweils vom Innenministerium – Zentralarbeitsamt an die nachgeordneten Dienststellen zur entsprechenden Bearbeitung weitergeleitet worden. Das Ergebnis ist allerdings, wie ich in meinen wiederholten Berichten ausgeführt habe, sehr unzureichend gewesen, weil die Arbeitskräfte, meist unter Berufung auf ihre mehrjährige Tätigkeit im Reich, die Rückkehr dorthin ablehnten und Mittel zur zwangsweisen Rückführung bekanntlich nicht zur Verfügung standen. Durch die z. Zt. noch nicht abgeschlossenen Verhandlungen mit dem Innenministerium – Zentralarbeitsamt wird angestrebt, den nachgeordneten slowakischen Dienststellen (den Arbeitsämtern, Polizei- und Gendarmeriestationen) einen möglichst weitergehenden Einfluß als bisher auf die rechtzeitige und vollzählige Rückkehr der von ihren Arbeitsstellen im Reich ferngebliebenen Arbeiter zu geben.

Zu 5.) Die Fahrtkosten für die im Jahre 1943 angeworbenen Arbeitskräfte sind aus Mitteln des Reichsstocks getragen worden. Die Rechnungen hierüber hat das Mitteleuropäische Reisebüro den beteiligten Aufnahmebezirken jeweils zur Begleichung zugehen lassen. Um eine ordnungsmässige Verwendung der Mittel des Reichsstocks sicherzustellen, sind die Rechnungen über die Beförderung von 36 232 slowakischer Arbeitskräfte in jedem Fall durch Vergleich mit meinen Unterlagen auf ihre sachliche Richtigkeit hin überprüft und mit einem entsprechenden Prüfvermerk versehen worden.

Sonstiger Arbeitsanfall.

Der Einsatz von schätzungsweise 55 000 slowakischen Arbeitern im Reich hat im vergangenen Jahr zu einem beachtlichen Schriftwechsel geführt. Allein im letzten Vierteljahr sind rund 2 700 Posteingänge und ebensoviel Postausgänge gezählt worden. Mit Rücksicht auf den relativ geringen Personalbestand meiner Dienststelle ist dieser Anfall an Verwaltungsarbeiten im besonderen deswegen hoch zu bewerten, weil die bei den slowakischen Dienststellen übliche Arbeitsweise oft zu schriftlichen, telefonischen und persönlichen Erinnerungen nötigte und eine reibungslose Abwicklung der Geschäftsanfälle häufig behinderte.

Allgemeines.

Diese Verwaltungsaufgaben sind mit 9 ständigen Kräften (und zwar 5 Reichsdeutsche und 4 Volksdeutsche) durchgeführt worden. Die Dienstgeschäfte waren wie folgt verteilt:
a) bei den reichsdeutschen Kräften:
1) Dienststellenleiter,
2) Stellvertreter des Dienststellenleiters und Sachbearbeiter für den gesamten Arbeitseinsatz,
3) Zahlstellenführer, gleichzeitig Sachbearbeiter für Verwaltungs- und Personalfragen,
4) Fachwerber,
5) Schreibkraft.
b) bei den volksdeutschen Kräften:
1) 1 Hilfskraft für Arbeitseinsatz,
2) Hilfskraft für Arbeitseinsatz u. gleichzeitig Schreibkraft,
3) Vorzimmerdienst und Schreibkraft,
4) Registraturarbeiten.
Ferner haben während der Land- und Forstarbeiterwerbung meiner Dienststelle 7 Kräfte aus verschiedenen Aufnahmebezirken zur Verfügung gestanden, die mit Beendigung ihrer Tätigkeit zu ihren Heimatdienststellen zurückgekehrt sind.

gez. Unterschrift.

PA AA, Gesandtschaft Preßburg, Paket 208, W 2, Nr. S 1a, Band II. Kópia, strojopis, 8 strán.

1 Išlo o Továreň na dopravné prostriedky, úč. spol. v Trenčianskych Biskupiciach. Na základe dohody medzi MNO a ríšskym ministerstvom letectva sa v nej vyrábali nemecké lietadlá typu Ju 87 D5 pre potreby Luftwaffe a slovenskej armády v pomere 3:1.
2 Porovnaj dokument 119.
3 Dokument sa nám nepodarilo nájsť.
4 Ide o 7. spoločné zasadnutie nemeckého a slovenského vládneho výboru 20. 9. – 28. 10. 1943.
5 Pozri dokument 121.
6 Túto banku na prelome rokov 1938/39 ovládla Dresdner Bank.

123

1944, 22. január. Bez uvedenia miesta [Bratislava]. – Sagerova správa nemeckému vyslanectvu vo veci svojvoľného opúšťania pracovných miest v Nemecku osobami zo Slovenska.

Der Beauftragte für den Vierjahresplan
Der Generalbevollmächtigte für den Arbeitseinsatz
Dienststelle Slowakei

5745 – B   22. 1. 1944

Abschrift.

An die
Deutsche Gesandtschaft
Pressburg

Betrifft: Eigenmächtige Abwanderung slowakischer Arbeitskräfte
von ihren Arbeitsstellen im Reichsgebiet.

Zu der Note des Auswärtigen Amtes vom 7. 1. 1944 – R 63 133[1] – stelle ich zunächst fest, dass es sich bei der eigenmächtigen Abwanderung slowakischer Arbeiter aus den Arbeitsstellen des Reichsgebietes fast ausschliesslich um gewerbliche Arbeitskräfte handelt, weil die landwirtschaftlichen Arbeiter – von relativ geringen Ausnahmen abgesehen – alljährlich für die Dauer der Saison, also vom Frühjahr an bis zur Beendigung der Landarbeiten für den Einsatz im Reich vertraglich verpflichtet werden und erfahrungsgemäss diese Vertragsdauer auch allgemein erfüllen.
Die Einsatzdauer der gewerblichen Kräfte hingegen, die hauptsächlich in den Jahren 1939 bis 1941 in das Reichsgebiet überwiesen wurden, war damals auf ein halbes Jahr vertraglich befristet worden. Die Arbeitskräfte waren berechtigt, nach Ablauf dieser Zeit ihre Arbeitsstelle im Reich aufzugeben und in die Heimat zurückzukehren. Soweit die Arbeitskräfte ihre Verträge mit den Arbeitsgebern verlängerten, waren sie hinsichtlich der Dauer ihres Einsatzes an die neue Vertragsabmachung gebunden. Hingegen aber lag ein Arbeitsvertrag auf unbestimmte Dauer dann vor, wenn die Arbeitskräfte nach Ablauf ihres ursprünglichen Arbeitsvertrages die Beschäftigung ohne Erweiterung oder Erneuerung des schriftlichen Vertrages fortsetzen. Bei diesem Vertragsverhältnis, das bei den im Reich beschäftigten gewerblichen Arbeitern nunmehr die Regel bilden dürfte, kann das Arbeitsverhältnis nach Ablauf einer 3-monatigen Kündigungsfrist und nach den neuen deutsch-slowakischen Vereinbarungen vom 19. 8. 1943 nach Ablauf einer 2-monatigen Kündigungsfrist aufgegeben werden.[2]

Da die gewerblichen Arbeiter der Slowakei fast ausnahmslos seit mehreren Jahren im Reich beschäftigt sind und die von ihren ursprünglich eingegangene Vertragsabmachung bezüglich der Arbeitsdauer abgelaufen ist, wären sie grundsätzlich berechtigt, ihre Beschäftigung aufzukündigen und nach Ablauf einer Frist von 2 Monaten in die Heimat zurückzukehren, weil feststeht, dass sie durch entgegenstehende Arbeitseinsatzvorschriften des Reichsgebietes an ihren Arbeitsplatz nicht länger gebunden werden können.

Teils in Unkenntnis dieser Rechtslage verlassen viele slowakische Arbeitskräfte ohne vorherige Kündigung ihre Arbeitsstelle, weil sie sich für berechtigt halten, nach Ablauf einer zunächst für ein halbes Jahr vorgesehenen, tatsächlich aber um ein mehrfaches ausgedehnten Beschäftigungsdauer in die Heimat zurückzukehren. Andere dagegen kehrten nach Ablauf ihres Heimaturlaubs nicht wieder an ihre Arbeitsstelle zurück, weil sie befürchten, dass die Arbeitgeber – wie es in der Tat vielfach geschieht – die Kündigung nicht entgegennehmen und die Arbeiter wider ihren Willen an die Arbeitsstelle zu binden versuchen.

Die Zahl der auf diese Weise in den letzten Jahren in die Slowakei zurückgekehrten Arbeitskräfte liegt zwar nicht genau fest, sie dürfte sich aber bisher auf insgesamt 25 – 30 000 belaufen. Da bei der ohnehin angespannten Arbeitslage im Reichsgebiet hierdurch beträchtliche Lücken entstanden sind, die infolge laufender Einberufung reichsdeutscher Arbeitskräfte zum Heeresdienst kaum geschlossen werden konnten, habe ich mich in den vergangenen Jahren wiederholt mit dem Slowakischen Innenministerium – Zentralarbeitsamt in Verbindung gesetzt, um durch diese Stelle Massnahmen zur Unterbindung der eigenmächtigen Abwanderung herbeiführen zu lassen oder deren Zustimmung zur Anwerbung von geeigneten Ersatzkräften in entsprechender Anzahl zu erwirken. Neben vielen mündlichen Verhandlungen über diese Frage habe ich mit meinen Schreiben vom 23. Juni 1942, 13. Aug. 1942, 23. Febr. 1943, 11. Aug. 1943 an das Innenministerium – Zentralarbeitsamt gewandt.[3] Hierbei habe ich nachdrücklichst auf die arbeitseinsatzmässigen Nachteile hingewiesen, die vom Standpunkt der Kriegslage besonders deswegen erschwerend empfunden werden müssen, weil die slowakischen Arbeitskräfte fast ausschliesslich in kriegswichtigen Betrieben beschäftigt wurden und dort als Angehörige einer befreundeten und verbündeten Nation häufig aus abwehrmässigen Gründen bei exponierten Betriebsaufgaben anstelle der zum Heeresdienst einberufenen reichsdeutschen Arbeitskräfte angesetzt worden waren.

Das Slowakische Innenministerium – Zentralarbeitsamt hat meinen Wünschen zwar weitgehendes Verständnis entgegengebracht, sah sich aber in Ermangelung von Zwangsmitteln ausserstande, hiergegen einzuschreiten zu können, wenn die Arbeiter der Aufforderung zur Rückkehr an ihre Arbeitsstelle keine Folge leisteten. Das ist in weit überwiegenden Fällen eingetreten, weil die Arbeiter – wie bereits erwähnt – meist den Standpunkt vertraten, zur Aufgabe ihrer Beschäftigung im Reich wegen Ablauf der ursprünglich vorgesehenen Vertragsdauer auch ohne Einhaltung der Kündigungsfrist berechtigt zu sein. In diesem Zusammenhang ist auch wiederholt die Herbeiführung von gesetzlichen Zwangsmassnahmen erwogen worden. Hiervon wurde aber Abstand genommen, weil die Verhältnisse in der Slowakei die Einführung einer derartigen Massnahme als innerpolitisch höchst bedenklich erscheinen liessen und dadurch wahrscheinlich unerwünschte Rückwirkungen auf die weitere Anwerbung von Arbeitskräften für das Reichsgebiet eingetreten wären. Es lag aber m. E. im Sinne des deutsch-slowakischen Verhältnisses, derartige Experimente während des Krieges zu unterlassen. Vor allem hätte es vom Standpunkt der Ernährungslage des Reichsgebietes kaum verantwortet werden können, wenn durch diese Umstände die alljährlich für das Reichsgebiet vorgesehenen slowakischen Landarbeiter zu einem erheblichen Teil oder sogar völlig ausgefallen wären.

Auf mein an das Innenministerium – Zentralarbeitsamt in dieser Frage zuletzt gerichtete Schreiben vom 11. 8. 1943, das ich als Anlage in Abschrift beifüge, hat nunmehr das Innenministerium – Zentralarbeitsamt zur Einschränkung der eigenmächtigen Abwanderung Massnahmen vorgesehen, die in dem als Anlage in Abschrift beigefügten Erlassentwurf des Innenministeriums – Zentralarbeitsamt niedergeschrieben worden sind. Ich habe mit dem Innenministerium – Zentralarbeitsamt eine Überprüfung dieses Entwurfs und die Ausarbeitung von Gegenvorschlägen zur Abänderung bezw. Ergänzung dieser Weisungen vereinbart. Ich hoffe, hierbei eine Lösung zu erzielen, die den Forderungen des Arbeitseinsatzes im Reich und gleichzeitig den gegenseitigen deutsch-slowakischen Belangen gerecht wird.

Ob aber hierdurch der gewünschte Erfolg in ausschlaggebender Weise auch praktisch herbeigeführt werden kann, erscheint mir im besonderen deswegen fraglich, weil durch den Wandel der Wirtschaftsverhältnisse in der Slowakei während der letzten 2 Jahre für den slowakischen Arbeiter kaum noch ein ausreichender Anreiz zur Fortsetzung der Arbeit im Reich gegeben sein dürfte. Dieser Umstand hat ja in der Regel überhaupt den Anlass zur Aufgabe der Arbeitsstellen gegeben. Der Mangel an Arbeitsgelegenheit in der Slowakei, der die Arbeiter in den vergangenen Jahren hauptsächlich zur Aufnahme einer Beschäftigung im Reich bestimmte, ist inzwischen fast völlig behoben worden, sodass die Arbeiter die Möglichkeit haben, ihre Existenz und den Unterhalt ihrer Angehörigen nunmehr auch in der Slowakei zu sichern. Im Gegenteil ist sogar infolge der zunehmenden Wirtschaftsbelebung in der Slowakei und dem Ausbau der hiesigen Rüstungsindustrie in verschiedenen Wirtschaftzweigen ein empfindlicher Mangel an Fachkräften eingetreten, der durch die Einberufungen zum slowakischen Militärdienst noch vergrössert worden ist. Dieser Zustand in Verbindung mit einer ständigen Preisentwicklung der Lebenshaltungskosten hat zu einer wesentlichen Erhöhung der Facharbeiterlöhne geführt, die denen des Reichsgebietes vielfach nicht nachstehen und sie sogar teilweise – gleichzeitig durch Lohnüberbietungen seitens der Arbeitgeber – noch übertreffen. Viele slowakische Arbeiter, vor allem diejenigen, die im Laufe der Jahre im Reich zu Facharbeitern herangebildet worden sind, haben sich diesen Vorteil zunutze gemacht und inzwischen eine Beschäftigung in der Heimat erworben, wodurch ihnen gleichzeitig Gelegenheit zur Wiederaufnahme eines geregelten Familienlebens gegeben worden ist.

Was aber die slowakischen Arbeiter im Reich bei dieser Sachlage besonders benachteiligt und sie in vielen Fällen zur Aufgabe ihrer Beschäftigung zwingt, liegt m. E. wesentlich in der unzureichenden Höhe der zur Überweisung in die Heimat zugelassenen Lohnersparnisse begründet.[4] Nach den gegenwärtigen Bestimmungen sind hierfür folgende Sätze vorgesehen:

1.) gewerbliche verheiratete Arbeiter   80 RM monatl.
2.) gewerbliche ledige Arbeiter   65 RM monatl.
3.) landwirtschaftliche verheiratete Arbeiter   70 RM monatl.
4.) ledige landwirtschaftl. Arbeiter   45 RM monatl.

Diese Beträge werden zum Kurse vom 1 RM gleich 11 Ks ausbezahlt. Bei den in den letzten Jahren bedeutend angestiegenen Lebenshaltungskosten ist die Existenz der in der Heimat verbliebenen Angehörigen durch diese Überweisungen nicht mehr gesichert. Selbst die in der Slowakei für die Beurteilung des Existenzminimums amtlich festgelegten Beträge liegen im Durchschnitt über diesen Lohntransfersätzen.

Auch die von der Arbeitsfront der Volksdeutschen[5] in Pressburg derzeit vorgesehene Erwerbslosenunterstützung liegt im Durchschnitt wesentlich über den Sätzen des Lohntransfers. Hierdurch und durch die gegenwärtigen Verhältnisse im Reich ergibt sich für die slowakischen Arbeiter also der Zustand, dass die einerseits den Lebensunterhalt ihrer Angehörigen in der Heimat nicht mehr in ausreichender Weise sicherstellen und andererseits ihre zwangsläufig im Reich angesammelten Ersparnisse dort nicht in Sachwerte umsetzen können. Hinzu kommt, dass die slowakischen Arbeiter ihre im Reich aufgebrauchten Kleidungsstücke und Schuhwerk in der Regel zwar nicht dort wohl aber in der Heimat ergänzen können, zu deren Neubeschaffung ihnen in der Heimat jedoch die notwendigen Mittel fehlen.

Für die Überweisung von Lohnersparnissen hat der deutsch-slowakische Regierungsausschuss im Oktober v. Js. einen Betrag von nur 400 Millionen Ks festgesetzt,[6] der aber mit Rücksicht auf den Stand der im Reich durchschnittlich beschäftigten Arbeiterzahl eine angemessene Erhöhung des Lohntransfers nicht zulässt. Bei dieser Gelegenheit ist sogar bei diesem Sektor eine Einsparung von 50 Millionen Ks vorgesehen worden, die nach Ansicht des deutsch-slowakischen Regierungsausschusses durch weitere Abwanderungen aus dem Reich und durch Ausfälle bei der diesjährigen Landarbeiterwerbung eintreten werden und zur Erfüllung anderer slowakischer Lieferungsverträge voraussichtlich verwendet werden sollen.

Die Frage, ob trotzdem die vom Auswärtigen Amt in Aussicht genommene Verhandlung mit der Slowakischen Regierung erfolgen soll, kann m. E. der Beurteilung des Auswärtigen Amtes überlassen bleiben. Ich bin aber davon überzeugt, dass alle Versuche zur Einschränkung oder sogar Unterbindung der eigenmächtigen Abwanderung slowakischer Arbeiter von ihren Arbeitsstellen im Reich ziemlich aussichtslos bleiben werden, falls eine Verstärkung der für den Lohntransfer zugelassenen Mittel nicht erfolgt und damit die Voraussetzungen für eine Erhöhung des Lohntransfers nicht herbeigeführt werden können. Ich würde es daher begrüssen, wenn das Auswärtige Amt ebenfalls seinen Einfluss auf die Behebung dieser Schwierigkeiten, die einer erfolgreichen Durchführung der von mir vorgesehenen Vereinbarungen mit dem Innenministerium – Zentralarbeitsamt im Wege stehen, geltend machen könnte.

gez. Unterschrift!

PA AA, Gesandtschaft Preßburg, Paket 208, W 2, Nr. S 1a, Band II. Kópia, strojopis, 7 strán.

---

1 Dopyt Zahraničného úradu mal nasledovné znenie: „*Nach einer Mitteilung des Generalbevollmächtigten für den Arbeitseinsatz sind in neuerer Zeit in erheblicher Zahl ausländische Arbeitskräfte, die vor Ablauf ihrer Arbeitsverpflichtung sich aus Anlass von Familien- und Urlaubsheimfahrten in ihre Heimat begeben hatten, an ihren Arbeitsplatz im Reichsgebiet nicht zurückgekehrt. Es liegt auf der Hand, dass dadurch sehr unerwünschte Störungen in dem geordneten Ablauf der Rüstungsproduktion hervorgerufen werden, und es erscheint deshalb erforderlich Massnahmen zu treffen, um einen solchen Abfliessen ausländischer Arbeitskräfte vor Ablauf der von ihnen vertraglich übernommenen Arbeitsverpflichtung wirksam entgegenzutreten. Soweit es sich um Arbeitskräfte aus solchen ausländischen Staaten handelt, mit denen über den Arbeitseinsatz zwischenstaatliche Abmachungen getroffen sind, können Anordnungen auf diesem Gebiet deutscherseits nicht einseitig getroffen werden. Es müsste vielmehr in Ergänzung der vorerwähnten Abmachungen eine Verständigung über eine Regelung erfolgen, die die Rückkehr der nach der Heimat beurlaubten Arbeitskräfte an den alten Arbeitsplatz sichert.*
Es wird gebeten, die dortige Regierung entsprechend zu unterrichten und sie um ihr grundsätzliches Einverständnis zu Abreden der bezeichneten Art zu ersuchen. Gleichzeitig würde die dortige Regierung zu Vorschlägen über Ort und Zeit der Aufnahme von Besprechungen zwischen den beiderseitigen Vertretern über diese Frage zu veranlassen sein. Sofern dies den Wünschen der dortigen Regierung entsprechen sollte, würde die Deutsche Regierung bereit sein, alsbald Vertreter mit geeigneten Vorschlägen dorthin zu entsenden. Sollte die dortige Regierung es vorziehen, ihre Vertreter nach Deutschland zu schicken, so würde sich das Auswärtige Amt Vorschläge wegen des Verhandlungsortes vorbehalten."

2 Pozri dokument 117.

3 Dokumenty sa nám nepodarilo nájsť.

4 Pozri dokumenty 115, 118, 119 a 121.

5 Povinná odborová organizácia nemeckej národnostnej menšiny na Slovensku. Od roku 1941 nasledovník Deutsche Gewerkschaft.

6 Pozri dokument 119 a 121.

124

1944, 24. marec. Bez uvedenia miesta [Bratislava]. – Sagerova správa Generálnemu splnomocnencovi pre pracovné nasadenie, týkajúca sa vyhliadok náboru slovenských pracovných síl do Nemecka na rok 1944. Žiada bezpodmienečne zvýšenie sadzieb na prevod miezd, ináč je perspektíva získať ďalšie pracovné sily pesimistická.

Der Beauftragte für den Vierjahresplan
Der Generalbevollmächtigte für den Arbeitseinsatz
Dienststelle Slowakei

5780 – B   24. März 1944
                          Entwurf
An den
Beauftragten für den Vierjahresplan,
Generalbevollmächtigter für den Arbeitseinsatz
Berlin SW 11   Vertraulich!
Saarlandstrasse 96

Betrifft: Anwerbung slowakischer Arbeitskräfte
           für das Reichsgebiet.

Die Zeitschrift „Der Arbeitseinsatz"[1] vom 1. 2. 1944 ruft unter dem Leitwort „Im Rytmus [sic!] der Front" zur weiteren Leistungssteigerung auf dem Gebiete des Arbeitseinsatzes auf. Für die Slowakei gesehen muss entsprechend den Aufgaben meiner Dienststelle die Aufforderung so verstanden werden, dass mehr slowakische Arbeiter als bisher für den Einsatz im Reichsgebiet zur Verfügung gestellt werden. Solchen Bestrebungen sind zwar vertragliche Grenzen gezogen worden, über die ohne Erweiterung der vertraglichen Abmachungen nicht hinausgegangen werden kann; es hat sich aber im vergangenen Jahr ergeben, dass selbst die vertragsmässig zugelassenen Möglichkeiten nicht ausgeschöpft werden konnten.[2] Konkret gesprochen, sind ca. 8 000 Landarbeiter und etwa 2 500 Forstarbeiter weniger, als vertraglich vorgesehen, für einen Einsatz im Reich zur Verfügung gestellt worden. Die Gründe, über die ich u. a. mit meinem Schreiben vom 26. Mai 1943 – 5770/5207.30/B[3] – ausführlich berichtet hatte, lassen erkennen, dass dieser Ausfall auch nicht teilweise auf eine mangelhafte Leistung weder des Einzelnen noch der Dienststelle im gesamten zurückzuführen war. Da die Umstände, die den Erfolg der Arbeit im vorigen Jahre beeinträchtigten in unverändertem, wenn nicht in verstärktem Maße fortbestehen, bitte ich, Ihren Einfluss auf die Beseitigung jener Hemmnisse, die einer vollen Ausnutzung der Leistungsfähigkeit meiner Dienststelle im Wege stehen, möglichst auszuüben.
Seitens der Deutschen Rüstungskommission Slowakei[4] ist nach Ihrem Erlass vom 25. 2. 1944 die Behauptung aufgestellt worden, dass ein Grossteil der slowakischen Arbeitskräfte innerhalb der Slowakei immer noch mit unwichtigen Arbeiten beschäftigt wäre. Die Deutsche Rüstungskommission hat nicht den notwendigen Überblick für eine abschliessende Beurteilung der hiesigen Arbeitslage, weil z. B. die Anwesenheit der ca. 40 000 slowakischen Landarbeiter aus dem Reich bis zur neuen Saison optisch zu einem falschen Urteil verleitet. Ich bin trotzdem dieser Auffassung nicht nur beigetreten, sondern habe wiederholt, u. a. in meinen Zuschriften an die Deutsche Gesandtschaft in Pressburg vom 21. 9. 1943 – 5780.30/Es – und 10. 11. 1943 – 5770/5207/B – (von denen ich Ihnen Abschrift habe zugehen lassen) und mit meinem Bericht vom 6. 3. 1944 – 5780 – B –[5] die Ansicht vertreten, dass in der Slowakei eine unverkennbare Verschwendung von Arbeitskräften getrieben wird, dass hier deshalb weit mehr Arbeitskräfte als durch die zwischen-

staatlichen Vereinbarungen vorgesehen für einen kriegswichtigen Einsatz im Reich zur Verfügung ständen und dass aber gleichwohl die ablehnende Haltung der Slowakischen Regierung und sonstige Umstände eine durch die Kriegslage dringend gebotene Ausnützung dieses Kräftereservoirs verhinderten.

Gelegentlich der deutsch-slowakischen Regierungsverhandlungen im Oktober v. Js. hat die Slowakische Regierung nach dem Protokoll vom 28. 10. 1943 4 000 Bauhilfsarbeiter für einen Einsatz beim K-Programm zugesagt und ausserdem in Aussicht gestellt, 2 000 Baufacharbeiter für das gleiche Unternehmen nach Möglichkeit zur Verfügung stellen zu wollen. An diesen Verhandlungen bin ich damals nicht beteiligt gewesen. Ich habe mich hierüber erst weit nachträglich von den slowakischen Verhandlungspartnern unterrichten lassen müssen. Wann, wo und unter welchen Umständen der Einsatz dieser Kräfte erfolgen soll, entzieht sich auch jetzt noch meiner Kenntnis. Dem Vernehmen nach soll das bewusste Bauprojekt vorläufig zurückgestellt bezw. überhaupt nicht durchgeführt werden. Amtlich ist diese Mitteilung jedenfalls bisher nicht bestätigt. Es wäre aber sehr zweckmässig, hierüber Aufklärung zu erhalten, weil sich das Slowakische Innenministerium – Zentralarbeitsamt bei Verhandlungen über die Bereitstellung weiterer Arbeitskräfte auf diese Abmachung beruft und weitergehende deutsche Wünsche ablehnen zu müssen glaubt, weil sonst slowakischerseits eine Gewähr für die Bereitstellung der zugesagten Arbeiter angeblich nicht übernommen werden kann. Sollte aber die mir zuteil gewordene Mitteilung zutreffen, so wäre es m. E. ratsam, die für das angeblich aufgehobene K-Programm vorgesehenen Arbeitskräfte einem anderen kriegswichtigen Einsatz des Reichsgebietes zukommen zu lassen. Dieserhalb nehme ich Bezug auf meinen Bericht vom 17. 3. 1944 – 5221 – mit dem ich bereits einen gleichartigen Vorschlag für das nach Ihren Fernschreiben vom 7. und 15. 3. 1944 vorgesehene Bauprojekt unterbreitet habe.[6]

In jedem Falle aber bleibt die Frage dahingestellt, ob es gelingen wird, eine so grosse Anzahl gewerblicher Arbeitskräfte für das Reichsgebiet zu gewinnen. Ohne dem Ergebnis solcher Versuche vorgreifen zu wollen, glaube ich unter den gegebenen Umständen an einen nennenswerten Erfolg nicht. Da z. B. für das vorerwähnte Projekt Mineure und für den Tunnelbau sonst geeignete Kräfte in möglichst grosser Anzahl bereitgestellt werden sollen, weise ich zur Begründung meiner Auffassung darauf hin, dass in Ihrem Auftrage erst vor kurzem nur 50 Arbeitskräfte dieser Art für den Loibltunnel[7] angeworben werden sollten. Es sind alle geeignete Mittel zur baldigen Bereitstellung dieser Kräfte angewendet worden. Auch hatte ich in diesem Falle bekanntlich ausnahmsweise 2 Firmenvertreter zur Anwerbung zugelassen, sie weitgehendst unterstützt und ihnen im übrigen für ihre Tätigkeit absolut freie Hand gelassen. Unter vereinten Bemühungen und durch m. E. unverantwortbare Zugeständnisse der Firmenvertreter ist es nach mehreren Wochen schliesslich gelungen, 13 Arbeitskräfte zur Aufnahme dieser Beschäftigung zu bewegen. Dieses Ergebnis stand keineswegs im Verhältnis zu den relativ hohen Aufwendungen an Zeit und Devisen. Es würde also auch in irgendeinem anderen Fall für den Erfolg der Arbeit gleichgültig sein, ob slowakischerseits 50 oder 1 000 oder noch mehr Arbeitskräfte zur Anwerbung freigegeben werden.

Einer grosszügigen Anwerbung slowakischer gewerblicher Arbeiter für das Reichsgebiet bleibt der Erfolg hauptsächlich deswegen versagt, weil der Anreiz zur Aufnahme einer Arbeit im Reich infolge der seit Jahren fast unverändert gebliebenen Transfersätze in dem Maße geringer geworden ist, als in der Slowakei die Lebenshaltungskosten angestiegen sind.[8] Zur Zeit sind für die Überweisung von Lohnersparnissen slowakischer Arbeiter bekanntlich folgende Höchstsätze zugelassen:

für gewerbl. verheiratete Arbeiter	70 – 80 RM
für gewerbl. ledige Arbeiter	60 – 65 RM
für landwirtschaftl. verheiratete Arbeiter	55 – 70 RM

für landwirtschaftl. ledige Arbeiter   45 – 50 RM.[9]
Die Grenzgänger hingegen können 80 v. H. ihres Verdienstes in die Heimat überweisen.

Bei den relativ günstigen Lohnbedingungen und der ausgedehnten Arbeitszeit wird z. B. ein gewerblicher Facharbeiter selbst nach Abzug der eigenen Lebenshaltungskosten monatlich etwa 150 bis 180 RM (in vielen Fällen noch mehr) ersparen können. Hiervon darf der Verheiratete lediglich 80 RM überweisen, sodass er monatlich ca. 70 – 100 RM (im Jahr also ca. 850 – 1 200 RM) endgültig zurücklegt. Der Betrag von 80 RM reicht aber zum Unterhalt der in der Heimat verbliebenen und bekanntlich meist kinderreichen Familien infolge der in den letzten Jahren erheblich angestiegenen und noch weiter ansteigenden Lebenshaltungskosten nicht mehr aus. Andererseits kann der Arbeiter die zwangsläufig im Reich angesammelten Ersparnisse bei den zur Zeit dort gegebenen Verhältnissen nicht – wie früher – in Sachwerte umsetzen.

Erfahrungsgemäss wird von slowakischen Urlaubern oftmals versucht, im Reich angesammelte Reichsmarkbeträge über die zulässige Freigrenze von 10 RM hinaus mit in die Slowakei zu nehmen. Soweit die Zollbeamten an der Grenze dies feststellen, ziehen sie die Reichsmarkbeträge ein. Im anderen Falle versuchen die Arbeiter, die Reichsmarkbeträge in der Slowakei gegen slowakisches Geld unter der Hand umzuwechseln und erhalten im Vergleich zu dem amtlichen Kurs von 1 RM = 11,62 Ks nur 2 oder höchstens 3 Ks. So wird also der slowakische Arbeiter schliesslich dazu verleitet, seine Leistungen in das Verhältnis zu dem Verdienst zu bringen, den er für sich und seine Familie gebraucht und verwenden kann.

Dagegen aber werden für Facharbeiter und Hilfsarbeiter in der Slowakei selbst Löhne gezahlt, die mit denen des Reichsgebietes bereits konkurrieren oder sogar – teils durch Überbietungen seitens Betriebe und Unternehmer – übertreffen. So ist es zu verstehen, dass, gleichzeitig mit Rücksicht auf die z. T. günstigeren Lebensbedingungen in der Slowakei, sich die hiesige Arbeiterschaft gegenüber den Arbeitsangeboten des Reichs ablehnend verhält. Dies umsomehr, als die Arbeiter bei einer Beschäftigung in der Heimat die Familiengemeinschaft mit ihren Angehörigen nicht aufzugeben brauchen. Aus diesen Gründen haben Arbeiter in grosser Anzahl ihre Beschäftigung im Reich aufgekündigt oder vorzeitig aufgegeben.[10] Sie werden vielfach durch heimische Arbeiten, denen keinerlei kriegs- oder lebenswichtige Bedeutung zukommt, gebunden. Es wäre deshalb zweckmässigerweise zu prüfen, ob die Slowakische Regierung beeinflusst werden soll, ihre Arbeitsvorhaben nach kriegs- und lebenswichtigen Gesichtspunkten auszurichten. Solche Schritte könnten ggf. natürlich nur auf diplomatischem Wege unternommen werden.

Wenn auch der Erfolg der Landarbeiterwerbung teilweise durch die gleichen Umstände mehr und mehr beeinträchtigt wird, so mag sich hier diese Frage insofern doch anders beurteilen, als für die Dauer der Saison meist die Ehefrauen und vielfach gleichzeitig die Kinder in den landwirtschaftlichen Betrieben des Reichs Aufnahme finden. Somit ist die Existenz der Familien gesichert. Soweit die Ehefrauen und die herangewachsenen Kinder zur Mitarbeit herangezogen werden – was in der Regel der Fall sein dürfte – haben sie ebenfalls Gelegenheit zur Überweisung ihrer Lohnersparnisse. Es ist aber auch hier festzustellen, dass beide Elternteile auf einen Einsatz im Reich verzichten, wenn häusliche oder andere Verhältnisse die gemeinsame Ausreise oder einen Familieneinsatz im Reich nicht zulassen.

In ähnlichen Berichten über diese Sachlage habe ich wiederholt auf eine Erhöhung der Transfersätze angeraten.[11] Die in den letzten Jahren teils bei den gewerblichen, teils bei den landwirtschaftlichen Arbeitskräften erfolgte Aufbesserung der Transfersätze war aber so geringfügig, dass sie auf die Beseitigung der für die Arbeiterfamilien durch die Teuerung verursachten Existenzschwierigkeiten keinen wirksamen Einfluss haben konnten. Wenn der Anreiz zur Aufnahme einer Beschäftigung im Reich verstärkt bezw. annähernd wiederhergestellt werden soll, müssten nach meiner Ansicht <u>mindestens</u> folgende Transfersätze, die den gegenwärtigen Verhältnissen einigermassen gerecht werden, selbst unter Anerkennung der gegebenen Devisenlage zur Überweisung von Lohnersparnissen zugelassen werden:

A) <u>gewerbliche Arbeiter:</u>

1) Facharbeiter u. gelernte Handwerker		120 RM monatl.
2) sonstige Bau- u. Industriearbeiter über 21 (einschl. Forstarbeiter)	100 RM monatl.
3) sonstige Bau- u. Industriearbeiter unter 21 (einschl. Forstarbeiter)	80 RM monatl.

B) <u>Landarbeiter:</u>

1) verheiratete männl. Arbeiter		80 RM monatl.
2) verheiratete weibl. Arbeiter		70 RM monatl.
3) ledige männl. Arbeiter		70 RM monatl.
4) ledige weibl. Arbeiter		60 RM monatl.

Es ist m. E. auch nicht einzusehen, warum Grenzgänger, die übrigens den Vorzug der Aufrechterhaltung der Familiengemeinschaft haben, durch die Überweisung von 80 v. H. ihres Einkommens gegenüber den anderen im Reich beschäftigten Arbeitern so erheblich bevorzugt werden. Ausserdem erhalten die Grenzgänger durch Übereinkommen mit hiesigen Geldinstituten den überweisungsfähigen Lohnanteil bereits kurz nach Fälligkeit ihrer Lohnansprüche bevorschusst, sodass sie nicht, wie die Familien der übrigen im Reich beschäftigten slowakischen Arbeiter, regelmässig 5 – 6 Wochen, oft aber sogar monatelang auf die Auszahlung ihrer Lohnersparnisse warten müssen. Hierdurch ist auch zu verstehen, dass viele im Reich beschäftigte slowakische Arbeiter, die in der slowakisch-deutschen Grenznähe wohnen, von ihren Arbeitsstellen abgewandert sind und noch laufend abwandern in dem Bestreben, zwar auf deutschem Boden, aber in der Nähe ihrer Heimat eine Beschäftigung als Grenzgänger zu finden.

Eine angemessene Erhöhung der Transfersätze wird aber zur Folge haben, dass der Betrag von 400 Millionen Ks, den der deutsch-slowakische Regierungsausschuss als höchstmögliche Belastung des deutschen Clearingskontos durch den Einsatz slowakischer Arbeiter im Reich zugelassen hat, weit überzogen werden wird. Das ist bereits im vorigen Jahr der Fall gewesen und hat dazu geführt, dass die Auszahlung der Lohnersparnisse angeblich infolge unzureichender Liquidität der slowakischen Staatskasse in erheblichen Verzug geraten war. Bei der gegenwärtigen Landarbeiterwerbung verweigern zahlreiche Arbeitskräfte den Abschluss eines neuen Landarbeitervertrages, weil sie im Februar und März dieses Jahres noch nicht im Besitz der bereits in den Monaten Dezember, November und teils sogar Oktober vor. Jahres eingezahlten Lohnersparnisse waren. Es wäre also mit Recht zu befürchten, dass bei einer Erhöhung der Transfersätze und der damit möglicherweise verbundenen zusätzlichen Bereitstellung slowakischer Arbeitskräfte für das Reich die Angehörigen in der Heimat in unverantwortbare Existenzschwierigkeiten geraten würden. Wie schon bisher, würden die Familien dann im besonderen die Schuld an ihrer Notlage dem Reich zuschieben und die Juden, wie auch andere deutschfeindliche Elemente in der Slowakei, werten solche Vorkommnisse unter der hiesigen Bevölkerung propagandistisch weitgehendst aus. Als mir die ersten Schwierigkeiten dieser Art im vorigen Jahr bekannt wurden, habe ich die beteiligten slowakischen Stellen auf die nachteiligen sozialen und innerpolitischen Folgen der unregelmässigen und unpünktlichen Auszahlung der Lohnersparnisse hingewiesen. Dieser unerwünschte Zustand wurde damals zwar behoben, er ist nachträglich aber umso nachhaltiger wieder aufgetreten. Ich mag nicht zu beurteilen, ob hiermit bestimmte Zwecke verfolgt werden. Es erscheint aber unzweifelhaft, dass es gewissen slowakischen Stellen an der notwendigen sozialen und innerpolitischen Einsicht in dieser Frage fehlt. Ich glaube auch annehmen zu müssen, dass selbst die Vertreter des deutschen Regierungsausschusses nicht in eine ausreichende sachliche Prüfung dieser Frage eingetreten sind; sonst könnte m. E. bei dem damaligen Beschluss über den ohnehin nicht ausreichenden Betrag von 400 Mill. Ks nicht noch eine Einsparung von 50 Mill. Ks in Aussicht genommen und über diesen Betrag anderweit verfügt worden sein.[12] Es spricht ebenfalls nicht für das Sachverständnis der deutschen Verhandlungspartner für die Arbeitslage des Reichsgebietes, dass der Vorsitzende des deutschen Regierungsausschusses[13] bei der Verhandlung im Februar ds. Js. dem Innenministerium – Zentralarbeitsamt darüber Vorwürfe gemacht haben soll, dass von dieser Stelle im Interesse der Einsparung von Lohngeldern wegen Rückführung gewerblicher Arbeiter aus dem Reich in die Slowakei nichts unternommen wurde. Diese Feststellung entnehme ich einer Zuschrift des Innenministeriums – Zentralarbeitsamt vom 3. 3. 1944 an meine Dienststelle, in der es wörtlich heisst:

„... Bei Beratungen der Regierungsausschüsse im Februar 1944 wurde mir seitens des Vorsitzenden des Deutschen Regierungsausschusses unmittelbar der Vorwurf gemacht, dass meinerseits in Angelegenheit der Herabsetzung der Arbeiteranzahl – mit Rücksicht auf die Transferschwierigkeiten – nichts unternommen wurde."

Ich will aber diesem Standpunkt beipflichten, wenn er so verstanden werden soll, dass es keinen Sinn hat, ausländische Arbeiter im Reich zu beschäftigen, wenn sie dauernd um ihre Angehörigen in Sorge sein müssen, weil deren Lebensunterhalt nicht sichergestellt ist. Ich kann mir auch denken, dass unter solchen Umständen die Leistung der an sich von den Betrieben im Reich geschätzten slowakischen Arbeiter herabsinkt. Nur sehe ich einen unbestreitbaren Widerspruch darin, dass in den Regierungsverhandlungen von deutscher Seite zur Einsparung von Devisen einmal für die Rückführung slowakischer Arbeiter aus dem Reich und andererseits wiederum für die Abgabe slowakischer Arbeiter in das Reichsgebiet plädiert wird. Ich nehme an, dass aus diesem Zwiespalt deutscher Wünsche die an mich gerichtete Anfrage des Innenministeriums – Zentralarbeitsamts, was wegen der Rückführung der Arbeiter aus dem Reich geschehen soll, entstanden ist. Hierzu habe ich den Standpunkt geäussert, dass die planmässige Ruckführung einer so grossen Anzahl von Arbeitskräften die Produktionsfähigkeit der Rüstungsbetriebe im Reich zumindest in dem Maße benachteiligen würde, als hierdurch die Rüstungskapazität der Slowakei erweitert werden könnte, also würde der auf eine Erweiterung der Rüstungsproduktion hinausgehende Effekt durch die Verlagerung der Arbeitskräfte von einem Rüstungsbetrieb des Reichsgebietes in einen Rüstungsbetrieb der Slowakei aller Wahrscheinlichkeit nicht erreicht werden können. Nach den gegenwärtigen Betriebsverhältnissen bei den Skodawerken in Dubnica, wo der Einsatz der zur Rückführung vorgesehenen Arbeitskräfte hauptsächlich erfolgen sollte, müsste vom Standpunkt der Kriegsproduktion die Ablösung slowakischer Arbeiter aus den Rüstungsbetrieben im Reich vorläufig sogar als unverantwortlich beurteilt werden, weil die Skodawerke vorerst gar nicht in der Lage sind, die Kräfte aufzunehmen. Z. B. haben die Skodawerke unter meiner Mitwirkung seit Mitte Januar ds. Js. nach und nach etwa 450 Betriebsangehörige zur kurzfristigen Umschulung auf die Dauer von ca. 4 – 6 Wochen in einen Rüstungsbetrieb bei Wien überwiesen. Die Ausbildungsdauer dieser Kräfte, die inzwischen überwiegend abgeschlossen ist, muss aber verlängert worden, weil die Skodawerke hierfür zur Zeit keine Beschäftigungsmöglichkeit haben. Abgesehen von den Betriebsverhältnissen bei den Skodawerken lässt die hiesige Arbeitseinsatz- u. Wirtschaftslage eine Rückführung slowakischer Arbeiter aus dem Reich selbst unter Berücksichtigung der für hiesige Rüstungsbetriebe zusätzlich benötigten 6 500 Arbeiter vollends entbehrlich erscheinen. Dagegen halte ich den slowakischen Wunsch, die bei den Skodawerken beschäftigten reichsdeutschen Facharbeiter gegen slowakische Facharbeiter austauschen zu lassen, für verständlich, zumal diese Massnahme gleichzeitig im deutschen Interesse liegen dürfte.

Man sieht aber, welche Auswirkungen durch Beschlüsse und Entscheidungen ohne ausreichende Beteiligung der zuständigen Fachressorts entstehen können. Auf diese Weise aber werden der Slowakischen Regierung von deutscher Seite alle Argumente in die Hand gegeben, die die Ablehnung meiner Wünsche auf Bereitstellung weiterer slowakischer Arbeiter für das Reich ausreichend begründen. Ich stelle fest, dass das Innenministerium – Zentralarbeitsamt zwar weitgehendes Verständnis für die deutschen Arbeitseinsatzbelange zeigt. Diese Stelle hat aber Anweisung, ihre diesbezüglichen Entscheidungen in erster Linie nach finanzpolitischen Erwägungen auszurichten. Nach dem bisher Geschehenen liegt m. E. Grund genug für die Forderung vor, dass bei zukünftigen Regierungsverhandlungen über Arbeitseinsatzfragen eine ausreichende Beteiligung des Fachressorts erfolgt.

Wenn also das Kontingent an Land- und Forstarbeitern voll ausgeschöpft werden soll und darüber hinaus – wie es neuerdings von Ihnen gefordert wird – gewerbliche Arbeiter in nennenswerter Zahl aus dem südosteuropäischen Raum bereitgestellt werden sollen, kann sich die Slowakei hieran nur unter der Voraussetzung beteiligen, dass

1) die Transfersätze in angemessener Weise erhöht werden,
2) demzufolge in ausreichendem Umfange Mittel zur Auszahlung des Lohntransfers zur Verfügung gestellt werden,
3) eine geregelte Auszahlung der Beträge sichergestellt wird,
4) nichtkriegswichtige Arbeitsvorhaben in der Slowakei eingeschränkt werden.

Unter anderen Umständen haben alle Verhandlungen mit der slowakischen Regierung und selbst deren Zusagen zur Abgabe weiterer Kräfte für das Reichsgebiet praktisch keinen Zweck, weil sie nach meinen Erfahrungen aus diesen Gründen nicht realisierbar sind.

Zur Begründung dieser Feststellung führe ich folgendes Beispiel an:

Im Herbst vorigen Jahres wurden für die Zuckerfabriken Dürnkrut und Leopoldsdorf 850 slowakische Grenzgänger für den Kampagneeinsatz zur Verfügung gestellt. Die Arbeiter gingen davon aus, dass sie die Löhne unmittelbar nach Fälligkeit im Wege der Bevorschussung durch hiesige Bankinstitute ausgezahlt erhielten. Es ergab sich aber nachträglich, dass die Banken infolge unzureichender Liquidität die Bevorschussung nicht durchführen konnten. Daraufhin haben die Arbeiter fast ausnahmslos ihre Beschäftigung niedergelegt, aber wieder geschlossen aufgenommen, als es meinen Bemühungen kurze Zeit später gelang, die notwendigen Mittel flüssig machen zu lassen. Auch bei sonstigen Arbeitern ist die Abwanderung aus dem Reich in sehr vielen Fällen auf die unzureichende Höhe des Lohntransfers und die Unsicherheit in der Auszahlung zurückzuführen. Dass aus gleichen Gründen in diesem Jahre viele slowakische Landarbeiter einen neuen Vertrag für das Reich nicht übernehmen wollen, habe ich bereits erwähnt. Gleichzeitig halte ich die Sicherung einer zweckentsprechenden Verwendung der Mittel für notwendig. Ich habe bereits darüber berichtet, dass auch nach Ansicht der slowakischen Seite die Überweisung von Lohnersparnissen der Arbeiter des Protektorats nicht immer in geregelter Weise erfolgt. Ferner rege ich an, das für die Hermann-Göring-Werke bisher noch zugelassene Sonderverfahren aufzuheben oder die Mittel hierfür zu begrenzen. Sonst aber sind diese Betriebe weiterhin in der Lage, illegal zugewanderte slowakische Arbeiter in beliebiger Zahl aufzunehmen.

Über die so gearteten Verhältnisse, die einem weiteren Erfolg meiner Arbeiten im Wege stehen, habe ich in meinen Berichten an Sie immer wieder hingewiesen und um Beseitigung der Schwierigkeiten gebeten, auf deren Behebung ich von hier aus keinen Einfluss habe. Die Verhältnisse sind bisher aber trotzdem nicht günstiger, teilweise sogar erheblich schwieriger geworden. Eine Leistungssteigerung meiner Dienststelle kann also nur dann zu einem praktischen Erfolg führen, wenn die Voraussetzungen hierfür in der von mir angezeigten Richtung durch die beteiligten deutschen Stellen herbeigeführt werden. Solange das nicht geschieht, wird ein erhöhtes Arbeitstempo meiner Dienststelle nur schneller als bisher im Kreise herumführen, ohne indes dem angestrebten Erfolg auch nur einen Schritt näherzukommen.

Ich darf daher abschliessend empfehlen, die beteiligten Stellen im Reich zu veranlassen, die Verhandlungen mit der Slowakischen Regierung zur Beseitigung der Transferschwierigkeiten baldmöglichst herbeizuführen[14] und bei dieser Gelegenheit gleichzeitig die bindende Zustimmung der Slowakischen Regierung zur Bereitstellung einer grösseren Anzahl gewerblicher Arbeitskräfte für das Reichsgebiet zu erwirken.[15]

S[ager parafa]

PA AA, Gesandtschaft Preßburg, Paket 208, W 2, Nr. S 1a, Band II. Kópia, strojopis, 14 strán.

1 Celým názvom od júla 1943 „Der Arbeitseinsatz im Großdeutschen Reich". Toto periodikum vydával pôvodne pod názvom „Der Arbeitseinsatz im Deutschen Reich" Ríšsky inštitút sprostredkovania práce a poistenia nezamestnaných, od februára VI. oddelenie Ríšskeho ministerstva práce. V auguste 1942 ho prevzal úrad Generálneho splnomocnenca pre pracovné nasadenie a bolo určené výhradne len pre služobné účely.

2 Porovnaj dokument 122.

3 Dokument sa nám nepodarilo nájsť.

4 Správne Deutsche Industriekommission.

5 Uvedené správy sa nám nepodarilo nájsť.

6 Uvedené správy a telegramy sa nám nepodarilo nájsť.

7 Ide o alpský priesmyk medzi rakúskym Korutánskom a slovinským Horným Kraňskom. Tunel sa tu začal stavať v marci 1943. Na jeho výstavbu boli okrem civilistov nasadení za neľudských podmienok aj vojnoví zajatci a väzni z koncentračných táborov.

8 Pozri tiež dokument 123.

9 V dokumente je na tomto mieste rukopisná poznámka, že v prípade prvej uvedenej sumy ide o sadzby platné od 1. 5. 1943, v prípade druhej uvedenej sumy o sadzby platné od 1. 11. 1943.

10 Pozri tiež dokument 123.

11 Pozri dokumenty 115, 118, 119, 121 a 123.

12 Porovnaj dokument 122.

13 Carl-Gisbert Schultze-Schultius.

14 Nemecké vyslanectvo, ktoré dostalo správu na vedomie, zaujalo vo veci zvýšenia sadzieb prevodu miezd nasledovné stanovisko: *„Eine Erhöhung der Transfersätze stellt sicherlich das einfachste Mittel dar, um die slowakischen Arbeiter zum Einsatz ins Reich anzuregen. Das Transferkontingent ist im Protokoll der 7. Tagung der Regierungsausschüsse, Pkt. 19 auf 400 Mill. Ks festgesetzt worden. Im Finanzierungsprogramm ist mit Rücksicht auf die Möglichkeit der Rückführung slowakischer Arbeiter eine Einsparung von 50 Mill. Ks vorgesehen, die aber jedenfalls nicht in Erscheinung treten wird. Bei der gleichen Anzahl der im Reich beschäftigten Arbeiter würde sich der Transfer auf Grund der von ORR Sager vorgeschlagenen neuen Sätze um etwa 100 Mill. Ks erhöhen.*
Mit Rücksicht auf die bevorstehende neue Belastung des Clearings durch Erhöhung der slowakischen Warenlieferungen in das Reich, durch die neue Verlagerung nach Dubnica und durch die Erhöhung des Etats des Fürsorgeoffiziers der Waffen-SS müsste erwogen werden, welche von allen diesen Vorhaben bevorzugt zu behandeln wäre. Wenn auch eine Beeinträchtigung des slowakischen Kriegsbeitrags durch die schon heute sehr schwere Belastung der slowakischen Finanzen infolge der Clearingentwicklung kaum zu merken ist, so sind dieser Belastung doch gewisse Grenzen gesetzt, deren Überschreitung eben gerade zu einem Nachlassen der slowakischen Leistungen führen muss." Schulmannov záznam pre H. Gmelina z 31. 3. 1944.

15 Sagerom uvádzaný problém transferu platov za odrazil v zníženom nábore poľnohospodárskych robotníkov. Napr. v ríšskej župe Sudety sa stanovený kontingent na rok 1944 – 9 600 osôb – neporadilo naplniť. V druhej polovici júna 1944 sa župný vedúci Konrad Henlein sťažoval, že do Sudet prišlo len 4 901 pracovných síl zo Slovenska. V tomto smere nepomohlo ani úsilie vodcu nemeckej národnostnej menšiny na Slovensku, ktorý sa na Spiši pokúsil zvýšiť počty medzi tunajšími Nemcami. F. Karmasin videl problém najmä v absencii pracovného zákona, obsahujúcom represívne opatrenia v prípade opustenia pracovného miesta: *„Tausende von Arbeitern sind ihrer Pflicht nicht nachgekommen und sind mit keinen Mitteln zu zwingen, ihren Arbeitsposten im Reich anzutreten."* (SNA, f. 116-43-5/155, 176. Korešpondencia medzi K. Henleinom a F. Karmasinom z 21. 6. a 1. 7. 1944.)

125

1944, 9. máj. Bez uvedenia miesta [Bratislava]. – Výňatok zo zápisnice zo zasadnutia Komitétu hospodárskych ministrov, na ktorom sa prerokúvala otázka náboru slovenských pracovných síl do Nemecka. Ide o stanovenie základných línií pre rokovanie spoločného nemecko-slovenského vládneho výboru.

XIV. Zápisnica
o zasadnutí Komitétu hospodárskych ministrov dňa 9. mája 1944.

Prítomní: Dr. Medrický, minister hospodárstva, Dr. Pružinský, minister financií, Dr. Polyák, minister, Dr. Karvaš, guvernér SNB, Dr. Ing. Zaťko, poslanec, Ing. Országh, leg. radca, Turček, poslanec, Dr. Terlanda, hl. min. radca, Dr. Vyskočil, hl. odb. radca, Dr. Galan, Danihel, poslanec, Dr. Virsik, riaditeľ SNB, Dr. Stanek, Ing. Kosljar, predseda LDÚ,[1] Dr. Gross z Min. fin. a Dr. Mičátek.

1./ Slovensko-nemecké rokovania.
[...]
A./ Otázka robotnícka.
Dr. Bezák rozdeľuje celkovú problematiku v sektore robotníckom na 4 hlavné časti:
a/ zvýšenie počtu slovenského robotníctva vRíši. Nemecká požiadavka nových 50 000 pracovných síl[2] je z hľadiska pomerov na našom trhu práce neprevediteľná. Nemci poukazujú, že zastavením určitej produkčnej výroby, bez ktorej by sa za terajších vojnových pomerov slovenské hospodárstvo mohlo obísť (napr. Stollwerck), dal by sa získať uvedený počet pracovných síl. Z našej strany argumentuje sa však, že corpus robotníctva[,] s ktorým disponujeme[,] nevykazuje žiadnych prebytkov a je plne zachytený v pracovno-produkčnom pomere tuzemskom. Ďalšie oddisponovanie poľnohospodárskych robotníkov, malo by pre naše hospodárstvo katastrofálne následky, najmä na poli produkcie zemiakov, cukrovky, kukurice a tabaku, pretože okopaniny by ostali neokopané. Napokon sa Nemci spokojili s počtom 27 000 robotníkov, ktorých pridelenie bolo im dané do výhľadu už pri rokovaniach v októbri min. roku[3] a ktorý kontingent budeme môcť dodržať.

Dienstverpflichtung[4] slovenských štátnych občanov pre Ríšu – má byť podľa nemeckého vyhlásenia stanovená expressis verbis, vo forme zákona. Po poukázaní na všetky nevýhody a nebezpečia plynúce z takejto úpravy, dospelo sa k dohode, ktorou sa zaväzujeme zaviesť pracovnú povinnosť, ale pre domácu potrebu (táto však prakticky už existuje).[5] V predmetnom súvise žiadajú Nemci, aby slovenskí robotníci, ktorí opustia prácu v Ríši, boli slovenskými vrchnosťami potrestaní.[6] Našim prísľubom, že hrubé porušenie pracovnej disciplíny bude trestané zaradením do pracovných táborov, dospelo sa aj tu k uspokojivému riešeniu.

c/ Pri prevádzaní dohody z minulého roku, podľa ktorej sa mali slovenskí robotníci v Ríši vymieňať za ríšskych a protektorátnych, pracujúcich u nás, vyskytli sa mnohé ťažkosti. Teraz nemecký partner žiada jej zrušenie: spokojil sa však so sľubom, že predbežne nebudeme prevádzať uvedený arrangement.

d/ Zvýšenie robotníckeho transferu – asi o 50% t. j. z doteraz povolených 400 mil. Ks ročne na ročných 750 mil. Ks. V súvise s touto požiadavkou poznamenáva minister financií, že keď sporíme pri Arbeiterlohnskonte, sporíme vlastne aj pre samotné Nemecko, keďže ceny statkov v poslednom polroku na Slovensku sa nezvýšili a navrhuje, aby superplus nad povolený transfer bol vo forme Eisernelohnersparnisse ukladaný buď v RM, alebo v najhoršom prípade i v Ks. Žiada, aby ríšski robotníci na Slovensku, ktorí okrem naturálií (byt a strava), dostávajú priemerne 2 000 Ks mesačne, boli tiež prinucovaní k tvoreniu podobných úspor.

KHM sa uznáša, aby vo Viedni bola presadená zásada, že úhrnná mzda nemeckého robotníka na Slovensku (naturálie + peniaze) nesmie presahovať mzdu slovenského robotníka tej istej kategórie.[7]

Okrem týchto 4-och kardinálnych bodov nutno vyzdvihnúť ešte požiadavku, aby robotníci Dubnice, Rudy a Krompachov neboli povolávaní do zbrane a ani premiestňovaní z jedného podniku do druhého; ďalej požiadavku zaistenia pracovných síl (cca 500 baníkov) pre mangánové bane Coburgu a Rudy, ktorej ríšske miesta imprimujú charakter prvoradého významu. Nakoľko donucovanie robotníctva k práci v týchto baniach sa javí po stránke psychologickej neprospešným, výsledku možno docieliť iniciatívnou sociálnou činnosťou zainteresovaných podnikov, najmä po stránke zásobovacej.

KHM berie na vedomie docielené riešenia a v zásade s nimi súhlasí. KHM sa uznáša, aby potrebný počet robotníctva pre bane na mangánovú rudu zaistili prevádzacie firmy poskytnutím sociálnych výhod, hlavne však zavedením stravovacej akcie a pod.

[...]

SNA, f. MH, š. 16, Prez-P-dôv-322/108/1944. Originál, strojopis, 8 strán.[8]

1 Lesnícka a drevárska únia.
2 Porovnaj dokument 124.
3 Ide o 7. spoločné zasadnutie nemeckého a slovenského vládneho výboru.
4 Pracovná povinnosť.
5 Pravdepodobne ide o vládny návrh zákona o pracovnej povinnosti a včleňovaní do práce, ktorý snem schválil až koncom júla 1944.
6 Porovnaj dokument 123.
7 Protokol z 8. zasadnutia vládnych výborov v dňoch 27. 4. – 16. 6. 1944 pozri PA AA, R 105 332. Sadzby poukazov zasielané na Slovensko boli na tomto zasadnutí stanovené do maximálnej hodnoty 110 RM.
8 Kópia zápisnice sa nachádza vo fonde SNA, ÚPV, š. 17, 1054/1944.

126

1944, 6. jún. Bratislava. – Nariadenie Ústredného úradu práce OÚ v Banskej Bystrici, vyžadujúce naplniť kontingent poľnohospodárskych robotníkov v zmysle nemecko-slovenskej dohody o nábore pracovných síl.

Ministerstvo vnútra
Ústredný úrad práce

Číslo: 644-2/6-1/44   V Bratislave dňa 6. VI. 1944

Predmet: Nemecko – najímanie robotníkov – nedostatky.[1]

Okresnému úradu
(do rúk p. okr. náčelníka)[2]
v Banskej Bystrici.

Pri tohoročnom najímaní poľnohospodárskych robotníkov na práce do Nemecka, ktorých má Slovenský štát dodať v zmysle slovensko-nemeckej dohody o dosadzovaní robotníkov[3] a ktorých počet bol stanovený podľa pravidelne sa vyskytujúcich prebytkov pracovných síl na Slovensku, vo Vašom okrese prihlásilo sa na práce do Nemecka podľa dosiaľ spracovaných výsledkov menej osôb ako v roku minulom.

Ak sa vo Vašom okrese neprevádzajú žiadne mimoriadne stavebné alebo iné práce, je tu oprávnené podozrenie, že robotníci sa vyhýbajú riadnemu pracovnému dosadeniu a živoria na malom kúsku zeme a zo svojich úspor; prípadne si privyrobia príležitostnou prácou, alebo čiernym obchodom. V terajších vojnových časoch sa nemôže trpieť, aby niekto nepracoval a preto sa musí zapojiť do riadneho pracovného procesu každý práceschopný občan.

Vyzvite preto robotníkov Vášho obvodu, aby sa dobrovoľne zapojili do práce a ak nemôžu obdržať stálu prácu na Slovensku, nech sa prihlásia na poľnohospodársku prácu do Nemecka na svojom úrade práce, ktorý im na požiadanie zaobstará pracovnú zmluvu do toho kraja v Nemecku, do ktorého by najradšej išli pracovať. [4]

Súčasne Vám nariaďujem, aby ste v okruhu svojej pôsobnosti zariadili všetko potrebné na urýchlené a hladké prevedenie akcie najímania robotníkov. Hlavne, aby notárske úrady išli robotníkom čo najviac v ústrety a neodrádzali ich od odchodu na prácu do Nemecka byrokratickým vybavovaním dokladov a žiadostí, ktoré robotníci pre pasové a iné formality musia podávať.

Ďalej nariaďujem, aby robotníctvo odchádzajúce na prácu do Nemecka bolo vybavené mimo poradia a bez ohľadu na to, či je stránkový deň a bez ohľadu na prijímacie hodiny pre stránky. Sťažnosti v tomto smere ako aj pasívny postoj k akcii najímania bude mať pre vinníka ďalekosiahle následky, lebo proti záškodníkom budem rigorózne postupovať.

O tom, čo ste vo veci zariadili, podajte mi hlásenie do 14 dní. Súčasne mi hláste, aké nedostatky a ťažkosti sa pri prevádzaní celej akcie vo Vašom obvode vyskytujú a čo je tomu na príčine.

Na stráž !
Za ministra:
Dr. Bezák v. r.

Za správnosť vyhotovenia:

ŠA Banská Bystrica, pobočka Banská Bystrica, fond OÚ Banská Bystrica, š. 141, 1167/1944. Kópia, strojopis, 2 strany.

---

1 Uvedený prípis bol expedovaný tým okresným úradom, v ktorých obvode podľa názoru MV „*najímanie robotníkov na poľnohospodárske práce do Nemecka nebolo prevedené s potrebným úspechom"* a okresných náčelníkov inštruovalo, aby „*zariadili všetko na urýchlení a hladké prevedenie najímania robotníkov.*" (SNA, f. MZV, š. 976, 6332/1944.)

2 Viktor Čársky.

3 Pozri dokument 117.

4 Režim sa usiloval mobilizovať obyvateľstvo aj prostredníctvom letákovej akcie. Distribuované letáky mali nasledovný obsah: „*Bratia! Sestry! Slovenský národ ako aj ostatné národy Európy nastúpili do rozhodujúceho boja o svoju existenciu a krajšiu sociálnu budúcnosť. V tomto rozhodujúcom boji nesmie a nemôže chýbať ani jeden Slovák alebo Slovenska. Každý z nás má svoju vážnu úlohu a povinnosť.*
Jednému pripadla úloha bojovať so zbraňou v ruke po boku udatnej nemeckej armády priamo na fronte a druhým zase práca v zázemí na Slovensku alebo v Nemecku na vnútornom fronte. Vám, bratia a sestry, pripadla čestná úloha pracovať na vnútornom fronte Európy. Každým rokom na jar odchádza do spriateleného Nemecka veľa tisíc slovenských robotníkov a robotníčok na poľnohospodárske práce. Aj toho roku je to tak. Prihláste sa aj Vy!
Podľa dohody a smerníc každý robotník či robotníčka môže si ľubovoľne vybrať kraj – miesto a podnik. Cesta zo Slovenska na pôvodné pracovisko je úplne zadarmo. Ženatí si môžu vziať so sebou nezletilé deti. Platové a pracovné podmienky, ako je Vám známe, sú výhodné a každý pred odchodom dostane riadne vystavenú a právoplatnú zmluvu. Počas pobytu v Nemecku sú slovenskí robotníci postavení naroveň nemeckým robotníkom v zaobchádzaní, stravovaní a všeobecného pracovného práva. O ochranu slovenských robotníkov sa svedomite starajú nemecké úrady práce a patričná slovenská organizácia. Je postarané o hladké poukazovanie úspor (transfer) na Slovensko a v tomto roku sa výška transferu podstatne zvýšila oproti vlaňajšiemu roku tak u ženatých ako aj u slobodných.

Nepočúvajte zlomyseľných našepkávačov. Sú to tí, ktorí by najradšej videli naše dediny a mestá v plameňoch a troskách a náš ľud vyvraždený a zničený. Títo vždy cigánili, klamali a podvádzali. Aj teraz sú v činnosti. Ale rozumný a statočný Slovák a Slovenka takýchto nepriateľov národa odmietne. Milióny a milióny nemeckých vojakov stoja pred našimi Karpatmi a tvoria neprekonateľný val, že žiadna armáda na svete ju neprekoná. Práve preto sa nebojte o svojich príbuzných doma. Iďte pokojne do Nemecka na prácu. Vykonáte tým dobrú službu v prvom rade sebe a súčasne slovenskému národu. Pekne si zarobíte a prídete na jeseň zase zdraví na naše drahé Slovensko." (NA ČR, f. Ministerstvo hospodářství a práce (ďalej MHP), š. 424, A-I-5771.2. Za sprostredkovanie dokumentu ďakujeme Jane Tulkisovej.)

127
1944, 4. júl. Berlín. – Záznam kultúrno-politického oddelenia Zahraničného úradu, vo veci smerníc pre zaobchádzanie s pracovnými silami z krajín juhovýchodnej Európy. Ide skôr o propagandu, založenú na nemeckom stereotype vnímania zahraničných pracovných síl, ako o reflexiu skutočného stavu vecí.

Kult Pol L V   Berlin, am 4. Juli 1944
Dr. Feist

Aufzeichnung
Leitsätze über die Behandlung fremdländischer Arbeiter
mit besonderer Berücksichtigung der Länder des Südostraumes![1]

Es ist eine bekannte Tatsache, dass uns Deutschen in der Behandlung fremdvölkischer Angehöriger noch die Erfahrung mangelt, die andere Völker, insbesondere die Engländer auf Grund ihrer jahrhundertelangen kolonialpolitischen Tätigkeit besitzen, während wir, wie unsere Geschichte zeigt, in seltenen Fällen unseren Gesichtskreis über unsere eigenen Belange hinaus erweitert haben. Wir müssen uns deshalb angewöhnen, diese Schwäche, die in unserer geschichtlichen Vergangenheit begründet liegt, im Hinblick auf die grossen Aufgaben, die unserem Volk gegenwärtig und für die Zukunft gestellt sind, zu überwinden und uns mit der Mentalität der fremden Völker eingehend befassen.

1. Der Deutsche als Angehöriger eines Volkes, das künftighin in Europa und in der Welt eine führende Stellung einnehmen soll, muss sich überall als „Herr" fühlen. Dieser „Herren"-standpunkt bedeutet keineswegs Überheblichkeit, sondern lediglich das Bewusstsein, Führer und Vorbild in allen Lebenslagen darzustellen. Insbesondere die Länder des Südostens blicken auf das Reich als die zentrale Führungs- und Ordnungsmacht in Europa und erwarten daher von jedem Deutschen, dass er sich dessen in Haltung und Leistung bewusst ist.

2. Dieser „Herren"-standpunkt darf nicht dahin führen, wie es bei uns häufig leider vorkommt, Einrichtungen oder Anschauungen anderer Länder als etwa minderwertig oder veraltet herabzusetzen, vielmehr muss der Deutsche die Eigengesetzlichkeit und die durch den historischen Werdegang gegebenen tatsächlichen Zustand anerkennen. Er muss sich in die Mentalität des fremdvölkischen Gastarbeiters einzufühlen versuchen, und den Vertreter des betreffenden Landes trotz mancher Verschiedenheiten der Auffassungen als vollwertiges Mitglied der europäischen Völkerfamilie anerkennen.

3. Dies gilt insbesondere hinsichtlich der Rücksichtnahme auf abweichende moralische Anschauungen und religiöse Bindungen. Ein religiös frei denkender Deutscher darf zum Beispiel nicht versuchen, seine Überzeugung dem ausländischen Arbeitskameraden aufoktroyieren zu wollen. Er würde dadurch nur Widerstände hervorrufen. Die Religionsausübung ist besonders in den Ländern des Südostens vom nationalen Leben kaum zu trennen. Dies gilt z. B. für die katholische Slowakei, ebenso wie für das orthodoxe Serbien

oder Rumänien. Die moralischen Anschauungen des Slowaken oder Kroaten im Hinblick auf die Beziehungen der Geschlechter sind ungleich fester und traditionsgebundener als beispielsweise die des Durchschnittsdeutschen; so würde eine Eheschliessung ohne Mitwirkung der Kirche dort auf schärfste Ablehnung stossen.

4. Der Deutsche ist im allgemeinen geneigt, den Südosten als denjenigen Raum zu betrachten, in dem die Korruption und die „Schlamperei" sowie die mangelnde Organisationskraft Erscheinungen des täglichen Lebens darstellen. Selbst wenn dies in gewissem Sinn zutreffen mag, so wäre es doch verfehlt, den Arbeitskameraden aus diesem Raum gleichsam hierfür verantwortlich zu machen und ihm diese Zustände immer wieder unter die Nase zu halten. Auch darf man nicht vergessen, dass eine vielhundertjährige türkische Misswirtschaft in diesen Gebieten an solchen Erscheinungen schuld ist, und dass nur eine stetige Erziehung, verbunden mit einer Besserung der sozialen Verhältnisse diese Übel überwinden könne. Die sogenannte „Schlamperei" freilich liegt auch in gewissem Sinn in dem Lebensrythmus [sic!] dieser Völker begründet. Wir dürfen eben das deutsche Arbeitsethos nicht als etwas Selbstverständliches ohne weiteres auf andere Völker Übertragbares hinstellen, sondern es als eine aussergewöhnliche Leistung, die in unserem rassischen Herkommen und in unserer Erziehung begründet ist, auffassen.

5. Unsere Verpflichtung als europäische Führungsmacht stellt uns die Aufgabe gegenüber unseren fremdvölkischen Kameraden, in jeder Weise vorbildlich in Lebensführung und Pflichterfüllung zu sein. Wenn wir auch, wie oben erwähnt, nie geringschätzig über die Lebensweise anderer Völker denken sollen, so dürfen wird andererseits auch nicht in den Fehler verfallen, die Lebensart dieser Völker von unserem Standpunkt aus anzuerkennen oder gar nachzuahmen. Der Südost-Europäer hat das Bewusstsein, dass der Deutsche ihm in vielen Dingen überlegen ist und darf nie dadurch enttäuscht werden, dass er aus eigener Anschauung merkt, dass diese Überlegenheit an Haltung, Pflichtauffassung und Lebensführung tatsächlich nicht besteht.

6. Zu dem vorhin Gesagten gehört vor allem die absolute Unbestechlichkeit. Wir haben den Ruf, das unbestechlichste Volk der Welt zu sein und müssen bestrebt sein, diesen Ruf eifersüchtig zu wahren, insbesondere darf es in der gegenwärtigen Zeit, wo die Lebensmittelversorgung in manchen Ländern des Südostens noch besser ist, als im Reich nie vorkommen, dass der deutsche Vorgesetzte einem ausländischen Arbeiter auf Grund von Zuwendungen irgendwelche Vorteile einräumt. Damit würde unsere ganze Autorität untergraben werden.

7. Ein allzu enges und vertrauliches Verhältnis des deutschen Vorgesetzten zu seinem fremdvölkischen Kameraden beeinträchtigt ebenfalls die Autorität und das Ansehen. Ebenso wenig wie Überheblichkeit am Platze ist, ebenso sehr ist das plump-vertrauliche Anbiedern zu vermeiden. Eine gewisse Distanz schafft Achtung und Respekt.

8. Diese Distanz muss jedoch in besonderen Fällen mit Hilfsbereitschaft und Fürsorge gepaart sein. Ebenso wie der beste Offizier derjenige ist, der die Härte im Verlangen mit einer väterlichen Fürsorge für seine Truppe verbindet und überdies von seinen Soldaten nicht mehr verlangt, als er selbst zu leisten gewillt ist. Ebenso gewinnt auch der deutsche Arbeitsvorgesetzte das Vertrauen seiner ausländischen Untergebenen, wenn er dieselben Grundsätze zur Richtschnur seines Handelns macht.

9. Der deutsche Vorgesetzte muss gegenüber seinen ausländischen Arbeitskameraden eine durch nichts erschütternde positive Einstellung zum Nationalsozialismus dokumentieren und diese Einstellung auch in der Tat vorlegen. Der ausländische Arbeiter wird in den meisten Fällen sofort merken, ob diese Einstellung echt ist oder sich nur in schönen Reden äussert. Die Tat ist immer die beste Propaganda.

10. Ungeachtet der gegenwärtigen Belastungen des Krieges muss der deutsche Arbeitskamerad sein unerschütterliches Vertrauen in den Endsieg gegenüber dem auslän-

dischen Arbeiter betonen. Die Grundlage für dieses Vertrauen muss er in der Person des Führers, in der gerechten Sache des deutschen Freiheitskampfes, sowie in der Stärke der deutschen Rüstung erblicken. Gleichzeitig muss er, was insbesondere für die Südostarbeiter gilt, darauf hinweisen, dass auch die Zukunft dieser Länder nur durch einen deutschen Sieg gesichert werden kann. Auf diese Argumente kann er sich stützen und ihn überzeugen, dass seine Arbeit nicht nur Deutschland gilt, sondern auch dem Wohl und der Zukunft seines eigenen Landes. Er wird dadurch die Arbeitsfreudigkeit wesentlich stärken können.

11. Der ausländische Arbeiter, insbesondere aus dem Südosten erwartet im Reich auch eine berufliche Förderung. Deutschland hat den Ruf, die besten Facharbeiter ausbilden zu können. Es muss daher Sorge getragen werden, dass der begabte und willige Südostarbeiter in Ausbildungskursen oder Schulen weiter gefördert und damit zu einer Leistungssteigerung geführt wird. Der betreffende Arbeitskamerad wird dann nach seiner Rückkehr Gelegenheit haben, in eine gehobene Stellung einzurücken und wird dadurch sein ganzes Leben lang mit dem Gefühl des Dankes auf Deutschland blicken.

12. Besondere Leistungen einzelner ausländischer Arbeiter müssen anerkannt und entsprechend herausgestellt werden. Der Südostmensch ist noch nicht von einer so hohen ethischen Auffassung erfüllt, dass die Leistung ihren Lohn in sich selbst trägt. Er erwartet daher Lob und Anerkennung, sofern dieses nach Ansicht der Vorgesetzen berechtigt erscheint und ist besonders äusseren Ehrungen (Geschenken, Auszeichnungen) sehr zugänglich. In diesem Zusammenhang wäre es zu überlegen, ob man nicht ein Leistungsabzeichen für ausländische Arbeiter einführen könnte.

13. Eine wesentliche Rolle für die Gewinnung und Leistungssteigerung der ausländischen Arbeiter bildet die Betreuung in den verschiedensten Formen: Unterhaltung, Spiel, Sport, Versorgung mit Lesestoff, Besuch von Kinos und Veranstaltungen in den Arbeitslagern. Dabei ist jedoch ein gesundes Mittelmass das richtige. Man darf den Arbeiter weder immer sich selbst überlassen, noch ihn dauernd am Gängelbande führen, sodass er das Gefühl hat, nicht mehr über sich selbst verfügen zu können. Wir Deutschen neigen ja meistens leider dazu, nach der einen oder anderen Seite zu übertreiben. Der Lagerführer muss deshalb an diese Dinge mit einem gewissen Fingerspitzengefühl herangehen.

14. Oberster Leitsatz für die Behandlung der ausländischen Arbeiter muss das Prinzip der absoluten Gerechtigkeit sein. Weder äussere Eindrücke noch persönliche Sympathien noch die Aussicht auf persönliche Vorteile dürfen diesen Grund jemals verdrängen. Er ist eines der wesentlichsten Merkmale, die geeignet sind, Achtung und Vertrauen einzuflössen.[2]

Hiermit Herrn Gesandten Schleier[3] zur Kenntnisnahme vorgelegt.

PA AA, R 123 560. Kópia, strojopis, 5 strán.

---

1 Pozri dokumenty 120 a 129.
2 Záznam zostavil referent na základe elaborátu „20 Punkte zur psychologischen Betreuung der ausländischen Arbeiter".
3 Rudolf Schleier (1899-1959), v rokoch 1940 – 1943 pôsobil ako vyslanec na nemeckom veľvyslanectve v Paríži, od roku 1944 ako vedúci referátu kultúrno-politického oddelenia LV Zahraničného úradu.

128

1944, 14. august. Bez uvedenia miesta [Viedeň]. – Správa viedenského SD-Leitabschnitt o slovenských pracovných silách vríšskych župách Viedeň a Niederdonau.

III B SL Me[1]/No   14. Aug. 1944

Vfg.

1. An den
Herrn Gesandten des Grossdeutschen Reiches
SA-Obergruppenführer Ludin

2. An
Herrn Ministerialrat Dr. Grüninger[2]

3. An den
Polizeiattaché Herrn Kriminalrat Goltz

4. An den
Sozialberater SS-Obersturmbannführer Smagon,
Pressburg

Betr.: Slowakische Arbeiter in Wien und Niederdonau.
Vorg.: Ohne
Anlg.: 1

In der Anlage wird ein hier erstellter Bericht über die slowakischen Arbeiter in den Bereichen Wien und Niederdonau mit der Bitte um Kenntnisnahme zum dortigen Verbleib überreicht.

[Príloha]

Slowakische Arbeiter in Wien und Niederdonau
Einsatz slowakischer Arbeiter vornehmlich in der Landwirtschaft. In letzter Zeit geringer Zuzug neuer slowakischer Arbeitskräfte in das hiesige Gebiet.[3] Zunehmende Arbeitsunlust, dadurch geringe Arbeitsleistung. Arbeitsvertragsbrüche und Arbeitsverweigerungen. Schwierigkeiten bei der Überweisung von Löhnung. Starke Beeinflussung von seiten der Heimat, im übrigen Fühlungnahme mit Polen und Ostarbeitern.[4] Verbreitung von Gerüchten gegen das Reich. Negative Stellungnahme zu den Ereignissen im Westen. Freundschaftliche Einstellung zur Sowjetunion und zum Kommunismus.
Der Einsatz slowakischer Arbeiter, besonders in landwirtschaftlichen Betrieben, hat sich bislang gut bewährt, da der slowakische landwirtschaftliche Arbeiter seiner Leistung nach, wie bekannt, als einer der besten gilt. Neuerdings lässt, wie den Berichten zu entnehmen ist, die Arbeitswilligkeit dieser Fremdvolksgruppe merklich nach. Arbeitsverweigerungen, Arbeitsvertragsbrüche, zunehmende Abneigung gegen Deutschland und wachsende Sympathien für den Kommunismus sowie unannehmbare Forderungen von Seiten der Slowaken sind die Merkmale der veränderten Haltung.[5]
Wie aus den Meldungen hervorgeht, überschreiten slowakische Arbeiter in steigendem Maße ihren Urlaub um mehrere Wochen, oder kommen in vielen Fällen überhaupt nicht zurück. Es handelt sich meistens um Kleinbauern, die ihre Feldarbeiten in dieser Zeit zu erledigen versuchen. Bei Fluchtfällen tritt öfters die Begründung hervor, dass in der Slowakei viele Fachleute gebraucht werden, die sich dort leicht selbständig machen kön-

nen. In einigen Fällen wird sogar angeführt, dass die Slowaken ihr Land verteidigen und deshalb in ihre Heimat zurückkehren müssen. Um ja schneller in die Heimat zu kommen, weigern sich die Slowaken, ihre abgelaufenen Arbeitsverträge zu erneuern. Wie in den Berichten zum Ausdruck kommt, zählen manche Lager z. Zt. nur den zehnten Teil der im Jahre 1942 – 43 anwesenden Slowaken. Es steht auch fest, dass die Zahl der ins Reich kommenden Slowaken mit der ursprünglich vereinbarten nicht übereinstimmt. So sind mit einem Transport, der 700 Arbeiter hereinbringen sollte, nur 250 mitgekommen.

Diese in letzter Zeit häufig auftretende Erscheinung ist teilweise auf die niedrigen Überweisungsbeträge der Slowaken zurückzuführen. Durchschnittlich beträgt die Summe, die der slowakische landwirtschaftliche Arbeiter in die Heimat schicken darf, bei Ledigen 60 und bei Verheirateten 80 RM.[6] Da das Geld zur Unterstützung der Familie nicht ausreicht und der festgestellte Überweisungsbetrag sich nicht ändern lässt, besteht beim slowakischen Arbeiter kein Interesse, durch verstärkte Leistung (Akkordarbeit) seinen Verdienst zu steigern. Ausserdem erweckte bei Slowaken die Verzögerung der Überweisung ihrer Lohnersparnisse infolge der Feindangriffe auf die Reichshauptstadt einigen Unwillen. So wurden z. B. die Novemberüberweisungen bis zum April noch nicht ausbezahlt.

Der slowakische Arbeiter wird im übrigen durch die Feindpropaganda sehr stark beeinflusst. Es wird berichtet, dass es keine Seltenheit sei, in der Slowakei bei offenen Fenstern feindliche Sender zu hören, die immer wieder versuchen, die slowakischen Arbeiter vom Arbeitseinsatz abzuhalten. Durch Flüsterpropaganda, die z. Zt. eine beträchtliche Höhe erreicht hat, wird den Arbeitern Angst gemacht. Es heisst, wenn die Russen kommen, werden alle die, die bei den Deutschen gearbeitet haben, schwer bestraft. Ausserdem wird vermutet, dass verschiedene slowakische Dienststellen alles mögliche versuchen, um die Arbeiter in der Slowakei zu behalten.[7] So berichtet z. B. die Aussenstelle Eisenstadt, dass angeblich ein Vertreter des slowakischen Innenministeriums in einem Falle die zum Arbeitseinsatz ins Reich bestimmten Arbeiter sehr unhöflich behandelte und ihnen auf allen Wegen Schwierigkeiten bei der Ausreise zu bereiten versuchte.

Weiterhin fällt die zunehmende Fühlungnahme mit Polen, russischen Kriegsgefangenen und Ostarbeitern durch slowakische Arbeiter auf. Beispielsweise wird von der Aussenstelle Wien 2 hierzu berichtet:

„Die im 23. Bezirk bei einer Flakeinheit dienstuenden russischen Kriegsgefangenen benützen ihre Freiheit zum Anknüpfen freundschaftlicher Verhältnisse mit den auf dem Felde arbeitenden Slowakinnen. Die Russen helfen ihnen oft bei der Arbeit, wobei die Slowakinnen den Kriegsgefangenen sehr oft freundschaftlich entgegenkommen. Dabei soll sich ein russischer Kriegsgefangener geäussert haben: „Die Deutschen gewinnen den Krieg nicht, Russland ist sehr mächtig. Ausserdem machen die Deutschen immer mehr strategische Fehler in der Führung."

Da es unter Kriegsgefangenen und Ostarbeitern nicht wenig weltanschaulich gefestigte Kommunisten gibt, führt diese Freundschaft zur Verbreitung kommunistischer Ideen unter den Slowaken, die bei den allgemein schlechten Verhältnissen in der Slowakei fruchtbaren Boden finden. Zudem verbreiten, wie festgestellt werden konnte und schon berichtet wurde, die in die Heimat zurückkehrenden slowakischen Arbeiter wahre Schauermärchen über die Behandlung ihrer slawischen Brüder (Ostarbeiter und Polen) im Reich, wobei diese Tatsache als Ausdruck des Hasses aller Germanen gegen die Slawen ausgelegt wird. Täglich werden neue Gerüchte über das Foltern der Ostarbeiter etc. verbreitet.

Beispiel:

Die in Hamburg eingesetzten slowakischen Arbeiter erzählen, dass die Lagerkommandanten der Ostarbeiter- und Polenlager eigene Folterkammern eingerichtet haben und die Ostarbeiter und Polen bei geringstem Vorgehen strengstens bestraft und derart misshandelt werden, dass man sie oft in schwerverletztem Zustande in die Krankenhäuser schaffen muss. Dabei hätten sich einige Arbeiter geäussert, dass, obwohl es ihnen persönlich gut geht, sie die Behandlung ihrer slawischen Brüder im Reich nicht mehr ansehen können. (Aussenstelle Wien 3).

Auffällig erscheint auch die Fühlungnahme der slowakischen Arbeiter mit ihren tschechischen Arbeitskollegen. Es steht fest, dass von Seiten der Tschechen eine politische Beeinflussung erfolgt. Besonders zeigte sich dies beim Beginn der Invasion. Im Zuge der weiteren Entwicklungen der militärischen Ereignisse am Atlantik, stehen die Slowaken auf dem Standpunkt, dass mit dem Durchbruch der Anglo-Amerikaner bald zu rechnen ist, und die Deutschen knapp vor dem Zusammenbruch stehen. Ausserdem wird die neue Waffe nur als propagandistischer Bluff bezeichnet, deren Wirkung gar nicht so gross sei, wie man es schildert.[8]

Der vor kurzem erfolgte Feindangriff auf Pressburg[9] hat bei den hier eingesetzten Slowaken verstärkten Hass gegen die Deutschen hervorgerufen, da man der Meinung ist, dass Deutschland die Schuld an diesen Angriffen trägt. Andererseits hat dieser Angriff vereinzelt zu einem Hassgefühl gegen die Anglo-Amerikaner geführt. So äusserten sich z. B. einige slowakische Studenten, dass, wenn es so weiter geht, sie sich zur deutschen Luftwaffe melden, um gegen England zu kämpfen. Kenner des slowakischen Volkes geben aber an, dass diesen Äusserungen keinerlei Wert beizumessen ist, das sie im Moment spontan erfolgten, und diese Studenten wohl in der Heimat anders sprechen würden.

Unter den slowakischen Arbeitern erzählt man sich fernerhin, dass die Verhältnisse in Russland gar nicht so schlecht sind, wie es die deutsche Propaganda hinstellt, und Juden in Russland nur noch vereinzelt vorhanden wären. Auch habe man Nachricht aus der Heimat, dass die russischen Kriegsgefangenen auf der Fahrt durch die Slowakei gut bewirtet werden, während die deutschen Begleitpersonen nicht einmal etwas zu kaufen bekommen.

Im übrigen ist die Lage unter den Slowaken dadurch gekennzeichnet, dass die Intelligenz nicht weiss, mit welchen der kämpfenden Mächte sie sympathisieren soll, während der einfache slowakische Arbeiter zu Deutschland vollkommen negativ eingestellt ist und kommunistischen Ideen nachhängt.

Wie von Beobachtern des slowakischen Volkes erklärt wird, ist der günstigste Moment einer propagandistischer Beeinflussung von Seiten der Deutschen zu Beginn der Invasion und später beim Einsatz der neuen deutschen Waffe gewesen. Das wurde aber anscheinend verpasst, sodass der slowakische Arbeiter mit geringen Ausnahmen mehr und mehr sich von Deutschland abwendet.

NARA, T – 175, roll 517, 9 385 305 – 310. Kópia, strojopis, 6 strán.

---

1 Autorom správy je Meindl.
2 Hans Albrecht Grüninger, poradca predsedu vlády V. Tuku a vedúci referátu poradcov na nemeckom vyslanectve. Súčasne viedol aj informačnú službu nemeckej diplomatickej misie v Bratislave.
3 Pozri dokument 124.
4 Išlo o osoby odvedené na nútené práce do Nemecka z okupovaných území ZSSR, najmä z Ukrajiny a Bieloruska.
5 Na zmenu postoja reagoval aj prípis vedúceho Reichsnährstandu vo Viedni tamojšiemu generálnemu konzulátu SR zo 7. 4. 1944: *„In letzter Zeit häufen sich die Fälle, daß slowakische Partieführer mit ihrem Gefolge die ihnen zugesandten oder übergebenen Arbeitsverträge nicht annehmen oder erklären, daß nur ein Teil der früher in den landwirtschaftlichen Betrieben des Reichsgaues Wien eingesetzten Saisonarbeiter im Jahre 1944 kommen werden. Die Begründung der Ablehnung von den slowakischen Wanderarbeiter liegt darin, daß*
1. Wien als luftgefährdetes Gebiet angesehen wird,
2. die jüdische Propaganda gegen den Arbeitseinsatz in Deutschland aktiv arbeitet,
3. im Augenblick die Schneeverhältnisse den Verdienst der Wanderarbeiter beeinträchtigen.
In Anbetracht dieser Tatsachen bitte ich Sie, bei Ihrer Regierung erwirken zu wollen, daß die Wanderarbeiter durch sofort einsetzende Propaganda von der tatsächlichen Arbeitseinsatzlage im Reichsgau Wien überzeugt werden, da

1. die landwirtschaftlichen Saisonarbeiter nicht in der Luftgefahrzone, sondern außerhalb derselben in den ländlichen Kreisen in Arbeit kommen und
2. der Einsatz bereits bei günstigen Witterungsverhältnissen entsprechend der vorgeschrittenen Jahreszeit erfolgt, sodaß die volle Arbeitsleistung erzielt und damit auch die volle Verdienstspanne erreicht wird." (SNA, f. MZV, š. 976, 6332/1944.)
6 Porovnaj dokumenty 119, 122 a 124.
7 Porovnaj dokument 124.
8 Ide o „lietajúce bomby" V-1 a rakety V-2.
9 Ide o bombardovanie Bratislavy 16. 6. 1944.

129

1944, 26. august. Berlín. – Záznam kultúrno-politického oddelenia Zahraničného úradu, týkajúci sa sformulovania smerníc pre zaobchádzanie so zahraničnými pracovnými silami zamestnanými na území Nemeckej ríše.

Abschrift/Un.

Kult Pol Soz Wi
Ziegenfuß

Aufzeichnung
Betr.: Betreuung ausländischer Arbeiter in Deutschland.[1]

Es wird vorgeschlagen, folgende Grundsätze der Behandlung der Gastarbeiter in Form von Handzetteln allen, mit dem Einsatz von Gastarbeitern betrauten Personen durch die Deutsche Arbeitsfront nahezubringen:

1.) Das Verhalten jedes Deutschen, auch in der alltäglichen Arbeit und im Wirtschaftsleben muß immer die Grundsätze nationalsozialistischer Lebensgestaltung praktisch vorleben.

2.) Die Behandlung des Arbeiters im nationalsozialistischen Deutschland geht weder vom Wohltätigkeitsstandpunkt aus, noch steht sie ihm gleichgültig gegenüber. Sie ist ein entscheidend wichtiger Beitrag zur Gestaltung der Zusammenarbeit im Rahmen der kämpfenden Gesamtheit.

Der ausländische Arbeiter gehört, wenn auch nur als Gast zu dieser kämpfenden Gesamtheit der für den europäischen Sieg schaffenden Menschen. Er muß entsprechend behandelt werden.

3.) Als Gast hat der ausländische Arbeiter sich den in Deutschland und in den von Deutschen ausserhalb des Reiches geführten Betrieben den nationalsozialistischen Lebens- und Arbeitsgrundsätzen entsprechend zu verhalten. Darauf ist er nötigenfalls mit ruhiger Festigkeit und mit bestimmtem Nachdruck, niemals aber heftig und ausfallend hinzuweisen. Verstösse gegen diese Grundsätze sind nicht minder streng zu ahnden als gegenüber Deutschen.

4.) Die Überlegenheit der deutschen Führung bis hin zum letzten Arbeitsplatz zeigt sich nicht im äusserlichen Hervorkehren eines „Herrenstandpunktes", sondern in der Entschiedenheit, Folgerichtigkeit und Stetigkeit der gut durchdachten, sachlichen Anweisung und Leitung sowie im eigenen vorbildlichen Verhalten.

5.) Zur rechten Führung gehört ebenso ein richtiges, d. h. der Leistungsfähigkeit angemessenes Einsetzen der fremden Arbeitskraft, eine selbstverständliche Unbestechlichkeit im Urteil, im Verhalten und in der Bewertung der Arbeitsleistung des Gastarbeiters, sowie ebenso in kameradschaftlicher Hilfsbereitschaft und Fürsorge gegenüber den Schwächeren und Gefährdeten.

6.) Die notwendige <u>Zurückhaltung</u> gegenüber dem Mitarbeiter aus fremdem Volkstum muß in richtigen Ausgleich gebracht werden mit der, durch die gemeinsame Arbeitsleistung notwendigen <u>Verbundenheit</u> im Geist des gemeinsamen Kampfes für die Befreiung Europas.

7.) <u>Gegebene Zusagen</u> sind, soweit irgend möglich, zu halten. Guter Wille des Gastarbeiters ist anzuerkennen, aber jedem Versuch, die Arbeitsgemeinschaft zu stören, ist entschieden und hart entgegenzutreten. Besondere Leistungen verdienen es, gelobt zu werden. Es liegt auch im eigenen Interesse des Betriebes, führungsbegabte Einzelne und besonders tüchtige Fachkräfte herauszuheben, an entsprechender Stelle einzusetzen und, wo die Situation es erlaubt, ihnen Führungsaufgaben gegenüber ihren eigenen Volkskameraden zuzuweisen.

8.) Der Gastarbeiter entstammt einem fremden Volkstum, das ihm oft <u>andere Lebensgrundsätze, Moralanschauungen und Gewohnheiten</u> anerzogen hat. Diese dürfen weder verächtlich kritisiert, noch blindlings gelobt werden. Abweichende Auffassungen, soweit sie nicht die Zusammenarbeit stören, oder aufdringlich hervorgekehrt werden, soll man ruhig gelten lassen. Einige allgemeine Urteile über fremdes Volkstum, denen selten eine wirkliche Kenntnis zugrunde liegt, sind zumindest überflüssig, herabsetzende Bemerkungen schaden immer.

9.) Keiner der Gastarbeiter kann etwas für die <u>Politik</u> seines Landes oder seiner Regierung. Es ist deshalb sinnlos, ihn für diese verantwortlich zu machen.

Meist wird der fremde Arbeiter von anderen politischen Voraussetzungen ausgehen, als sie im nationalsozialistischen Deutschland selbstverständlich sind. Darum ist es notwendig, unbeirrbar ein gläubiges Vertrauen in die nationalsozialistische Politik und Verständnis für ihre Grundsätze zu beweisen. Diese sind in taktvoller Form zu erläutern, wo es angebracht erscheint.

10.) Unbedingte Zuversicht in Hinsicht auf <u>das für Deutschland und Europa siegreiche Ende des Krieges</u> und damit auf die Befreiung Europas von der bolschewistischen Drohung und der Gefahr der kapitalistischen Ausbeutung durch seine Feinde ist <u>oberstes Gebot.</u>

Hiermit <u>Herrn Gesandten Schleier</u> mit der Bitte um Stellungnahme vorgelegt.

Berlin, den 26. August 1944.

PA AA, R 123 560. Kópia, strojopis, 2 strany.

1 Pozri dokumenty 120 a 127.

130

Bez uvedenia dátumu [začiatok septembra 1944] a miesta. – Záznam neznámej proveniencie (SS?), týkajúci sa radikálneho nemeckého postupu voči Slovensku. Jedným zo základných postulátov je zvýšenie výkonnosti hospodárstva pre potreby vedenia vojny.

Betrifft: Slowakei.

Vermerk
zu den augenblicklichen Aufgaben.[1]

Die Aufgaben sind ausschliesslich durch die augenblickliche Situation des Reiches gestellt.

I./ Sicherung des Landes unter geringstem Einsatz deutscher Kräfte (militärisch-politisch).

II./ Steigerung der kriegswirtschaftlichen Leistung des Landes. Alles anderes hat unbedingt zurückzutreten.

Zu I.

a/ Militärische Massnahmen. Bandenkrieg – da politische Gegner, auch politisch führen (Propaganda).

b/ Zur politischen Situation. Abschaffung der Mehrgeleisigkeit der deutschen Politik (Obergruppeführer Berger[2] – Ludin – Berater – SD usw.). Alle Vollmachten in 1 Hand. Kleinster politischer Führungsstab.

Da keine tragende slowakische Gruppe für die Regierungsbildung vorhanden, ist es unwesentlich, wie die Regierung besetzt ist.[3]

Vollmachten an die Berater. Alle notwendigen Massnahmen durch diese führen.[4]

Tschechen- u. Tschechoslowakenfrage. In Abstimmung mit Prag, K. H. Frank – Fischer lösen. (1. Zusammenhänge, 2. Erfahrungen).

Die sekundäre Bedeutung der politischen Möglichkeiten ist bedingt durch die augenblickliche militärische und politische Situation des Reiches.

Jede Rücksichtnahme und politische Prestigemomente (Auswärtiges Amt) haben in dieser Lage zu unterbleiben.

Es ist daher ausschliesslich nach Zweckmässigkeitsgesichtspunkten so zu verfahren, dass kurzfristigst positive Kriegsleistungen erzielt werden (warnendes Beispiel Ungarn, Doppelgeleisigkeit der deutschen Politik, Veesenmayer – SD, hat bis heute in 5 kriegsentscheidenden Monaten keine Erhöhung der kriegswirtschaftlichen Leistung gebracht).

Zu II. Steigerung der kriegswirtschaftlichen Leistung.

Da die Stellung von Soldaten nicht in Frage kommt, ist die kriegswirtschaftliche Leistungssteigerung die entscheidenste Aufgabe.

Grundsätzlich hat alles zu unterbleiben, was nicht innerhalb Jahresfrist zu konkreten positiven Ergebnissen der Leistungssteigerung führt.

Als Sofortmassnahme wäre durchzuführen:

1./ Einsatz aller mobilisierbaren Arbeitskräfte im Reich.

Vor allem Facharbeiter und Bauarbeiter (Höhlenbauprogramme). Sofortige Stillegung der gesamten Bautätigkeit. Auskämmung der nichtkriegswichtigen Betriebe, des Handwerks und des Handels. Rekrutierung für den Arbeitseinsatz in Gebieten, die bandengefährdet bleiben. Mindestsofortprogramm 100 000 Arbeitskräfte, 15 000 gelernte Arbeiter.[5]

2./ Produktionsbereinigung in Industrie und Handwerk.

Sofortige Abstellung aller nichtkriegswichtigen Fertigung zum Zweck der Freimachung von Arbeitskräften und Material.

3./ Steigerung der kriegswichtigen Produktion.

Diese Massnahmen müssen kurzfristig durchgeführt werden und können nur von Menschen durchgeführt werden, die bisher ähnliche Aufgaben gelöst haben.

[podpis nečitateľný]

BArch Berlín, R 70 Slowakei/185, Bl. 83-84. Originál, strojopis, 2 strany.

1 Napriek tomu, že sa celý dokument netýka našej témy, vzhľadom na jeho závažnosť ho publikujeme celý.
2 Od 31. 8. 1944 poverený H. Himmlerom vojenským obsadením krajiny vo funkcii nemeckého veliteľa na Slovensku. SD sa usilovala vyradiť z rozhodovania Zahraničný úrad a sústrediť kompetencie v rukách nemeckého veliteľa.
3 Nová vláda bola vymenovaná 5. 9. 1944. O výbere kandidátov na posty ministrov nerozhodoval napokon nemecký veliteľ na Slovensku G. Berger, ale rokovania medzi J. Tisom a vyslancom H. E. Ludinom.
4 K významnému posilneniu pozície poradcov nedošlo.
5 Porovnaj dokumenty 135 – 144.

131
1944, 7. november. Bratislava. – Smagonov záznam z rozhovoru s predstaviteľom MV J. Kaššovicom vo veci evakuácie východného Slovenska a nasadenia práceschopného obyvateľstva do pracovného procesu na území Nemeckej ríše.

SS Obersturmbannführer
Albert Smagon
Berater für Sozialpolitik
bei der slow. Regierung   Pressburg, den 7. November 1944

Aktenvermerk

Betrifft: Evakuierung der Ostslowakei.[1]

Heute verlangte mich Dr. Kaššovic in einer sehr dringenden Angelegenheit zu sprechen. Er zeigte mir den als Anlage beigefügten Aktenvermerk über eine dienstliche Meldung des Oberrates Žádžora[2] vom Zentralarbeitsamt,[3] nach der Herr Oberregierungsrat Sager das Zentralarbeitsamt von der zwangsweisen Evakuierung aller wehr- und arbeitsfähigen Männer aus der Ostslowakei unterrichtet hat. Dr. Kaššovic erklärte mir, dass diese Angelegenheit sehr viel Staub aufgewirbelt hat und mich aus diesem Grunde Innenminister Mach bittet, mit Dr. Kaššovic sofort zu ihm zu kommen. Ich erklärte Dr. Kaššovic, dass dies wohl auf einem Mißverständnis beruhen müsse, da mir und damit der Gesandtschaft von der Durchführung einer solchen Zwangsevakuierung nichts bekannt sei. Dr. Kaššovic stehe auf dem Standpunkt, dass mit dem Abzug der wehr- und arbeitsfähiger Männer aus dem geräumten Gebiet nichts getan sei, wenn nicht gleichzeitig auch für die Frauen und Kinder dieser Wehrfähigen Evakuierungsmassnahmen durchgeführt werden. Nach der Meldung des Zentralarbeitsamtes muss aber angenommen werden, dass an einen Abtransport der Frauen und Kinder nicht gedacht sei und dass diese mithin dem Feinde überlassen werden.
Weiterhin hält er die zwangsweise Evakuierung dieser Männer ins Reich für politisch falsch, da ja vorerst für den Stellungsbau in der Westslowakei noch Arbeitskräfte gebraucht werden[4] und solange die deutsche Wehrmacht in der Westslowakei für Arbeitskräfte Bedarf hat, müssen diese Slowaken in die Westslowakei evakuiert werden. Erst wenn nach Beendigung der Wehrmachtsarbeiten in der Westslowakei sich ein Überschuss

an Arbeitskräften ergibt, könne der Überschuss selbstverständlich mit Wissen und Unterstützung der Regierung für den Arbeitseinsatz im Reich freigegeben werden.

Minister Mach erklärte mir anschliessend dasselbe und führte weiter aus:

Vom Deutschen Befehlshaber[5] ist an die Regierung die Forderung herangetreten worden, von den im Reich nach Beendigung der landwirtschaftlichen Arbeiten zwangsweise verbliebenen Land- und Forstarbeitern 10 Arbeitsbataillone zu je 800 Mann bilden zu dürfen, die gleichfalls als geschlossene Einheiten im Reich eingesetzt werden sollen.[6] Minister Mach kann aber von keiner Stelle erfahren, zu welchen Arbeiten diese Leute herangezogen werden sollen, ferner wie es sich mit den gleichfalls im Reich verbliebenen Frauen und Kindern dieser Arbeiter verhält und wer die Sicherung des Unterhaltes für diese Familien übernimmt. Er frug mich, ob mir etwas von diesen Dingen bekannt sei. Ich musste daraufhin leider erklären, dass mir diese Angelegenheit gänzlich unbekannt ist und dass die mit ordentlichen Arbeitsverträgen angeworbenen Land- und Forstarbeiter im Reich meines Wissens nur solange zurückgehalten wurden, bis die Heimatgemeinden dieser Arbeiter von den Partisanen befreit sind. Minister Mach sagte mir darauf, dass das jetzt schon längst überholt sei und heute von einem dauernden Einsatz und womöglich auf Kriegsdauer dieser freiwillig ins Reich auf Arbeit gezogenen Landarbeiter gesprochen wird.

Er bat mich, ihn in beiden Fällen zu unterstützen und ihn vor allem über alle Einzelheiten recht bald zu unterrichten. Grundsätzlich stehe ja er und die Regierung auf dem Standpunkt, dass jeder deutsche Wunsch 100%ig zu erfüllen sei. Das kann aber nicht so weit gehen, dass jede unmögliche und unüberlegte Forderung sofort die Zustimmung der Regierung findet, da ja die politischen Auswirkungen sich letzten Endes auch gegen das Reich richten. Es sei überhaupt sehr schwer, einmal zu erfahren, wer eigentlich jetzt für alle diese Dinge von deutscher Seite aus hier zuständig sei. Er stellte an mich die direkte Frage, ob meine bisherige Zuständigkeit irgendwie eingeschränkt wurde. Kein Slowake weiss heute mehr, wer eigentlich zuständig ist, da die deutsche Verwaltung ungeheuer kompliziert sei. Nach seiner Ansicht gibt es hier 3 Richtungen:

Erstens Deutsche Gesandtschaft, zweitens der Befehlshaber und drittens die Richtung der geheimnisvollen Unbekannten (SS). Wörtlich sagte er: „Es müsse doch möglich sein und es wäre auch für uns das Beste, wenn alle Richtungen unter die Disziplin der Gesandtschaft kämen."

Dieses Gespräch fand in Anwesenheit des Dr. Kaššovic statt, der allerdings sich dabei jedweder Äusserung enthielt.

Ich habe Minister Mach in dieser Unterredung zwangsläufig auch einige Wahrheiten verpasst, die ihm, ebenso wie begreiflicherweise seine Bemerkungen mir, ebenfalls unangenehm waren und ihm zum Schluss versprochen, die Einzelheiten der vorgebrachten Beschwerden sofort zu prüfen, um ihn nach Klärung der Sachlage zu unterrichten.

Albert Smagon [v. r.]

BArch Berlin, Film SS Versch. Prov. 4528, 9 407 924 – 926. Originál, strojopis, 3 strany.

---

1 Nemecká strana rozhodla jednostranne o evakuácii východného Slovenska na zasadnutí zástupcov ríšskeho ministerstva hospodárstva, ríšskeho ministerstva poľnohospodárstva a výživy, Zahraničného úradu, ríšskeho ministerstva pre zbrojenie a vojnovú výrobu, Hlavného veliteľstva Wehrmacht a ríšskeho úradu pre technickú výrobu 3. 11. 1944. Malo ísť o vypratanie priestoru a zabezpečenie tovarov, surovín a iného dôležitého tovaru pre potreby vedenia vojny. Schultze-Schultiusova zápisnica z rokovania z 3. 11. 1944. (BArch Berlín, R 901/111309; R 3/1646, Bl. 57-61.) K situácii na východnom fronte v posledných mesiacoch vojny pozri PEKÁR, Martin. *Východné Slovensko 1939 – 1945. Politické a národnostné pomery v zrkadle agendy Šarišsko-zemplínskej župy.* Prešov : Prešovská univerzita v Prešove, Filozofická fakulta, 2007, s. 133-149. PEKÁR, Martin. Pomery na východnom Slovensku v posledných mesiacoch existencie ľudáckeho režimu. In ŠMIGEĽ,

Michal – MIČKO, Peter – SÝRNÝ, Marek (eds.). *Slovenská republika očami mladých historikov V /Slovenská republika medzi Povstaním a zánikom 1944-1945/.* Banská Bystrica : Ústav vedy a výskumu Univerzity Mateja Bela, 2006, s. 278-292.

2 Správne Zadžora.

3 Prílohu nepublikujeme.

4 K tejto problematike pozri BAKA, Igor. Nasadenie civilného obyvateľstva na Slovensku na opevňovacie práce v rokoch 1944 – 1945. In *Vojenská história,* roč. 11, 2007, č. 1, s. 70-85; tiež BAKA, Igor. K nasadeniu civilného obyvateľstva na opevňovacie práce počas nemeckej okupácie Slovenska v rokoch 1944 – 1945. In PEKNÍK, Miroslav (ed.). *Slovenské národné povstanie 1944 ako súčasť európskej antifašistickej rezistencie v rokoch druhej svetovej vojny.* Bratislava : Veda, 2009, s. 164-178.

5 Hermann Höfle.

6 Túto otázku prerokoval ministerský predseda Š. Tiso s H. Höflem 7. 11. 1944. Š. Tiso v mene kabinetu vyjadril súhlas s touto požiadavkou. Neskôr však slovenská vláda začala poukazovať na problém ich financovania. Ústredný úrad práce, vzhľadom na nespokojnosť osôb, ktorých sa toto opatrenie dotýkalo, sa vyslovil za ich návrat. Pozri dokumenty 132 a 134.

132

1944, 16. november. Bratislava. – Witiskov záznam, týkajúci sa sformovania stavebných práporov zo slovenských poľnohospodárskych robotníkov, nachádzajúcich sa na území Nemeckej ríše.

Pressburg, den 16. November 1944

1./ Der Reichsführer-SS hat auf unsere Meldung hin, dass Mitte März mit der Rückkehr der slowakischen Landarbeiter, die im Reichsgebiet als Saisonarbeiter tätig sind, zu rechnen ist, den Deutschen Befehlshaber[1] beauftragt, sich sofort mit der slowakischen Regierung in Verbindung zu setzen und bei dieser zu erwirken, dass aus diesen Landarbeitern 10 Bataillone á 800 Mann aufgestellt und zu Schanzenarbeiten im Westen eingesetzt werden.[2]

Der Ministerpräsident[3] teilte dem Deutschen Befehlshaber nach Unterrichtung mit, dass die slowakische Regierung gegen die Aufstellung der 10 Bataillone keine Einwendungen erhebe, er müsse jedoch auf die grossen Schwierigkeiten, die sich aus der Finanzierung ergeben, hinweisen. Der Deutsche Befehlshaber teilte dem Ministerpräsidenten mit, dass die Landarbeiter als Wehrmachtsgefolge unter die Versorgungsbestimmungen der Wehrmacht treten und somit auch für die Angehörigen dieser Arbeiter gesorgt sein werde. Der Ministerpräsident teilte mit, dass der Leiter des Zentralarbeitsamtes, Dr. Bezák, mit der weiteren Durchführung beauftragt wurde. Er bat, mit diesem Verbindung aufzunehmen.

SS-Ostubaf. Smagon teilte mir mit, dass er mit Dr. Kassovič [sic!] schon wiederholt verhandelt habe, es erheben sich insofern Schwierigkeiten, als die Landarbeiter vielfach mit ihren Familienangehörigen im Reiche sind, dass einem Teil der Winterurlaub schon zugesagt wurde und ausserdem die bekannten Transferbestimmungen entgegenstehen. Weiters habe der GBA[4] in Berlin Schwierigkeiten gemacht, als er verlangt, dass die Landarbeiter in Deutschland überwintern und als Forstarbeiter eingesetzt werden.

SS-Ostubaf. Smagon erklärte weiter, dass Dr. Kasovič [sic!] und den übrigen Verantwortlichen nicht bekannt sei, dass die Landarbeiter als Wehrmachtsgefolge besonders versorgt werden.

2./ III D mit der Bitte um weitgehendste Einschaltung.[5]

BArch Berlín, R 70 Slowakei/205, Bl. 95. Originál, strojopis, 1 strana.

---

1 Hermann Höfle.

2 Porovnaj dokument 131.
3 Štefan Tiso.
4 Der Generalbevollmächtigte für den Arbeitseinsatz – Fritz Sauckel.
5 Na spodnom okraji záznamu sa nachádza rukopisná poznámka: *„Smagon hab L ausführlichen Bericht gesandt. Nachricht vom 22/11 44.“*

133
1944, 23. november. Radensleben. – Záznam slovenského vyslanectva vo veci návratu slovenských robotníkov do vlasti a ďalšieho náboru pracovných síl do Nemeckej ríše.

Úradný záznam.

Dňa 22. novembra 1944 zasadla z môjho podnetu [z]miešaná komisia GBA[1] a Reichsarbeitsministeria. Za nemeckú stranu boli prítomní:

Predseda Slovensko-nemeckého medzištátneho výboru, Ministerialrat Hetzel,[2] referent pre poľnohospodárskych robotníkov Oberregierungsrat, Dr. Kästner, zástupca oddelenia III b Reichsarbeitsministeria Oberregierungarat Dr. Radetzki. Na pretrase boli otázky:

1/ Dovolenky slovenských robotníkov v Ríši vôbec, resp. ich cestovanie na Slovensko, viď úradný záznam pod čís. 46.574/44.

2/ Transporty poľnohospodárskych robotníkov pre rok 1944.

K bodu 2/ viď tento skutkový stav dojednania:

Majúc na zreteli skutkový stav zachytený pod číslom 46.571/44 dostal som túto požiadavku zo strany nemeckej: Podľa prehlásenia Reichsverkehraministeria je predbežne vylúčené, aby nemecké železnice mohli zdolať dopravné ťažkosti spojené s transportmi slov. robotníkov (poľnohospodárskych) na Slovensko. Ide tu podľa odhadov nemeckých asi o 17 000 ľudí. Bol som upozornený na to, že poľnohospodárski robotníci všetkých zemí ostávajú v tejto sezóne cez zimu v Ríši. (Tak na príklad – ako som sa dozvedel – podľa nedávno podpísanej zmluvy s Talianskom predlžujú sa všetky pracovné zmluvy talianskych poľnohospodárskych robotníkov paušálne o jeden rok.) Preto v dôsledku vyššie uvedených okolností navrhuje nemecká strana toto riešenie:

a/ Všetky pracovné zmluvy poľnohospodárskych robotníkov predlžujú sa s uzrozumením Slovenskej vlády na jeden rok (návrh neskoršie pozmenený na dobu neurčitú).

b/ Pre neodkladné udalosti možno povoliť mimoriadnu dovolenku poľnohospodárskym robotníkom podľa obežníka GBA číslo III.b 3 Nr. 27241/44 zo dňa 30. septembra 1944.

Poznámka: Na moju námietku, že podľa môjho telef. rozhovoru zo dňa 15. XI. 1944 so zastupujúcim predsedom MV ÚÚP v Bratislave Dr. Brychtom bolo medzi ním a poverencom GBA v Bratislave Oberregierungsratom Sagerom dojednané, že poľnohospodárske transporty aj v r. 1944 idú na Slovensko v obvyklom čase a rozsahu, bolo mi odpovedané, že p. Sager nebol vôbec kompetentný v tejto veci vyjednávať alebo nejaký prísľub dať. (Ministerský radca Hetzel ukázal mi v prestávke jednaní list Sagera zo dňa 10. 11. 1944,[3] v ktorom navrhuje a žiada, aby poľnohospodárski robotníci zo Slovenska boli ešte na rok zadržaní v Ríši.) Dnes dopoludnia v telefonickom rozhovore Dr. Kästnera so Sagerom z Bratislavy Sager navrhoval to isté s obmenou, aby len Partieführeri mohli cestovať na Slovensko, aby povybavovali súkromné záležitosti svojich spolupracovníkov. Tento návrh som apriori odmietol poukazujúc na to, že vedúci skupiny nemôže vybavovať cudzie osobné záležitosti ani v nijakom zastúpení rodiny navštevovať.

Námietky boli prijaté.

Protinávrh a dohoda:

Eventuality uvedené v nemeckom návrhu hore pod bodom a/ odmietol som s týmto odôvodnením: v dôsledku posledných politických udalostí na Slovensku vznikli tu v Ríši pracujúcim slovenským robotníkom nové starosti, ktoré prevažne spadajú pod bod a/ a pod bod c/ zvláštnych prípadov zaručujúcich slovenskému robotníkovi zvláštnu cestu na Slovensko podľa medzištátnej dohody zo dňa 19. augusta 1943.[4] Ide tu v prípade a/ o ochorenia a smrtné prípady (prevažne v krajoch obývaných Volksdeutschami[5] a postihnutých partizánmi), v prípade c/ hospodárske a familiárne záležitosti[,] ktorých vybavenie nestrpí odkladu.

Predĺženie platnosti zmlúv o rok resp. na neurčito bolo by aj psychologicky pochybené (robotníci by museli napísať domov, že prídu až za rok alebo za neurčito a nepriateľská propaganda by iste nezabudla tohoto momentu využiť). Okrem toho nie som kompetentný bez predchádzajúceho súhlasu vlády prehlásiť sa s paušálnym predĺžením zmlúv uzrozumený.

K bodu b/, dovolil som si upozorniť na platnosť nedávno vyšlých dvoch obežníkov a to čís. VI o 5703/108 z 11. X. 1944 a obežník GBA III b 3 Nr. 27.241/44 zo dňa 30. IX. 1944, ktorých ustanovenie výslovne odporuje medzištátnej dohode (viď číslo 46.060/44). Žiadal som preto, aby dotyčné dva obežníky boli čo v najkratšej dobe zrušené (čiastočne sa to stalo na môj zákrok dňa 13. XI. 1944 obežníkom GBA IV o 5703/122),[6] a boli znovu nastolené medzištátnou zmluvou zaručené možnosti zvláštnych ciest robotníkov na Slovensko, lebo práve teraz sú tieto ustanovenia aktuálnejšie, ako kedykoľvek predtým. Ich proponované vylúčenie odhliadnuc od toho, že odporuje medzištátnej dohode, by zbytočne len zvýšilo nepokoj medzi slovenským robotníctvom.

V dôsledku horeuvedených argumentov a okolností, dovolil som si formulovať tento protinávrh s výhradou dopytu príslušných inštancií:

1/ Slovenská – nemecká strana je uzrozumená so skutočnosťou, že vzhľadom na neprekonateľné transportné ťažkosti slovenskí robotníci predbežne ostávajú – po konečnom vypršaní pracovného pomeru – na svojich pracovných miestach[,] a to bezforemne a za doterajších pracovných a všeobecných podmienok.

2/ Slovenským poľnohospodárskym robotníkom bude umožnené primerané platené uvoľnenie z práce a to za podmienok a/ a c/ jednotliveckej pracovnej zmluvy sezónnych poľnohospodárskych robotníkov ako súčiastky medzištátnej dohody. Od bodu b/ dá sa prakticky odhliadnuť (dostavenie sa k súdu) vzhľadom na zmluvu o vzáj. právnej pomoci.

3/ Okolnosti podmieňujúce skutočnosti pod bodom 2/ budú potvrdené príslušnou Ochranou poľnohospodárskych robotníkov zo Slovenska pri RNSt.[7]

4/ O termíne konečného odchodu slovenských poľnohospodárskych robotníkov z Ríše dohodnú sa obidve strany neskoršie (keď budú na to technické predpoklady).

5/ Keďže tu nejde o žiadne opatrenia a ustanovenia, ktoré by svojou povahou odporovali medzištátnej dohode, navrhuje sa, aby vzájomné uzrozumenie v tejto veci bolo do života uvedené výmenou listov medzi GBA a Slovenským vyslanectvom v Berlíne.

Návrh tento bol zástupcami nemeckej strany prijatý a uzhodnuté, že po overení môjho návrhu na príslušných miestach podám písomnú konečnú textáciu veci, a to vzhľadom na súrnosť a akútnosť tohoto problému začiatkom budúceho týždňa.[8]

V Radenslebene, dňa 23. novembra 1944

Dr. Krotký v. r.

Úr. záznam.
Volal som dnes telefonicky Min. vnútra – Ústred. úrad práce v Bratislave p. zast. predsedu p. Dr. Brychtu. Pre poruchu linky (od niekoľkých dní) rozhovor nedošiel.

23. XI. 1944

Dr. Krotký v. r.

SNA, f. ÚPV, š. 95, 3671/1944. Kópia, strojopis, 3 strany.

1 Der Generalbevollmächtigte für den Arbeitseinsatz.
2 Správne Hetzell. Predsedom nemeckého vládneho výboru bol C. von Schultze-Schultius.
3 Dokument sme nemali k dispozícii.
4 Pozri dokument 117.
5 Rozumej etnickými Nemcami (Volksdeutsche). Ide o Bratislavu a okolie, kremnicko-pravniansku enklávu – Hauerland a Spiš.
6 Dokument sme nemali k dispozícii.
7 Reichsnährstand.
8 Pozri dokument 134.

134
1944, 29. november. Bratislava. – Prípis Ústredného úradu práce (MV) predsedníctvu vlády, týkajúci sa návratu slovenských poľnohospodárskych robotníkov z Nemeckej ríše a Protektorátu Čechy a Morava.

Ministerstvo vnútra
Ústredný úrad práce

Číslo: 643 – 29/1-2/44   V Bratislave dňa 29. novembra 1944

Predmet: R 682/8-1- Slovenskí poľnohospodárski robotníci v Ríši
a v Protektoráte Čechy a Morava – umožnenie návratu.

Prílohy: 3

Predsedníctvu vlády
v Bratislave.

Slovenské poľnohospodárske robotníctvo z roka na rok sa sprostredkovávalo do Ríše a Protektorátu Čechy a Morava individuálnymi zmluvami na sezónne práce. Robotníctvo odchádzalo v jarných mesiacoch a vracalo sa transportne koncom novembra a v decembri v každom roku po skončení poľných prác.

Ako dosvedčuje pripojené upovedomenie Ríšskej úradovne GBA pre Slovensko v Bratislave zo dňa 28. novembra 1944 čís. 5770-B,[1] nemienia v tomto roku ríšske úrady zostaviť transporty, ale chcú všetkých robotníkov nechať v Ríši prezimovať a len poniektorým robotníkom – pri preukázaní zvláštnych okolností: smrť, ťažké onemocnenie príbuzných, zvláštne hospodárske dôvody, atď. – chcú dať iba dovolenku s povinnosťou prinavrátenia sa.

Ich rozhodnutie sa opiera zrejme o nariadenie číslo III a 6 Nr. 31286/44,[2] ktoré tu v odpise pripojujem.

Podľa sem došlých správ Slovenského vyslanectva v Berlíne a Slovenského generálneho konzulátu v Prahe naše robotníctvo sa domáha naliehavo umožnenia návratu na Slovensko po skončení sezónnych prác. Svoje žiadosti podporuje aj s tým, že druhá čiastka rodiny je na Slovensku a aj majetkove sú viazaní na Slovensko. O pomoc sa uchádzajú aj u Pána Prezidenta republiky. Dosvedčuje to sem pripojený dopis so 14 podpismi.[3]

Po stránke právnej strácajú uzavreté zmluvy po ukončení sezónnych prác platnosť. Doteraz v každom roku valná časť robotníctva sa vrátila a len nejaká čiastka sprostredkovaného robotníctva ostala v Ríši a v Protektoráte Čechy a Morava na prezimovanie. Kto chcel ostať v Ríši cez zimu, bolo ponechané na vôli toho – ktorého robotníka. V roku 1942 prezimovalo v Ríši a v Protektoráte Čechy a Morava cca 3 000 a v roku 1943 cca 5 000 robotníkov. Tak sa zdá, že v tomto roku by tam ostala z robotníctva len mizivá menšina. Všetko robotníctvo chce sa vrátiť domov.

Úctivo prosím o súrne predloženie veci do najbližšieho zasadnutia vlády s návrhom uznesenia, že nemá byť robená prekážka slovenskému poľnohospodárskemu robotníctvu v jeho zamýšľanom návrate na Slovensko po skončení sezónnych poľných prác.[4] V Ríši môže ostať na prezimovanie len poľnohospodársky robotník, ktorý je s tým zrozumený.[5]

Na stráž !
Predseda ÚÚP:
Brychta [v. r.]

Kr.c. Odd.3. tu.

Zasielam s tým, aby predmetná vec bola v zmysle návrhu Ministerstva vnútra (Ústredný úrad práce) prerokovaná na najbližšom zasadnutí vlády.[6]

Bratislava, 4. dec. 1944

SNA, f. ÚPV, š. 95, 3671/1944. Kópia, strojopis, 2 strany.

---

1 Dokument sme nemali k dispozícii. Pozri dokument 132.
2 Dokument nepublikujeme.
3 List má nasledovné znenie: *„ Veľavážený Pán Prezident Slovenskej republiky Dr. Jozef Tiso.*
Nižšie podpísaní úctivo prosíme vás Pán Prezident. Nás štrnásť Slovákov, ktorí sme sem prišli na 6 mesačnú prácu. A teraz nám zmluva, na ktorú sme sa podpísali v Čadci na Sprostredkovateľni práce na 6 mesiacov, tá nám končí 3. decembra, a firma, u ktorej sme tuná zamestnancami myslí nás tuná ďalej zadržať. Ani nemáme žiadne oblečenie na zimu. Ani v tom bývaní, kde spávame, nemáme žiadneho kúrenia, nakoľko tuná je už zima. Tak vás prosíme, aby ste, nakoľko vieme, že nám vypomôžete. Tak Pán Prezident Dr. Jozef Tiso ani by sme vás nechceli obťažovať s touto našou žiadosťou, ale tuná sa nemôžeme ničoho dovolať. Tak sa preto obraciame na vás o vašu pomoc. Robíme u firmy Fosteramt [sic!] *po slovensky Lesná správa Klagenfurt. Aj Arbeitsfront je tiež v Klagenfurte, pod ktorý my tuná patríme. My podpísaní robotníci. "*
4 1. 12. 1944 zaslal ÚÚP predsedníctvu vlády nasledujúci dodatok k vyššie uvedenému prípisu: *„Dodatkom k môjmu návrhu, predloženému dňa 29. novembra 1944 pod číslom 643-29/11-2/44, expedovanému toho samého dňa hlásim, že náš splnomocnenec v Berlíne, sociálny attaché Slovenského vyslanectva Dr. Jozef Krotký, docielil v posledných dňoch po osobnom prerokovaní v horeuvedenej veci so zástupcami Der Beauftragte für den Vierjahresplan Der Generalbevollmächtigte für den Arbeitseinsatz a Ministerstvom práce v Berlíne zlepšenie pôvodného návrhu, vzťahujúceho sa na návrat slovenských poľnohospodárskych robotníkov z Ríše. Zlepšenie návrhu spočíva v tom, že slovenských robotníkov, ktorí sa podľa stanovených podmienok môžu vrátiť z Ríše, vyberú si úrady Ochrany slovenských robotníkov v Ríši podľa kľúča, ustáleného individuálnou pracovnou zmluvou platnou pre sezónne poľnohospodárske robotníctvo. Otázny kľúč je stanovený slovensko-nemeckou medzištátnou zmluvou.*
Ďalšie zlepšenie podmienok je v tom, že robotníctvo sa nezaväzuje na ďalšiu sezónu, alebo dokonca na neurčitú dobu, ale má možnosť voľného hromadného návratu, akonáhle pominú transportné ťažkosti.
Dovoľujem si úctivo podotknúť, že toto vyjednanie popri prehlásenia príslušných nemeckých miest nebude sa týkať robotníkov, ktorí sú príslušníkmi nemeckej národnej skupiny na Slovensku.
Navrhujem výsledok rokovania predložiť v najbližšom zasadnutí vlády a tam ho uznesením schváliť. "
5 Splnomocnenec GBA na Slovensku G. Sager v prípise protektorátnemu ministerstvu hospodárstva a práce z 5. 12. 1944 k tejto záležitosti uviedol: *„Zur Zeit finden Verhandlungen mit der Slowakischen Regierung statt, bezüglich der Rückbeförderung der slowakischen Wanderarbeiter im Jahre 1944. Der GBA – Berlin hat ebenfalls einen Erlass in Vorbereitung, wonach angestrebt werden soll, dass die slowakischen Wanderarbeiter möglichst an ihren Arbeitsplätzen überwintern sollen, da einerseits die Deutsche Reichsbahn aus verkehrstechnischen Gründen eine allgemeine Rückführung augenblicklich nicht durchführen kann und andererseits die Gesamtlage es wünschenswert erscheinen lässt, die Kräfte nach Möglichkeit nicht in die Slowakei zurückkehren zu lassen, weil die Möglichkeit auf Neuanwerbungen im Jahre 1945 durchaus noch ungeklärt ist. Nach dem*

GBA-Erlass soll vorgesehen sein, Beurlaubungen in besonders dringenden Einzelfällen zu genehmigen, sofern slowakischer Betreuer dem Urlaubsantrag des Gesuchstellers zustimmt.
Aus diesem Grunde bitte ich, von der allgemeinen Rückführung der Wanderarbeiter zunächst abzusehen und das Ergebnis der Verhandlungen mit den zuständigen slowakischen Stellen abzuwarten." (NA ČR, f. MHP, š. 426, A-I-5771.7. Za sprostredkovanie dokumentu ďakujeme Jane Tulkisovej.)
6 Vláda schválila návrh ÚÚP na svojom zasadnutí 13. 12. 1944.

135
1944, 4. december. Bratislava. – Prípis predsedníctva vlády MNO vo veci nasadenia evakuovaných osôb na práce do Nemecka.

Koncept.

Predsedníctvo vlády

Čís. 2259   Bratislava dňa 4. decembra 1944
Zasadenie evakuovaných.

Ministerstvu národnej obrany
- do rúk pána generála Pulanicha[1] -
v Bratislave.

Vládny poverenec v Prešove[2] tlmočil požiadavku nemeckej brannej moci a žiada rozhodnutie o nasledovnej otázke:
Nemecká branná moc žiada súhlas, aby mohla
1. zasadiť do pracovnej povinnosti osoby mužského a ženského pohlavia, ktoré nechcú evakuovať z oblasti 8 km za hlavnou bojovou líniou, v Ríši i do tých miest, ktoré sú ohrozené nepriateľskými náletmi;
2. iné osoby, ktoré evaku[u]jú do Ríše dobrovoľne, zasadiť do pracovnej povinnosti v miestach v susedstve Slovenska, ktoré nie sú ohrozené nepriateľskými náletmi;
3. zasadiť osoby mužského pohlavia v územiach ohrozovaných nepriateľskými náletmi aj z územia mimo oblasti 8 km uvedených v ods. 1., ktoré sa vyhýbajú práci.[3]

Na stráž!
Za predsedu vlády

SNA, f. ÚPV, š. 32a, 2259/1944. Originál, strojopis, 1. strana.

1 Anton Pulanich vykonával funkciu poverenca Slovenskej vlády pre evakuáciu.
2 Anton Sabol-Palko.
3 Pozri dokument 124.

136

1944, 6. december. Bratislava. – Smagonov záznam zo služobnej cesty v Prešove. Absolvoval rokovania vo veci pracovného nasadenia evakuovaného obyvateľstva mužského pohlavia na území Nemeckej ríše.

SS Obersturmbannführer
Albert Smagon
Berater für Sozialpolitik
bei der slow. Regierung   Pressburg, den 6. Dezember 1944

Bericht
über durchgeführte Besprechungen in Preschau
vom 3. bis 5. XII. 1944.

Herr Konsul v. Woinowitsch[1] teilte mit, dass in Preschau von den massgebenden Personen niemand anwesend sei. Die für die personelle Evakuierung zuständigen Offiziere der Heeresgruppe sitzen entweder in Kaschau oder in Tatra-Lomnitz, wo gerade Besprechungen stattfinden. Eine Möglichkeit, mittels Kraftwagen nach Kaschau oder Tatra-Lomnitz zu kommen, konnte Konsul v. Woinowitsch nicht beschaffen.

Die von den Slowaken entsandte Evakuierungskommission unter Führung des Generals Pulanich sei am Sonnabend nach einem Festessen nach Pressburg zurückgefahren. Das Schlussprotokoll füge ich als Anlage bei.[2]

Da MOVR[3] Molsen ebenfalls in der Tatra weilte, wurde bei seinem ständigen Vertreter Besuch gemacht. Nachdem dieser, MVR[4] Oswald, nicht über die geringsten Sachkenntnisse verfügt und auch keinerlei Auskünfte geben konnte, ist dieser Besuch nur als reiner Höflichkeitsbesuch zu werten. Das gleiche gilt für den Besuch beim Gauchef Dudaš, der augenscheinlich arbeitsmässig und gesundheitlich der Aufgabe nicht mehr gewachsen ist.

Der Besuch beim Regierungsbevollmächtigten Sabol[-]Palko ist als positiv zu werten. Sabol[-]Palko teilte mir mit, dass Dr. Kaššovic in den nächsten Tagen nicht nach Preschau kommen könne. In der Frage der Evakuierung der Ostslowakei erklärte er mir auf die Anfrage offen und ehrlich, dass mit den bisherigen Methoden die personelle Evakuierung von vornherein zum Scheitern verurteilt sei. Er billigt meine Ansicht, dass hier nur ein Radikalmittel, die Verkündung der Generalmobilmachung, und zwar für die gesamte Ostslowakei, einen Erfolg verspreche. Die Zusammenarbeit mit den deutschen Stellen sei gut.

Am 4. XII. 1944 fand eine Besprechung mit Oberinspektor Schucar statt. Schucar ist vom MOVR Schnuhr zum Leiter des Arbeitsamtes für die Ostslowakei, Ing. Seppelfeld, als Berater abgestellt. Nach anfänglichem Misstrauen schilderte er mir unter Berufung darauf, dass er alter Parteigenosse sei, offen die derzeitige Lage.

Zur Frage Arbeitseinsatz: Für die Anwerbung von slowakischen Arbeitskräften für den Arbeitseinsatz im Reich und die Durchführung dieser Transporte ins Reichsgebiet sind vom GBA Krakau seit rund 5 Wochen 16 Angestellte des GBA nach Preschau abgestellt worden. 4 weitere Angestellte sind bereits in Marsch gesetzt, sodass in wenigen Tagen die Dienststelle des GBA in Preschau 20 Angestellte haben wird. Die Angestellten des GBA erhalten Tagesgelder von rund 200 Ks täglich und haben nach Aussage des Pg. Schucar den ganzen Tag nichts weiter zu tun, als sich zu überlegen, wie sie dieses Geld anzubringen haben. Insgesamt sind durch die Abordnung dieser GBA-Angestellten 120 000 Ks Kosten entstanden (60 000 Ks als Vorschuss von der Gesandtschaft und 60 000 Ks von der Heeresgruppe zur Verfügung gestellt). Ein Ansuchen an die Deutsche Gesandtschaft um Überweisung von weiteren 120 000 Ks übergab mir Konsul v. Woinowitsch zur Weiterleitung an die Gesandtschaft (Anlage).

Als Ergebnis der bisherigen Arbeit dieses Stabes des GBA nach fünfwöchiger Tätigkeit kann gemeldet werden: Insgesamt sind ins Reichsgebiet 407 Mann zum Arbeitseinsatz abtransportiert worden, davon sind 70 Mann slowakische Staatsangehörige, der Rest Polen, Russen und Ukrainer, die als Flüchtlinge[5] im Operationsgebiet aufgegriffen wurden.

Pg. Schucar gab mir offen zu, dass die ganze Tätigkeit eine grosse Pleite sei. Aber ebenso wie ihm ergehe es der Hitler-Jugend, die gleichfalls bis jetzt nicht einen einzigen Jugendlichen zum Einsatz innerhalb des Reiches verpflichten konnte. Schucar schätzt die Anzahl der Männer zwischen 16 und 60 Jahren, die aus dem frontnahen Gebiet für einen Arbeitseinsatz in der Westslowakei bzw. im Reichsgebiet in Frage kommen und deshalb sofort zu evakuieren sind, auf rund 40 000 Mann. Schucar vertritt gleichfalls die Ansicht, dass mit den bisherigen Methoden, Aufrufe durch die Notäre und Bezirkshauptleute, auch weiterhin nichts erreicht werden kann, sondern dass hier energisch neue Wege beschritten werden müssen. Nach seiner Auffassung trage an diesem bedauerlichen Zustand der MOVR Molsen die Hauptschuld. Molsen besitze keine Sachkenntnisse und ist vernünftigen Vorschlägen nicht zugänglich. Er habe schon nach der Machtübernahme als Oberbürgermeister von Stettin nach viermonatiger Tätigkeit so versagt, dass er als Oberbürgermeister abgesetzt werden musste. Auch seine Tätigkeit im Protektorat als Oberlandrat war ein Fiasko. (Soweit ich unterrichtet bin, musste der ehemalige Oberlandrat Molsen wegen seiner grundfalschen Politik gegenüber den Tschechen und nach Auseinandersetzungen mit der NSDAP das Protektorat verlassen.) Schucar berichtete mir weiter, dass gerade jetzt bei den Besprechungen in der Tatra auch die Entscheidung fallen soll, ob Molsen weiterhin in seinem jetzigen Wirkungsbereich verbleiben oder abgelöst werden soll.

In der nächsten Zeit verspricht sich Schucar grössere Erfolge. Er habe auf eigene Verantwortung mit dem SD und der Feldkommandantur 245 (Oberst Rausch) das Übereinkommen getroffen, alle dort anfallenden männlichen Arbeitskräfte ihm für den Arbeitseinsatz im Reich zur Verfügung zu stellen.

Entlang der Gisella-Stellung[6] wird jetzt ein 8 km breiter Streifen von der gesamten Zivilbevölkerung geräumt. Schucar glaubt, dass er durch diese Evakuierung in der Lage sein wird, rund 1 000 Mann für den Abtransport zu erhalten. Da seit Sonntag die freiwillige Räumung der Bezirke Bartfeld,[7] Sabinov, Preschau und Alt-Lublau[8] angeordnet wurde, glaubt Schucar, einige kleinere Handwerksbetriebe unter dem Titel „Geschlossener Firmeneinsatz" gleichfalls der Rüstungswirtschaft im Reich zur Verfügung stellen zu können.

Schucar gab weiterhin zu, dass in der ganzen Ostslowakei eine grosse Angst vor der zwangsweisen Überstellung der Evakuierten ins Reichsgebiet herrsche. Ich erklärte ihm, dass nach dieser Sachlage es doch falsch sei, jetzt von der Regierung in Pressburg zu verlangen, dass sie das Gesetz über die Dienstverpflichtung auch auf den Arbeitseinsatz innerhalb des Reichsgebietes erweitern soll. Die Regierung in Pressburg werde zustimmen, die Bevölkerung aber an die Möglichkeit, wenigstens zum Teil in der Westslowakei bei Schanzenarbeiten Beschäftigung zu erhalten, nicht mehr glauben.

Ich habe Schucar verschiedene praktische Ratschläge für die Evakuierung der männlichen Bevölkerung aus der Ostslowakei gegeben. Insbesondere habe ich ihm folgenden Plan entwickelt. Die Slowakische Regierung ordnet die Generalmobilmachung aller Männer vom 16. bis zum 60. Lebensjahr an. Die so Einberufenen erhalten neben einer Legitimation eine Armbinde und werden auf die Slowakische Regierung vereidigt. Dadurch werden vorerst alle Männer listenmässig erfasst. Nur mit einer Sondergenehmigung darf sich der Einberufene ausserhalb seines Wohnortes begeben. Jeder, der ohne Binde und Legitimation angetroffen wird, ist ein Feind der Slowakischen Regierung und mithin ein Freund der Sowjetrussen. Dadurch ist das schärfste Einschreiten gegen alle diejenigen, die sich von der Erfassung drücken, in der Absicht, im gegebenen Augenblick bei den Russen zurückzubleiben, gegeben. Wichtig ist aber, dass die Mobilmachung nicht nur im frontnahen Gebiet, sondern in der ganzen Ostslowakei gleichzeitig erfolge. Wenn der Grossteil der Bevölkerung trotz der Einberufung vorerst weiter auf seinem bisherigen Arbeitsplatz verbleiben kann, werde bald eine Beruhigung eintreten. Ich habe diesen Plan mit ihm in allen Einzelheiten besprochen und Schucar war davon sehr begeistert. Er sieht in der Verwirklichung dieses Planes die einzige Möglichkeit, die personelle Evakuierung halbwegs mit Erfolg durchführen zu können.

Ich behalte mir vor, im Hinblick auf die eventuelle Notwendigkeit einer Evakuierung für andere Gebiete die zuständigen slowakischen Regierungsstellen in Pressburg für diesen Plan zu gewinnen.[9]

Albert Smagon [v. r.]

BArch Berlín, Film SS Versch. Prov. 4528, 9 407 974 – 977. Originál, strojopis, 4 strany.

1 Správne Woinowich.
2 Prílohu nepublikujeme.
3 Militäroberverwaltungsrat – hlavný vojenský administratívny radca.
4 Militärverwaltungsrat – vojenský administratívny radca.
5 K problematike poľských a ukrajinských utečencov na Slovenku pozri ŠMIGEĽ, Michal – MIČKO, Peter. *Evakuácia v znamení úteku. (Utečenci z Ukrajiny a Poľska na Slovensku v roku 1944).* Banská Bystrica : Katedra histórie Fakulty humanitných vied Univerzity Mateja Bela, 2006.
6 Nemecká obranná línia v oblasti Slanských vrchov.
7 Bardejov.
8 Stará Ľubovňa.
9 A. Smagon sa tejto iniciatívy chopil s plnou vervou a pokúsil sa plán aj presadiť. Vyplýva to z jeho záznamu z 9. 12. 1944: *„Ich habe nach meiner Rückkehr von Preschau sofort Dr. Kaššovic aufgesucht und ihm den Plan einer Generalmobilmachung aller 16 bis 60 jährigen Männer in der Ostslowakei unterbreitet. Ich habe Dr. Kaššovic ohne Rücksicht auf die gegebenen Zuständigkeiten gebeten, mir bei der Verwirklichung des Planes zu helfen.*
Heute, am 9. XII. 1944 teilte mir Dr. Kaššovic mit, dass diese Verordnung von der Regierung unterschreiben worden sei und folgende Punkte enthalte:
1.) Die Notäre rufen die männliche Bevölkerung von 16 bis 60 Jahren auf.
2.) Die so Einberufenen wurden vereidigt.
3.) Die Einberufenen tragen eine blaue Armbinde und gehören einer Arbeitseinheit an, die den Namen ihres Ortes trägt.
Sabol[-]Palko hat am 9. XII. 1944 bereits telefonisch die Weisung erhalten, diese Anordnung raschestens durchzuführen.
Eine Abschrift der Verordnung erhalte ich am Montag, den 11. XII. 1944 zugestellt." (BArch Berlín, Film SS Versch. Prov. 4528, 9 407 978.) Porovnaj dokument 137.

137
1944, 15. december. Bratislava. – Verbálna nóta nemeckého vyslanectva vo veci pracovného nasadenia evakuovaného obyvateľstva z východného Slovenska.[1]

Odpis.

Deutsche Gesandtschaft
Nr. 5983
1 Durchdruck

Verbalnote.

Auf Grund der verschiedenen Besprechungen und Vereinbarungen zwischen der Slowakischen Regierung, dem slowakischen Regierungsbevollmächtigten für die Ostslowakei[2] und den zuständigen deutschen Wehrmachtsstellen ergibt sich als Arbeitsgrundlage für Massnahmen zur Sicherung der slowakischen Bevölkerung und der Grenzen im ost-slowakischen Operationsgebiet folgender Sachstand:

1. Gegen das freiwillige Abwandern von Frauen und Kindern in die Westslowakei bestehen deutscherseits keine Einwendungen.

2. Auf Grund der Vereinbarung zwischen der Hlinka-Jugend und der Hitler-Jugend werden die 16 – 21 jährigen als Junaken (Helfer) zusammengefasst und in Lagern in der Westslowakei untergebracht; befristete Ausbildung im Reich ist vorgesehen.

3. Die 22 – 24 jährigen werden auf Grund der Richtlinien des MNO[3] für die Domobrana in Lagern in der Westslowakei zusammengefasst.

4. Die 25 – 41 jährigen werden in Arbeitseinheiten zum Stellungsbau im Raume Poprad – Branisko eingesetzt und untergebracht.

5. Die 41 – 60 jährigen werden im Heimatraum als geschlossene Arbeitseinheit eingesetzt.

6. Die bereits bestehende Möglichkeit freiwilliger Meldung zum Arbeitseinsatz im Reich im Rahmen der zwischenstaatlichen Vereinbarungen bleibt aufrecht erhalten. Es besteht überdies Möglichkeit der freiwilligen Meldung zum Tross der in der Ostslowakei eingesetzten deutschen Truppen.

Die Deutsche Gesandtschaft beehrt sich hiervon der Slowakischen Regierung Mitteilung zu machen und darauf hinzuweisen, dass Vorbereitungen für entsprechende Unterbringung und den Arbeitseinsatz in geschlossenen Arbeitseinheiten durch Auffangorganisationen in der Mittel- und Westslowakei getroffen werden müssen, auch für den Fall, dass eine Rückverlegung der Arbeitseinheiten erfolgen müsste. Da die deutschen Truppen darauf bestehen, dass Wehrfähige auf keinen Fall in die Hand der Feinde fallen, müsste – falls die Garantie eines geschlossenen Arbeitseinsatzes und geschlossener Unterbringung in der Mittel- und Westslowakei nicht besteht – ein Arbeitseinsatz im Reich stattfinden.[4]

Im Hinblick auf die Eilbedürftigkeit bittet die Deutsche Gesandtschaft um beschleunigte Veranlassung.[5]

Pressburg, den 15. Dezember 1944

An das
Ministerium des Äusseren
der Slowakischen Republik
in Pressburg.

SNA, f. MZV, š. 81, 100104/1944. Kópia, strojopis, 2 strany.

---

1 Na existenciu tejto nóty upozornil ako prvý vojenský historik Igor Baka. Pozri BAKA, I. Nasadenie civilné-ho..., s. 81.
2 Anton Sabol-Palko.
3 Ministerstvo národnej obrany.
4 Porovnaj dokument 136.
5 Slovenská strana odpovedala verbálnou nótou zo 16. 12. 1944, text ktorej nadiktoval splnomocnený minister a zástupca ministra zahraničných vecí Š. Polyák: *„In Beantwortung der Verbalnote Nr. 5983 vom 15. XII. d. J. gibt sich das Ministerium des Äussern die Ehre der Deutschen Gesandtschaft mitzuteilen, dass die Slowakische Regierung mit den in der Verbalnote enthaltenen Evakuierungsauffangs- und Arbeitseinsatzmodalitäten grundsätzlich einverstanden ist,*
1. dass bei den 25-41 Jährigen laut Punkt 4 die Deutsche Wehrmacht für die Massenverpflegung und Versorgung im Raume Poprad – Branisko, resp. im Falle der Verlegung nach Westen im betreffenden Raume Verfügungen trifft;
2. dass über die von slowakischer Seite zu schaffenden Auffangsorganisationen mit dem Vertreter des Verteidigungsministeriums Oberstleutnant Ing. Kručko von deutscher Seite sofort Vereinbarungen getroffen werden, in welcher Weise die Deutsche Wehrmacht für Bekleidung, Beschuhung [sic!], Decken, die seinerzeit aus den

Magazinen der Slowakischen Wehrmacht weggeführt wurden, bei den aufzufangenden Evakuierten in der Mittel- und Westslowakei Sorge getragen wird. Das Ministerium des Äussern nimmt gerne die Gelegenheit wahr, der Deutschen Gesandtschaft den Ausdruck seiner Hochachtung zu erneuern. " (SNA, f. MZV, š. 81, 100104/1944.)

138

Bez uvedenia dátumu [polovica januára 1945][1] a miesta [Bratislava]. – Smagonov návrh ďalekopisu H. Himmlerovi vo veci núteného prevozu práceschopných osôb mužského pohlavia na prácu do Nemeckej ríše.

SS Obersturmbannführer
Albert Smagon
Berater für Sozialpolitik
bei der slow. Regierung

Entwurf
eines Fernschreibens an Reichsführer SS.

Im Zuge der Evakuierung von Teilen der Ost- und Südslowakei werden mehrere tausend wehrfähiger Arbeitskräfte frei. Arbeitseinsatz in der West- und Mittelslowakei nur teilweise möglich. Einsatz dieser überschüssigen Arbeitskräfte im Reich laut gültiger Gesetze vorgesehen. Slowakische Regierung hat hierzu bereits Zustimmung erteilt,[2] aber wegen mangelnder Exekutive nicht in der Lage, diese Massnahme durchzuführen, da gegen Arbeitseinsatz im Reich allgemeine Abneigung besteht. Zwangsweiser Abtransport mit deutscher Transportführung einzig mögliche Lösung.

Bitte um Entscheidung, ob zwangsweiser Abtransport möglich[3] und bejahendenfalls Festsetzung von Auffanglagern.

An den
Deutschen Befehlshaber in der Slowakei
SS-Obergruppenführer und General der Polizei Höfle
in Pressburg

BArch Berlín, Film SS Versch. Prov. 4539, 9 422 614. Originál, strojopis, 1 strana.

1 Dokument došiel úradovni Náčelníka polície a SD na Slovensku 17. 1. 1945.
2 Pozri dokument 137.
3 Himmlerovu odpoveď sa nám nepodarilo nájsť. V tom čase už však išlo o bežnú prax. Vyplýva to z hlásenia vládneho poverenca v Prešove A. Sabola-Palka z 8. 1. 1945: *„Vládny poverenec v Prešove [...] 5. Hlási, že v obvode Šarišsko-zemplínskej župy boli odvody pre pracovné jednotky už skončené. Nemecká branná moc začala teraz chytať tých, ktorí sa k odvodu pre pracovnú službu neprihlásili a chce ich odtransportovať do Nemecka. Nemecká branná moc by súhlasila s ponechaním týchto osôb na Slovensku, keby boli ako asociálny živel sústredený v osobitných táboroch. (Poznámka: Podpísaný vyhliadol pre tento cieľ býv. židovský tábor v Novákoch, ktorý je ale toho času obsadený nemeckou brannou mocou. Pri rokovaní o otázke uvoľnenia bolo z nemeckej strany (Dr. Grüninger a podplukovník Elger) nadhodené, že tak vláda ako aj vládny poverenec nariadili pracovnú povinnosť a že s tými, ktorí sa práce štítia a k odvodu pre pracovnú službu sa nedostavili, má byť naložené prísnejšie a že by bolo najprimeranejšie poslať ich do Nemecka. Ďalej uviedli vyššie uvedení, že tábor v Novákoch by okamžite uvoľniť nemohli."* (SNA, f. Ministerstvo pravosúdia 1938 – 1945, š. 126, 1010/Ires.-1945.)

139
1945, 23. február. Bratislava. – Witiskov záznam vo veci odtransportovania sloven-
ských občanov na práce do Nemeckej ríše. Protest slovenskej vlády proti neoprávne-
nému postupu nemeckých vojenských a bezpečnostných orgánov.

Pressburg, den 23. II. 45

1./ Dr. Lostorfer teilt im Auftrage des Ministers Mach mit, dass angeblich in Kuty ein Transport mit slowakischen Arbeitern eingetroffen sei, der von der Wehrmacht begleitet wird und ins Reichsgebiet abgehen soll. Es handle sich um Facharbeiter, die zwangsweise in der Gegend von Neusohl[1] zusammengetrieben wurden und nunmehr ohne Genehmigung der slowakischen Regierung ins Reich gebracht werden sollen. Minister Mach bittet zu klären, über wessen Auftrag die Verschickung der slowakischen Arbeiter erfolgt sei und um Verhinderung der Ausreise dieses Transportes.

Später wandte sich der Ministerpräsident[2] an den Obergruppenführer[3] und teilte ihm mit, dass es sich nach seinen Ermittlungen um Slowaken handle, die vor längerer Zeit von deutschen Wehrmachtseinheiten zum Schneeschaufeln zusammengeholt und in das Lager Oslany bei Novaky gebracht wurden. Nunmehr seien sie ohne Zustimmung der slowakischen Regierung plötzlich verladen worden, um ins Altreich gebracht zu werden, obwohl der Minister Haššik vorher sich bereit erklärt habe, diese Arbeitskräfte zu übernehmen und sie in eigene Arbeitsabteilungen zusammenzufassen. Der Ministerpräsident bat zu verhindern, dass diese Arbeiter über die Grenze gebracht werden.[4]

SS-Ostubaf. Greiner teilte hierzu mit, dass mit Gesandtschaftsrat Gmelin und Ostubaf. Smagon vereinbart wurde, dass die in Oslany einsitzenden Arbeiter zum Arbeitseinsatz ins Reich gebracht werden. Smagon sollte die nötigen Verhandlungen mit der slowakischen Regierung pflegen. Die Wehrmacht habe sich lediglich bereit erklärt, die nötigen Unterkünfte und die Transportleiter beizustellen.

Gesandtschaftsrat Endrös teilte hierzu mit, dass weder Gesandtschaftsrat Gmelin noch SS-Ostubaf. Smagon zu erreichen seien, er somit nicht im Bilde sei. Er schlage vor, den Transport in Kuty anzuhalten, bis dem Minister Mach und dem SS-Ostubaf. Smagon Gelegenheit gegeben sei, die Angelegenheit zu klären. Minister Mach habe sich bereit erklärt, nach Kuty zu fahren und zu erwirken, dass die schon im Transport befindlichen Arbeiter sich freiwillig bereit erklären, zum Arbeitseinsatz ins Reich zu gehen. Er halte diese Lösung für das Richtigste.

Hier träfen wieder gegensätzliche Interessen aufeinander und zwar politische insofern, als derartige Gewaltmethoden jede Bereitschaft der Slowaken zur freiwilligen Meldung ins Altreich ersticken werden, und Interessen des Sauckel, der Arbeiter für seine kriegswichtigen Arbeiten im Altreich braucht.

Gesandtschaftsrat Endrös versprach, den Ausgang der morgigen Ermittlungen bezw. Verhandlungen mitzuteilen.[5]

2./ III L[6] zur Kenntnis. Ich bitte, Angelegenheit sofort mit SS-Ostubaf. Smagon zu klären und im Lagebericht an RSHA zu verwerten.

W[itiska]

BArch Berlín, Film SS Versch. Prov. 4528, 9 408 183 – 184. Originál, strojopis, 2 strany.

---

1 Banská Bystrica.
2 Štefan Tiso.
3 Hermann Höfle.
4 Táto udalosť sa dostala aj na pretras na rokovaní vlády 26. 2. 1945. V zápisnici zo zasadnutia sa k tejto záležitosti uvádza: *„2. Vláda rokovala na základe došlých hlásení o odtransportovaní mužov v pracovnom veku*

nemeckou brannou mocou do ríše, najmä o dvoch transportoch v Kútoch a v spojitosti s tým aj o niektorých ďalších otázkach a uzniesla sa na zásadách, ktorých zachovanie pokladá pri nasaďovaní [sic!]*] osôb v pracovnom veku za bezpodmienečne potrebné a ktoré predseda vlády oznámi príslušným nemeckým miestam. Vo veci spomenutého konkrétneho prípadu (Kúty) uzniesla sa vláda dôrazne protestovať u príslušných nemeckých miest.* " (SNA, f. Úrad obžalobcu pri Národnom súde 1945 – 1948, š. 15, On ľud 10/1946 – Štefan Tiso.)
5 Witiskovu úradovňu o stave vecí informoval A. Smagon. Pozri dokument 140.
6 Vedúci SD v rámci úradovne BdS – Herbert Böhrsch.

140

1945, 24. február. Bratislava. – Witiskov záznam vo veci odtransportovania slovenských občanov na práce do Nemeckej ríše. Prešetrovanie okolností protestu slovenskej vlády proti neoprávnenej preprave na územie Nemecka.

Pressburg, den 24. II. 45

1./ Es erscheint SS-Ostubaf. Smagon und teilt mit:
Es ist vollkommen unbegründet, dass sich die slowakische Regierung gegen den Abtransport der slowakischen Arbeiter aus dem Lager Novaky ins Reichsgebiet beschwert.[1] Es besteht eine grundsätzliche Abmachung mit der slowakischen Regierung, die vor etwa 3 Monaten auf Grund der Verhältnisse in der Ostslowakei zustande gekommen ist, dass die aus den frontnahen Bezirken zusammengezogenen Arbeitskräfte als überschüssige Arbeitskraft in das Reichsgebiet abgehen.[2]

Die 8. Armee hat in den frontnahen Bezirken alle verdächtigen Personen, die sich trotz Aufforderung nicht entfernt hatten, zusammengefangen und in das Lager Novaky verbracht. Im Lager waren ungefähr 1 700 Personen, die vor etwa 10 Tagen eingebracht wurden.[3] Darunter befinden sich auch einige Akademiker, die angeblich in die Gebiete gekommen sind, um wegen ihres Hab und Gutes Nachschau zu halten. Sie wurden genauso wie ortsansässige Bevölkerung, die sich trotz Befehls nicht entfernt hat, festgenommen, weil der begründete Verdacht vorliegt, dass sie zu den Banditen übergehen wollen.

Als die Mitteilung über Hauptmann Wilson an Ob. Reg. Rat Sager kam, dass sich im Lager Novaky 1 700 Arbeiter befinden, hat Sager sofort einen Arzt ins Lager geschickt, der eine Musterung vornahm. Etwa 300 wurden als krank ausgeschieden. Mit den anderen wurden normale Arbeitsverträge aufgenommen, 500 wurden für die Messerschmidtwerke in Augsburg bestimmt, die restlichen 900 sollten in der Landwirtschaft verwendet werden. Unter den Sichergestellten befand sich auch ein Prof. Dr. Dobal. Dem Bruder des Sichergestellten wurde die Möglichkeit gegeben, dem Festgenommenen ein Paket mit Lebensmitteln ins Lager zu bringen. Der Bruder hat daraufhin sofort bei allen slowakischen Dienststellen gegen den Abtransport der Festgenommenen interveniert, worauf sofort eine Verbalnote des Aussenministeriums an die Deutsche Gesandtschaft erging.[4] Der Bruder des Dobal erschien mit einer Abschrift dieser Verbalnote, auf der übrigens das MNO vermerkte, dass es dringend bitte, den Transport aufzuhalten, bei Sager, um zu erwirken, dass die Festgenommenen in der Slowakei verbleiben. Minister Mach hat sich daraufhin ebenfalls eingeschaltet und hat erklärt, es ginge ihm nicht um die Arbeiter, sondern nur um die Akademiker, es solle verhindert werden, dass diese ins Reich abgeschoben werden. Gleichzeitig setzte Sabotage der slowakischen Eisenbahner ein. Der Zug wurde in Ratzendorf[5] aufgehalten, Mach hat dann später den Befehl gegeben, dass der Zug über Kuty nicht hinausfahren darf. Mach behauptet, dass in dem Zug angeblich Angehörige der Hlinka-Garde und Ortsgruppenleiter der Partei seien, kann es jedoch nicht bestätigen. Er verlangt Übergabe des Transportes an das MNO, mit dem angeblich eine Vereinbarung getroffen wurde, dass alle Festgenommenen vom MNO zu Arbeitskompanien zusammengestellt werden und in der Slowakei verbleiben. Eine derartige Vereinbarung wurde jedoch nicht getroffen.

Der Gesandte[6] hat sich nach Darlegung des Sachverhaltes zum Ministerpräsidenten begeben und wird verlangen, dass der Transport ins Reichsgebiet abgehe und wird dagegen protestieren, dass der Transport vom Minister Mach aufgehalten wurde. Es wird auch dafür Sorge getragen, dass die noch im Novaky befindlichen 800 Arbeiter nach Abschluss der ordnungsgemässen Arbeitsverträge ins Reichsgebiet abtransportiert werden. SS-Ostubaf. Smagon teilte ergänzend mit, dass in Hinkunft derartige Schwierigkeiten kaum mehr eintreten werden, weil er alle Abtransporte rechtzeitig mit dem Beauftragten für die Evakuierung Koso[7] besprechen wird. Koso hätte schon vor längerer Zeit eine Kundmachung herausgeben sollen, wonach die Bevölkerung in den frontnahen Gebieten aufgerufen wird, sich zum geschlossenen Arbeitseinsatz innerhalb der Slowakei zu melden. Der überschussige Teil soll ins Reichsgebiet abtransportiert werden.

2./ III L

Im Nachgang zu meinem gestrigen Vermerk.[8] Nach Klärung mit SS-Ostubaf. Smagon sind sofort die Einsatzkommanden über diese Aktion zu verständigen.

W[itiska]

BArch Berlín, Film SS Versch. Prov. 4528, 9 408 185 – 187. Originál, strojopis, 3 strany.

1 Pozri dokument 139.
2 Pozri dokumenty 131, 135, 136 a 137.
3 Podľa prípisu obvodného notárskeho úradu v Prievidzi predsedníctvu vlády zo 17. 2. 1945 išlo o „*1600 nútene evakuovaných Slovákov z ohrozeného územia, ktorých zobrala nemecká branná moc a zaopatrenie týchto na seba neprevzala. Občania sú vo veľkej biede a potrebujú nutne zaopatrenie tohto tábora ihneď.*" (SNA, f. ÚPV, š. 18, 1483/1945.)
4 Pozri dokument 141.
5 Rača.
6 Hanns Elard Ludin.
7 Vláda vymenovala I. Kosa do tejto funkcie na svojom zasadnutí 30. 1. 1945. (SNA, f. ÚPV, š. 18, 1341/1945)
8 Pozri dokument 139.

141

1945, 26. február. Bratislava. – Smagonov záznam, týkajúci sa genézy núteného zaradenia zadržaných osôb slovenskej štátnej príslušnosti pri evakuácii bojového pásma do pracovného procesu na území Nemeckej ríše.

Abschrift.

SS Obersturmbannführer
Albert Smagon
Berater für Sozialpolitik
bei der slow. Regierung   26. II. 1945

Aufzeichnung

Betrifft: Arbeitseinsatz zwangserfaßter slowakischer Arbeiter im Reich.

1.) Am 15. XII. 1944 hat die Deutsche Gesandtschaft in der Verbalnote Nr. 5983 an das Slowakische Außenministerium darauf hingewiesen, daß alle überschüssigen wehr- und arbeitsfähigen Männer im Alter von 16 bis 60 Jahren, falls die Garantie eines geschlossenen Arbeitseinsatzes und geschlossener Unterbringung in der Mittel- und Westslowakei nicht besteht, für den Arbeitseinsatz im Reich vorgesehen sind.[1]

2.) In Beantwortung dieser Verbalnote hat das Slowakische Außenministerium unter Zahl 100104/44 vom 16. XII. 1944 an die Deutsche Gesandtschaft mitgeteilt, daß die slowakische Regierung mit den in der Verbalnote enthaltenen Evakuierungs-, Auffangs- und Arbeitseinsatzmodalitäten grundsätzlich einverstanden ist.[2]

3.) Bei einer Besprechung mit General Pulanich am 22. XII. 1944 wurde bei Anwesenheit des Ministerialrates Dr. Koso neuerlich festgelegt, daß alle überschüssigen Arbeitskräfte, soweit sie nicht in der Slowakei Verwendung finden, ins Reich abtransportiert werden können. Diese Arbeiter erhalten ordentliche Arbeitsverträge.[3]

4.) Vor und nach der Ernennung des Ministerialrates Dr. Koso zum Regierungsbeauftragten für die personelle Evakuierung habe ich auf Grund der Verhandlungen mit Oberregierungsrat Kästner (GBA) Dr. Koso gebeten, für den Arbeitseinsatz im Reich rund 50 000 Arbeiter aus den Reihen der zwangsevakuierten wehr- und arbeitsfähigen Männer freizugeben.

5.) Bei allen Besprechungen der Zentralkommission für Schanzenarbeiten wird ständig durch Oberst Tatarko und die anderen slowakischen Vertreter darauf hingewiesen, daß sich der vollständige Mangel jeder geschlossenen Unterkunftsmöglichkeit sehr ungünstig auswirkt. Oberst Tatarko hat mich sogar gebeten, ihm bei einem raschen Abtransport eines Teiles der durch die Einberufung der 10 Jahrgänge gebildeten Arbeitseinheiten behilflich zu sein.

6.) Die slowakische Regierung hat mit Verbalnote Nr. 60256/I/1945 vom 2. Februar 1945 der Deutschen Gesandtschaft mitgeteilt, daß nach Feststellung der Interministeriellen Kommission für die Verteidigung des Staates keine technische Möglichkeit mehr besteht, die evakuierten Personen zu befördern, bzw. auf dem noch verbleibenden Gebiete unterzubringen.[4]

7.) Daraus ergibt sich, daß eine geschlossene Unterbringung und ein geregelter Arbeitseinsatz unter Einschaltung der slowakischen Exekutive für die aus den frontnahen Bezirken zwangsevakuierten wehr- und arbeitsfähigen Männer zwischen 16 und 60 Jahren nicht möglich ist.

8.) Die Wehrmacht führt in der Zone der HKL[5] eine Zwangserfassung der wehr- und arbeitsfähigen Männer durch und überführt sie als Partisanenverdächtig in Lager. Sobald ein solches Lager voll belegt ist, erhalte ich oder Oberregierungsrat Sager entweder vom Lagerkommandanten direkt oder über den Deutschen Befehlshaber diese Mitteilung mit der Bitte, für einen raschen Abtransport dieser Männer zu sorgen.

9.) Von dem Abtransport werden diese zwangserfaßten Arbeiter listenmäßig erfaßt und je nach Eignung in der Rüstungsindustrie oder der Landwirtschaft im Reich eingesetzt. Die Liste erhält das Zentralarbeitsamt zwecks Ausstellung der Bankausweise zur ordentlichen Durchführung der zwischenstaatlich geregelten Lohnüberweisungen an die Familienangehörigen in der Slowakei. Die Arbeiter selbst erhalten die zwischenstaatlich vorgeschriebenen Arbeitsverträge und können sich im Reich wie jeder freiangeworbene Arbeiter frei und ungehindert bewegen.

10.) Mit Verbalnote Nr. 60374/I-1945 vom 17. Februar 1945 hat das Außenministerium die Deutsche Gesandtschaft gebeten, die zuständigen Organe im Lager Novaky zu veranlassen, daß die rund 2 000 internierten slowakischen Männer freigegeben werden und daß ihnen die Evakuierung in die Westslowakei ermöglicht wird.[6]

11.) Eine Abschrift dieser Verbalnote überbrachte mir am 20. Februar 1945 Dr. Dobal, der sich mir gegenüber als Vertreter des Slowakischen Außenministeriums ausgab und erklärte, daß gegen den Abtransport der dort erfaßten Arbeiter keine Bedenken bestehen, falls die namentlich in der Verbalnote Nr. 60374/I-1945 angeführten 8 Angehörigen von Intelligenzberufen freigegeben werden.[7]

12.) Am 21. II. 1945 habe ich mit Herrn Gesandtschaftsrat Gmelin über den Inhalt der Verbalnote gesprochen und von ihm erfahren, daß diese Verbalnote zwecks Überprüfung an den BdS[8] weitergegeben wurde und daß von meiner Seite aus in diesem Falle nichts mehr zu veranlassen sei.

13.) Am 23. II. 1945 rief Oberregierungsrat Sager an und teilte mir mit, daß um 11 Uhr vom Hauptbahnhof insgesamt 1 404 zwangserfaßte Arbeitskräfte aus dem Lager Novaky zum Arbeitseinsatz ins Reich abgegangen sind. 500 davon sind für den Einsatz in der Rüstungsindustrie, der Rest in der Landwirtschaft vorgesehen.

gez. Albert Smagon

BArch Berlín, Film SS Versch. Prov. 4539, 9 422 538 – 540. Kópia, strojopis, 3 strany.

---

1 Pozri dokument 137.
2 Pozri dokument 137, poznámka 4.
3 Záznam z rokovania sa nám nepodarilo nájsť.
4 Pozri SNA, f. MZV, š. 81, 100174/1945.
5 HKL – Hauptkampflinie – hlavná bojová línia.
6 Dokument sa nám nepodarilo nájsť.
7 Porovnaj dokument 140.
8 Befehlshaber der Sicherheitspolizei und des SD – náčelník Bezpečnostnej polície a SD.

142

1945, 1. marec. Bez uvedenia miesta [Bratislava]. – Výňatok zo zápisnice zo zasadnutia slovenskej vlády, na ktorom sa prerokúvala otázka evakuovaných pracovných síl a ich nasadenie v Nemecku.[1]

Čiastočný výpis
zo zápisnice napísanej dňa 1. marca 1945 o III/61 zasadnutí vlády Slovenskej republiky.

Za predsedníctva: Dr. Štefana Tisu.

„2. Predseda vlády podal správu o výsledku svojej cesty, ktorú podnikol v zmysle uznesenia vlády z 28. februára 1945 k nemeckému generálovi Kreisingovi,[2] aby sa u neho informoval o opatreniach nemeckej brannej moci, súvisiacich s odsunom mužov v pracovnom veku (16 až 60 ročných).

Ako zásadné stanovisko spomenutého veliteľa oznámil predseda vlády, že podľa rozkazov vyšších nemeckých vojenských veliteľstiev nemožno sa uskutočňovanému odsunu vyhnúť, v medziach týchto rozkazov možno však hľadať modality plánovitého a súčasne prijateľnejšieho postupu, a to na základe osobitného prerokovania celého komplexu súvisiacich otázok.

Pre toto osobitné rokovanie určila vláda tieto zásady:

1/ Okruh osôb sa má určiť tak, aby nútenému odsunu podliehali mužské osoby zbraneschopné vo veku od 18 do 40, najviac 45 rokov, a to len v územných obvodoch, v ktorých je to z vojenského hľadiska nevyhnutne potrebné a len v bezprostrednej blízkosti frontu v pásme hlbokom 5 až 8 km.

2/ Osoby prichádzajúce do úvahy sa vyzvú k povinnosti odsunúť sa mobilizačnou vyhláškou slovenských vojenských orgánov. Sústredenie týchto osôb, umiestnenie v strediskách zásadne na území Slovenskej republiky ako aj potrebné roztriedenie uskutočnia slovenské orgány za prípadnej pomoci orgánov nemeckej brannej moci. Na ubytovanie sústredených osôb sú slovenské orgány oprávnené disponovať vhodnými miestnosťami a priestormi.[3]

3/ Z povinnosti odsunúť sa majú zásadne vyňať verejní funkcionári a príslušníci niektorých povolaní, ktorí vo verejnom záujme majú ostať na mieste, najmä predstavenstvá obcí, duchovní, podľa príkazov svojich nadriadených úradov aj štátni zamestnanci, ďalej osoby potrebné na nevyhnutné vedenie poľnohospodárstva a na dozor nad poľnohospodárskymi podnikmi a pod., osoby zamestnané v odvetviach živnostníckych, ktoré vo verejnom záujme sa majú ponechať (pekári a pod.).

4/ Možnosť nasadenia skupín mužov, ktoré nebude možno použiť na území Slovenska, do práce prípadne i mimo územia Slovenska upraví sa osobitným medzištátnym dohovorom.[4] Tieto skupiny prevyšujúce domácu potrebu, ustália slovenské orgány a ich nasadenie uskutočnia orgány Ústredného úradu práce Ministerstva vnútra podľa zásad platných pre zamestnávanie robotníkov v Ríši.

5/ Konkrétne prípady vážnejšieho nezachovania týchto zásad doteraz, najmä vec doterajšieho odtransportovania niekoľkých skupín slovenských príslušníkov,[5] majú sa preskúmať a má sa vykonať v medziach možnosti náprava. Slovenská vláda vyšle osobitnú komisiu do Ríše, aby zistila podmienky ubytovania, stravovania a postavenia vôbec u osôb, ktoré boli do Ríše doteraz odtransportované, s osobitným zreteľom na osoby, ktoré sa do stredísk dostali, hoci sú nevinné (transport z Kútov).

6/ Nemecké miesta sa majú v súvise s tým požiadať o vysvetlenie pokračovania nemeckého vyslanca[6] vo veci transportu, ktorý bol v tábore v Novákoch a odtiaľ proti dohode bol poslaný do ríše.[7] Tento transport bol zastavený v Kútoch. Minister vnútra[8] dostal od nemeckého vyslanca ubezpečenie, že transport bude vrátený a odovzdaný orgánom slovenskej vlády. Napriek tomuto jasnému dohovoru nebol vrátený."[9]

SNA, f. ÚO NS, š. 15, On ľud 10/1946 – Štefan Tiso. Kópia, strojopis, 1 strana.

---

1 Na existenciu dokumentu upozornil ako prvý vojenský historik Igor Baka. Pozri BAKA, I. Nasadenie civilného..., s. 84
2 Správne Kreysing. Hans Kreysing (1890-1969), bol veliteľom 8. armády.
3 Porovnaj dokument 141.
4 Pozri dokument 144.
5 Pozri dokumenty 139 a 140.
6 Hanns Elard Ludin.
7 Pozri dokument 141.
8 Alexander Mach.
9 Pozri dokumenty 139 a 140.

143
1945, 10. marec. Bez uvedenia miesta [Bratislava]. – Zápisnica zo zasadnutia slovenskej vlády, na ktorom sa prerokúvala otázka nasadenia evakuovaných pracovných síl a náboru 15 000 poľnohospodárskych robotníkov na práce do Nemecka.[1]

Zápisnica
napísaná dňa 10. marca 1945 o III/64 zasadnutí vlády Slovenskej republiky.

Prítomní boli:
predseda vlády Dr. Štefan Tiso,

ministri: Štefan Haššík, Dr. Mikuláš Pružinský, Dr. Aladár Kočiš, Ing. Ľudovít Lednár a predseda Najvyššieho úradu pre zásobovanie Dr. Štefan Ondruška, šéf Úradu propagandy vyslanec T. J. Gašpar.

Predseda vlády, uvítajúc prítomných, otvoril zasadnutie vlády o 9. hodine.

1. Vláda schválila zápisnicu zo 6. marca 1945.

2. Predseda vlády podal správu o stanovisku príslušných nemeckých vojenských činiteľov k uzneseniu vlády zo dňa 1. marca 1945 o zásadách odsunu mužov v pracovnom veku z ohrozených krajov a k otázkam s tým súvisiacim.[2] Nemecké miesta zotrvávajú na bezpodmienečnom odsune mužov vo veku od 16. do 60. roku za každých okolností z pásma v hĺbke 30 km za frontovou čiarou, a to z pásma 5 km za frontovou čiarou všade, z pásma ďalších 25 km podľa miestnej vojenskej situácie. Naproti tomu nemecké vojenské miesta na žiadosť slovenskej vlády sú uzrozumené s tým, že s odsunom mužov spojené opatrenia (sústredenie, umiestnenie, roztriedenie a pod.) budú vykonávať slovenské orgány. Rovnako akceptujú ďalšie požiadavky slovenskej vlády, aby boli ponechaní v spomenutých ohrozených oblastiach muži, potrební na zabezpečenie administratívy, zásobovania obyvateľstva, zdravotnej služby, vedenia a dozoru nad poľnohospodárstvami. Nemecké vojenské miesta poskytnú všemožnú pomoc obyvateľstvu pri jarných poľnohospodárskych prácach; v tomto smere vydali už vojenským jednotkám operujúcim na Slovensku patričné rozkazy.

Aby sa zaistil jednotný výkon uvedených opatrení zo slovenskej strany budú k štábom veliteľstiev nemeckej brannej moci na Slovensku pridelené styčné vojenské orgány; ich mená sa majú oznámiť Nemeckému vyslanectvu v Bratislave (vojenský attaché).[3]

Napokon predseda vlády tlmočil vláde bezpodmienečnú požiadavku nemeckých vojenských miest, aby sa z mužov odsunutých podľa vyššie uvedených zásad kontingent 15 000 poľnohospodárskych robotníkov nasadil na práce vo východných okresoch Ríše, susediacich s územím Slovenskej republiky.[4]

Vláda túto správu a v nej uvedené požiadavky nemeckých miest vzala na vedomie s výhradou, že čo sa týka požadovaných 15 000 poľnohospodárskych robotníkov v Ríši, ich nasadenie uskutoční sa v spomenutých východných s územím Slovenskej republiky susediacich okresoch Ríše prostredníctvom Ústredného úradu práce pri zachovaní všetkých podmienok platných pre zamestnávanie robotníkov v Ríši. Čiastočný nábor pre uvedený kontingent má sa uskutočniť už aj z osôb t. č. zaistených v tábore v Novákoch, spôsobilých pre poľnohospodárske práce, nakoľko nie sú príslušníkmi odvodových ročníkov, ktoré prichádzajú podľa vyhlášky MNO č. 51000 dopl. 1945 do úvahy pre službu v brannej moci. Ich roztriedenie vykoná vojenský orgán a zástupca Ústredného úradu práce tým cieľom do Novákov Ministerstvom národnej obrany a Ministerstvom vnútra bezodkladne vyslaný.[5]

SNA, f. ÚO NS, š. 15, On ľud 10/1946 – Štefan Tiso. Kópia, strojopis, 2 strany.

1 Na existenciu dokumentu upozornil ako prvý vojenský historik Igor Baka. Pozri BAKA, I. Nasadenie civilného..., s. 84
2 Pozri dokument 142.
3 Alfred Elger.
4 Pozri dokument 144.
5 Sledovaním záležitosti poverila slovenská vláda vládneho splnomocnenca pre Pohronskú a Nitriansku župu Jána Ďurčanského. V prepise jeho hlásenia z polovice marca 1945 sa uvádza: *„Hlási, že navštívil v sprievode poslanca Klimku nemeckého veliteľa mj. Heineckeho v Novákoch a rokoval s ním o uvoľnení koncentrovaných mužov. Major udal, že koncentrujú len tých, ktorí nemajú žltý evakuačný príkaz. S evakuačným príkazom môže každý voľne cestovať na určené miesto. Major uvoľnil doteraz štátnych úradnikov, ktorí sa ako taki legitimovali a mali určené miesto nového pôsobiska. V budúcnosti bude s nimi podobne zaobchádzať. Veliteľ sľúbil*

uvoľniť primeraný počet robotníkov pre banské a iné dôležité podniky v okolí a tiež na opevňovacie práce. 7. marca do Topoľčian odtransportovali z Novák 400 mužov, ktorí budú tam nasadení ako pracovná jednotka. Ináč stravovanie v tábore v Novákoch je už v poriadku a v budúcnosti nevzniknú ťažkosti. Zástupca vládneho poverenca poznamenáva, že mj. Heinecke na intervenciu verejných činiteľov prepustil vo vlastnej kompetencii niektorých mužov s podmienkou, že sa odoberú na iné neohrozené pracovné miesto. Niekoľkí to však zneužili a vrátili sa do svojich domovov, preto v budúcnosti už vo vlastnej kompetencii nikoho nemôže prepustiť.

Dr. Bukový žiadal, aby aspoň legitimovaní členovia HSĽS a HG boli uvoľnení. Major odpovedal, že to urobiť nemôže a že je to vecou vlády, aby v tomto smere dohodla sa s príslušným nemeckým činiteľom. Prepustených – poznamenal Heinecke – museli by slovenské úrady koncentrovať a do práce nasadiť na vhodných miestach. (Vo veci boli učinené opatrenia podľa uznesenia vlády.)" (SNA, f. MP, š. 126, bez čísla)

144

1945, 25. marec. Bratislava. – Witiskova správa RSHA vo veci nasadenia nútene evakuovaných slovenských štátnych občanov na poľnohospodárske práce v Nemecku.

Der Befehlshaber
der Sicherheitspolizei und des SD
in der Slowakei   Preßburg, den 25. 3. 1945
Az. III D – Schö/LS
Lfd. Nr. 891
Ref. u. Berichtverf.: SS-Ostuf. H. W. Schönfeld

An das
Reichssicherheitshauptamt
– III D –
z. Hd. d. SS-Standartenführer Seibert,
Berlin

nachrichtlich an:

Reichssicherheitshauptamt
– III B –
z. Hd. d. SS-Standartenführer Dr. Ehlich,
Berlin

Betrifft: Arbeitseinsatz zwangsevakuierter Slowaken.

    Der Deutsche Gesandte Ludin hat nach Rücksprache mit dem slowakischen Ministerpräsidenten Dr. Tiso und dem slowakischen Staatspräsidenten am 21. 3. 1945 die Zustimmung für die Überführung der 16 – 30 jährigen wehr- und arbeitsfähigen Zwangsevakuierten in das Reich erhalten.

    Von den in den Lagern derzeit befindlichen rund 2 200 Arbeitskräften werden vorerst 1 000 Mann für den Bahnbau in der Westslowakei abgestellt werden, der Rest kommt vorwiegend in der Landwirtschaft der Gaue Niederdonau und Wien zum Einsatz. Die Höchstgrenze der in das Reich zu überführenden Arbeitskräfte wurde mit etwa 15 000 festgesetzt.[1] Auf Grund dieser Vereinbarung wird schon in diesen Tagen mit dem Arbeiterabtransport begonnen.[2]

                           Witiska [v. r.]
                           SS-Standartenführer

BArch Berlín, R 70 Slowakei/205, Bl. 111. Originál, strojopis, 2 strany.

1 Pozri dokument 143.
2 Správa bola zostavená na základe Smagonovho záznamu z 23. 3. 1945. (BArch Berlín, R 70 Slowakei/205, Bl. 110.)

145

1945, 20. august. Bratislava. – Prípis Povereníctva pre sociálnu starostlivosť SNR Predsedníctvu SNR vo veci vyplatenia úspor slovenských pracovných síl zamestnaných v rokoch 1939 – 1945 v Nemeckej ríši.

Povereníctvo SNR pre sociálnu starostlivosť

Číslo: III/3-95/2-1945   V Bratislave dňa 20. VIII. 1945
Predmet: Slovenskí robotníci,
         prevod úspor z cudziny

Predsedníctvu Slovenskej národnej rady
v Bratislave.

V rokoch 1939 – 1945 slovenskí robotníci hromadne vyhľadávali pracovné miesta v býv. Nemecku a českých zemiach. Ich zárobky, úspory a odškodné od nositeľov sociálneho poistenia boli zasielané na Slovensko prostredníctvom Slovenského oddelenia Dresdner banky v Karlových Varoch, Národnej banky v Prahe a Deutsche Bank v Berlíne cez Arbeiterlohnerspranissekonto u Verrechnungskassy v Berlíne, ktoré poukazy boli na Slovensku preplácané Poštovou sporiteľňou v Bratislave z peňazí daných k dispozícii býv. Ministerstvom financií v Bratislave.[1] Otázku regulovali uznesenia takzv. Slovensko-nemeckých vládnych výborov.

Tento stav prestal po oslobodení slovenského územia. V dôsledku toho neboli príjemcom na Slovensku doteraz vyplatené:

1./ úspory, ktoré Poštová sporiteľňa v Bratislave už poukázala, ale pre vojnové a iné ťažkosti nemohli byť doručené a preto boli Poštovej sporiteľni vrátené
K 3 900 000

2./ poukazy mesačných úspor, ktoré sú u Poštovej sporiteľni
k vyplateniu pripravené   K 6 489 000

3./ poukazy úspor pohraničných robotníkov, ktoré má Poštová
sporiteľňa k vyplateniu pripravené   K 2 354 000

4./ Poštovou sporiteľňou zadržané rôzne výplaty pre ÚSP,
Lekársku komoru atď.   K 9 584 000

5./ poukazy, ktoré sa nachádzajú v Národnej banke v Bratislave   K 1 678 000
spolu: K 24 005 000
Obnosy tieto neboli vyplatené z dôvodov uvedených vyššie.

Mimo týchto súm sú u Slovenského oddelenia Dresdner banky v Karlových Varoch a v Národnej banke v Prahe už povolené zvláštne transfery, ktoré ešte doposiaľ neboli vybavené. Ďalej zárobky, ktoré národná banka v Prahe, Slovenské oddelenie Dresdner banky v Karlových Varoch a Deutsche Bank v Nemecku už poukázali cez Verrechnungskasse v Berlíne, ale následkom vojnových udalostí neboli odoslané na Slovensko, poprípade listiny o poukazoch neboli doručené Národnej banke v Bratislave.

Výška týchto súm má sa zistiť vyšetrovaním na mieste samom. Odhadujú sa na cca 50 miliónov K. Povereníctvo SNR pre financie zdelením zo dňa 27. júna 1945 č. 1185/45-VI/19 prejavilo názor, že ďalšia výplata týchto úspor má byť riešená normatívne, čiže legislatívnou cestou.[2]

Keďže zainteresované robotníctvo neprestajne urguje vyriešenie otázky, úctivo prosím o zaujatie stanoviska k tejto veci.

Povereník:
Horváth [v. r.]

SNA, f. PF, š. 935, 15036/44-VI-17. Originál, strojopis, 2 strany.

1 Pozri dokumenty 14, 15, 16, 17, 39, 46 a 51.
2 Povereníctvo SNR pre financie vo svojom prípise zo 6. 7. 1945 celú záležitosť posúvalo do kompetencie Povereníctva SNR pre sociálnu starostlivosť: *„Bolo by treba čítať pripojený exibit Poštovej sporiteľne v Bratislave zo dňa 12. júna 1945 číslo 1108-R-45 vo veci uskutočňovania výplat robotníckych poukazov z Nemecka na ťarchu povolených preddavkov bývalého Ministerstva financií v Bratislave.*
Výplatu po stránke technickej sprostredkovala Poštová sporiteľňa a dňom oslobodenia Bratislavy ju zastavila a ani neobnovila z menových dôvodov. Z obsahu uvedeného listu okrem toho možno ustáliť, že z povolených preddavkov ostalo nevyčerpané K 34 374 425,30 a nevyplatených poukazov za K 7 058 798,20. Pri tom sa dá s určitosťou predpokladať, že výška týchto poukazov bude omnoho vyššia s ohľadom na to, že v poslednom čase nedostávala Poštová sporiteľňa pravidelne príslušné doklady Verrechnugskasse v Berlíne cez príslušné oddelenie Slovenskej národnej banky v Bratislave.
(...) robotníci vracajúci sa z Nemecka domáhajú sa výplaty svojich úspor a preto žiada sa o vydanie príslušnej úpravy.
Treba poznamenať, že zárobkové možnosti slovenských robotníkov v Nemecku sprostredkovalo bývalé Ministerstvo vnútra – Ústredný úrad práce. Úspory, vyplývajúce z robotníckych poukazov, ktoré bolo možno transferovať podľa platných predpisov na Slovensko cez Arbeiterlohnerspranissekonto, boli preplácané Poštovou sporiteľňou na ťarchu povolených preddavkov bývalého Ministerstva financií – teda zo štátnych prostriedkov – spočiatku v pomere 1 RM : 9 Ks a neskoršie 1 RM : 11 Ks. Kurzový rozdiel bol použitý na úhradu manipulačných výloh a čiastočne ako odvod zisku do štátnej pokladnice. Takto získanú protihodnotu v markových disponibilitách v Nemecku používalo od prípadu na prípad bývalé Ministerstvo financií na plnenie štátnych záväzkov, ktoré vyplývali z medzištátnych dohôd a na rôzne štátne nákupy pre vlastnú štátnu správu a štátne podniky oproti refundácii a neskoršie oproti vyúčtovaniu podľa zákona č. 48/42 Sl. z.
Keďže za terajšieho stavu v Nemecku nemožno ničoho nakupovať, poťažne ríšske marky stratili úplne svoju likviditu, nemožno tieto z hľadiska pokladničného nakupovať, lebo z tohto nákupu vznikala by len strata pre štátnu pokladnicu. Naproti tomu však nároky z titulu pre poukázanie markových disponibilít na Slovensko a ich preplatenie v K bude treba vhodným spôsobom uspokojiť, nakoľko sa jedná o ľudí sociálne najslabších.
Mám za to, že táto vec po stránke formálnej i vecnej prislúcha do kompetencie Povereníctva SNR pre sociálnu starostlivosť a preto treba požiadať uvedené Povereníctvo SNR o vydanie normatívnej úpravy ako treba likvidovať nároky výplat robotníckych poukazov z Nemecka.
Poštovou sporiteľňou vydané opatrenie vo veci zastavenia výplat robotníckych poukazov z Nemecka možno schváliť. "

146

1946, 23. apríl. Bratislava. – Záznam Povereníctva pre financie SNR, týkajúci sa spôsobu vyplácania úspor slovenských pracovných síl zamestnaných v Nemeckej ríši.

Povereníctvo slovenskej národnej rady pre financie

Č.: 7822/46-VI-19   Kancelária VI. odboru, Bratislava

Vec: Slovenskí robotníci v cudzine – súpis úspor a pohľadávok.

Vybavenie:
Skutkový stav:
1/ Slovenskí robotníci najímaní svojho času na rôzne práce do Veľkonemeckej ríše obracajú sa stále na tunajšie povereníctvo ohľadom preplatenia svojich úspor, ktoré boli prepoukázané na Slovensko cez Arbeiterlohnersparnisse avšak dosiaľ neboli preplatené s ohľadom na štátoprávne pomery.[1]

2/ Povereníctvo sociálnej starostlivosti listom zo dňa 10. marca 1946 číslo III/1-285/2-46 zasiela na nahliadnutie obežník ohľadom preplácania robotníckych úspor z Nemecka a žiada o oznámenie, či uvoľňovanie vkladov bude sa prevádzať obdobne ako u ostatných viazaných vkladov.[2]

Vótum:
Povereníctvo sociálnej starostlivosti pripravilo ohľadom preplácania robotníckych úspor z Nemecka úpravu so súhlasom tunajšieho povereníctva[3] a táto bude dodaná všetkým úradom ochrany práce na Slovensku na prevedenie.[4]

V dôsledku tohto opatrenia predmetné dožiadania sú bezpredmetné.

Ad 2/ Protihodnota za prepoukázané a zložené robotnícke úspory do výšky 500 RM cez Arbeiterlohnersparnisse bude pripísaná na viazaný účet percipienta u peňažného ústavu.

U výplat uvedených v prihláške „D" vyhradzujem si právo spolurozhodovania s ohľadom na záujem o ochrane československej meny.

Na uvoľnenie výplat z uvedených viazaných vkladov vzťahujú sa ustanovenia §-14 dekrétu prezidenta Republiky č. 91/45 Sb. z. a. n.[5] a v dôsledku tohto opatrenia bude treba tieto vklady prihlásiť v zmysle ustanovenia dekrétu prezidenta Republiky č. 95/45 Sb. z. a n.,[6] a to najneskoršie do 8 dní odo dňa vyrozumenia, že pripísanie vkladu nastalo.[7]

V Bratislave dňa 23. apríla 1946.

Za povereníka:
[podpis nečitateľný]

SNA, f. PF, š. 935, 17062/46-VI-19. Originál, strojopis, 3 strany.

1 Pozri dokument 145.
2 Dokument nepublikujeme. Pozri SNA, f. PF, š. 935, 17062/46-VI-19. 26. 4. 1946 odoslalo povereníctvo financií povereníctvu pre sociálnu starostlivosť prípis s nasledovným znením: *„Poukazujúc na tamojšie dožiadanie zo dňa 10. marca 1946 číslo III/1-285/2-1946 vo veci v predmete uvedenej oznamujem, že na preplácanie robotníckych úspor, prepoukázaných svojho času z Nemecka na Slovensko cez „Arbeiterlohnersparnisse" je dostatočná suma k dispozícii u Poštovej sporiteľne v Bratislave.*
U výplat uvedených v prihláške „D" vyhradzujem si právo spolurozhodovania s ohľadom na záujem o ochrane československej meny a preto v každom prípade je treba vyžiadať si zvlášť súhlas tunajšieho povereníctva.
Ďalej pripomínam, že každého žiadateľa bude treba vyrozumieť o pripísaní (zložení) protihodnoty za priznané RM na jeho viazaný účet cieľom dodatočného prihlásenia viazaného vkladu v zmysle ustanovenia dekrétu prezidenta Republiky č. 95/45 Sb. z. a n.
Dodatočné prihlásenie viazaného vkladu musí sa previesť obvyklým spôsobom najneskoršie do 15 dní odo dňa vyrozumenia, že pripísanie vkladu nastalo.
Na uvoľňovanie výplat z uvedených viazaných vkladov vzťahujú sa ustanovenia §-14 dekrétu prezidenta Republiky č. 91/45 Sb. z. a n. obdobne ako na ostatné viazané vklady.
Celú peňažnú a vkladovú manipuláciu odporúčam previesť cez Poštovú sporiteľňu v Bratislave a preto ráčte vstúpiť do jednania so zástupcami Poštovej sporiteľne v Bratislave a o výsledku podať správu. "
3 Dňa 29. 1. 1946 navrhlo Povereníctvo SNR pre financie nasledovný spôsob vyplácania netransferovaných robotníckych miezd: *„Povereníctvo vnútra pre sociálnu starostlivosť navrhuje preplácať:*
a/ robotnícke úspory, vyplývajúce z riadneho mesačného transferu včetne zvláštneho mesačného transferu bez ohľadu na ich výšku v pomere 1 RM : 10 Kčs,
b/ ostatné robotnícke úspory do výšky 500 RM v pomere 1 RM : 5 Kčs a nad túto hranicu v pomere 1 RM : 2.50 Kčs.

Technické prevedenie súpisu pohľadávok vo Veľkonemeckej ríši obstará vo svojej kompetencii samo Povereníctvo pre sociálnu starostlivosť prostredníctvom okresných úradov ochrany práce a výplatu prizná len tým robotníkom, ktorí sú československými štátnymi občanmi a predložia doklad o štátoobčianskej spoľahlivosti. Povereníctvo pre financie berúc do úvahy sociálne postavenie robotníkov ako aj tú okolnosť, že robotník býv. Protektorátu mohol so svojimi zárobkami ihneď voľne nakladať, kdežto slovenský robotník mohol disponovať so svojim zárobkom až po prevedení výplaty z clearingu, rozhodlo sa preplatiť robotnícke úspory, ktoré svojho času boli prepoukazované slovenskými robotníkmi z Veľkonemeckej ríše na Slovensko cez Sonderkonto–Arbeiterlohnersparnisse a t. č. sa nachádzajú na zmienenom účte u Národnej banky československej – oblastný ústav pre Slovensko ako aj tie úspory, ktoré s ohľadom na vojnové udalosti boli prinesené v hotovosti na Slovensko, najviac však do výšky 500 RM v pomere 1 RM : 1 Kčs v prospech percipienta na jeho viazaný účet peňažného ústavu.

Robotnícke úspory nad RM 500 až do definitívneho usporiadania medzištátnych záväzkov zatiaľ preplácané nebudú a v dôsledku tohto treba vyčkať rozhodnutie Ministerstva financií v Prahe.

V dôsledku tohto „Prihlášky A, B, C, D" treba doplniť vhodným textom, u ktorého peňažného ústavu treba výplatu zložiť na viazaný účet percipienta.

Finančné prostriedky na preplácanie robotníckych úspor zatiaľ sú k dispozícii u Poštovej sporiteľni v Bratislave po výšku cca Kčs 31 mil., ktoré neboli z tohto titulu použité na uvedený účel ani späť vrátené do štátnej pokladnice, takže rozpočtové zaťaženie predbežne neprichodí v úvahu. Ak by však hotovosti na tento cieľ nepostačovali, výplata uskutoční sa na ťarchu mimorozpočtového hospodárenia Všeobecnej pokladničnej správy."

(SNA, f. PF, š. 935, 3821/46-VI-19.)

4 Pozri dokument 147.

5 Dekrét prezidenta republiky č. 91/1945 o obnovení novej československej meny z 19. 10. 1945.

6 Dekrét prezidenta republiky č. 95/1945 o prihlásení vkladov a iných pohľadávok u peňažných ústavoch, ako aj životných poistení a cenných papierov z 20. 10. 1945.

7 Jeden zo žiadateľov u vyplatenie úspor Štefan P. z Hlohovca dostal od povereníctva pre financie nasledovné vyrozumenie: *„ V prílohe tohto listu späť vraciam blok platobného príkazu a potvrdenky k bankovému preukazu č. 238.730 s tým, že súpis robotníckych úspor, prepoukázaných svojho času z Nemecka na Slovensko cez "Arbeiterlohnersparnisse " bude prevedený prostredníctvom úradov ochrany práce na Slovensku a preto ráčte vyčkať na jeho výzvu. "*

147

1946, 11. november. Bratislava. – Vyhláška Povereníctva sociálnej starostlivosti SNR o modalitách vyplácania nevyplatených miezd, ktoré si usporili slovenskí robotníci zamestnaní v Nemecku.

Povereníctvo sociálnej starostlivosti v Bratislave.

Číslo: III/1-285/54-1946   V Bratislave 11. XI. 1946

Predmet: Úspory slovenských robotníkov z Nemecka
– prihlásenie k dávke z majetku.

Všetkým okresným úradom ochrany práce.

Na dotazy robotníkov, ktorí pracovali v Nemecku, či pohľadávky na mzdách, úsporách a poukazoch, ktoré v Nemecku ponechali, resp., ktoré im neboli na Slovensku vyplatené majú pri terajšom prihlasovaní k dávke z majetku a z prírastku prihlásiť, oznamuje tunajšie povereníctvo toto:

Povinnosť prihlásenia vzťahuje sa len na tie peniaze, ktoré robotníci prostredníctvom bankových preukazov ako mesačné poukazy alebo ako zvláštny transfer do príslušnej banky k poukazu na Slovensko zložili, (pohľadávky prihlásené u Povereníctva sociálnej starostlivosti v Bratislave na prihláške „A"). Peniaze, ktoré robotníci majú uložené v bankách v Nemecku a v Rakúsku (na prikl. u Dresdner banky v Berlíne, v Karl. Varoch[1] na účte Arbeitersonderkonto č. 659 391 alebo u Länderbanky vo Viedni na účte č. 69 998), u zamestnávateľov a u známych (prihlášky „B" a „C" Povereníctva sociálnej starostlivosti) prihláškovej povinnosti k dávke z majetku a z prírastku nepodliehajú, pretože tieto nebudú v dohľadnej dobe mobilné a nie je možno pre tieto ani prepočítavací kurz stanoviť.

Náhrada za RM dovezené v hotovosti (prihláška "D" Povereníctva soc. starostlivosti) začala sa už vyplácať a robotníci už dostávajú o tomto potvrdenie od Poštovej sporiteľni v Bratislave.

Tieto náhrady prihláškovej povinnosti podliehajú.

Hodnota RM, ktoré prihláške podliehajú je stanovená na 10 Kčs za 1 RM. Za RM dovezené v hotovosti je stanovená náhrada 6 Kčs za 1 RM brtto. Zrážka je 10 %; teda 5,40 za 1 RM netto.

O tomto robotníctvo vhodným spôsobom upovedomte.

Odpis vyhlášky, ktorá bude v predmetnej veci uverejnená v časopisoch sa pripojuje.

Za správnosť vyhotovenia: Za povereníka:
                                                                            Dr. Grom v. r.

SNA, f. PF, š. 935, 17062/46-VI-19. Cyklostyl, 1 strana.

1 Dňa 3. 4. 1946 pobočka Dresdner Bank v Karlových Varoch vo veci výšky pohľadávok slovenských robotníkov, zamestnaných v rokoch 1939 – 1945 na území Nemeckej ríše, hlásila Povereníctvu SNR sociálnej starostlivosti nasledovné: *„Na Váš ct. prípis zo dňa 10. marca t. r. ohľadom úspor a pohľadávok slovenských robotníkov v cudzine, Vám oznamujeme, že v našom oddelení vedieme asi 6 000 účtov reprezentujúcich približne 1 400 000 RM, z ktorých bolo podľa dekrétu prezidenta Republiky 95/45 Sb. z. zo dňa 20. 10. 1945 prihlásených len 168 ks. v celk. obnose RM 104 363,69 a zbyvajúce neprihlásených RM 1 300 000 sme povinní vykázať ako prepadnuté v prospech Československého štátu.*
Termín prihlášok vyšeuvedených vkladov končil dňa 31. XII. 1945 a preto si dovoľujeme týmto úct. otázať, či vo vašom obežníku uvedené prihlášky, je súčiastka hlásení podľa horeuv. dekrétu, alebo akcia separátna. V poslednom prípade bolo by potrebné, aby boli u Ministerstva financií v Prahe podniknuté potrebné kroky, aby neprihlásené vklady boli vybraté z akcie prihlášok podľa dekrétu prezidenta Republiky zo dňa 20. 10. 1945 a zaradené do zvláštnej akcie. Tým by prepadnutiu v prospech Československého štátu bolo zabránené. Prosíme Vás preto snažne, aby ste nám v tomto smere poskytli čím skôr smernice, aby mohli od hlásenia predmetných vkladov upustiť [...]"

148

1947, 21. marec. Bratislava. – Prípis Povereníctva pre sociálnu starostlivosť SNR Povereníctvu pre financie SNR vo veci vyplatenia úspor slovenských pracovných síl zamestnaných počas vojny v Nemeckej ríši.

Povereníctvo pre sociálnu starostlivosť

Číslo: III/A-1-646/7-1947   V Bratislave dňa 21. marca 1947

Predmet: Výplata robotníckych úspor poukázaných v RM
                   a zrušenie Dresdner banky v Karlových Varoch.

Povereníctvo financií, odb. VI/19,
v Bratislave.

Ministerstvo financií v Prahe výnosom zo dňa 19. februára 1947, č. j. 32.972/II-I/B/1/47,[1] oznámilo nám, že dňom 1. marca 1947 bude likvidácia filiálok Dresdner banky skončená a vyzvalo nás, aby sme býv. oddelenie pre slovenských robotníkov pri Dresdner banke v Berlíne dňom 1. III. 1947 prevzali, lebo toto oddelenie nebolo filiálkou Dresdner banky[,] ale len evakuovaným oddelením berlínskej centrály a jeho pôsobnosť sa vzťahuje výlučne len na poukazy slovenských robotníkov z býv. Nemecka. Doporučilo nám, aby sme sa pokúsili toto oddelenie umiestniť v niektorej znárodnenej banke v Bratislave.

Tunajšie povereníctvo došlo však k presvedčeniu, že znárodnené banky budú mať väčšie úkoly ako je dopisovať si s poľnohospodárskymi robotníkmi o sumy Kčs 450 – 900 a s ohľadom na toto dohodlo sa s Roľníckou vzájomnou pokladnicou v Bratislave, aby táto celý spisový materiál prevzala a tento držala v poriadku až do úplného skončenia celej likvidácie robotníckych pohľadávok v cudzine. Ide asi o 120 000 účtov[,] z ktorých bolo za roky 1941 – 1945 urobených asi 4 000 000 poukazov a ktoré šli cez „Sonderkonto – Arbeiterlohnersparnisse". Okrem toho majú tam robotníci okrúhle 6 500 účtov svojich úspor, ktoré im zostali po vyčerpaní riadnych mesačných kvót. Tieto úspory sú vedené na účte „Arbeitersonderkonto" u Dresdner banky a obnášajú okrúhle Kčs 15 000 000.[2]

Vzhľadom na vyše uvedené, bude bezpodmienečne potrebné, aby účtovné doklady boli v prospech robotníkov zachované a boli k dispozícii ako potrebe robotníkov tak aj tunajšieho povereníctva a Poštovej sporiteľni a to aspoň do roku 1960, keďže pod týmto termínom nebudú pohľadávky robotníkov – vynímajúc poukazy robené cez „Sonderkonto – Arbeiterlohnersparnisse" – zlikvidované. Aby však toto mohlo byť dodržané, bude potrebné, aby si robotníci na udržovanie tohoto býv. odd. Dresdner banky prispeli a to v takej výške, ktorá by náklady Roľníckej vzájomnej pokladnice uhradila. Tunajší úrad žiada preto, aby pri likvidácii poukazov, ktoré bude robené v pomere RM 1 = Kčs 10, boli robotníkom vyplácané so zrážkou 10%, z ktorých by sa uhradili náklady a to:

2% poukazovacím bankám za hľadanie poukazov,
1% Poštovej sporiteľni z toho istého titulu,
1,75% za vyhotovenie vkladného listu a na porto,
1,75% za potvrdenie prihlášky vkladu a na porto,
1% likvidačný poplatok RVP a
2,5% na rezervu na udržovanie dokladov v období, keď z poukazov, resp. reklamácií už žiadne príjmy nebudú.

Poznamenávame, že z tu uvedených 10 % pripadne – vzhľadom na to, že ide o peňažné zásielky v menších sumách a o vkladné listy – najmenej 1,5 % na poštovné trovy. Okrem toho bude RVP znášať náklady na presťahovanie býv. odd. z Karl. Varov do Bratislavy, prevezme 1 úradníka z býv. zamestnancov tohoto oddelenia, ktorý agendu ovláda, uhradí jeho sťahovacie výlohy a sťahovanie jeho rodinných príslušníkov ako aj jeho zvŕškov.

Tunajšie povereníctvo po dohode s Roľníckou vzájomnou pokladnicou a Poštovou sporiteľňou zariadilo vec tak, aby výplaty reklamovaných poukazov prevádzala RVP, ktorá súčasne na účte robotníka zaznačí prevedenú platbu, prípadne zostatok v RM, aby celá evidencia bolo sústredená na účte robotníka a neboli zbytočne obťažované iné úrady a ústavy.

Pokiaľ sa týka výplaty reklamovaných poukazov, žiada tunajšie povereníctvo, aby robotníkom boli poukazy neprevyšujúce RM 200 (Kčs 2 000) vyplácané vo voľných Kčs, poukazy prevyšujúce RM 200 až do RM 1 000 vo viazaných Kčs (bez výplaty Kčs 2 000 v hotovosti) a prípadné zostatky nad RM 1 000[,] aby boli robotníkovi vedené v RM na jeho účte u RVP v Bratislave. Tunajšie povereníctvo toto odôvodňuje tým, že v danom prípade ide z 90% o robotníctvo poľnohospodárske, teda o vrstvu sociálne najslabšiu a najhoršie platenú, ktorá za svoje úspory musela veľmi ťažko pracovať a zasluhuje si, aby sa voči nej postupovalo obdobne ako pri výplatách náhrady za RM zložené v hotovosti.

K finančnej otázke tohoto poznamenávame, že sme vybrali 600 po sebe idúcich reklamácií na Kčs 1 204 860. Z tohoto bolo do 200 RM 376 reklamácií na Kčs 426 830, do 1 000 RM 224 reklamácií na Kčs 769 170 (z toho má 5 reklamácií zostatok spolu RM 886 prevyšujúci RM 1 000). Podľa tohoto by pripadlo na výplaty v hotovosti okrúhle 40% a na výplaty vo viazaných Kčs 60 %. Do 8. marca 1947 došlo spolu 8 616 reklamácií na 16 756 poukazov v celkovej sume Kčs 18 572 480, z čoho bude možno likvidovať okrúhle 2/3, teda asi Kčs 12 000 000. Vyžiadala by si teda likvidácia doteraz reklamovaných poukazov okrúhle 5 000 000 vo voľných Kčs a 7 000 000 vo viazaných. Likvidované budú všetky poukazy, ktoré sú na účte „Sonderkonto – Arbeiterlohnersparnisse", na „Unterkonto – Grenzgänger" a prípadne na „Kapitalkonto – Unterkonto" u Deutsche Verrechnungskasse zaúčtované. Potrebné výpisy z týchto účtov zaobstará tunajšie povereníctvo.

Pokiaľ sa týka príjemcov, budú voľné a viazané Kčs vyplácané tomu, kto reklamáciu podal; teda odosielateľovi. Na prihláškach má každý žiadateľ potvrdené, že akej je národnosti a či nebol ľudovým súdom odsúdený k strate občianskych práv. Pri reklamáciách, kde niektorá z podmienok nebude splnená, nebudú poukazy vyplatené. Keď odosielateľ nebol slovanskej národnosti, bude mu poukaz vyplatený alebo vkladný list vydaný len po predložení nového štátneho občianstva. Ak bol odosielateľ ľudovým súdom odsúdený na stratu občianskych práv, bude jemu pripadajúca suma odovzdaná štátnej pokladnici.

Aby mohlo byť prikročené k výplate, žiada tunajšie povereníctvo o vydanie príkazu Poštovej sporiteľni v Bratislave, aby Roľníckej vzájomnej pokladnici v Bratislave dala prevodom na účet k dispozícii Kčs vo voľných 1 000 000 a 1 000 000 vo viazaných a ďalšie prostriedky uvoľňovala vždy po predložení výkazu výplat a to v takej výške, na akú bol predložený výkaz vystavený a Poštovou sporiteľňou uznaný. Účtovanie a kontrolu bude prevádzať Poštová sporiteľňa, ktorá bude tiež vyúčtovávať s tamojším povereníctvom. Poštová sporiteľňa v predmetnej veci robí osobitné podanie.

Vzhľadom na to, že Roľnícka vzájomná pokladnica bude mať už teraz veľké výdavky s prevzatím oddelenia v Karlových Varoch a to výloh sťahovania úradovní, úradníka, jeho rodinných príslušníkov a zvrškov, plat tohoto úradníka už od 1. marca 1947 atď., žiada tunajšie povereníctvo o poukázanie Roľníckej vzájomnej pokladnici z účtu robotníckych úspor Kčs 50 000, ktoré budú Roľníckou vzájomnou pokladnicou po skončení akcie vrátené, respektíve vyúčtované na účet jej prislúchajúcich odmien.

Keďže je vec veľmi súrna, žiadame o láskavé vybavenie mimo poradia.[3]

Za povereníka:
Dr. Kunošík [v. r.]

SNA, f. PF, š. 935, 5837/47-VI-19. Originál, strojopis, 4 strany.

1 Pozri SNA, f. PF, š. 935, 5837/47-VI-19.
2 Porovnaj dokument 147, poznámka 1.
3 Povereníctvo SNR pre financie odpovedalo na podanie 24. 5. 1947 nasledovným prípisom: „*Nadväzujúc na Váš list zo dňa 21. marca 1947 číslo III/A/1-646/7-1947 vo veci v predmete uvedenej s prihliadnutím na pripomienky Národnej banky československej – oblastný ústav pre Slovensko v Bratislave zo dňa 6. mája 1947 číslo 2480/47 oznamujem, že úpravu vydanú Povereníctvom financií v Bratislave zo dňa 29. januára 1946 číslo 3831/46-VI-19 zrušujem a ustanovujem zachovať tento postup pri likvidácii náhrad za stiahnuté RM z titulu robotníckych poukazov uskutočnených cez účet Arbeiterlohnersparnisse, a to:*
a/ robotnícke poukazy včítane zvláštneho transferu, ktoré boli uskutočnené cez účet Arbeiterlohnersparnisse do 23. marca 1945 prostredníctvom býv. Slovenskej národnej banky a touto aj odovzdané v tom čase Poštovej sporiteľni v Bratislave na výplatu majú sa preplatiť do maximálnej výšky RM 120 v pomere 1 RM : 11 Kčs zo zrážkou 1 Kčs za každú RM,
b/ robotnícke poukazy včítane zvláštneho transferu za toho istého predpokladu majú sa preplatiť od 120 RM do 1 000 RM v pomere 1 RM : 11 Kčs so zrážkou 1 Kčs za každú RM na viazaný účet zložiteľa,
c/ zvyšok týchto poukazov včítane odovzdania efektívnych platidiel RM svojho času do Štátnej pokladnice pre Slovensko v Bratislave má sa preplatiť v pomere 1 RM : 6 Kčs so zrážkou 0,50 Kčs za každú RM na viazaný účet zložiteľa,

d/ robotnícke poukazy, ktoré doteraz neboli prepoukázané na Slovensko cez zmienený účet alebo i tie, ktoré vyplývajú len z nárokov voči zamestnávateľom na mzde nemôžu sa preplatiť až do usporiadania medzištátnych záväzkov a v dôsledku tohoto je treba vyčkať ďalšie rozhodnutie.

Celkové vyúčtovanie preplatených úhrad v hotovosti alebo na viazaný účet zložiteľa prevedie sa prostredníctvom Poštovej sporiteľne v Bratislave, pričom po stránke účtovno-technickej treba pokračovať takto:

1/ Dodatočné uznanie náhrad za stiahnuté RM z titulu robotníckych poukazov bude prevedené Roľníckou vzájomnou pokladnicou v Bratislave podľa výkazov vyhotovených tamojším povereníctvom na základe podaných žiadostí jednotlivých percipientov.

Pokiaľ však pôjde o viazané vklady v prospech zložiteľov, Roľnícka vzájomná pokladnica vyhotoví vkladný list pre každého zložiteľa.

2/ Prihláška viazaných vkladov bude spracovaná Roľníckou vzájomnou pokladnicou v Bratislave.

3/ Roľnícka vzájomná pokladnica v Bratislave vyhotoví na každý viazaný vklad odpočet v piatich exemplároch, a to: pre seba, zložiteľa, Povereníctvo financií, Národnú banku čsl. – oblastný ústav pre Slovensko a Poštovú sporiteľňu v Bratislave.

Odpočet bude mať tieto rubriky: 1/ bežné číslo, 2/ meno a adresa zložiteľa, 3/ výška nerealizovaných poukazov v RM, 4/ protihodnota v Kčs, 5/ zrážka, 6/ netto platba v hotovosti a na viazaný účet.

4/ Roľnícka vzájomná pokladnica v Bratislave okrem odpočtu povedie i register prevedeného uznania náhrad za stiahnuté RM z titulu robotníckych poukazov štvormo, a to: pre seba, Povereníctvo financií, Národnú banku čsl. – oblastný ústav pre Slovensko a Poštovú sporiteľňu v Bratislave. Rubriky registra sú tie isté ako pri odpočte (bod 3).

5/ Viazané vklady z tohto titulu budú sa musieť dodatočne prihlásiť k majetkovým dávkam podľa zák. č. 134/46 Sb. z. a n.

6/ Zrážka 1 Kčs za každú uznanú ríšsku marku podlieha povinnému vyúčtovaniu a zvyšok po uhradení všetkej réžie odvedie sa na príkaz Povereníctva financií v Bratislave v prospech šekového účtu 1-6380 Povereníctva financií.

Nakoľko zhoruvedeným listom požiadali ste nás vydať na plnenie týchto úloh finančné prostriedky k dispozícii Roľníckej vzájomnej pokladnici v Bratislave, žiadam o oznámenie šekového účtu a jeho označenie.

Vzhľadom na to, že v danom prípade ide o vrstvu obyvateľstva sociálne najslabšiu, považujem za nutné riešiť túto otázku čím skôr v záujme žiadateľov a štátu a tak zabrániť ďalším urgenciám a intervenciám, ktoré sú neopodstatnené. Ak sa javia v tejto záležitosti po stránke technickej určité prekážky, považujem za nutné tieto odstrániť vo vlastnej pôsobnosti tak, aby z tohto titulu nevzniklo štátnej správe žiadne ďalšie finančné zaťaženie.

O tomto opatrení súčasne vyrozumievam Poštovú sporiteľňu v Bratislave a Národnú banku čsl. – oblastný ústav pre Slovensko v Bratislave. "

149

1948, 11. máj. Bratislava. – Záznam Povereníctva financií SNR vo veci vyplácania usporených netransferovaných miezd slovenských robotníkov zamestnaných v Nemeckej ríši.

Povereníctvo financií

Č.: 4038/46-VI-19

Vec: Likvidácia robotníckych poukazov z Nemecka.

Vybavenie:

Skutkový stav:

1/ Poštová sporiteľňa v Bratislave listom zo dňa 20. marca 1948 číslo 1283-R-1948 zasiela na vedomie odpis svojho podania na Ministerstvo financií v Prahe vo veci likvidovania oddel. slovenských robotníkov Drážďanskej banky v Karlových Varoch.[1]

2/ Osobný tajomník povereníctva financií listom zo dňa 15. marca 1948 číslo 378/sekr. os.taj.48 zasiela na vyjadrenie a ďalšie pokračovanie žiadosť Floriána N.[...][2] z Báhoňa vo veci výplaty peňazí zarobených v Nemecku. O výsledku tohoto opatrenia žiada podať správu.

3/ Povereníctvo sociálnej starostlivosti v Bratislave listom zo dňa 20. januára 1948 číslo I/1-1300/1-1948 zasiela na vedomie odpis „zápisnice" z porady konanej dňa 14. januára

1948 v budove Povereníctva sociálnej starostlivosti vo veci zachovania ďalšieho postupu pri likvidovaní robotníckych poukazov z Nemecka.[3] V tomto liste súčasne uvádza svoje pripomienky, na ktoré žiada vziať zreteľ pri konečnom rozhodnutí.[4]

4/ Pán Oselský, zástupca Povereníctva sociálnej starostlivosti navštívil dňa 28. apríla 1948 koncipienta vo veci v predmete uvedenej za účelom získania informácie v akom štádiu vybavenia sa táto vec nachádza a kedy môže sa započať s likvidáciou týchto poukazov.

Vótum:

Ad 1/ až 4/: Vo veci likvidovania poukazov z Nemecka treba poukázať na to, že Povereníctvo financií v zásade vyslovilo súhlas s preplácaním robotníckych poukazov už dňa 29. januára 1946 číslo 3831/46-VI-19,[5] avšak Povereníctvo sociálnej starostlivosti z technických príčin, pre neúplnosť prevedenia súpisu a zistenia skutočného stavu nerealizovaných poukazov k výplate nepristúpilo. Podľa tohoto opatrenia preplatenie robotníckych poukazov malo sa uskutočniť do maximálnej výšky 500 RM v pomere 1 RM : 10 Kčs v prospech viazaného účtu percipienta z paušálnych prostriedkov, ktoré pre tento účel zo svojho zložilo býv. ministerstvo financií z paušálnych prostriedkov. Zvyšok nerealizovaných poukazov mal sa preplatiť až po definitívnom usporiadaní medzištátnych záväzkov. O tomto opatrení medzitým bola vyrozumená i Národná banka Československá – oblastný ústav pre Slovensko v Bratislave.

Povereníctvo sociálnej starostlivosti listom zo dňa 21. marca 1947 číslo III/A--I/1946-7/1947[6] žiadalo revidovať toto stanovisko s prihliadnutím na predpoklad, že sa jedná o vrstvu obyvateľstva sociálne najslabšiu a najhoršie platenú. Zmena tohoto opatrenia javila sa potrebnou čím skôr v záujme tejto vrstvy obyvateľstva a v záujme štátu.

V dôsledku tohoto pri revidovaní tohoto riešenia vychádzalo sa z úpravy Povereníctva financií z 29. januára 1946 č. 3831/46-VI-19,[7] ďalej z úpravy zo dňa 18. septembra 1946 č. 13800/46-VI-19 a jej doplnku zo dňa 30. októbra 1946 číslo 15090/46-VI-19,[8] nakoľko tieto dve posledne spomenuté úpravy boli vyhotovené per analogiam i pre Slovensko v zmysle vyhlášky ministra financií zo dňa 21. januára 1946 číslo 296/Ú-1 i v tom prípade, keď úprava platobného styku na Slovenku vyvíjala sa odlišne od platobného styku v bývalom Protektoráte Čechy a Morava. Toto opatrenie doporučovalo sa akceptovať pri likvidovaní robotníckych poukazov uskutočnených cez Arbeiterlohnersparnisekonto do 23. marca 1945 z dôvodov ako sú vyššie uvedené a z dôvodov zachovania jednotného postupu pri prevádzaní menovej reformy, takže pri jeho prevádzaní nevyžaduje sa previesť osobitného legislatívneho opatrenia.

V dôsledku tohoto Povereníctvo financií pozmenilo úpravu zo dňa 29. januára 1946 číslo 3831/46-VI-19 na základe rozhodnutia zo dňa 24. mája 1947 číslo 5837/47-VI-19[9] doplneného rozhodnutím zo dňa 18. augusta 1947 číslo 9496/47-VI-19[10] rozhodlo sa previesť likvidáciu náhrady za stiahnuté RM z titulu robotníckych poukazov prevedených cez Arbeiterlohnersparnisse do 23. marca 1945 takto:

a/ robotnícke poukazy včítane zvláštneho transferu, ktoré boli uskutočnené cez Arbeiterlohnersparnisse do 23. marca 1945 prostredníctvom býv. Slovenskej národnej banky a touto boli aj v tomto čase odovzdané Poštovej sporiteľni v Bratislave na ďalšie pokračovanie, majú sa preplatiť do maximálnej výšky 120 RM v pomere 1 RM : 10 Kčs v hotovosti so zrážkou 1 Kčs za každú RM,

b/ robotnícke poukazy včítane zvláštneho transferu za toho istého predpokladu majú sa preplatiť od 120 RM do 1000 RM v pomere 1 RM : 10 Kčs so zrážkou 1 Kčs za každú RM na viazaný účet zložiteľa,

c/ zvyšok poukazov včítane odovzdania efektívnych markových platidiel svojho času do Štátnej pokladnice pre Slovensko majú sa preplatiť v pomere 1 RM : 10 Kčs so zrážkou 1 Kčs za každú RM na viazaný účet zložiteľa, d/ robotnícke poukazy, ktoré doteraz neboli prepoukázané na Slovensko cez zmienený účet alebo i tie, ktoré vyplývajú len z nárokov voči zamestnávateľom na mzde nemôžu sa preplatiť až do usporiadania medzištátnych záväzkov a preto je treba vyčkať ďalšie rozhodnutie.

Celkové vyúčtovanie preplatených úhrad v hotovosti alebo na viazaný účet zložiteľa malo sa previesť prostredníctvom Poštovej sporiteľne v Bratislave, pričom po stránke účtovno-technickej mal sa zachovať tento postup:

1/ Dodatočné uznanie náhrad za stiahnuté RM z titulu robotníckych poukazov prevedie Poštová sporiteľňa v Bratislave podľa výkazov vyhotovených Povereníctvom sociálnej starostlivosti na základe žiadostí jednotlivých percipientov. Pokiaľ však pôjde o viazané vklady v prospech zložiteľa vyhotoví Poštová sporiteľňa v Bratislave vkladný list pre každého zložiteľa.

2/ Prihláška viazaných vkladov bude spracovaná Poštovou sporiteľňou v Bratislave.

3/ Poštová sporiteľňa v Bratislave vyhotoví na každý viazaný vklad odpočet v štyroch exemplároch, a to: pre vlastnú potrebu, zložiteľa, Povereníctvo financií a Národnú banku Československú – oblastný ústav pre Slovensko v Bratislave.

Odpočet bude mať tieto rubriky:

1/ bežné číslo, meno a adresu zložiteľa, 3/ výška nerealizovaných poukazov v RM, 4/ protihodnota v Kčs, 5/ zrážka, 6/ netto platba v hotovosti a na viazaný účet.

4/ Poštová sporiteľňa v Bratislave okrem odpočtu povedie register prevedeného uznania náhrad za stiahnuté RM z titulu robotníckych poukazov štvormo, a to: pre vlastnú potrebu, Povereníctvo financií a Národnú banku Československú – oblastný ústav pre Slovensko v Bratislave.

Rubriky registra sú tie isté ako pri odpočte v bode 3/.

5/ Viazané vklady z tohoto titulu budú sa musieť dodatočne prihlásiť podľa ustanovenia dekrétu č. 95/45 Sb. z. a n. i k majetkovým dávkam podľa ustanovenia zák. čís. 134/46 Sb. z. a n.[11]

6/ Zrážka 1 Kčs za každú uznanú RM na úhradu režijných výdavkov podlieha povinnému vyúčtovaniu a zvyšok po uhradení réžie odvedie sa na príkaz Povereníctva financií v prospech šekového podúčtu 1-6380 Povereníctva financií.

O tomto opatrení bola vyrozumená Národná banka Československá – oblastný ústav pre Slovensko, Poštová sporiteľňa a Povereníctvo sociálnej starostlivosti v Bratislave.

Povereníctvo sociálnej starostlivosti v Bratislave i napriek tomuto opatreniu nepristúpilo k výplatám týchto poukazov. Naproti tomu však zadržalo poradu dňa 14. januára 1948 za prítomnosti zástupcov Povereníctva sociálnej starostlivosti, oddel. VI/19 Povereníctva financií a Poštovej sporiteľne v Bratislave. Výsledok tejto porady ako je uvedený v prípise Povereníctva sociálnej starostlivosti v Bratislave zo dňa 20. januára 1948 číslo I/1-1300/1-1948, ktorého odpis súčasne prikladám, má tvoriť ďalší podklad pre zrevidovanie stanoviska, ktoré v zmienenej veci už rozhodlo zachovať Povereníctvo financií v Bratislave. V dôsledku tohoto oddel. VI/19 Povereníctva financií po predbežnej informatívnej správe v oddel. III/10 Povereníctva financií ustálilo, že Povereníctvo financií nemá možnosti vo svojej pôsobnosti upustiť od povinnosti prihlasovania viazaných vkladov podľa príslušných ustanovení dekrétu č. 95/45 Sb. a prihlasovania k majetkovým dávkam podľa ustanovenia zák. č. 134/46 Sb. z. a n. Ak by sa malo prihliadať na toto stanovisko, ako je uvedené v prípise Povereníctva sociálnej starostlivosti zo dňa 20. januára 1948 číslo I/1-1300/1-1948 nepozostáva Povereníctvu sociálnej starostlivosti nič iného, ako vyhotoviť príslušný návrh na vládne uznesenie a toto predložiť vláde na schválenie. Neviem či týmto opatrením by sa dosiahlo pozitívneho výsledku alebo nie. Mám za to, že keď Povereníctvo sociálnej starostlivosti nepristúpilo doteraz k výplate týchto poukazov, nie je teraz už možné bez všetkého obísť príslušné ustanovenie likvidačného fondu menového zák.

č. 141/47 Sb. z. a n.,[12] ktorým sa upravujú menovo-finančné otázky. V dôsledku tohoto žiadam Likvidačný fond menový – úradovňa v Bratislave o vyjadrenie, čo do postupu a merita tohoto opatrenia.[13]

Likvidačný fond menový – úradovňu v Bratislave považujem za nutné ďalej oboznámiť aspoň zhruba o technickom prevedení výplaty. Robotnícke poukazy, ktorých protihodnota do maximálnej výšky sa má preplatiť v hotovosti, budú uhradené zo zálohy v sume Kčs 2 000 000, ktorá už bola daná k dispozícii Poštovej sporiteľni v Bratislave zálohovo zo štátnych prostriedkov vo voľných platidlách. Záloha poskytnutá Poštovej sporiteľni vo voľných platidlách zo štátnych prostriedkov pri konečnom vyúčtovaní má sa uhradiť zo zálohy vo viazaných platidlách cca v sume Kčs 30 mil. Robotnícke poukazy, ktorých protihodnota sa má uhradiť vo viazaných platidlách, budú uhradené priamo zo zálohy na viazanom účte číslo 88, ktorá zostala doteraz nevyúčtovaná z platieb uskutočnených zálohovo zo štátnych prostriedkov Ministerstva financií býv. Slovenskej republiky na tento účel.

O tomto opatrení považujem za potrebné upovedomiť Likvidačný fond menový – úradovňa v Bratislave, Povereníctvo sociálnej starostlivosti, Riaditeľstvo Poštovej sporiteľne v Bratislave.[14]

V Bratislave dňa 11. mája[15] 1948

Povereník financií:
Dr. Púll [v. r.]

SNA, f. PF, š. 935, 13065/48-VI-19. Originál, strojopis s rukopisnými vsuvkami, 6 strán.

---

1 Podanie malo nasledovné znenie: *„Na vyššie označený dotaz dovoľujeme si oznámiť vo veci likvidácie pohľadávok slovenských robotníkov Drážďanskou bankou toto:*
Dňom 15. marca t. r. bolo oddelenie pre slovenských robotníkov Drážďanskej banky v Karlových Varoch likvidované. Spisový materiál – celkom 27 debien – bol odoslaný na adresu Poštovej sporiteľne v Bratislave. Správca oddelenia p. Martinsich z príkazu správy súhrnnej likvidácie Drážďanskej banky v Liberci nastúpil službu v Liberci.
Poštová sporiteľňa v Bratislave môže ihneď pristúpiť k likvidácii vyšetrených poukazov, akonáhle jej budú povereníctvom financií stanovené smernice pre likvidáciu týchto poukazov. Za podklad týchto smerníc má slúžiť návrh povereníctva sociálnej starostlivosti zo dňa 20. I. 1948 číslo I/1-1300/1-1948, ktorý v odpise pripojujeme. Očakávame, že smernice budú vydané v najbližšom čase."
2 S ohľadom na ochranu osobných údajov neuverejňujeme celé priezvisko.
3 Dokument nepublikujeme. Pozri SNA, f. PF. š. 935, 13065/48-VI-19.
4 Uvedený prípis Povereníctva SNR sociálnej starostlivosti mal nasledovné znenie: *„Povereníctvo sociálnej starostlivosti v prílohe postupuje odpis zápisnice z porady konanej dňa 14. januára 1948 v budove tunajšieho povereníctva na Molotovovej ulici č. 14 v Bratislave o spôsobe postupu pri likvidácii robotníckych poukazov z cudziny po dobu trvania druhej svetovej vojny. K veci má tunajšie povereníctvo tieto pripomienky:*
Poštová sporiteľňa v Bratislave svojím prípisom zo dňa 17. júla 1947, číslo 2435/R-1947, ktorého odpis sa tiež pripojuje, vyslovila súhlas s prevádzaním výplaty robotníckych poukazov a žiadala o akceptovanie podmienok uvedených pod bodmi 1, 2 a 3 spomenutého svojho prípisu. Keďže podmienky neodporujú pôvodným smerniciam, resp. neznamenajú žiadne zaťaženie štátnej pokladnice, navrhujeme ich prijatie.
Na porade konanej dňa 14. januára 1948 uvažovalo sa veľmi obšírne a dôkladne o tom, ako vykonať výplatu robotníckych úspor, aby robotníci, zúčastnené štátne úrady ako aj iné ústavy neboli nadmieru zaťažovaní bez úmernej náhrady.
Účastníci porady došli k tomuto presvedčeniu:
a/ Úhrn všetkých žiadateľov je okrúhle 9 000 s 21 000 poukazmi na sumu necelých 20 000 000 Kčs.
b/ z týchto poukazov odpadá cca 10 000 so sumou Kčs 9 000 000 na poukazy, ktoré došli do Deutsche Verrechnungskasse až po 15. marci 1945 a ich dobropisy neboli už doručené bývalej Slovenskej národnej banke a tak pre výplatu neprichádzajú do úvahy,
c/ ďalšie reklamované poukazy, okrúhle 1 600 na Kčs 1 300 000, neboli poukazovacími bankami robotníkom potvrdené, keďže banky neobdržali od zamestnávateľov peniaze a preto ani nemohli tieto previesť,
d/ okrem toho medzi reklamovanými poukazmi sú sumy (okrúhle Kčs 1 800 000), ktoré poukazovacie banky obdržali od zamestnávateľov, ale peniaze zložili na „Arbeitersonderkonto" na meno robotníka u Dresdner banky v Berlíne.

V dôsledku uvedeného prichádza pre výplatu do úvahy okrúhle 9 400 poukazov na maximálnu sumu Kčs 8 000 000[,] a to pre 6 000 žiadateľov. Pripadlo by teda priemerne na jedného žiadateľa Kčs 1 350. Podľa tamojšieho výnosu zo dňa 24. mája 1947, číslo 5837/VI/19/47, pri výplate do Kčs 1 200 vo voľných platidlách, pripadlo by 62% prihlášok na výplatu v hotovosti, t. j. Kčs 5 000 000 a na viazané vklady by išlo Kčs 800, iba v niektorých prípadoch by viazané vklady presahovali Kčs 800.

Keďže zo žiadateľov len 2,2% majú viazané vklady vlastné, resp. menší majetok, bolo by prihlasovanie ich nových viaz. vkladov nákladnou a zložitou prácou, a to nielen pre robotníkov, ale aj pre zúčastnené úrady. Upozorňujeme, že ide takmer výlučne o pohľadávky poľnohospodárskych sezónnych robotníkov, teda vrstvy sociálne najslabšej, ktorých pohľadávky by dávkam z majetku nepodliehali, ale ktorí by sa uvoľnenia viazaných vkladov ihneď domáhali.

Navrhujeme preto, aby reklamované poukazy, pokiaľ budú uznané za správne, boli všetkým robotníkom vyplatené vo voľných platidlách a to už aj preto, lebo ide v skutočnosti len o Kčs 3 000 000, keďže Kčs 5 000 000 by bolo i tak vyplatené v nových peniazoch. V najlepšom prípade by z týchto Kčs 3 000 000 bolo zaplatené na dávkach Kčs 30 000 a na tlačivách by štátna pokladnica získala okrúhle Kčs 100 000. Zostalo by však k vybavovaniu asi 2 300 priznaní, ktorých vybavenie by vysoko presahovalo príjem. Aby však štátna pokladnica nebola ani v najmenšom ukrátená, navrhuje tunajšie povereníctvo ako zástupca zúčastnených robotníkov toto riešenie:

Z každého poukazu zaplatí robotník okrem manipulačnej zrážky Kčs 1 za každú RM ešte 4% z celkovej sumy, ktorá mu bude teraz preplatená, ako paušálnu dávku z majetku, resp. prírastku na majetku. Podľa tohoto obdržala by štátna pokladnica najmenej Kčs 300 000.

K tejto ponuke došlo tunajšie povereníctvo po presnom prepočítaní nákladov, ktoré by robotník mal, keby čiastku poukazu dostal ako viazaný vklad. Jeho výlohy by činili: viazaný vkladný list Kčs 15, prihláška vkladu Kčs 20, potvrdenie prihlášky vkladu Kčs 12, prihláška majetku Kčs 10, vyplnenie tlačív okrem práce a poplatkov za uvoľnenie. Z uvedeného je zrejmé, že pri tomto návrhu sú rešpektované ako záujmy robotníkov tak aj záujmy štátnej pokladnice.

Aby však vec mohla byť riešená podľa tunajšieho návrhu, je potrebné, aby tamojší VI. odbor prerokoval celú záležitosť s odborom, príslušným pre veci dávky z majetku, a zaobstaral jeho súhlas.

Tunajšie povereníctvo k veci poznamenáva ešte, že majetkové a rodinné pomery robotníkov sú uvedené na prihláškach reklamovaných poukazov a sú MNV riadne potvrdené.

Cieľom urýchleného skoncovania celej akcie navrhujeme:

1./ aby bola zriadená osobitná komisia, do ktorej by troch zástupcov vyslalo Povereníctvo financií a to dvoch oddelenie VI/19 a jedného odbor pre dávky, Poštová sporiteľňa v Bratislave dvoch zástupcov a Povereníctvo sociálnej starostlivosti troch zástupcov,

2./ úlohou tejto komisie by bolo:

a/ preskúmať každú prihlášku a určiť paušálnu dávku z majetku, resp. z prírastku na majetku,

b/ prekontrolovať, či realizovanie poukazu nie je v rozpore so zásadami uvedenými v tamojšom výnose zo dňa 24. mája 1947, číslo 5837/VI/19/47,

c/ zasadať v mimoúradných hodinách podľa potreby tak, aby celá akcia bola v čase čo najkratšom úplne ukončená.

Náklady cca Kčs 2 500 mesačne na jedného zástupcu by boli uhradené zo zrážky Kčs 1 z každej RM.

Povereníctvo sociálnej starostlivosti opätovne zdôrazňuje, že ide o peniaze ľudí, ktorí museli za tieto ťažko pracovať, a preto úctivo žiada, aby vec bola už konečne riešená a robotníci mohli svoje peniaze obdržať."

5 Pozri SNA, f. PF, š. 935, 3821/46-VI-19.

6 Pozri 148.

7 Pozri dokument 146.

8 Dokumenty z priestorových dôvodov nepublikujeme. Pozri SNA, f. PF, š. 935, 17062/46-VI-19.

9 Pozri 148.

10 Dokument z priestorových dôvodov nepublikujeme. Pozri SNA, f. PF, š. 935, 17062/46-VI-19.

11 Zákon dávke z majetkového prírastku a dávke z majetku č. 134/46 Sb. z. a n. z 15. 5. 1946.

12 Zákon o Likvidačnom fonde menovom z 2. 7. 1947.

13 Likvidačný fond menový, úradovňa v Bratislave zaslal svoje stanovisko Povereníctvu SNR pre financie 22. 6. 1948 a viac-menej podporil návrhy povereníctva.

14 Prípis bol expedovaný uvedeným inštitúciám 24. 5. 1948.

15 V origináli je chybne uvedený apríl.

150

1949, 21. január. Bratislava. – Záznam Povereníctva financií SNR, týkajúci sa postupu pri vyplácaní netransferovaných miezd slovenských robotníkov zamestnaných počas vojny v Nemeckej ríši.

Povereníctvo financií

Č.: 21862/48-VI-19

Vec: Likvidácia robotníckych poukazov z Nemecka.

Vybavenie:

Skutkový stav:

Ministerstvo financií, oddelenie V/5 v Prahe oznamuje listom zo dňa 8. decembra 1948 č. 78087/48-V/4 k likvidácii robotníckych poukazov z Nemecka[1] toto:

1/ Prevod viazaných vkladov z viazaného účtu štátu na viazaný účet zamestnanca schvaľuje podľa ustanovení § 8 zákona č. 141/1947 Sb. Likvidačný fond menový,

2/ robotnícke poukazy včítane osobitného transferu, po prípade nároky na náhradu vo viazaných alebo voľných korunách za zložené markové platidlá nepodliehajú prihlasovacej povinnosti podľa dekrétu č. 95/1945 Sb.,

3/ potvrdenie o vyrovnaní majetkových dávok podľa zákona č. 134/1946 Sb. má sa požadovať od strany len vtedy, ak ide o náhradu vyššiu ako 3 000 Kčs. Ministerstvo financií ďalej súhlasí s tým, aby v týchto prípadoch neboli vyvodzované žiadne dôsledky, keď nároky z tohoto titulu neboli včas prihlásené. Pritom uvádza, že netrvá na prihlásení nárokov vyplývajúcich zo zloženia markových platidiel podľa zákona 134/46 Sb.

2/ Povereníctvo sociálnej starostlivosti navrhuje listom zo dňa 20. januára 1948 č. I/1-1300-1/1948[2] zriadiť komisiu zloženú zo zástupcov Povereníctva financií, sociálnej starostlivosti a Poštovej sporiteľne, ktorej úlohou by bolo preskúmať každú prihlášku a určiť paušálnu dávku z majetku, poťažne z prírastku na majetku.

Vótum:

Berúc do úvahy vyjadrenie Ministerstva financií uvedené v prípise zo dňa 8. decembra 1948 č. 198087/48-V/4, Likvidačného fondu menového zo dňa 22. júna 1948 č. 371/48[3] a meritórne vybavenie v tejto veci uvedené v tunajšom prípise zo dňa 24. mája 1947 č. 5837/47-VI/19[4] doplneného vybavením zo dňa 18. augusta 1947 č. 9496/47-VI/19, vyžaduje sa v ňom spomenutú úpravu uviesť do súladu so stanoviskom Ministerstva financií a Likvidačného fondu menového. Keďže úprava vo veci likvidovania robotníckych poukazov z Nemecka bola už viackrát doplňovaná a menená, doporučuje sa v tejto veci horespomenutú úpravu zrušiť z dôvodov jej neprehľadnosti a vydať konečnú úpravu, ktorou sa má predísť rôznym nedostatkom.

Za daného stavu likvidácia robotníckych poukazov z Nemecka na účet Štátnej pokladnice pre Slovensko prevedie sa vo viazaných platidlách z viazaného účtu č. 88 Poštová sporiteľňa v Bratislave – účet Povereníctva financií na viazané účty jednotlivých percipientov. S týmto postupom súhlasí i Likvidačný fond menový, čo uvádza v prípise zo dňa 22. júna 1948 č. 371/48. Tieto náhrady – za zložené RM – na viazané účty percipienta nepodliehajú prihlasovacej povinnosti podľa dekrétu č. 95/1945 Sb. vôbec a ani majetkovým dávkam podľa zákona č. 134/1946 Sb., ak ich nárok neprevyšuje úhradu v sume Kčs 3 000. Úhrady za zložené markové platidlá vyššie ako Kčs 3 000 je treba prihlásiť dodatočne k majetkovým dávkam podľa zákona 134/46 Sb.

Pri prevádzaní tejto akcie sa zachová tento postup:

1/ Dodatočné uznanie náhrad za zložené platidlá v RM z titulu robotníckych poukazov z Nemecka prevedie Poštová sporiteľňa, národný podnik, oblastný ústav pre Slovensko vo viazaných platidlách z viazaného účtu č. 88 na viazaný účet toho ktorého percipienta – zložiteľa. Tieto výplaty uskutočnia sa podľa výkazu vyhotoveného Povereníctvom sociálnej starostlivosti na základe podaných žiadostí jednotlivých percipientov.

2/ Poštová sporiteľňa, n. p., oblastný ústav pre Slovensko v Bratislave vyhotoví na každý viazaný vklad odpočet v štyroch exemplároch, a to 1/ pre vlastnú potrebu, 2/ zložiteľa, 3/ Povereníctvo financií, 4/ Národnú banku Československú – oblastný ústav pre Slovensko v Bratislave.

Odpočet bude mať tieto rubriky: 1/ bežné číslo, 2/ meno a adresa zložiteľa, 3/ výška nerealizovaných poukazov v RM, 4/ protihodnota v Kčs, 5/ zrážka, 6/ netto platba na viazaný účet.

3/ Poštová sporiteľňa, n. p., oblastný ústav pre Slovensko v Bratislave, okrem odpočtu povedie register prevedeného uznania náhrad za zložené RM z titulu robotníckych poukazov 3 ks, a to: pre vlastnú potrebu, Povereníctvo financií, Národnú banku Československú – oblastný ústav pre Slovensko. Rubriky registra sú tie isté ako pri odpočte.

4/ Poštová sporiteľňa, n. p., obl. ústav pre Slovensko v Bratislave, uvedie v odpočte, poťažne v sprievodnom liste, že náhrady za zložené RM nepodliehajú prihlasovacej povinnosti podľa dekrétu č. 95/1945 Sb. vôbec, a ani k majetkovým dávkam podľa zákona č. 134/1946 Sb., ak táto náhrada neprevyšuje Kčs 3 000.

Náhrady nad Kčs 3 000 prihlasujú sa len k majetkovým dávkam podľa zákona č. 134/46 Sb. u daňových správ v sídle percipienta.

5/ Poštová sporiteľňa, n. p., oblastný ústav pre Slovensko oznámi v takom prípade meno percipienta príslušnej daňovej správe podľa sídla percipienta s tým, že ide o dodatočné prihlásenie náhrady za zložené platidlá RM k dávke z majetku podľa zákona č. 134/46 Sb. s poukazom tunajšieho rozhodnutia.

Vzhľadom na to, že sa zmenila technika pre poukazovanie náhrad za zložené RM z voľných na viazané, treba požiadať Poštovú sporiteľňu, n. p., oblastný ústav pre Slovensko v Bratislave, o vrátenie Kčs 2 000 000, ktoré jej boli dané zálohovo zo štátnych prostriedkov k dispozícii na preplácanie robotníckych poukazov z Nemecka v hotovosti.[5]

Ad 2/ Otázka zriadenia komisie, ktorej úlohou by bolo preskúmať každú prihlášku percipienta s prihliadnutím na skutočnosť, že náhrady za zložené RM nepodliehajú prihlasovacej povinnosti podľa dekrétu č. 95/45 Sb. a ani k majetkovým dávkam podľa zákona č. 134/46 Sb., nepovažujem za nevyhnutne potrebnú.[6]

V Bratislave dňa 21. januára 1949   Povereník financií:
                                                 Dr. Púll [v. r.]

SNA, f. PF, š. 935, 21862/48-VI-19. Originál, strojopis s rukopisnými vsuvkami, 6 strán.

1 Prípis sa nachádza v SNA, f. PF, š. 935, 21862/48-VI-19.
2 Pozri dokument 149, poznámku 4.
3 Pozri SNA, f. PF, š. 935, 13065/48-VI-19.
4 Pozri dokument 148, poznámka 3.
5 Táto požiadavka bola zaslaná Poštovej sporiteľni ako prípis 24. 1. 1949.
6 Povereníctvo sociálnej starostlivosti dostalo popri informácii o spôsobe úhrady a návrhu nezriaďovať komisiu na posudzovanie jednotlivých prihlášok o vyplatenie náhrady na vedomie ešte nasledovné pokyny: *„1/ Robotnícke poukazy včítane osobitného transferu, zložené na účet Arbeiterlohnersparnisse do 23. marca 1945 prostredníctvom bývalej Slovenskej národnej banky a touto aj odovzdané v tomto čase Poštovej sporiteľni na výplatu preplatia sa v pomere 1 RM : 10 Kčs so zrážkou za každú RM vo viazaných [platidlách] na viazaný účet percipienta.*
2/ Ostatné robotnícke poukazy, ktoré doteraz neboli poukázané na Slovensko cez zmienený účet, alebo i tie, ktoré vyplývajú len z nárokov voči zamestnávateľom na mzde, sa nepreplatia. "

151

1950, 8. február. Bratislava. – Záznam Povereníctva financií SNR vo veci úhrady za nevyplatené transferované mzdy slovenských robotníkov zamestnaných počas vojny v Nemeckej ríši.

Povereníctvo financií

Č.:17469/49-VI/19

Vec: Likvidácia robotníckych poukazov z Nemecka;
    účtovné usporiadanie.

Vybavenie:

Skutkový stav:

Poštová sporiteľňa n. p. – oblastný ústav pre Slovensko v Bratislave predložila listom zo dňa 30. decembra 1949 č. 5430-R-II/1949:[1]

a/ odpočet úhrad z likvidovania 8 662 žiadostí robotníckych poukazov z Nemecka na Kčs 10 280 980,

b/ odpočet zrážok z likvidovania 8 662 žiadostí robotníckych poukazov z Nemecka na Kčs 1 028 098,

c/ odpočet výloh z likvidovania 8 662 žiadostí robotníckych poukazov z Nemecka na Kčs 509 082,80.

Odpočet vyúčtovania žiada preskúmať a schváliť.

Vótum:

Poštová sporiteľňa, n. p. – oblastný ústav pre Slovensko v Bratislave previedla likvidáciu robotníckych poukazov z Nemecka na základe úpravy zo dňa 21. januára 1949 č. 21862/48-VI/19.[2] Táto rieši iba spôsob likvidovania a preplácania robotníckych poukazov. Nezaoberá sa však meritórne ani vecne so spôsobom definitívneho zúčtovania takýchto výplat v štátnom hospodárení.

Definitívne vyúčtovanie výplat navrhujem riešiť takto:

Aktívne nedoplatky podľa stavu ku dňu 31. decembra 1949 – prechodne zúčtované v kontokorente –, vyplývajúce zo záloh poukazovaných:

a/ býv. Ministerstvom financií Poštovej sporiteľni na preplácanie robotníckych poukazov v zmysle § 3 zák. č. 178/43 Sl. z. po výšku Kčs 34 553 719,10,

b/ Povereníctvom financií Poštovej sporiteľni na úhradu výdavkov, spojených s likvidáciou týchto po výšku Kčs 2 mil. preúčtujú sa účinom za dodatok roku 1949 na ťarchu Kap. 26, časť 4, účet 385 „Škody zo záruk " s textom „Plnenie záväzkov v zmysle § 3 zák. č. 178/43 Sl. z.".[3]

Rovnakou sumou predpíšu sa v knihe štátnych aktív za rok 1949 s textom „Pohľadávky zo záloh, poukázané sv. času Poštovej sporiteľni, n. p. – oblastný ústav pre Slovensko v zmysle § 3 zák. č. 178/43 Sl. z."

Pohľadávka, vyplývajúca zo štátnych aktív usporiada sa:

a/ odpisom po výšku Kčs 9 252 882 z titulu výplat robotníckych poukazov likvidovaných Poštovou sporiteľňou, n. p. – oblastný ústav pre Slovensko.

b/ odpisom po výšku Kčs 509 082,80 z titulu uhradenia osobnej a vecnej réžie, spojenej s likvidáciou týchto poukazov,

c/ úhradou Poštovej sporiteľne, n. p. – oblastný ústav pre Slovensko po výšku Kčs 26 809 919,90 z titulu odvedenia nepoužitej zálohy v zmysle zák. č. 178/43 Sl. z.[4]

V Bratislave dňa 8. februára 1950   Za povereníka:
                                                          [podpis nečitateľný]

SNA, f. PF, š. 935, 17469/49-VI-19. Originál, strojopis, 4 strany.

1 Obsah prípisu vzal poverník financií na vedomie. Poverníctvo nariadilo „*Kreditný zostatok vo viazaných i voľných platidlách po zadržaní primeranej sumy len vo viazaných platidlách na uplatňované a dosiaľ nelikvidované poukazy"* previesť na účet poverníctva. Tento prípis dostal na vedomie aj Najvyšší kontrolný dvor.
2 Pozri dokument 150.
3 Túto časť záznamu dostalo vo forme prípisu Poverníctvo financií, oddelenie 153.
4 Záverečnú časť záznamu dostalo vo forme prípisu Poverníctvo financií, oddelenie 235.

152

1951, 19. január. Bratislava. – Vnútorný prípis Poverníctva financií SNR vo veci vyplatenia úhrad za nevyplatené transferované mzdy slovenských robotníkov pracujúcich v rokoch 1939 – 1945 v Nemeckej ríši.

Poverníctvo financií
K čís.: 17469/49-VI/19   Bratislava, 19. januára 1951
Likvidácia robotníckych poukazov z Nemecka
– účtovné usporiadanie

Poverníctvo financií, odd. 123,
Bratislava.

Na základe č. 17469/49-VI/19 Pov. fin. v Bratislave z 8. II. 1950[1] zaznačili sme v kn. „Štátne aktíva", f. 327 pohľadávku voči býv. Poštovej sporiteľni v Bratislave Kčs 34 553 719,10 vyplývajúcu zo zálohy býv. Ministerstva financií v Bratislave, ktorá bola poskytnutá na preplácanie robotníckych poukazov v zmysle § 3 zák. č. 178/43 Sl. z.

Podľa príkazu č. 123/15169/1950 Pov. fin. v Bratislave z 20. marca 1950 zvýšili sme pohľadávku v r. 1950 o Kčs 6 659 877, 60 z titulu dobropísaných a nerealizovaných poukazov. Celková pohľadávka voči býv. Poštovej sporiteľni činila Kčs 41 213 596,70.

Na základe listu Pov. fin. v Bratislave č. 17469/49-VI/19 z 8. februára 1950 previedli sme odpis pohľadávky:

1./ o Kčs 9 252 882 z titulu prevedených výplat robotníckych poukazov býv. Psp, n. p., obl. ústav pre Slovensko v Bratislave,

2./ o Kčs 509 082,80 z titulu uhradenia osobnej a vecnej réžie s likvidáciou týchto poukazov. Po prevedených odpisoch ostáva pohľadávka v sume Kčs 31 451 631,90.

Dňa 10. marca 1950 Psp v Bratislave zaplatila Kčs 29 960 714,70 a dňa 25. marca 1950 Kčs 85 743,20, spolu Psp v Bratislave zaplatila na vyrovnanie uvedenej zálohy Kčs 30 046 457,90. Dodnes ostáva ešte neuhradené Kčs 1 405 174.

Žiadame Vás, aby ste nám oznámili, ako sa zlikviduje spomenutý zostatok Kčs 1 405 174.

Prednosta oddelenia 235:
[podpis nečitateľný]

Pro domo:
Likvidácia robotníckych poukazov z Nemecka je skončená. Všeobecnej pokladničnej správe treba uhradiť zostatok z voľného zúročiteľného vkladu v sume Kčs 1 490 917,20 a dať pokyn ohľadom zvýšenia pohľadávky z preplácania robotníckych poukazov z Nemecka, predznačenej v knihe štátne aktíva za rok 1950 o Kčs 85 743,20.

Poverníctvo financií, oddel. 235

v Bratislave.

V rubrikovanej veci oznamujeme, že neuhradený zvyšok v sume Kčs 1 405 174 bude usporiadaný knihovne účinom za dodatok roku 1950 oddel. 153 Pov. financií, a to úhradou v sume Kčs 1 490 917,20. Vyplývajúci rozdiel v sume Kčs 85 743,20 medzi úhradou a nedoplatkom predznačte dodatočne v knihe štátne aktíva, o ktorý sa zvyšuje pohľadávka z preplácania robotníckych poukazov z Nemecka.

Odpisom vyrozumievame Povereníctvo financií, oddel. 153 v Bratislave.

V Bratislave dňa 25. januára 1951.

SNA, f. PF, š. 935, bez čísla. Originál, strojopis, 2 strany.

1 Pozri dokument 151.

ZUSAMMENFASSUNG

Der Slowakische Staat, seit dem 21. Juli 1939 offiziell Slowakische Republik (SR) ist sowohl in der Fach- als auch in der Laienöffentlichkeit immer wieder ein lebhaft erörtertes Thema. Ungeachtet dessen bleiben noch viele Fragen unbeantwortet, einige Problemkomplexe unberührt oder nur teilweise erforscht. Zu jenen Fragen gehört auch die Anwerbung slowakischer Arbeitskräfte nach Deutschland in den Jahren 1939 – 1945. Wenngleich es sich um ein bedeutsames Kapitel der kurzen Geschichte des Slowakischen Staates handelt, wurde es von der slowakischen Historiografie eine lange Zeit kaum reflektiert. Eine Ausnahme stellen nur einzelne Arbeiten tschechoslowakischer/slowakischer Provenienz dar. Diese behandeln jedoch nicht alle Ebenen des untersuchten Problems. Darüber hinaus orientieren sie sich fast ausschließlich an dem inländischen Schriftgut. Veranlasst durch diese Sachlage entschieden wir uns, die Anwerbung slowakischer Arbeiter nach NS-Deutschland in Form der kommentierten Quellen näher zu beleuchten, wobei den Kern der vorgelegten Edition Dokumente deutschen Ursprungs bilden, die bis jetzt unbekannt waren und noch nicht publiziert wurden. Wir haben dadurch neue Erkenntnisse zu den Zwangsformen und Methoden der Anwerbung durch nationalsozialistische Militär- und Polizeidienststellen nach Ausbruch des Slowakischen Nationalaufstandes bzw. nach dem Übergehen der Front auf das slowakische Staatsgebiet im Winter 1944/1945 sowie zur Lösung der Frage der unbezahlten Löhne in der Nachkriegszeit zutage gefördert. Wir betrachten das Phänomen zugleich als eine Art der ökonomischen Migration, dessen Katalysator eine hohe Arbeitslosigkeit in den Jahren 1939/1940 und unvergleichbar bessere Lohnverhältnisse im Reich waren. Dies erklärt die anfängliche große Nachfrage der produktiven Bevölkerung, eine Arbeitsstelle in Deutschland zu bekommen.

Das Ziel des vorgelegten Werkes ist, den Stand der Kenntnisse dieser zweifellos interessanten Problematik zu erweitern. Die hier publizierten Dokumente bringen nicht nur die Auskünfte über den Anwerbungsverlauf, die Arbeits- und Lebensbedingungen slowakischer Arbeiter im Deutschen Reich, die Zahlenangeben der angeworbenen Staatsangehörigen der SR, sondern sie helfen außerdem, das Bild über die einzelnen Aspekte der politisch- wirtschaftlichen Beziehungen zwischen dem Slowakischen Staat und der deutschen „Schutzmacht" abzurunden. Auf alle mit diesem Thema zusammenhängenden Fragen kann die Edition allerdings nicht entsprechende Antworten geben. Die Gründe dafür sind vielschichtig: Umfang des Forschungsgegenstandes, Zerstreuung des Archivguts, dessen Unvollständigkeit sowie eine ständige finanzielle Vernachlässigung der slowakischen Wissenschaft. Auf der anderen Seite soll diese Edition als eine Basis für weitere Nachforschung der Problematik dienen.

Die Beziehungen zwischen der Slowakischen Republik und derer „Schutzmacht" – dem Deutschen Reich – gestalten sich 1939 – 1945 vor allem auf zwei Ebenen: auf politischer und wirtschaftlicher. Die Anwerbung slowakischer Arbeitskräfte nach Deutschland während des Zweiten Weltkrieges stellt einen Schnittpunkt beider Ebenen dar. Es handelte sich dabei nicht um rein ökonomische Angelegenheiten und die Werbung slowakischer Staatsbürger war auch stark politisch gefärbt, insbesondere als Ferdinand Ďurčanský 1939 – 1940 die Posten des Außen- und Innenministers innehatte. Ihre politische Implikationen verlor sie späterhin auch nicht, als die slowakische Seite, insbesondere nach Übergehen Italiens ins Lager der Alliierten im Herbst 1943 sowie den verheerenden Niederlagen der Wehrmacht an der Ostfront im Frühjahr und Sommer 1944 versuchte, ihre Vertragsverpflichtungen gegenüber dem „Schutzherrn" dilatorisch zu behandeln. Man muss sagen, dass es nur bei den Versuchen blieb und die Deutschen besaßen noch immer viele wirksame Schalthebel, um zu erreichen, was ursprünglich vereinbart wurde. Nach dem Ausbruch des Aufstandes wurde die Anwerbung bzw. die zwangsläufige Rekrutierung der Arbeitskräfte zum puren Politikum. Den höchsten Regimevertretern sowie den Staatsbehörden ist trotz Interventionen, die nur in vereinzelten Fällen zum Erfolg führten, nichts übriggeblieben, als ohnmächtig ansehen zu müssen, wie die nationalsozialistischen Militär- und Polizeidienststellen eigenmächtig die arbeitsfähige Bevölkerung manipulierten und ganze Gruppen von Bürgern außerhalb des Staatsgebiets abtransportierten.

Die Slowakische Republik war weder einziger, noch ausschließlicher Lieferant billiger Arbeitskräfte in das NS-Deutschland. Die zuständigen Behörden des Dritten Reiches mussten sich mit diesem Problem schon seit 1936 auseinandersetzten, als sich der Mangel an Arbeitskräften praktisch in allen Wirtschaftszweigen, insbesondere in Landwirtschaft und Schwerindustrie, zeigte. Den Ausgang aus der unerfreulichen Lage bot die Rückkehr zu einem schon bewährten Instrument: zu den bilateralen Staatsverträgen, die bis zum Beginn der Wirtschaftskrise Anfang der 1930-er Jahre auch selbst von Deutschland abgeschlossen wurden. Wiederaufgenommene Anwerbung in der Tschechoslowakei und in Polen (1935, 1937) sowie die Vereinbarungen mit Italien (1937), mit der Tschecho-Slowakei, mit Bulgarien und Jugoslawien (1939) konnten die aufgerissenen Lücken auf dem Arbeitsmarkt nicht schließen. Eine Wende in dieser Hinsicht trat nach der Besetzung der „Rest-Tschechei" im März 1939 bzw. nach dem Beginn des Zweiten Weltkrieges ein. Das Phänomen der Zwangsarbeit wurde einer der symptomatischen Züge der deutschen Okkupationspolitik. Sie wurde durch eine gewaltsame Verschleppung aus der Heimat, Deportation ins Deutsche Reich und unfreiwilligen Arbeitseinsatz unter schlechten, sogar menschenunwürdigen Arbeits- und Lebensbedingungen (Polen, sog. „Ostarbeiter" und seit Herbst 1943 italienische Militärinternierte) charakterisiert. Von den insgesamt 13,5 Millionen der angeworbenen, inhaftierten und verschleppten ausländischen Zivilarbeiter, Kriegsgefangenen sowie KZ-Häftlingen kann 80-90 % als zwangsläufig eingesetzt betrachtet werden.

Obwohl das NS-Deutschland einen faktisch uneingeschränkten Zugang zum Arbeitskräftereservoir der besetzten Gebiete hatte (zuständige Behörden konnten jedoch die vakant gewordenen Arbeitsplätze nicht füllen und seit Ende 1941 kämpfte die Verwaltung mit einem brennenden Defizit an Arbeitskräfte), nutze es weiter die Ressourcen seiner Verbündeten und Satelliten. Je stärker das Land politisch und wirtschaftlich mit dem Reich verbunden wurde, desto leichter war es für Berlin, von seinen Vertretern die Zugeständnisse im Sinne der eigenen Interesse zu erzwingen. Als ein exemplarisches Beispiel dafür dienen die Slowakei und Kroatien – die Staaten, die als Nebenprodukte der expansiven deutschen Außenpolitik entstanden sind. Der Slowakischen Republik, wenn wir die Zahl der Bevölkerung insgesamt in Erwägung ziehen, gehörte in der Lieferung von Arbeitskräften nach Deutschland unter dessen Verbündeten aus Südosteuropa (Ungarn, Rumänien, Bulgarien, Kroatien) bis in die Hälfte 1944 der erste Rang. Dies wurde nicht nur durch den oben erwähnten diplomatischen Druck, sondern auch durch andere Umstände hervorgerufen: durch die anfänglich hohe Arbeitslosigkeit, unvergleichbar bessere Lohnverhältnisse, Bevorzugung der deutschen Minderheit bei der Anwerbungsaktionen und nicht zuletzt durch die Bereitschaft des Regimes, mit der „Schutzmacht" zu kollaborieren. Man kann auch die Tendenzen des Regimes nicht außer Acht lassen, die eigene Bevölkerung dazu zu zwingen, sich „freiwillig" anwerben zu lassen. Jene Neigungen wurden erst später spürbar, als unter dem Eindruck des Luftkrieges über Deutschland, der eine rapide Verschärfung der Arbeits- und Lebensbedingungen zur Folge hatte und der Großteil der Arbeiter die Rückkehr nach Deutschland ablehnte. Die angeführten Aspekte machen aus der Anwerbung slowakischer Arbeitskräfte ein, historisch gesehen, einziehendes Thema, wenn auch die vorgelegte Quellenedition nicht alle angeschnittenen Fragen beantworten kann.

Im Gegensatz zur slowakischen Geschichtsschreibung ist die Problematik der Heranziehung ausländischer Arbeitskräfte (in erster Reihe die Problematik der Zwangsarbeit) in das NS-Deutschland international, insbesondere in der deutschen Geschichtsschreibung viel stärker reflektiert. Das Ergebnis dieses Interesses ist eine große Anzahl von Monographien und Sammelbänden, die sich mit (gewaltsamer) Einschaltung der Ausländer in den Arbeitsprozess, nicht nur aus einer Gesamtperspektive, sondern auch in den einzelnen, vom Reich kontrollierten Regionen oder Betrieben befassen. Die Slowakei taucht in diesen Werken nur selten, überwiegend mit faktografischen Ungenauigkeiten auf. Dennoch ist es notwendig, sich mit den neuen methodologischen Trends vertraut zu machen, sich von ihnen inspirieren zu lassen und versuchen, die eingewurzelten Stereotype in der westeuropäischen Historiographie durch die Projizierung des Themas in einem breiteren Zusammenhang, womöglich auf internationales Forum, abzuschaffen. Die von uns vorgelegte Edition kann dieses Versäumnis nicht nachholen, sondern nur zum Teil kompensieren.

Einer der Gründe, warum die Anwerbung slowakischer Arbeitskräfte nach Deutschland in der ausländischen Fachliteratur kaum beachtet wird, ist das Fehlen von bedeutsamen Angaben in den primären Quellen der Zentralstellen, die für den »Arbeitseinsatz« ausschlaggebend zuständig waren (Reichsarbeitsministerium, der Generalbevollmächtigte für den Arbeitseinsatz – GBA, Deutsche Arbeitsfront – DAF, Reichssicherheitshauptamt – RSHA). Die zahlenmäßigen Daten sind zwar in den mehrmals im Jahr erscheinenden statistischen Zusammenstellungen *Arbeitseinsatz für das Großdeutsche Reich* vorhanden, auf die Umstände der Anwerbung von Slowaken stößt man in den Akten der oben erwähnten Behörden nur selten auf. Außer der bilateralen Vereinbarungen aus den Jahren 1939, 1941, 1943 und der Abmachung über die Gastmitgliedschaft slowakischer Staatsangehöriger in der DAF, tritt die Slowakei in Dokumenten größter Relevanz nicht in Erscheinung. Das RSHA hat z. B. keine speziellen Richtlinien über die Behandlung slowakischer Arbeitskräfte ausgearbeitet. Fritz Sauckel als Generalbevollmächtigter für den Arbeitseinsatz (die Dienststelle begann ihre Tätigkeit im April 1942) hat in den Besprechungen mit den zuständigen Stellen dieses Problem nicht explizit behandelt und betrachtete es als einen Bestandteil des umfassenden Programms der Ausländeranwerbung. Die Slowakei fiel meist unter die Rubrik „*sonstige europäische Länder"*, man sprach über sie nur allgemein im Zusammenhang mit verstärkter „*Mobilisierung von Arbeitskräften in den besetzten Gebieten und in den befreundeten Staaten"* und mit der Rekrutierung „*in den Ländern, in denen keine Kampfhandlungen stattfinden... (Dänemark, Protektorat, Ungarn, Slowakei)"*. Interne Korrespondenz des Auswärtigen Amtes und das Schriftgut der Dienststelle des Beauftragten des Reichsarbeitsministers, seit 1942 des GBA in Bratislava wurden kaum berücksichtigt.

Gerade die nicht komplexe Bearbeitung der Formen der Anwerbung in den verbündeten Ländern Südosteuropas seitens der westeuropäischen Geschichtsschreibung kann man als einen weiteren Grund der Nichtwahrnehmung der Slowakei in diesem Zusammenhang nennen. Dies gilt sowohl für die westeuropäische Geschichtsschreibung als auch für die Historiographie in der betreffenden Region. Der dritte, nicht weniger wichtige Grund, ist das geringe Interesse der slowakischen Historiographie an der Problematik. Obwohl die Anwerbung einen nicht unerheblichen Teil der produktiven Population der damaligen Slowakischen Republik betraf, sind, wie bereits erwähnt , bislang nur zwei relevante Werke geschrieben worden, die im Ausland keinen Niederschlag gefunden haben. Darüber hinaus wurde das Thema von keinem einzigen slowakischen Historiker auf der internationalen Bühne bekannt gemacht, und so konnte es kaum ins Bewusstsein ausländischer Wissenschaftler gelingen.

Die vorgelegte Quellenedition enthält 152 Dokumente zur Problematik der Anwerbung slowakischer Arbeitskräfte nach Deutschland zwischen den Jahren 1939 und 1945. Weitere, deren Relevanz wir nicht für so überragend hielten bzw. die mit den Grunddokumenten direkt zusammenhängen, wurden im Rahmen des Fußnotenapparats komplett oder auszugsweise publiziert. Alle Dokumente sind amtlicher Provenienz. Ein Großteil von ihnen ist als Schriftgut der deutschen zentralen Staats- und Parteibehörden sowie der in der Slowakei tätigen Dienststellen überliefert worden. Es handelt sich vor allem um die Berichte des Beauftragten des Reichsarbeitsministeriums, seit Frühjahr 1942 des Generalbevollmächtigten für den Arbeitseinsatz in Bratislava, ergänzt durch interne Korrespondenz des Auswärtigen Amtes (Berichte und Telegramme der deutschen Gesandtschaft in Bratislava und der Berliner Zentrale in Wilhelmstraße 74-76). Einige Dokumente stammen vom RSHA, von der Dienststelle des Sonderbeauftragten des Reichsführers-SS und Chefs der deutschen Polizei bei der deutschen diplomatischen Mission in der Slowakei, vom SD-Leitabschnitt in Wien, von dem Berater für soziale Fragen bei slowakischer Regierung, Albert Smagon, von der Einsatzgruppe H der Sicherheitspolizei und des SD und vom Befehlshaber der Sicherheitspolizei und des SD in der Slowakei. Den zweiten Teil bilden die Akten slowakischer Behörden, in erster Reihe des Innenministeriums – Zentralarbeitsamt, des Außenministeriums (Zentrale, Berliner Gesandtschaft und Wiener Generalkonsulat), des Regierungspräsidiums, des Generalsekretariates der Slowakischen Volkspartei Hlinkas u. a. Die dritte, am wenigsten vertretene Gruppe der Quellen stellen die Dokumente tschecho-slowakischer/tschechoslowakischer Provenienz der Jahre 1938 – 1939 bzw. der Nachkriegszeit dar.

Vom thematischen Blickpunkt aus gesehen, beschäftigt sich der Großteil der publizierten Quellen mit dem Verlauf der Rekrutierung slowakischer Arbeitskräfte nach Deutschland. Von weiteren Problembereichen können Lohntransfer, Arbeits- und Lebensbedingungen angeworbener Arbeiter genannt werden. Als eine besondere Gruppe sind die Dokumente, welche die Zwangsanwerbung nach dem Ausbruch des Slowakischen Nationalaufstandes bzw. nach der Erklärung eines Teils der Slowakei zum Operationsgebiet der Wehrmacht beleuchten, anzugeben. Dieses Thema wurde bisher von der slowakischen Historiographie noch nicht thematisiert. Dasselbe gilt auch für die Kompensierung für die nicht bezahlten Löhne, welche das Nachkriegsregime der gesteuerten Demokratie sowie nach dem Februarumsturz 1948 die Kommunisten lösen mussten. Wir haben in die Edition auch einige Dokumente allgemeiner Natur eingereiht. Sie weisen nicht nur auf eine differenzierte Behandlung der »fremdvölkischen« Arbeitskräfte durch polizeiliche Behörden, sondern auf das Bemühen des NS-Regimes, die Anwerbung der Arbeiter aus den Ländern Südosteuropas im gemeinsamen „Kampf gegen Bolschewismus" propagandistisch auszuwerten, hin. Manche partielle Probleme, wie beispielsweise die Frage des Arbeitseinsatzes internierter Angehöriger der sog. ostslowakischen Armee, die Frage der Gerichtsbarkeit gegenüber slowakischen Staatsbürgern, Arbeits- und Lebensbedingungen an einzelnen Arbeitsplätzen, die Haltung lokaler staatspolizeilichen Dienststellen gegenüber den Slowaken usw. konnten in die Edition nicht einbezogen werden. Die zugeteilten Geldmittel im Rahmen des Projektes haben einfach nicht dazu gereicht, um überhaupt zu den hier angeschnittenen Fragen Forschung einzuleiten.

Die Herausgeber haben bei der Untersuchung zum Thema das Augenmerk auf zentrale Archive in der Bundesrepublik Deutschland gerichtet. Die Recherchen im Politischen Archiv des Auswärtigen Amtes in Berlin konzentrierten sich in erster Reihe auf das überlieferte Schriftgut der Gesandtschaft Preßburg. Zwei Pakete (75 und 208) dieses Archivbestandes umfassen Akten zur Anwerbung slowakischer Arbeitskräfte nach Deutschland. Es handelt sich um die bereits erwähnten Berichte des Beauftragten des Reichsarbeitsministeriums bzw. des GBA sowie der Gesandtschaft. Es ist ein unvollständiges Material (Kopien und Abschriften dieser Dienststelle), welches trotz dieser Tatsache ein tragfähiges Gerüst der Edition bildet. Darüber hinaus wurden weitere Bestände gesichtet: *Konsulat Preschau, Handelspolitische Abteilung – Handakten Wiehl, Waldern, Kulturpolitische Abteilung, Referat Partei, Referat Inland II geheim* und *Rechtsabteilung.* Dort wurden keine slowakeibezogene Schriftstücke gefunden. Wir haben auch einige allgemeinen Dokumente zum Thema Arbeitseinsatz der Bevölkerung aus Südosteuropa im Reich in die Edition eingefügt.

Im Bundesarchiv in Berlin zeigten sich *R 70 Slowakei – Polizeidienststellen in der Slowakei* und die Mikrofilmesammlung *SS Verschiedener Provenienz* als relevante Bestände. Dort sind Berichte verschiedener SD-Dienststellen über die Lage slowakischer Arbeiter in Deutschland, über die Entstehung ausländischer Hlinka-Garde sowie ein Material zur zwangsläufigen Rekrutierung slowakischer Bevölkerung im Herbst 1944 und im Winter 1944/1945 überliefert worden. Nützliche Hinweise zum Thema gibt auch der Bestand *R 3901 – Reichsarbeitsministerium.* Fehlende Schriftstücke der Dienststelle des Beauftragten des Ministeriums, später des GBA haben wir in der Registratur jedoch nicht gefunden. Als weitere Bestände, aus welchen wir Dokumente schöpften, sind anzuführen: *NS 18 – Reichspropagandaleiter der NSDAP, NS 19 – Persönlicher Stab Reichsführer-SS, R 2 – Reichsfinanzministerium, R 59 – Volksdeutsche Mittelstelle, R 901 – Auswärtiges Amt, Handelspolitische Abteilung 1936 – 1945* und *R 5101 – Reichsministerium für die kirchlichen Angelegenheiten.* Gesichtet wurden sowohl *R 3 – Reichsministerium für Rüstung und Kriegsproduktion, R 43 – Reichskanzlei »Neue Reichskanzlei«* als auch *R 3101 – Reichswirtschaftsministerium.* Recherchearbeit in diesen Beständen hat kein nennenswertes Ergebnis gebracht. Für Forschungsarbeiten in den Landes-, Staats- und Betriebsarchiven in Deutschland sowie in Österreich hatten wir nicht genug Geldmittel zur Verfügung.

Slowakische Archive bieten für „unser" Thema verhältnismäßig große Anzahl des Schriftguts an. Im Vergleich zu den Quellen deutscher Provenienz müssen wir jedoch feststellen, dass es sich vorwiegend um die Dokumente geringer Relevanz handelt. Nur in seltenen Fällen stießen wir auf sich periodisch wiederholende analytische Berichte, tiefgehende Expertisen oder Denkschriften. Darüber hinaus sind die Akten lückenhaft und verstreut in mehreren Archiven sowie Beständen.

Die ausführlichste Forschung haben wir selbstverständlich im Slowakischen Nationalarchiv in Bratislava absolviert. Als die wichtigsten Bestände können wir in dieser Hinsicht *Úrad predsedníctva vlády* (Amt des Regierungspräsidiums) *1938–1945, Ministerstvo zahraničných vecí* (Miniterium des Äußern) *1939–1945, Ministerstvo vnútra* (Ministerium des Innern) *1938–1945, Ministerstvo financií* (Ministerium der Finanzen) *1939-1945* bezeichnen. Dort ist das bedeutendste Material slowakischer Provenienz konzentriert. Die Recherchen beschränkten sich nicht nur auf diese Bestände. Gesammelte Dokumente haben wir durch die Forschung in Registraturen von Ministerstvo hospodárstva (Wirtschaftsministerium) 1938–1945, Poverentíctvo financií (Beauftragter für das Finanzwesen)1945–1960, Úrad obžalobcu pri Národnom súde (Amt des Staatsanwaltes beim Nationalgericht) 1945–1948, Hlinkova garda (604), Ministerstvo pravosúdia (Justizministerium) 1938–1945, Archív kancelárie prezidenta republiky Praha (Archiv der Kanzlei des Präsidenten der Republik Prag) und a Kancelária prezidenta republiky (Kanzlei des Präsidenten der Republik) 1939–1945 ergänzt. Die Akten aus diesen Archivbeständen bilden die Basis des slowakischen Teils der Edition.

Die Recherchen im Archiv der Nationalbank der Slowakei, im Nationalarchiv der Tschechischen Republik, im Archiv des Außenministeriums der Tschechischen Republik sowie im Staatsarchiv in Banská Bystrica hatten ausschließlich einen aufklärenden Charakter. Einen

Bruchteil der durchgesehenen Materie haben wir in der Edition entweder als Dokumente, oder als Hilfsmaterial in den Fußnoten verwendet. Die Nachforschung in den Registraturen von einzelnen Arbeitsämtern in Staatsarchiven sowie eine eventuelle Umfrage unter den noch lebenden Zeitzeugen wurden wegen Mangels an finanziellen Mittel nicht durchgeführt.

Die Publikation stellt ein Endergebnis des dreijährigen Projektes (2009 – 2012) VEGA der Slowakischen Akademie der Wissenschaften (SAW) und des Schulministeriums der Slowakischen Republik Nr. 2/0090/10 *Wirtschaftliche Migration in der Slowakei in den Jahren 1939 – 1945*, an welchem die wissenschaftlichen Mitarbeiter des Historischen Instituts der SAW und des Lehrstuhls für Geschichte der Fakultät der Geisteswissenschaften in Banská Bystrica zusammenarbeiteten.

INHALT

VERZEICHNIS DER PUBLIZIERTEN DOKUMENTE

1. 1938, 11. Januar. Bratislava. – Bericht des Landesamtpräsidiums an das Innenministerium über die Anwerbung der slowakischen Arbeitskräfte für Deutschland für das Jahr 1937.

2. 1938, 2. Mai. Ohne Ortsangabe [vermutlich Berlin]. – Schreiben Himmlers an Ulrich Greifelt in Bezug auf die Anwerbung von Arbeitskräften für Deutschland unter den Volksdeutschen aus Europa und Überesse.

3. 1939, 20. Januar. Prag. – Schreiben des Ministeriums für soziale Angelegenheiten und Gesundheit an einzelne Ministerien mit Wortlaut der tschecho-slowakisch-deutschen Vereinbarung über die Anwerbung der tschecho-slowakischen Staatsangehörigen ins Deutsche Reich als Anlage.

4. 1939, 20. Februar. Prag. – Schreiben des Ministeriums für soziale Angelegenheiten und Gesundheit an einzelne Ministerien mit Wortlaut der tschecho-slowakisch-deutschen Vereinbarung über den Lohntransfer der ins Deutsche Reich angeworbenen tschecho-slowakischen Staatsangehörigen als Anlage.

5. 1939, 22. April. Bratislava. – Verbalnote des slowakischen Außenministeriums in Bezug auf die Anwerbung slowakischer Landesarbeiter nach Protektorat Böhmen und Mähren.

6. 1939, 23. April. Bratislava. – Bericht des Beauftragten des Reichsarbeitsministers über die Anwerbung slowakischer Landesarbeiter nach Deutschland.

7. 1939, 2. Mai. Bratislava. – Bericht des Beauftragten des Reichsarbeitsministers über die Anwerbung slowakischer Landesarbeiter nach Deutschland.

8. 1939, 6. Mai. Bratislava. – Bericht des Beauftragten des Reichsarbeitsministers über die Arbeitsvermittlung slowakischer Arbeiter in Frankreich.

9. 1939, 7. Mai. Bratislava. – Bericht des Beauftragten des Reichsarbeitsministers über die Anwerbung slowakischer Landesarbeiter nach Deutschland.

10. 1939, 17. Mai. Bratislava. – Bericht des Beauftragten des Reichsarbeitsministers über die Anwerbung slowakischer Landesarbeiter nach Deutschland.

11. 1939, 30. Mai. Berlin. – Schreiben des Reichswirtschaftsministeriums in Bezug auf den Lohntransfer der im Deutschen Reich beschäftigten slowakischen Arbeitskräfte.

12. 1939, 9. Juni. Bratislava. – Schreiben des slowakischen Innenministeriums an das Regierungspräsidium in Bezug auf den Lohntransfer der im Deutschen Reich beschäftigten slowakischen Arbeitskräfte.

13. 1939, 12. Juni. Prag. – Schreiben des Reichsprotektors an das Auswärtige Amt in Berlin in Bezug auf die Anwerbung slowakischer Landesarbeiter nach Protektorat Böhmen und Mähren.

14. 1939, 28. Juni. Bratislava. – Schreiben der Slowakischen Nationalbank an das slowakische Finanzministerium über den Lohntransfer der im Deutschen Reich beschäftigten slowakischen Arbeitskräfte.

15. 1939, 7. Juli. Bratislava. – Schreiben des slowakischen Innenministeriums an die Slowakische Nationalbank in Bezug auf die Verspätung der transferierten Löhne slowakischer Arbeiter aus Deutschland.

16. 1939, 21. August. Bratislava. – Schreiben des Regierungspräsidiums in Bezug auf den Lohntransfer der in Deutschland beschäftigten slowakischen Arbeitskräfte. Tariferhöhung.

17. 1939, 27. September. Bratislava. – Denkschrift der Führung des Slowakischen christlichsozialen Gewerkschaftsbundes an das slowakische Außenministerium über die Wünsche slowakischer Landesarbeiter in Deutschland.

18. 1939, 8. Dezember. Bratislava. – Abkommen zwischen dem Deutschen Reich und der Slowakischen Republik über die Anwerbung slowakischer Arbeitskräfte nach Deutschland und ins Protektorat Böhmen und Mähren.

19. 1939, 21. Dezember. Ohne Ortsangabe [Berlin]. – Vorschläge des Legationsattachés der slowakischen Gesandtschaft in Berlin in Bezug auf eine Verbesserung des Interessenschutzes der im Deutschen Reich und dem Protektorat Böhmen und Mähren beschäftigten slowakischen Arbeiter.

20. 1940, 13. Januar. Bratislava. – Schreiben des slowakischen Innenministeriums an das Wirtschaftsministerium und Ministerium für Verkehr und öffentliche Arbeiten über die Zahlenangaben der angeworbenen und beschäftigten slowakischen Arbeitskräfte im Deutschen Reich im Jahr 1939 und ihre Festlegung für das Jahr 1940.

21. 1940, 5. Februar. Bratislava. – Verbalnote der deutschen Gesandtschaft an das slowakische Außenministerium in Bezug auf die Anwerbung slowakischer Arbeitskräfte nach Deutschland sowie auf die Einhaltung der Bestimmungen über die Wehrwirtschaft.

22. 1940, 18. März. Bratislava. – Schreiben des Generalsekretariats der Slowakischen Volkspartei Hlinkas an das slowakische Konsulat in Wien über die Zuteilung der Geistlichen zu den einzelnen Arbeitskolonien im Deutschen Reich.

23. 1940, 11. April. Bratislava. – Aufzeichnung des Leiters der Abteilung IVa des Innenministeriums, Anton Bezák, über die eventuellen Auswirkungen der Nichteinhaltung des Abkommens über die Arbeitskräfte vom 8. 12. 1939.

24. 1940, 19. April. Bratislava. – Telegramm der deutschen Gesandtschaft an das Auswärtige Amt über den Beschluss der slowakischen Regierung, das vertraglich festgelegte Kontingent der slowakischen Arbeitskräfte nicht zu erhöhen.

25. 1940, 24. April. Prag. – Schreiben der Protektoratsregierung an das Amt des Reichspro-tektors in Bezug auf die Anwerbung slowakischer Landarbeiter in das Protektorat Böhmen und Mähren.

26. 1940, 25. April. Bratislava. – Schreiben des Innenministeriums an das slowakische Lan-desarbeitsamt über die Kontingenterhöhung der Arbeitskräfte nach Deutschland.

27. 1940, 26. April. Bratislava. – Beschwerde Karmasins an den Ministerpräsidenten Voj-tech Tuka in Bezug auf das angebliche Umgehen der Angehörigen der deutschen Minderheit bei der Anwerbung der Arbeitskräfte für Deutschland.

28. 1940, 13. Mai. Bratislava. – Bericht des Beauftragten des Reichsarbeitsministers für die „Ostmark" über die Anwerbung slowakischer Arbeitskräfte nach Deutschland.

29. 1940, 15. Mai. Ohne Ortsangabe. – Protokoll aus den Verhandlungen über die Anwer-bung slowakischer Landarbeiter nach Protektorat Böhmen und Mähren.

30. 1940, 26. Mai. Bratislava. – Bericht des Beauftragten des Reichsarbeitsministers für die „Ostmark" über die Anwerbung slowakischer Arbeitskräfte nach Deutschland.

31. 1940, 29. Mai. Bratislava. – Verbalnote der deutschen Gesandtschaft an das slowakische Außenministerium über die Freigabe eines weiteren Kontingents slowakischer Arbeitskräfte nach Deutschland.

32. 1940, 29. Mai. Bratislava. – Weisung des Innenministeriums an das Landesarbeitsamt und das Slowakische Arbeitsamt für die gewerblichen Arbeiter in Bezug auf die Aufteilung eines nachträglichen Kontingents, um welches die deutsche Seite bat.

33. 1940, 2. Juni. Bratislava. – Bericht des Beauftragten des Reichsarbeitsministers für die „Ostmark" über die Anwerbung slowakischer Landarbeiter nach Deutschland.

34. 1940, 4. Juni. Bratislava. – Bericht des Beauftragten des Reichsarbeitsministers für die „Ostmark" über die Anwerbung slowakischer gewerblichen Arbeiter nach Deutschland.

35. 1940, 10. Juni. Bratislava. – Bericht des Beauftragten des Reichsarbeitsministers für die „Ostmark" über die Anwerbung slowakischer gewerblichen Arbeiter nach Deutschland.

36. 1940, 11. Juni. Bratislava. – Bericht der deutschen Gesandtschaft an das Auswärtige Amt über den Beschluss der slowakischen Regierung, ein weiteres Kontingent slowakischer Arbeitskräfte nach Deutschland freizugeben.

37. 1940, 15. Juni. Bratislava. – Bericht des Beauftragten des Reichsarbeitsministers für die „Ostmark" über die Anwerbung slowakischer gewerblichen Arbeiter nach Deutschland.

38. 1940, 18. Juni. Bratislava. – Bericht des Beauftragten des Reichsarbeitsministers für die „Ostmark" über die Anwerbung slowakischer Landarbeiter nach Deutschland.

39. 1940, 19. – 20. Juni. Ohne Ortsangabe. – Bericht des Sozialattachés der slowakischen Gesandtschaft in Berlin, Ľudovít Mutňnský, über seine Dienstreise in die slowakische Arbeitsenklave in Christianstadt. Er weist auf die schlechte Stimmung unter der Arbeiterschaft wegen der Nichteinhaltung der Versprechungen seitens des deutschen Arbeitsgebers hin.

40. 1940, 28. Juni. Ohne Ortsangabe [Bratislava]. – Vorschläge des Leiters der Abteilung VIa des Innenministeriums, Anton Bezák, in Bezug auf die Repatriierung slowakischer Staatsangehörigen aus Frankreich und Belgien. Er gibt die Möglichkeit an, Bergleute für das Deutsche Reich anzuwerben.

41. 1940, 1. Juli. Bratislava. – Bericht des Beauftragten des Reichsarbeitsministers für die „Ostmark" über die Anwerbung slowakischer Landarbeiter nach Deutschland.

42. 1940, 3. Juli. Bratislava. – Bericht des Beauftragten des Reichsarbeitsministers für die „Ostmark" über die Anwerbung slowakischer gewerblichen Arbeiter nach Deutschland.

43. 1940, 8. Juli. Bratislava. – Bericht des Beauftragten des Reichsarbeitsministers für die „Ostmark" über die Anwerbung slowakischer gewerblichen Arbeiter nach Deutschland.

44. 1940, 14. Juli. Bratislava. – Bericht des Beauftragten des Reichsarbeitsministers für die „Ostmark" über die Anwerbung slowakischer Landarbeiter nach Deutschland.

45. 1940, 15. Juli. Bratislava. – Bericht des Beauftragten des Reichsarbeitsministers für die „Ostmark" über die Anwerbung slowakischer gewerblicher Arbeiter nach Deutschland.

46. 1940, 16. Juli. Berlin – Bericht des Sozialattachés der slowakischen Gesandtschaft in Berlin Ľudovít Mutňnský, über seine Dienstreise in die slowakische Arbeitsenklave in Merseburg.

47. 1940, 29. Juli. Bratislava. – Bericht des Beauftragten des Reichsarbeitsministers über die Anwerbung slowakischer Landarbeiter nach Deutschland.

48. 1940, 29. Juli. Bratislava. – Bericht des Beauftragten des Reichsarbeitsministers über die Anwerbung slowakischer gewerblicher Arbeiter nach Deutschland.

49. 1940, 6. August. Bratislava. – Bericht des Beauftragten des Reichsarbeitsministers über die Anwerbung slowakischer Landarbeiter nach Deutschland.

50. 1940, 6. August. Bratislava. – Bericht des Beauftragten des Reichsarbeitsministers über die Anwerbung slowakischer gewerblicher Arbeiter nach Deutschland.

51. 1940, 8. August. Bratislava. – Schreiben der Postsparkasse an das Innenministerium über die Verspätung der transferierten Löhne slowakischer Arbeitskräfte aus Deutschland.

52. 1940, 10. August. Bratislava. – Schreiben der Zentrale des Slowakischen christlich-sozialen Gewerkschaftsbundes an die slowakische Gesandtschaft in Berlin über die organisatorisch-technische Gewährleistung der im Deutschen Reich beschäftigten Gewerkschaftsangehörigen.

53. 1940, 12. August. Bratislava. – Bericht des Beauftragten des Reichsarbeitsministers über die Anwerbung slowakischer Landarbeiter nach Deutschland.

54. 1940, 12. August. Bratislava. – Bericht des Beauftragten des Reichsarbeitsministers über die Anwerbung slowakischer gewerblicher Arbeiter nach Deutschland.

55. 1940, 12. August. Berlin. – Schreiben des Sozialattachés der slowakischen Gesandtschaft an das Innenministerium. Als Anlage sendet er Dienstreiseberichte über die Gebiete, in welchen slowakische Arbeitskräfte beschäftigt wurden.

56. Ohne Datum- [Mitte August 1940] und Ortsangabe [Bratislava]. – Zahlenübersicht der angeworbenen und beschäftigten slowakischen Arbeitskräfte auf dem Gebiet des Deutschen Reiches.

57. 1940, 25. August. Bratislava. – Bericht des Beauftragten des Reichsarbeitsministers über die Anwerbung slowakischer Landarbeiter nach Deutschland.

58. 1940, 25. August. Bratislava. – Bericht des Beauftragten des Reichsarbeitsministers über die Anwerbung slowakischer gewerblichen Arbeiter nach Deutschland.

59. 1940, 5. September. Bratislava. – Schreiben des Innenministeriums an das Außenministerium mit Vorschlägen und Ergänzungen für eine neue Vereinbarung über die Arbeitskräfte mit dem Deutschen Reich.

60. 1940, 6. September. Bratislava. – Schreiben des Gesandten Manfred von Killinger an den Beauftragten des Reichsarbeitsministers in Bezug auf den Abzug ganzer Familien der Slowakei-Deutschen nach Deutschland.

61. 1940, 9. September. Bratislava. – Bericht des Beauftragten des Reichsarbeitsministers über die Anwerbung slowakischer Landarbeiter nach Deutschland.

62. 1940, 9. September. Bratislava. – Bericht des Beauftragten des Reichsarbeitsministers über die Anwerbung slowakischer gewerblicher Arbeiter nach Deutschland.

63. 1940, 23. September. Bratislava. – Bericht des Beauftragten des Reichsarbeitsministers über die Anwerbung slowakischer Landarbeiter nach Deutschland.

64. 1940, 23. September. Bratislava. – Bericht des Beauftragten des Reichsarbeitsministers über die Anwerbung slowakischer gewerblicher Arbeiter nach Deutschland.

65. 1940, 27. September. Bratislava. – Aufzeichnung des Beraters für die Wirtschaftsangelegenheiten bei der slowakischen Regierung, Erich Gebert, über verschiedene, mit der Anwerbung slowakischer Arbeitskräfte nach Deutschland zusammenhängende Probleme.

66. 1940, 7. Oktober. Bratislava. – Bericht des Beauftragten des Reichsarbeitsministers über die Anwerbung slowakischer gewerblicher Arbeiter nach Deutschland.

67. 1940, 24. Oktober. Bratislava. – Bericht des Beauftragten des Reichsarbeitsministers über die Anwerbung slowakischer Landarbeiter nach Deutschland.

68. 1940, 24. Oktober. Bratislava. – Bericht des Beauftragten des Reichsarbeitsministers über die Anwerbung slowakischer gewerblicher Arbeiter nach Deutschland.

69. 1940, 11. November. Bratislava. – Bericht des Beauftragten des Reichsarbeitsministers über die Anwerbung slowakischer Landarbeiter nach Deutschland.

70. 1940, 11. November. Bratislava. – Bericht des Beauftragten des Reichsarbeitsministers über die Anwerbung slowakischer gewerblicher Arbeiter nach Deutschland.

71. 1940, 10. Dezember. Bratislava. – Schreiben der Bezirksstelle der DAF an das Zentralarbeitsamt beim slowakischen Innenministerium über die organisatorischen Maßnahmen beim Eintreffen der Transporte mit slowakischen Arbeitern aus Deutschland.

72. 1940, 16. Dezember. Berlin. – Aufzeichnung des Reichssicherheitshauptamtes über die Organisierung der Auslands-Hlinka-Garde aus den Reihen der in Deutschland beschäftigten slowakischen Arbeiter.

73. 1941, 4. Januar. Bratislava. – Schreiben des Beauftragten des Reichsarbeitsministers an das slowakische Innenministerium in Bezug auf die Anwerbung slowakischer Arbeitskräfte nach Deutschland im Jahr 1940.

74. 1941, 10. Januar. Bratislava. – Schreiben der deutschen Gesandtschaft an das Auswärtige Amt über den Einsatz slowakischer Arbeitskräfte in Deutschland im Jahr 1941.

75. 1941, 21. Januar. Bratislava. – Schreiben der deutschen Gesandtschaft an das Auswärtige Amt, in welche sie um die Beschleunigung der Verhandlungen über den Einsatz slowakischer Arbeitskräfte in Deutschland bittet.

76. 1941, 26. Januar. Bratislava. – Bericht des Beauftragten des Reichsarbeitsministers über die Anwerbung slowakischer gewerblicher Arbeiter nach Deutschland.

77. 1941, 29. Januar. Bratislava. – Bericht des Beauftragten des Reichsarbeitsministers über die Anwerbung slowakischer Landarbeiter nach Deutschland.

78. 1941, 6. Februar. Bratislava. – Schreiben des Beauftragten des Reichsarbeitsministers an die deutsche Gesandtschaft über den Arbeitseinsatz der im besetzten Frankreich und Belgien befindenden slowakischen Staatsangehörigen.

79. 1941, 14. Februar. Berlin. – Schreiben des RSHA an den Sonderbeauftragten des Reichsführers-SS und Chefs der deutschen Polizei in Bratislava über die Organisierung der HG auf dem Gebiet des Deutschen Reiches.

80. 1941, 19. Februar. Bratislava. – Protokoll über die Verhandlungen über die Gastmitgliedschaft slowakischer Arbeiter in der Deutschen Arbeitsfront.

81. Ohne Datumangabe [Februar 1941]. Berlin. – Anfrage des RSHA an den Sonderbeauftragten des Reichsführers-SS und Chefs der deutschen Polizei in Bratislava über die slowakischen Arbeitskräfte im Reichsgau Oberdonau.

82. 1941, 21. März. Berlin. – Schreiben des Vorsitzenden deutschen Regierungsausschusses, Günter Bergemann, an den Vorsitzenden slowakischen Regierungsausschusses, Štefan Polyák, in Bezug auf die Festlegung eines Kontingents slowakischer Arbeitskräfte für das Jahr 1941.

83. 1941, 8. April. Berlin – Schreiben des Befehlshabers der Sicherheitspolizei und des SD, Reinhard Heydrich, an die Staatspolizeistellen über die Organisierung der HG auf dem Gebiet des Deutschen Reiches.

84. 1941, 17. April. Bratislava. – Verbalnote der deutschen Gesandtschaft an das slowakische Außenministerium, über die Freigabe der im Reich eingesetzten slowakischen Arbeitskräfte im Alter 28 – 38 Jahren für die slowakische Armee im Fall einer Mobilmachung.

85. 1941, 17. Mai. Bratislava. – Bericht der Dienststelle des Sonderbeauftragten des Reichsführers-SS und Chefs der deutschen Polizei an das RSHA in Bezug auf die soziale Fürsorge slowakischer Arbeitskräfte im Reich.

86. 1941, 19. Juni. Berlin. – Vereinbarung zwischen dem Deutschen Reich und der Slowakischen Republik über die Anwerbung slowakischer Arbeitskräfte nach Deutschland und in das Protektorat Böhmen und Mähren.

87. 1941, 28. Juni. Berlin. – Telegramm des Auswärtigen Amtes an die deutsche Gesandtschaft in Bratislava. Es weist die Gesandtschaft an, bei der slowakischen Regierung zu intervenieren und trotz der Mobilmachung der slowakischen Armee die Beibehaltung slowakischer Arbeiter im Reich zu beantragen.

88. 1941, 2. Juli. Ohne Ortsangabe [Wien]. – Schreiben des slowakischen Konsulats an das Innenministerium in Bezug auf die nach Wien angeworbenen Hausgehilfinnen. Beschwerde über ihre Arbeitsleistung und Hinweis auf die Gefahr ihres Sittenverfalls.

89. 1941, 4. Juli. Berlin. – Aufzeichnung des Referats „Partei" des Auswärtigen Amtes über die soziale Fürsorge für die auf dem Gebiet des Deutschen Reiches eingesetzten ausländischen Arbeitskräfte.

90. 1941. 5. August. Bratislava. – Bericht des Beauftragten des Reichsarbeitsministers über die Anwerbung slowakischer Landarbeiter nach Deutschland im ersten Halbjahr 1941.

91. 1941, 14. August. Berlin. – Aufzeichnung des Referatsleiters „Partei" des Auswärtigen Amtes, Martin Luther, für den Außenminister Joachim von Ribbentrop über die soziale Fürsorge für die auf dem Gebiet des Deutschen Reiches eingesetzten ausländischen Arbeitskräfte. Es handelt sich um die Bearbeitung Puschs Vorschläge vom 4. 7. 1941.

92. 1941, 2. September. Bratislava. – Leitsätze zur Vereinbarung über die Gastmitgliedschaft slowakischer Arbeitskräfte in der Deutschen Arbeitsfront. Sie beziehen sich auf die Kompetenzregelung des slowakischen Beauftragten beim Zentralbüro der DAF.

93. 1941, 30. September. Bratislava. – Schreiben des Militärattachés Heinrich Becker an den Legationsrat Max Ringelmann über die Fristverlängerung des Verbleibens der der Militärpflicht unterliegenden slowakischen Arbeiter um ein Jahr.

94. 1941, 30. September. Graz. – Bericht eines slowakischen Vertrauensmannes im Reichsgau Steiermark über die Verhältnisse slowakischer gewerblichen Arbeiter in dortigen Betrieben und Unterkünften.

95. 1941, 16. November. Bratislava. – Schreiben des Finanzministeriums an das Zentralarbeitsamt über den Lohntransfer der im Deutschen Reich beschäftigten slowakischen Arbeitskräfte.

96. 1941, 3. und 5. Dezember. Berlin. – Aufzeichnung der Dienststelle des Propagandaleiters der NSDAP in Bezug auf die Konstituierung eines „Arbeitskreises für die Sicherheitsfragen des Ausländereinsatzes". Auf der Sitzung diskutierte man über die Modalitäten der Behandlung einzelner Ausländergruppen aus der Sicht ihrer „rassischen Eignung". Der Großteil der Debatte bezog sich auf die Maßnahmen gegen die zwangseingesetzten Personen aus den besetzten Gebieten der UdSSR.

97. 1942, 5. Januar. Berlin. – Ausschnitt aus dem Artikel des Ministerialrates Max Timm im Reichsarbeitsblatt Nr. 1/1942 über Anwerbung und Einsatz slowakischer Arbeitskräfte in Deutschland.

98. 1942, 9. Januar. Bratislava. – Bericht des Gesandten Ludin an das Auswärtige Amt in Bezug auf die Zeitung „Slovenský týždeň", welche für die slowakischen Arbeitskräfte in Deutschland bestimmt war. Partielle Kritik der Form und des Inhalts des Wochenblattes.

99. 1942, 15. Januar. Bratislava. – Bericht der deutschen Gesandtschaft an das Auswärtige Amt über die Anwerbung slowakischer Arbeitskräfte für das Reich im Jahr 1941.

100. 1942, 11. Februar. Bratislava. – Bericht der deutschen Gesandtschaft an das Auswärtige Amt über die Anwerbung slowakischer Arbeitskräfte ins Reich für Januar.

101. 1942, 12. März. Bratislava. – Bericht der deutschen Gesandtschaft an das Auswärtige Amt über die Anwerbung slowakischer Arbeitskräfte ins Reich für Februar.

102. 1942, 19. März. Bratislava. – Schreiben des Beauftragten des Reichsministers an Gesandten Ludin über den Anwerbungsplan slowakischer Arbeitskräfte nach Deutschland im Jahr 1942.

103. 1942, 11. April. Bratislava. – Bericht der deutschen Gesandtschaft an das Auswärtige Amt über die Anwerbung slowakischer Arbeitskräfte ins Reich für März.

104. 1942, 12. Mai. Bratislava. – Bericht der deutschen Gesandtschaft an das Auswärtige Amt über die Anwerbung slowakischer Arbeitskräfte ins Reich für April.

105. 1942, 12. Mai. Bratislava. – Bericht des Beauftragten des Reichsarbeitsministers an den Gesandten Ludin über die Anwerbung slowakischer Arbeitskräfte nach Deutschland in den ersten vier Monaten 1942.

106. 1942, 1. Juni. Berlin. – Aufzeichnung Weizsäckers über das Gespräch mit dem slowakischen Gesandten Černák in Bezug auf das Bemühen der Slowakei, diplomatische Beziehungen mit Vichy-Frankreich anzuknüpfen. Černák wies auf die die Möglichkeit hin, slowakische Staatsangehörige in Frankreich für den Arbeitseinsatz in Deutschland anzuwerben.

107. 1942, 9. Juni. Bratislava. – Bericht der deutschen Gesandtschaft an das Auswärtige Amt über die Anwerbung slowakischer Arbeitskräfte ins Reich für Mai.

108. 1942, 4. Juli. Wien. – Bericht der Auslandsbriefprüfstelle über die Stimmung unter den slowakischen Arbeitskräften, die aufgrund der Analyse ihrer Korrespondenz verfasst wurde.

109. 1942, 13. Juli. Bratislava. - Bericht der deutschen Gesandtschaft an das Auswärtige Amt über die Anwerbung slowakischer Arbeitskräfte ins Reich für Juni.

110. 1942, 5. August. Bratislava. - Bericht der deutschen Gesandtschaft an das Auswärtige Amt über die Anwerbung slowakischer Arbeitskräfte ins Reich für Juli.

111. 1942, 25. September. Bratislava. – Schreiben des Zentralarbeitsamtes an die slowakische Gesandtschaft in Berlin in Bezug auf die Tätigkeit der Geistlichen in den Arbeiterenklaven in Deutschland.

112. 1942, 1. Oktober. Bratislava. – Bericht des Referenten des Oberkommandos der HG, Ján Klocháň, über die Organisierung der HG unter den slowakischen Arbeitskräften in Deutschland.

113. 1942, 16. Oktober. Bratislava. – Zusätzliches Protokoll zur Vereinbarung über die Anwerbung slowakischer Arbeitskräfte nach Deutschland im Jahr 1942 vom 19. 6. 1941, bezüglich der Arbeitsvermittlung auf dem Gebiet des Protektorats Böhmen und Mähren.

114. 1943, 18. März. Bratislava. –Bericht der deutschen Gesandtschaft an das Auswärtige Amt über die Anwerbung slowakischer Arbeitskräfte ins Reich für das 1. unvollständige Quartal 1943.

115. 1943, 17. April. Bratislava. – Verbalnote der deutschen Gesandtschaft an das slowakische Außenministerium in Bezug auf die Erhöhung der Lohntransfersätze slowakischer Arbeitskräfte in Deutschland.

116. 1943, 25. August. Wien. – Bericht der Auslandsbriefprüfstelle über die Stimmung unter den ausländischen Arbeitskräften, welche aufgrund der Analyse ihrer Korrespondenz verfasst wurde.

117. 1943, 31. August. Berlin. – Vereinbarung zwischen dem Deutschen Reich und der Slowakischen Republik über die Anwerbung slowakischer Arbeitskräfte nach Deutschland und in das Protektorat Böhmen und Mähren.

118. 1943, 6. September. Bratislava. – Verbalnote der deutschen Gesandtschaft an das slowakische Außenministerium in Bezug auf Lohntransfersätze slowakischer Arbeitskräfte in Deutschland.

119. 1943, 24. November. Bratislava. – Schreiben der Dienststelle des Generalbevollmächtigten für den Arbeitseinsatz an die deutsche Gesandtschaft in Bezug auf Lohntransfer der in Deutschland beschäftigten slowakischen Arbeitskräfte. Kritik einer verzögerten Auszahlung an derer Familienangehörige.

120. 1943, 16. Dezember. Berlin. – Aufzeichnung der kulturpolitischen Abteilung des Auswärtigen Amtes über den Arbeitseinsatz der Arbeiter aus Südosteuropa in Form geschlossener Arbeitsgruppen, die aufgrund ihrer Volkszugehörigkeit aufgestellt werden sollten.

121. 1944, 13. Januar. Bratislava. – Bericht Sagers an den GBA über den Lohntransfer der im Reich beschäftigten slowakischen Arbeitskräfte. Bilanz des Jahres 1943, Ausblick für das Jahr 1944.

122. 1944, 14. Januar. Bratislava. – Bericht Sagers an den GBA über die Tätigkeit seiner Dienststelle im Jahr 1943.

123. 1944, 22. Januar. Ohne Ortsangabe [Bratislava]. – Bericht Sagers an die deutsche Gesandtschaft in Bezug auf das eigenwillige Verlassen der Arbeitsstellen in Deutschland durch Personen aus der Slowakei.

124. 1944, 24. März. Ohne Ortsangabe [Bratislava]. – Bericht Sagers an den GBA über den Ausblick der Anwerbung slowakischer Arbeitskräfte nach Deutschland im Jahr 1944. Er bittet ohne weiteres die Lohntransfersätze hinaufzusetzen, sonst ist die Perspektive, neue Arbeitskräfte zu gewinnen, hoffnungslos.

125. 1944, 9. Mai. Ohne Ortsangabe [Bratislava]. – Auszug aus dem Protokoll über die Sitzung des Komitees der Wirtschaftsminister, auf welcher die Frage der Anwerbung slowakischer Arbeitskräfte nach Deutschland erörtert wurde. Es handelt sich um die Festlegung einer Grundlinie für die Besprechungen der gemeinsamen deutsch-slowakischen Regierungsausschüsse.

126. 1944, 6. Juni. Bratislava. – Weisung des Zentralarbeitsamtes an das Bezirksamt in Banská Bystrica mit dem Hinweis, im Sinne der deutsch-slowakischen Vereinbarung über die Anwerbung der Arbeitskräfte das Kontingent der Landarbeiter zu erfüllen.

127. 1944, 4. Juli. Berlin. – Aufzeichnung der kulturpolitischen Abteilung des Auswärtigen Amtes in Bezug auf die Richtlinien für die Behandlung der Arbeitskräfte aus den Ländern Südosteuropas.

128. 1944, 14. August. Ohne Ortsangabe [Wien]. – Bericht des SD-Leitabschnitts über die slowakischen Arbeitskräfte in Reichsgauen Wien und Niederdonau.

129. 1944, 26. August. Berlin. – Aufzeichnung der Kultur-politischen Abteilung des Auswärtigen Amtes in Bezug auf die Ausarbeitung der Richtlinien für Behandlung der ausländischen Arbeitskräfte, die auf dem Gebiet des Deutschen Reiches beschäftigt wurden.

130. Ohne Datum- [Angang September 1944] und Ortsangabe. – Aufzeichnung unbekannter Provenienz (SS?) in Bezug auf das radikale deutsche Vorgehen gegen die Slowakei. Einer der Grundsätze ist die Leistungserhöhung der Wirtschaft für die Bedürfnisse der Kriegsführung.

131. 1944, 7. November. Bratislava. – Aufzeichnung Smagons über das Gespräch mit dem Vertreter des Innenministeriums Ján Kaššovic in Bezug auf die Evakuierung der Ostslowakei und den Arbeitseinsatz der arbeitsfähigen Bevölkerung auf dem Gebiet des Deutschen Reiches.

132. 1944, 16. November. Bratislava. – Aufzeichnung Witiskas über die Aufstellung der Baubataillone aus den im Deutschen Reich befindenden slowakischen Landarbeitern.

133. 1944, 23. November. Radensleben. – Aufzeichnung der slowakischen Gesandtschaft über die Rückkehr slowakischer Arbeiter in die Heimat sowie die weitere Anwerbung der Arbeitskräfte ins Deutsche Reich.

134. 1944, 29. November. Bratislava. – Schreiben des Zentralarbeitsamtes (Innenministerium) an das Regierungspräsidium in Bezug auf die Rückkehr slowakischer Landarbeiter aus dem Deutschen Reich und dem Protektorat Böhmen und Mähren.

135. 1944, 4. Dezember. Bratislava. – Schreiben des Regierungspräsidiums an das Ministerium für nationale Verteidigung über den Arbeitseinsatz evakuierter Personen in Deutschland.

136. 1944, 6. Dezember. Bratislava. – Aufzeichnung Smagons über seine Dienstreise nach Prešov. Er absolvierte Verhandlungen über den Arbeitseinsatz evakuierter männlichen Bevölkerung auf dem Gebiet des Deutschen Reiches.

137. 1944, 15. Dezember. Bratislava. – Verbalnote der deutschen Gesandtschaft in Bezug auf den Arbeitseinsatz der evakuierten Bevölkerung aus der Ostslowakei.

138. Ohne Datum- [Mitte Januar 1945] und Ortsangabe [Bratislava]. – Smagons Entwurf eines Fernschreibens an Heinrich Himmler über die Zwangsbeförderung der männlichen Bevölkerung zum Arbeitseinsatz im Deutschen Reich.

139. 1945, 23. Februar. Bratislava. – Aufzeichnung Witiskas in Bezug auf die Abbeförderung slowakischer Staatsangehöriger zum Arbeitseinsatz im Deutschen Reich. Protest der slowakischen Regierung gegen ein unberechtigtes Vorgehen deutscher Militär- und Polizeidienststellen.

140. 1945, 24. Februar. Bratislava. – Aufzeichnung Witiskas in Bezug auf die Abbeförderung slowakischer Staatsangehöriger zum Arbeitseinsatz im Deutschen Reich. Eine Ermittlung der Protestgründe der slowakischen Regierung gegen eine unberechtigte Abbeförderung nach Deutschland.

141. 1945, 26. Februar. Bratislava. – Aufzeichnung Smagons über die Genese der Zwangseinreihung der festgenommenen Personen slowakischer Staatsangehörigkeit bei der Evakuierung der Kampfzone zum Arbeitseinsatz auf dem Gebiet des Deutschen Reiches.

142. 1945, 1. März. Ohne Ortsangabe [Bratislava]. – Auszug aus dem Sitzungsprotokoll der slowakischen Regierung, auf welcher die Frage der evakuierten Arbeitskräfte und deren Arbeitseinsatz in Deutschland behandelt wurde.

143. 1945, 10. März. Ohne Ortsangabe [Bratislava]. – Sitzungsprotokoll der slowakischen Regierung, auf welcher die Frage des Arbeitseinsatzes der evakuierten Arbeitskräfte und der Anwerbung 15 000 Landarbeiter nach Deutschland behandelt wurde.

144. 1945, 25. März. Bratislava. – Bericht Witiskas an das RSHA über den Einsatz der zwangsevakuierten slowakischer Staatsangehöriger in der deutschen Landwirtschaft.

145. 1945, 20. August. Bratislava. – Schreiben des Beauftragten für soziale Fürsorge des Slowakischen Nationalrates in Bezug auf die Auszahlung der Ersparnisse der 1939 – 1945 im Deutschen Reich beschäftigten slowakischen Arbeitskräfte.

146. 1946, 23. April. Bratislava. – Aufzeichnung des Beauftragten für das Finanzwesen des Slowakischen Nationalrates über die Modalitäten der Auszahlung von Ersparnissen der im Deutschen Reich beschäftigten slowakischen Arbeitskräfte.

147. 1946, 11. November. Bratislava. – Verordnung des Beauftragten für soziale Fürsorge des Slowakischen Nationalrates über die Bedingungen der Auszahlung der nicht bezahlten Löhne, die von den im Deutschen Reich beschäftigten slowakischen Arbeitern erspart wurden.

148. 1947, 21. März. Bratislava. – Schreiben des Beauftragten für soziale Fürsorge des Slowakischen Nationalrates an den Beauftragten für Finanzwesen in Bezug auf die Auszahlung von Ersparnissen slowakischer Arbeitskräfte, die während des Krieges im Deutschen Reich eine Beschäftigung fanden.

149. 1948, 11. Mai. Bratislava. – Aufzeichnung des Beauftragten für Finanzwesen über die Auszahlung der ersparten, nicht transferierten Löhne der im Deutschen Reich beschäftigten slowakischen Arbeiter.

150. 1949, 21. Januar. Bratislava. – Aufzeichnung des Beauftragten für Finanzwesen des Slowakischen Nationalrates über das Vorgehen bei der Auszahlung der nicht transferierten Löhne slowakischer Arbeiter.

151. 1950, 8. Februar. Bratislava. – Aufzeichnung des Beauftragten für Finanzwesen des Slowakischen Nationalrates in Bezug auf die Begleichung der nicht bezahlten transferierten Löhne der während des Krieges im Deutschen Reich beschäftigten slowakischen Arbeiter.

152. 1951, 19. Januar. Bratislava. – Internes Schreiben des Beauftragten für Finanzwesen des Slowakischen Nationalrates in Bezug auf die Auszahlung der nicht bezahlten transferierten Löhne slowakischer Arbeiter.

SKRATKY

AA – Auswärtiges Amt
Abs. – Absatz
AG – Aktiengesellschaft
Akt. Zch., Aktenz. A. Z. – Aktenzeichen
Alu – Aluminium
amtl. – amtlich
anl. – anliegend
Anlg. – Anlage
Arb. – Arbeiter
ASW – Aktiengesellschaft Sächsische Werke
atď. – a tak ďalej
ausl. – ausländisch (e)
b. – bei
B. Nr., Br. Nr. – Berichtnummer
BArch – Bundesarchiv
BdS – Befehlshaber der Sipo und des SD
Berichtverf. – Berichtverfasser
betr. – betrifft
Bez. – Bezug
bezw, bzw. – beziehungsweise
brtto – brutto
býv. – bývalý
ca., cca – cirka
celk. – celkový
cest. – cestovný (í)
čís. – číslo
čl. – článok
čs. – československý (á, é)
d. i. – das ist
DAF – Deutsche Arbeitsfront
dec. – december
dgl., dergl. – dergleichen
dort. – dortiges
DP – Deutsche Partei
ds. Js., ds. Jhrs – dieses Jahres
ds. M, ds. Mts. – dieses Monats
e. h. – eigenhändig
einschl. – einschließlich
etc. – et cetera
exempl. – exemplár
f. – fond
f. – für
F. d. R. d. A. – für die Richtigkeit der Abschrift
Fa. – Firma
fa. – firma

forstwirtschafl. – forstwirtschaftlich (e)
GBA – Generalbevollmächtigter für den Arbeitseinsatz
gefl. – gefällig
geh. – geheim
gewerbl. – gewerblich (e)
gez. – gezeichnet
ggf. – gegebenenfalls
GmbH – Gesellschaft mit beschränkter Haftung
H. – Herr
HG – Hlinkova garda
HKL – Hauptkampflinie
HM – Hlinkova mládež
HSĽS – Hlinkova slovenská ľudová strana
HVHG – Hlavné veliteľstvo Hlinkovej gardy
Ch. – chiffriert
i. – in
i. V. – in Vertretung
jedn. – jednania (í)
K – koruna česko-slovenská
kanc. – kancelársky (e)
kap. – kapitola
Kč – koruna československá
Kčs – koruna československá
KdP – Karpetendeutsche Partei
KHM – Komitét hospodárskych ministrov
koncip. – koncipient
KÚ – krajinský úrad
Kult Pol – Kultur-politische Abteilung des Auswärtigen Amtes
KZ – Konzentrationslager
L – Leiter
LAA – Landesarbeitsamt
landw. – landwirtschaftlich (e)
leg. – legačný (í)
lfd. – laufend (e)
lt. – laut
m. E. – meines Erachtens
max. – maximálne
MER – Mitteleuropäisches Reisebüro
Mill. – Million
min. – ministerský, ministerstvo
min. – minulý (-ého)
mj. – major
MNO – ministerstvo národnej obrany
MNV – miestny národný výbor
monatl. – monatlich
MOVR – Militäroberverwaltungsrat
MV – ministerstvo vnútra
MVR – Militärverwaltungsrat

MZV – ministerstvo zahraničných vecí
N. D. – Niederdonau
n. p. – národný podnik
NA ČR – Národní archiv České republiky
Nr., No. – Nummer
NSDAP – Nationalsozialistische Deutsche Arbeiterpartei
o. V. i. A. – oder Vertreter im Amt
Ob. Reg. R, ORR – Oberregierungsrat
obl. – oblastný
odb. – odborový, odbor
odd. – oddelenie
ods. – odsek
ohľ. – ohľadom, ohľadne
okr. – okresný
OKW – Oberkommando der Wehrmacht
org. – orgán (mi)
ORS – Ochrana robotníkov Slovenska
OStubaf. – Obersturmbannführer
Ostuf. – Obersturmführer
OT – Organisation Todt
OÚ – okresný úrad
p. – pán
P. T. – plným titulom
PA AA – Politisches Archiv des Auswärtigen Amtes
Pg. – Parteigenosse
Pkt. – Punkt
pod. – podobne
poť. – poťažne
pov. – povereníctvo
pp. – páni (ov)
prez. – prezidiálny spis
priem. – priemyselný (í)
Promi – Propagandaministerium
Psp – Poštová sporiteľňa
r. – rok
RAM – Reichsarbeitsminister
RAM – Reichsaußenminister
rd. – rund
Ref. – Referent
Reg. R. – Regierungsrat
resp. – respektíve
Restgst. – Restgestellung
RM – Reichsmark
RNSt. – Reichsnährstand
rob. – robotníci
RSHA – Reichssicherheitshauptamt
Rttgt – Rittergut
RVP – Roľnícka vzájomná pokladnica

Sa. – Sachsen
Sb. z. a n. – Sbierka zákonov a nariadení, Sbírka zakonů a nařízení
SD – Sicherheitsdienst
SdP – Sudetendeutsche Partei
Sdz. – Sonderzüge
Sipo – Sicherheitspolizei
Sl. z. – Slovenský zákonník
slov. – slovenskí (ý, á, é)
slow. – slowakische (e)
SNA – Slovenský národný archív
SNB – Slovenská národná banka
SNR – Slovenská národná rada
soc. – sociálny
SS – Schutzstaffel
Stubaf. – Sturmbannführer
š. – škatuľa
t. č. – toho času
t. j. – to jest
t. m. – toho mesiaca
t. r. – toho roku
takzv. – takzvaný
tel. – telefón
telef. – telefonický
telegraf. – telegrafisch
Tgb. Nr. – Tagebuchnummer
titl. – titulovaný (á, é)
u. – und
u. a. – unter anderem
ÚPP – Ústredný úrad práce
ÚPV – Úrad predsedníctva vlády
ÚSP – Ústredná sociálna poisťovňa
usw. – und so weiter
V. – Verschlusssache
v. – von
v. H. – von Hundert
v. J, v. Js, v. Jhrs – vorigen Jahres
v. r. – vlastnou rukou
VDA – Volksbund für das Deutschtum im Ausland
vergl, vgl. – vergleiche
viaz. – viazaný
vl. – vládny (í)
VoMi – Volksdeutsche Mittelstelle
Vorg. – Vorgang
vortr. – vortragender
vrch. – vrchní
vzáj. – vzájomný
W. U. – Weihnachtsurlaub
weibl. – weiblich (e)

z. B. – zum Beispiel
z. Hd. – zu Händen
z. Zt., z. Z. – zur Zeit, zurzeit
zdrav. – zdravotný
Zl. – Zahl
zus. – zusammen
zuzügl. – zuzüglich

NEPUBLIKOVANÉ PRAMENE

Bundesarchiv Berlín
NS 6 – Partei-Kanzlei der NSDAP
NS 18 – Reichspropagandaleiter der NSDAP
NS 19 – Persönlicher Stab Reichsführer-SS
R 2 – Reichsfinanzministerium
R 3 – Reichsministerium für Rüstung und Kriegsproduktion
R 43 – Reichskanzlei »Neue Reichskanzlei«
R 59 – Volksdeutsche Mittelstelle
R 70 Slowakei – Polizeidienststellen in der Slowakei
R 901 – Auswärtiges Amt, Handelspolitische Abteilung 1936–1945
R 3101 – Reichswirtschaftsministerium
R 5101 – Reichsministerium für die kirchlichen Angelegenheiten
R 3901 – Reichsarbeitsministerium
Filme SS Versch. Prov.

Politisches Archiv des Auswärtigen Amtes Berlín
Gesandtschaft Preßburg
Konsulat Preschau
Handelspolitische Abteilung – Handakten Wiehl, Waldern
Kulturpolitische Abteilung
Referat Partei
Referat Inland II geheim
Rechtsabteilung

Slovenský národný archív Bratislava
Úrad predsedníctva vlády 1938–1945
Ministerstvo zahraničných vecí 1939–1945
Ministerstvo vnútra 1938–1945
Ministerstvo hospodárstva 1938–1945
Ministerstvo financií 1939–1945
Ministerstvo pravosúdia 1938–1945
Kancelária prezidenta republiky 1939–1945
Archív kancelárie prezidenta republiky Praha 1919–1960
Úrad obžalobcu pri Národnom súde 1945–1948
Národný súd 1945–1947
Povereníctvo financií 1945–1960
f. 604 – Hlinkova garda
f. 209 – Ústredňa štátnej bezpečnosti

National archives and records administration Washington
T-175 – Reich leader of the SS and chief of the German Police, Recordsgroup 242

Národní archiv České republiky Praha
Ministerstvo sociální péče 1919–1939
Ministerstvo hospodářství a práce 1942–1945

Archiv Ministerstva zahraničních věcí České republiky Praha
II. sekce (právní) 1919–1939

Štátny ústredný banský archív Banská Štiavnica
Banská administratíva v Bratislave 1938–1951

Archív Národnej banky Slovenska
Slovenská národná banka 1939–1945
Správy Odboru pre výskum konjunktúry

Vojenský historický archív Bratislava
Ministerstvo národnej obrany 1939–1945

Štátny archív v Banskej Bystrici
Žandárska stanica Horná Štubňa 1942–1944

Štátny archív v Banskej Bystrici, pobočka Banská Bystrica
Okresný úrad v Banskej Bystrici 1923–1945

Štátny archív Levoča (ďalej ŠA Levoča), pobočka Stará Ľubovňa
Okresný úrad v Starej Ľubovni 1923–1945

<u>Periodiká</u>
Gardista
Slovák
Správy Ústavu pre výskum hospodárstva. Bratislava 1944.
Slovenský priemysel (Výročná správa ústredného združenia slovenského priemyslu), rok 1939–1943.

PUBLIKOVANÉ PRAMENE

Akten zur deutschen auswärtigen Politik, Serie D, E.

BAKA, Igor – Tulkisová Jana. Vstup Slovenskej republiky do vojny proti ZSSR v dokumentoch nemeckej proveniencie. In *Historický časopis* 58, č. 3, 2010, s. 533-574.

Der Prozess gegen die Hauptkriegsverbrecher vor dem Internationalen Militärgerichtshof Nürnberg 14. November 1945 – 1. Oktober 1946. Nürnberg, 1947–1948.

Die wirtschaftlichen und sozialen Probleme der Slowakei. Berlín : Arbeitswissenschaftliches Institut der Deutschen Arbeitsfront, 1939.

FEDOR, Michal (ed.). *Bibliografia periodík na Slovensku v rokoch 1939–1944.* Martin : Matica slovenská, 1969.

CHRISTOFFEL, Karl. *Volk – Bewegung – Reich. Grundlegung für Unterricht und NS--Führung. Unterrichtswerk fü Heeresschulen.* Frankfurt am Main : M. Diesterweg, 1944.

HORNOVÁ, Adela. O hmotnom postavení pracujúcich za Slovenského štátu. In *Ekonomický časopis*, 1960, roč. 8, č. 1, s. 61-64.

KASPAREK, Max Udo. Karpatendeutsche Wanderarbeiter. Ein Problem der deutschen Volksgruppe in der Slowakei. In *Deutsche Arbeit*, roč. 41, 1941, s. 77-81.

KOKOŠKOVÁ, Zdeňka – PAŽOUT, Jaroslav – SEDLÁKOVÁ, Monika (eds.). *Pracovali pro Třetí říši. Nucené pracovní nasazení českého obyvatelstva Protektorátu Čechy a Morava pro válečné hospodářství Třetí říše (1939–1945) – Edice dokumentů*. Praha : Scriptorium, 2011.

KRÁL, Václav (ed.). *Die Deutschen in der Tschechoslowakei 1933 – 1947. Dokumentensammlung. Acta occupationis Bohemiae et Moraviae*. Praha : Nakladatelství Československé akadamie vied, 1964.

MOLL, Martin (ed.). *„Führer-Erlasse" 1939–1945. Edition sämtlicher überlieferter, nicht im Riechsgesetzblatt abgedruckter, von Hitler während des Zweiten Weltkrieges schriftlich erteilter Direktiven aus den Bereichen Staat, Partei, Wirtschaft, Besatzungspolitik und Militärverwaltung*. Stuttgart : Franz Steiner Verlag, 1997.

NIŽŇANSKÝ, Eduard (ed.). *Holokaust na Slovensku 4. Dokumenty nemeckej proveniencie (1939 – 1945)*. Bratislava : Nadácia Milana Šimečku, 2003.

NIŽŇANSKÝ, Eduard (ed.). *Holokaust na Slovensku 6. Deportácie v roku 1942. Dokumenty*. Bratislava : Nadácia Milana Šimečku, 2005.

NIŽŇANSKÝ, Eduard a kol. (eds.). *Slovensko-nemecké vzťahy 1938 – 1941 v dokumentoch I. Od Mníchova k vojne proti ZSSR*. Prešov : Universum, 2009.

RUDERHAUSEN, Juta. *Die Lohn- und Arbeitsverhältnisse in der Slowakei*. Viedeň – Lipsko: Wilhelm Braumüller Universitäts-Verlagsbuchhandlung, 1939.

Sbírka zákonů a nařízení státu Československého.

Slovenský zákonník.

LITERATÚRA

ALY, Götz: *„Konečné řešení". Přesun národů a vyhlazení evropských Židů*. Praha : Argo, 2006.

BAKA, Igor. Nasadenie civilného obyvateľstva na Slovensku na opevňovacie práce v rokoch 1944 – 1945. In *Vojenská história*, roč. 11, 2007, č. 1, s. 70-85.

BAKA, Igor. K nasadeniu civilného obyvateľstva na opevňovacie práce počas nemeckej okupácie Slovenska v rokoch 1944 – 1945. In PEKNÍK, Miroslav (ed.). *Slovenské národné povstanie 1944 ako súčasť európskej antifašistickej rezistencie v rokoch druhej svetovej vojny.* Bratislava : Veda, 2009, s. 164-178.

BERMANI, Cesare – BOLOGNA, Sergio – MANTANELLI, Brunello. *Proletarier der „Achse".* Berlin : Akademie-Verlag, 1997.

ECHTERNKAMP, Jörg (ed.). *Die deutsche Kriegsgesellschaft 1939 bis 1945 (Das Deutsche Reich und der Zweite Weltkrieg. Band 9), 2. Halbband: Ausbeutung, Deutungen, Ausgrenzung.* Stuttgart : Deutsche Verlangs-Anstalt, 2005.

EICHHOLTZ, Dietrich. *Geschichte der deutschen Kriegswirtschaft 1939-1945, 3. Bände.* Berlín : Akademie-Verlag, 1969–1996.

HEINEMANN, Isabel. *»Rasse, Siedlung, deutsches Blut«. Das Rasse- und Siedlungshauptamt der SS und die rassenpolitische Neuordnung Europas.* Göttingen : Wallstein Verlag, 2003.

HENKE, Klaus-Dietmar (Hrsg.). *Die Dresdner Bank im Dritten Reich.* München : Oldenbourg, 2006.

HERBERT, Ulrich (ed.). *Europa und der „Reichseinsatz". Ausländische Zivilarbeiter, Kriegsgefangene und KZ-Häftlinge in Deutschland 1938–1945.* Essen : Klartext, 1991.

HERBERT, Ulrich. *Geschichte der Ausländerpolitik in Deutschland. Saisonarbeiter, Zwangsarbeiter, Gastarbeiter, Flüchtlinge.* Mníchov : Verlag C. H. Beck, 2001.

HERBET, Ulrich. *Fremdarbeiter. Politik und Praxis des „Ausländer-Einsatzes" in der Kriegswirtschaft des Dritten Reiches.* Bonn : Verlag J. H. W. Dietz, 1985, 1999.

HERBST, Ludolf. *Der totale Krieg und die Ordnung der Wirtschaft. Die Kriegswirtschaft im Spannungsfeld von Politik, Ideologie und Propaganda 1939–1945.* Stuttgart : Deutsche Verlags-Anstalt, 1982.

HERRMANN, Volker. *Vom Arbeitsmarkt zum Arbeitseinsatz. Zur Geschichte der Reichsanstalt für Arbeitsvermittlung und Arbeitslosenversicherung 1929 bis 1939.* Frankfurt am Main : Peter Lang Verlag, 1993.

HEUSLER, Andreas. Prevence terorem. Gestapo a kontrola zahraničních dělníků na nucených pracích na příkladě Mnichova. In PAUL, Gerhard, MALLMANN, Klaus-Michael (eds.). *Gestapo za druhé světové války. „Domácí fronta" a okupovaná Evropa.* Praha : Academia, 2010.

HÖHNE, Heinz. *Der Orden unter dem Totenkopf. Die Geschichte der SS.* Augsburg : Weltbild Verlag, 1992.

HOPPE, Hans-Joachim. *Bulgarien. Hitlers eigenwilliger Verbündeter. Eine Fallstudie zur nationalsozialistischen Südosteuropapolitik.* Stuttgart : Deutsche Verlags-Anstalt, 1979.

HORVÁTH. Štefan – VALACH. Ján. *Peňažníctvo na Slovensku 1918-1945.* Bratislava : ALFA, 1978.

KAISER, Hans. Die Eingliederung der Slowakei in die nationalsizialistische Kriegswirtschaft. In BOSL, Karl (ed.). *Das Jahr 1945 in der Tschechoslowakei. Internationale, nationale und wirtschaftlich-soziale Probleme.* Mníchov : R. Oldenbourg, 1971, s. 115-138.

KAMENEC, Ivan. *Slovenský štát v obrazoch (1939-1945).* Praha : Ottovo nakladatelství, 2008.

KOKOŠKOVÁ, Zdeňka – KOKOŠKA, Stanislav – PAŽOUT, Jaroslav (eds.). *Museli pracovat pro Říši. Nucené pracovní nasazení českého obyvatelstva v letech 2. světové války.* Praha : Státní ústřední archiv, 2004.

KOLLÁR, Pavol. K osudu odzbrojených, zajatých a pochytaných príslušníkov východoslovenskej armády. In ČAPLOVIČ, Miloslav – STANOVÁ, Mária (eds.). *Karpatsko-duklianska operácia – plány, reality, výsledky (1944-2004).* Bratislava : Vojenský historický ústav, 2005, s. 214-220.

KONEČNÝ, Zdeněk – MAINUŠ, František. Slováci na pracích v Německu a v Protektoráte za druhé světové války. In *Historický časopis*, roč. 17, č. 4, 1969, S. 565-590.

KRAMER, Helmut – UHL, Karsten – WAGNER, Jens-Christian (eds.). *Zwangsarbeit im Nationalsozialismus und die Rolle der Justiz. Täterschaft, Nachkriegsprozesse und die Auseinandersetzung um Entschädigungsleistungen.* Nordhausen : Stiftung Gedenkstätten Buchenwald und Dora-Mittelbau, 2007.

KROENER, Bernhard R. – MÜLLER, Rolf-Dieter – UMBREIT, Hans. *Das Deutsche Reich und der Zweite Weltkrieg. Band 5, erster Halbband. Organisation und Mobilisierung des deutschen Machtbereich. Kriegsverwaltung, Wirtschaft und personelle Ressourcen 1939– 1941.* Stuttgart : Deutsche Verlags-Anstalt, 1988.

KROENER, Bernhard R. – MÜLLER, Rolf-Dieter – UMBREIT, Hans. *Das Deutsche Reich und der Zweite Weltkrieg. Band 5, zweiter Halbband. Organisation und Mobilisierung des deutschen Machtbereich. Kriegsverwaltung, Wirtschaft und personelle Ressourcen 1942– 1944/45.* Stuttgart : Deutsche Verlags-Anstalt, 1999.

KÜPPER, René. *Karl Hermann Frank (1898–1946). Politische Biographie eines sudetendeutschen Nationalsozialisten.* Mníchov : Oldenbourg, 2010.

LENIGER, Markus. *Nationalsozialistische „Volkstumsarbeit" und Umsiedlungspolitik 1933 – 1945. Von Minderheitenbetreuung zur Siedlerauslese.* 2. vydanie. Berlín : Frank & Timme, 2011.

LONGERICH, Peter: Heinrich Himmler. Biographie. Mníchov : Pantheon Verlag, 2010.

LUMANS, Valdis. *Himmlers Auxiliaries. The Volksdeutsche Mittelstelle and the German National Minorities of Europe 1933 – 1945.* Chapel Hill: The University of North Carolina Press. 1993.

MAJER, Diemut. ›*Fremdvölkische‹ im Dritten Reich. Ein Beitrag zur nationalsozialistischen Rechtssetzung und Rechtspraxis in Verwaltung und Justiz unter besonderer Berücksichtigung der eingegliederten Ostgebiete und des Generalgouvernements.* Boppars am Rhein : Boldt, 1981.

MIČKO, Peter. *Hospodárska politika Slovenského štátu. Kapitoly z hospodárskych dejín Slovenska v rokoch 1938– 1945.* Krakov : Spolok Slovákov v Poľsku, 2010.

MIČKO, Peter. Pracovné, sociálne a kultúrne podmienky slovenských robotníkov v Nemeckej ríši v rokoch 1939–1945. In *Historický časopis*, roč. 57, č. 4, 2009, s. 659-677.

NIŽŇANSKÝ, Eduard. Rokovania nacistického Nemecka o deportáciách Židov v roku 1942 – príklad Slovenska, Rumunska a Maďarska. In *Historický časopis*, roč. 58, č. 3, 2010, s. 471-496.

OLTMER, Jochen (ed). *Nationalsozialistisches Migrationsregime und ›Volksgemeinschaft‹.* Paderborn : Ferdinand Schöning, 2012.

OLTMER, Jochen. *Migration im 19. und 20. Jahrhundert (Enzyklopädie deutscher Geschichte, Band 86).* Mníchov : Oldenbourg, 2010.

PEKÁR, Martin. *Východné Slovensko 1939 – 1945. Politické a národnostné pomery v zrkadle agendy Šarišsko-zemplínskej župy.* Prešov : Prešovská univerzita v Prešove, Filozofická fakulta, 2007.

PEKÁR, Martin. Pomery na východnom Slovensku v posledných mesiacoch existencie ľudáckeho režimu. In ŠMIGEĽ, Michal – MIČKO, Peter – SÝRNÝ, Marek (eds.). *Slovenská republika očami mladých historikov V /Slovenská republika medzi Povstaním a zánikom 1944-1945/.* Banská Bystrica : Ústav vedy a výskumu Univerzity Mateja Bela, 2006, s. 278-292.

RASS, Christoph. *Institutionalisierungsprozesse auf einem internationalen Arbeitsmakrt: Bilaterale Wanderungsverträge in Europa zwischen 1919 und 1974.* Paderborn : Ferdinand Schöning, 2010.

RASSLOFF, Steffen. *Fritz Sauckel. Hitlers „Muster-Gauleiter" und „Sklavenhalter".* Erfurt : Landeszentrale für politische Bildung Thüringen, 2008.

RISTOVIĆ, Milan. Südosteuropa als Ergänzungsquelle für die Arbeitskräfte der deutschen Kriegswirtschaft im Zweiten Weltkrieg. In BRUNNBAUER, Ulf – HELMEDACH, Andreas – TROEBST, Stefan (eds.). *Schnittstellen. Gesellschaft, Nation, Konflikt und Erinnerung in Südosteuropa. Festschrift für Holm Sundhaussen zum 65. Geburtstag.* Mníchov : R. Oldenbourg Verlag, 2007, s. 285-300.

SEIDL, Hans-Christoph – TENFELDE, Klaus (eds.). *Zwangsarbeit im Europa des 20. Jahrhunderts. Bewältigung und vergleichende Aspekte.* Essen : Klartext, 2007.

SPOERER, Mark. *Nucené práce pod hákovým křížem. Zahraniční civilní pracovníci, váleční zajatci a vězni ve třetí říši a v obsazené Evropě v létech 1939–1945.* Praha : Argo, 2005.

STRIPPEL, Andreas. *NS-Volkstumspolitik und die Neuordnung Europas. Rassenpolitische Selektion der Einwandererzentralstelle des Chefs der Sicherheitspolizei und des SD.* Paderborn : Ferdinand Schöningh, 2011.

SUNDHAUSSEN, Holm. *Wirtschaftsgeschichte Kroatiens im nationalsozialistischen Großraum 1941–1945. Das Scheitern einer Ausbeutungsstrategie.* Stuttgart : Deutsche Verlags-Anstalt, 1983.

SUŠKO, Ladislav. Počiatky hospodárskej exploatácie Slovenska nacizmom (marec 1939 – júl 1940). In *Československý časopis historický*, roč. 25, č. 5, 1977, s. 682-714.

ŠMIGEĽ, Michal – MIČKO, Peter. *Evakuácia v znamení úteku. (Utečenci z Ukrajiny a Poľska na Slovensku v roku 1944).* Banská Bystrica : Katedra histórie Fakulty humanitných vied Univerzity Mateja Bela, 2006.

TÖNSMEYER Tatjana. *Das Dritte Reich und die Slowakei 1939 – 1945. Politischer Alltag zwischen Kooperation und Eigensinn.* Paderborn : Ferdinand Schöningh, 2003.

TOOZE, Adam. *Ökonomie der Zerstörung. Die Geschichte der Wirtschaft im Nationalsozialismus.* Bonn : Bundeszentrale für politische Bildung, 2007.

WILD, Michael. *Generation des Unbedingten. Das Führungskorps des Reichssicherheitshauptamtes.* Hamburg : Hamburger Edition, 2008.

MENNÝ REGISTER

MIESTNY REGISTER